Kamer nr. 10

Van dezelfde auteur

Dans met een engel
Roep uit de verte
Een vreemd gezicht
Tot in eeuwigheid
De hemel is een plek op aarde
Een zeil van steen

Åke Edwardson

Kamer nr. 10

Vertaald door Elina van der Heijden & Wiveca Jongeneel

2007
uitgeverij Signatuur / Utrecht

Oorspronkelijke titel: Rum nummer 10

Omslagontwerp: Wil Immink Design
Typografie: Pre Press B.V., Zeist
Druk- en bindwerk: Koninklijke Wöhrmann, Zutphen

ISBN 978 90 5672 240 1
NUR 305

Dit boek is gedrukt op papier dat het keurmerk van de Forest Stewardship Council (FSC) mag dragen. Bij dit papier is het zeker dat de productie niet tot bosvernietiging heeft geleid. Een flink deel van de grondstof is afkomstig uit bossen en plantages die worden beheerd volgens de regels van FSC. Van het andere deel van de grondstof is vastgesteld dat hiervoor geen houtkap in de laatste resten waardevol bos heeft plaatsgevonden. Daarom mag dit papier het FSC Mixed Sources label dragen. Voor dit boek is het FSC-gecertificeerde Munkenprint gebruikt. Dit papier is 100% chloor- en zwavelvrij gebleekt en wordt geleverd door Arctic Paper Munkedals AB, Zweden.

Voor mijn vader, Karl-Erik

1

De vrouw knipperde met haar rechteroog. Een, twee, drie, vier keer. Erik Winter, hoofdinspecteur bij de recherche, deed zijn ogen dicht. Toen hij ze weer opende, zag hij dat het knipperen doorging, als een spastische beweging, als iets wat leefde. Winter zag dat het augustuslicht in het oog van de vrouw werd weerspiegeld. De zon stuurde door het open raam een straal naar binnen. Winter hoorde het ochtendverkeer beneden op straat; een auto reed voorbij, een tram ratelde in de verte, een zeevogel krijste. Hij hoorde stappen, de hakken van een vrouw op de kinderhoofdjes. Ze liep snel, ze was op weg ergens naartoe.

Winter keek weer naar de vrouw, en naar de vloer onder haar. Het was een houten vloer. De zonnestraal brandde zich erdoorheen als vuur en vervolgde zijn weg door de muur, naar de kamer ernaast, misschien door alle kamers op deze verdieping.

De oogleden van de vrouw trilden nog een paar keer. Haal die vervloekte elektroden nu maar weg. We weten het nu wel. Hij verplaatste zijn blik en zag hoe de gordijnen door een zwak briesje zachtjes heen en weer bewogen. De wind voerde de geuren van de stad mee, niet alleen de geluiden. De benzinelucht, het olieparfum. De zoute geur van de zee, hij kon het allemaal ruiken. Hij moest plotseling aan de zee denken, aan de horizon en aan wat daarachter lag. Aan reizen, hij dacht aan reizen. Iemand in de kamer zei iets, maar Winter hoorde het niet. Hij dacht nog steeds aan reizen, aan de reis door het leven van deze vrouw die hij zou moeten maken. Een reis terug. Hij keek weer om zich heen in de kamer. Deze kamer.

De portier was naar de kamer gegaan, het was nog onduidelijk waarom.

Hij was op haar af gerend.

Vanuit de kamer had hij met zijn mobieltje de politie gebeld.

De meldkamer had een ambulance en een surveillancewagen naar het hotel gestuurd. De politiewagen had tegen het verkeer in gereden. In de oude wijken ten zuiden van het centraal station hadden alle straten eenrichtingsverkeer.

De twee inspecteurs, een man en een vrouw, waren door een heel bang ogende vrouw naar de kamer op de tweede verdieping gebracht. De portier had voor de deur staan wachten. De deur was open geweest. De politiemensen hadden het lichaam op de vloer zien liggen. De portier had met dunne stem verteld wat hij had gezien. Zijn blik had zich een weg naar de kamer gezocht, alsof die daar thuishoorde. De vrouwelijke agent, die het bevel had, was snel de kamer in gegaan en bij het lichaam, dat in een onnatuurlijke houding op de vloer lag, neergeknield.

De strop zat nog steeds strak om de hals van de vrouw. Een meter van haar hoofd vandaan lag een omgevallen stoel. Er was geen leven in haar gezicht of in de gebroken ogen. De agente zocht lang naar een niet aanwezige pols. Ze keek omhoog en zag de balken aan het plafond. Het zag er vreemd uit, middeleeuws. De hele kamer zag er middeleeuws uit, als iets uit een andere wereld, of uit een film. Het was netjes in de kamer, afgezien van de stoel die op de vloer lag. Nu hoorde ze de ambulance door het open raam, eerst uit de verte, daarna wreed en luid toen hij op straat remde. Maar het was een zinloos geluid.

Ze keek weer naar het gezicht van de vrouw, naar haar open ogen. Ze keek naar het touw, naar de stoel. Naar de balken erboven. Het was een grote afstand.

'Bel de technische afdeling,' zei ze tegen haar collega.

De technici waren gearriveerd. Winter was gearriveerd. De patholoog-anatoom was gearriveerd.

Nu haalde de patholoog-anatoom de twee elektroden weg die ze bij het rechteroog van de vrouw had aangebracht en waarmee ze probeerde vast te stellen hoe lang de vrouw dood was. Hoe dichter bij het moment van de dood ze dit deed, des te intenser waren de spiersamentrekkingen. Het moment van de dood, dacht Winter opnieuw. Wat klinkt dat vreemd. En wat een vreemde methode.

De patholoog keek naar Winter. Ze heette Pia Eriksson Fröberg. Ze werkten al bijna tien jaar samen, maar voor Winter leek het soms twee keer zo lang. Misschien kwam dat door de hoeveelheid misdrijven, of door iets anders.

'Zes tot acht uur,' zei Pia Eriksson Fröberg.

Winter knikte. Hij keek op zijn horloge, het was kwart voor elf. De vrouw was in de vroege ochtend overleden, of in de late nacht zo je wilt. Buiten was het donker geweest.

Hij keek om zich heen in de kamer. De drie technici onderzochten de stoel, de balken, de vloer rondom de vrouw, de weinige andere meubelen in de kamer, alles wat aanwijzingen kon geven. Als die er waren. Nee, niet 'als'. Een dader laat altijd iets achter. Altijd-iets-achter. Als we daar niet in geloven, kunnen we de boel wel inpakken en in de zon gaan liggen.

Door de cameraflitsen kreeg de kamer met onregelmatige tussenpozen een ander schijnsel, alsof de zon buiten nu ook hierbinnen mee wilde doen.

Als er een dader was. Winter keek naar de balken. Hij keek weer naar de vrouw op de vloer. Hij keek naar de omgevallen stoel. Een van de technici werkte met het oppervlak, het zitoppervlak. Of het staoppervlak. Hij keek naar Winter en schudde zijn hoofd.

Winter keek naar de rechterhand van de vrouw. Die was wit geverfd, oogverblindend wit, wit als sneeuw. De verf was droog en reikte tot halverwege de elleboog. Het zag eruit als een groteske handschoen. Witte verf. Er stond een blik op de vloer, op een opengevouwen krant, alsof het beschermen van de vloer het belangrijkste was in deze kamer. Belangrijker dan het leven.

Er lag een kwast op de krant. De verf was een beetje uitgelopen over een foto van een stad in een vreemd land. Winter herkende het silhouet van een moskee. Hij kon de verf ruiken als hij er dichtbij kwam, als hij neerknielde.

Op de enige tafel in de kamer lag een vel papier.

De brief was met de hand geschreven en was nog geen tien regels lang. Misschien had ze hem op een andere plek geschreven. In de hotelkamer lag geen schrijfblok, geen pen. Kamer nummer 10. Het nummer was vervaardigd van verguld messing, de cijfers hingen met een spijker aan de deur. De tweede verdieping van drie. Binnen was nog een geur blijven hangen nadat het raam was gesloten. Een zoete geur, maar dat woord heeft veel betekenissen.

Winter tilde de kopie van de brief van zijn bureau en bestudeerde het handschrift nog een keer. Hoewel hij het handschrift had vergeleken met andere woorden, met andere dingen die ze had geschreven, kon hij niet zien of haar hand had getrild toen ze haar laatste woorden schreef. Ze hadden alles naar het Gerechtelijk Laboratorium in Linköping gestuurd, de brief en andere teksten waarvan vaststond dat die door de vrouw waren geschreven.

Ik hou van jullie en ik zal altijd van jullie blijven houden, wat er ook met me gebeurt, en jullie zullen altijd bij me zijn, waar ik ook heen ga, en als jullie boos op me zijn, wil ik jullie om vergeving vragen, en ik weet dat jullie me zullen vergeven, wat er ook met mij en met jullie gebeurt, en ik weet dat we elkaar weer zullen zien.

Daar had ze de eerste punt neergezet. Daarna had ze de volgende regels geschreven en toen was het gebeurd. *Wat er ook met me gebeurt.* Dat werd twee keer herhaald in de brief aan haar ouders, die volgens Winter met vaste hand was geschreven, hoewel de technici onder de microscoop onzichtbare trillingen meenden te zien.

De hand die ze had gebruikt om de brief te schrijven die Winter in zijn ene hand hield. Hij keek ernaar. Hij kon niet zien dat zijn hand trilde, maar hij wist dat die dat wel kon doen. Hij was tenslotte nog steeds een mens. Haar witte hand. Een perfect schilderij. Of een hand als van gips. Iets wat haar niet langer toebehoorde. Wat net zo goed kon worden verwijderd. Zo had hij gedacht. Hij vroeg zich af waarom. Had iemand anders zo gedacht?

Haar naam was Paula Ney, ze was negenentwintig en over twee dagen zou ze dertig zijn geworden, op 1 september. De eerste herfstdag. Ze had een eigen flat, maar daar had ze de afgelopen twee weken niet gewoond omdat de flat werd gerenoveerd en de werklui van de ene flat naar de andere gingen en dan weer terugkwamen, een uur hier, een uur daar, en de renovatie heel lang zou duren. Ze was tijdelijk bij haar ouders gaan wonen.

Eergisteravond was ze met een vriendin naar de bioscoop gegaan, en na de voorstelling hadden ze in een nabijgelegen café een glas rode wijn gedronken. Daarna hadden ze bij het Grönsaksplein afscheid van elkaar genomen. Daarvandaan zou Paula de tram nemen, had ze gezegd, en daar eindigden haar sporen tot ze de volgende ochtend in de kamer in Hotel Revy werd gevonden, anderhalve kilometer ten oosten van het Grönsaksplein. Er reden geen trams langs Hotel Revy. Een eigenaardige naam.

Het hotel was ook eigenaardig, als een vergeten overblijfsel uit slechtere tijden. Of betere, volgens sommige mensen. Het lag in de dichtbevolkte wijken ten zuiden van het centraal station, in een gebouw dat de slooplust van de jaren zestig had overleefd. Vijf wijken hadden het overleefd, alsof dit deel van de stad in de schaduw had gelegen toen de stadsplanologen de plattegrond hadden bestudeerd, misschien tijdens een picknick in het park van de Tuinvereniging aan de andere kant van het kanaal.

Hotel Revy bestond al heel lang, en voor die tijd had er een restaurant gezeten. Dat was nu weg. Het Revy lag volledig in de schaduw van het relatief nieuw gebouwde Sheraton aan het Drottningsplein. Dat had iets symbolisch.

Revy had ook de naam gehad een bordeel te zijn. Waarschijnlijk omdat het vlak bij het centraal station lag en veel gasten, zowel mannen als vrouwen, er maar kort verbleven. Maar de geruchten en de werkelijkheid waren niet langer relevant. Winter wist dat de afdeling Mensenhandel af en toe kwam kijken, maar zelfs hoeren en pooiers voelden zich niet prettig in deze vergane glorie. Misschien was de eigenaar van het hotel een keer te vaak wegens koppelarij aangeklaagd. God mocht weten wie er nu logeerden. Niet veel mensen in elk geval. De kamer waar Paula Ney was gevonden, had drie weken leeggestaan. Voor die tijd had een werkloze acteur uit Skövde er vier nachten gelogeerd. Hij was naar de stad gekomen om auditie te doen voor een televisieserie, maar hij had de rol niet gekregen. Alleen een klein rolletje, had hij door de telefoon tegen Winters collega Fredrik Halders gezegd: 'Ik moest een lijk spelen.'

Winter hoorde een klop op de deur en keek op. Voordat hij iets kon zeggen, ging de deur open en stapte hoofdinspecteur Bertil Ringmar, de derde in rang op de afdeling Onderzoek, naar binnen. Hij deed de deur achter zich dicht, liep snel door de kamer en ging op de stoel voor Winters bureau zitten.

'Kom binnen,' zei Winter.

'Ik ben het maar,' zei Ringmar, terwijl hij de stoel dichterbij schoof. Dat maakte een krassend geluid. Hij keek naar Winter. 'Ik ben bij Öberg geweest.'

Torsten Öberg was net als Winter en Ringmar hoofdinspecteur, en plaatsvervangend hoofd van de technische afdeling, die een verdieping hoger lag dan de afdeling Onderzoek.

'En?'

'Hij had iets ...'

De telefoon op Winters bureau rinkelde en onderbrak Ringmar midden in zijn zin. Winter nam de hoorn van de haak.

'Met Erik Winter.'

Hij luisterde zonder verder nog iets te zeggen, legde de hoorn op de haak en stond op.

'Als je het over de duvel hebt ... Öberg wil ons spreken.'

'Het is moeilijk om een ander mens op te hangen,' zei Öberg. Hij leunde tegen een werkbank in het laboratorium. 'Vooral als het slachtoffer voor zijn leven vecht.' Hij maakte een gebaar naar de voorwerpen op de bank. 'Maar ook zonder verzet is het moeilijk. Lichamen zijn zwaar.' Hij keek naar Winter. 'Dat geldt ook voor jonge vrouwen.'

'Heeft zij weerstand geboden?' vroeg Winter.

'Absoluut niet.'

'Wat is er gebeurd?'

'Dat is jouw werk, Erik.'

'Kom op, Torsten. Je had iets voor ons.'

'Ze heeft nooit op die stoel gestaan,' zei Öberg. 'Voor zover wij kunnen zien, heeft ze er nooit op gestaan.' Hij wreef over zijn neus. 'Zei de portier dat hij omhoog was gesprongen om het uiteinde van het touw te pakken te krijgen?'

Winter knikte.

'Hij is nooit op de stoel geklommen?'

'Nee. Die viel om toen het lichaam naar beneden viel.'

'Ze heeft een wond aan haar schouder,' zei Öberg. 'Die kan toen zijn ontstaan.'

Winter knikte opnieuw. Hij had met Pia Eriksson Fröberg gesproken.

'Toen de portier, Bergström heet hij, het uiteinde van het touw te pakken kreeg, heeft hij er uit alle macht aan getrokken en toen liet de knoop los.'

'Het klinkt alsof hij wist wat hij deed,' zei Öberg.

Maar hij had geen flauw idee gehad, had hij tijdens het eerste korte verhoor in een klein, smerig ruikend kamertje achter de lobby tegen Winter gezegd. Hij had alleen maar gehandeld. Instinctief, had hij gezegd. Instinctief. Hij wilde een leven redden.

Hij had de vrouw niet herkend, toen niet, en later ook niet. Ze had niet ingecheckt, ze was geen hotelgast.

Hij had de brief gezien, het vel papier. Een afscheidsbrief. Zo had hij het opgevat in de seconde voordat hij handelde. Iemand die genoeg had van het leven. Hij had de stoel onder haar zien staan, maar ook het uiteinde van het touw, en toen was hij naar voren en omhooggesprongen.

'De stoel is grondig schoongemaakt,' zei Öberg.

'Wat bedoel je daarmee?' vroeg Winter.

'Als ze zich wilde ophangen, moest ze eerst op de stoel klimmen en het touw om de balk vastknopen,' zei Öberg. 'Maar ze heeft niet op de stoel gestaan. En als ze dat wel heeft gedaan, dan heeft iemand anders hem naderhand schoongemaakt. Zij niet.'

'We begrijpen het,' zei Ringmar.

'Het is een glad oppervlak,' ging Öberg verder. 'Ze had blote voeten.'

'Haar schoenen stonden bij de deur,' zei Ringmar.

'Ze was blootsvoets toen wij daar kwamen,' zei Öberg. 'Ze stierf blootsvoets.'

'Geen sporen op de stoel,' zei Winter, vooral tegen zichzelf.

'Zoals jullie weten, is de afwezigheid van sporen even interessant als sporen op zich,' zei Öberg.

'Hoe zit het met het touw?' vroeg Ringmar.

'Dat wilde ik jullie dus vertellen,' zei Öberg.

Winter kon zien dat Öberg trots was, of iets wat daarop leek. Hij had iets te vertellen.

'Er zaten geen vingerafdrukken op het touw, maar daar had ik jullie van tevoren al voor gewaarschuwd, nietwaar?'

'Ja,' antwoordde Winter. 'En ik ben bekend met nylon touwen.'

Het touw was blauw, een obsceen blauwe kleur die aan neon deed denken. Op het ruwe oppervlak bleven vrijwel nooit vingerafdrukken achter. Het was zelfs moeilijk te zien of iemand handschoenen had gedragen.

Maar er waren andere sporen. Winter had de technici aan het werk gezien in kamer nummer 10. Ze hadden het touw zorgvuldig onderzocht op sporen van speeksel, haren, zweet. Het was heel moeilijk dat soort DNA-sporen niet achter te laten.

Iemand die handschoenen droeg, kon in de handschoen hebben gespuugd.

Of zijn haar uit zijn gezicht hebben geveegd.

Maar het was niet onmogelijk ermee weg te komen. Winter probeerde in deze tijden, waarin de DNA-droom over de oplossing van alle misdrijven een wensdroom of een dagdroom kon worden, zijn hoofd koel te houden.

Hij wist dat Öberg alle monsters naar het Gerechtelijk Laboratorium in Linköping had gestuurd.

'Gert heeft nog iets anders gevonden,' zei Öberg, en zijn ene oog begon te schitteren. 'In de knoop van de strop.'

'We luisteren,' zei Winter.

'Bloed. Niet veel, maar voldoende.'

'Dat is goed,' zei Ringmar. 'Dat is heel goed.'

'Een van de kleinste vlekken die ik ooit heb gezien,' zei Öberg. 'Gert heeft de knoop losgemaakt en omdat hij een nauwgezet man is, heeft hij er nauwgezet naar gekeken.'

'Ik heb geen bloed in de kamer gezien,' zei Winter.

'Niemand van ons heeft bloed gezien,' zei Öberg. 'En zeker niet op de vrouw.' Hij draaide zich om naar Winter. 'Heeft Pia kleine wondjes op het lichaam aangetroffen?'

'Nee. In elk geval nog niet.'

'Als het touw dus niet van Paula Ney is ...' zei Ringmar.

'... dan is het van iemand anders,' vulde Öberg aan, en zijn ogen begonnen weer te schitteren.

'Ik heb Paula's ouders een uur geleden gesproken,' zei Ringmar en hij schoof de stoel een halve meter naar achteren, het krassende geluid klonk nu harder. Ze zaten weer in Winters kamer. Winter voelde een koortsachtige opwinding. Ringmar schoof opnieuw met zijn stoel, het gekras was nu nog harder.

'Kun je de stoel niet optillen?' vroeg Winter.

'Ik zit er toch op!'

'Wat zeiden ze? De ouders?'

'Ze had die laatste avond, of middag, niet anders geleken dan anders. De hele week trouwens niet. Ze ergerde zich alleen aan de werklui, of aan de verhuurder. Dat zeiden ze in elk geval. De ouders. Of liever gezegd de moeder. Ik heb met de moeder gesproken. Elisabeth.'

Winter had ook met haar gesproken, gistermiddag. Hij had ook met haar man, Paula's vader, gesproken. Mario. Die was als jonge man naar Zweden gekomen en had werk gevonden bij de lagerfabriek SKF. Veel Italianen hadden daar werk gevonden.

Mario Ney. Paula Ney. Haar handtas had op het bed in de hotelkamer gelegen. Tot nog toe hadden Öberg en zijn collega's niet ontdekt of iemand de inhoud van de tas had doorzocht. Er had een portemonnee in gezeten met pinpassen en wat contant geld. Geen rijbewijs, wel een lidmaatschapskaart van het fitnesscentrum Friskis & Svettis. Wat andere kleine dingen.

En een mapje met vier foto's uit een fotoautomaat. Ze leken recent.

Alles in de tas wees erop dat die van Paula Ney was, en dat Paula Ney degene was die in de donkere hotelkamer, die maar een dunne streep zonlicht per keer binnenliet, was opgehangen.

'Wanneer zou Paula weer in haar eigen flat gaan wonen?' vroeg Winter.

'Ergens in de toekomst, zoals ze het zelf had uitgedrukt.'

'Had ze dat zo gezegd? Zeiden haar ouders dat ze het zo had gezegd?'

'Ik geloof dat haar vader het zo zei. Ik heb het aan haar moeder gevraagd.'

Winter hield de brief omhoog, een kopie van de brief. De woorden waren dezelfde als in het origineel. De zes regels. Helemaal bovenaan: *Voor Mario en Elisabeth.*

'Waarom heeft ze dit geschreven? En waarom aan haar ouders?'

'Ze had geen man,' zei Ringmar.

'Beantwoord eerst mijn eerste vraag,' zei Winter.

'Ik heb geen antwoord.'

'Werd ze ertoe gedwongen?'

'Absoluut.'

'Weten we of ze deze brief na haar verdwijning, of hoe we het maar moeten noemen, heeft geschreven? Nadat ze op het Grönsaksplein afscheid had genomen van haar vriendin?'

'Nee. Maar daar gaan we wel van uit.'

'We koppelen de brief aan de moord,' zei Winter. 'Maar misschien gaat het over iets heel anders.'

'Wat dan?'

Ze deden wat ze altijd deden: vragen stellen, antwoorden geven en opnieuw vragen stellen, in een bewustzijnsstroom die misschien naar voren zou bewegen, of naar achteren, in welke richting dan ook, zolang hij maar niet stilstond.

'Misschien moest ze iets kwijt,' zei Winter. 'Ze kon het hun niet rechtstreeks zeggen. In hun gezicht. Er was iets gebeurd. Ze wilde het uitleggen, of om verzoening vragen. Of gewoon iets van zich laten horen. Ze wilde van huis weg, een poosje. Ze wilde niet bij haar ouders zijn.'

'Dat is wishful thinking,' zei Ringmar.

'Hoe bedoel je?'

'Het alternatief is gewoon te erg.'

Winter antwoordde niet. Ringmar had natuurlijk gelijk. Hij had geprobeerd de scène voor zich te zien omdat dat een deel van zijn werk was, en hij had zijn ogen gesloten toen hij de beelden voor zich zag: Paula voor een vel papier, iemand achter haar, boven haar. Een pen in haar hand. Schrijf. Schrijf!

'Zijn het haar woorden?' vroeg Ringmar.

'Werd ze gedicteerd?' vroeg Winter.
'Of mocht ze schrijven wat ze wou?'
'Ik denk het wel,' zei Winter en hij las de eerste zinnen nog een keer.
'Waarom?' vroeg Ringmar.
'Het is te persoonlijk.'
'Misschien is het de persoonlijkheid van de moordenaar.'
'Je bedoelt dat het zijn boodschap aan de ouders is?'
Ringmar haalde zijn schouders op.
'Volgens mij niet,' zei Winter. 'Het zijn haar woorden.'
'Haar laatste woorden,' zei Ringmar.
'Als er niet meer brieven opduiken.'
'Verdomme.'
'Wat bedoelt ze als ze zegt dat ze om vergeving wil vragen?' zei Winter en hij las de woorden nog een keer.
'Precies wat ze zegt,' zei Ringmar. 'Dat ze om vergeving wil vragen als ze haar ouders boos heeft gemaakt.'
'Is dat het eerste waaraan je denkt in een brief als deze? Zou ze daaraan denken?'
'Denk je überhaupt ergens aan?' zei Ringmar. 'Ze weet dat ze in de nesten zit. Ze krijgt de opdracht een afscheidsbrief te schrijven.' Ringmar bewoog weer heen en weer op de stoel, maar verschoof hem niet. 'Ja. Het is mogelijk dat gedachten aan schuld opduiken. Net als gedachten aan verzoening.'
'Was er sprake van schuld? Ik bedoel, van echte schuld?'
'Volgens de ouders niet. De gewone kleine dingetjes, zoals tussen de meeste kinderen en hun ouders. Er is geen oude strijd, of hoe je het zou moeten noemen.'
'Maar dat weten we niet zeker,' zei Winter.
Ringmar antwoordde niet. Hij stond op, liep naar het raam en keek door de kieren in de jaloezieën. Hij kon de wind in de zwarte boomkruinen bij de Fattighuså zien. Boven de huizen aan de andere kant van de rivier hing een mat licht, heel anders dan de heldere schittering in een hoogzomernacht.
'Heb jij zoiets eerder meegemaakt, Erik?' vroeg Ringmar zonder zich om te draaien. 'Een brief ... van de andere kant?'
'Van de andere kant?'
'Kom op, Erik,' zei Ringmar en hij draaide zich om. 'De vrouw weet dat ze vermoord zal worden en schrijft een brief over liefde en verzoening en vergeving. Dan krijgen we een telefoontje van dat louche hotel en het enige wat we kunnen doen, is daarheen gaan en vaststellen wat er is gebeurd.'
'Jij bent niet de enige die zich gefrustreerd voelt, Bertil.'
'En, heb jij zoiets eerder meegemaakt? Een afscheidsbrief op deze manier?'

'Nee.'

'Geschreven met een hand die daarna geverfd is? Die wit geverfd is? Alsof die ... van het lichaam is gescheiden?'

'Nee, nee.'

'Wat gebeurt er in godsnaam, Erik?'

Winter stond zonder te antwoorden op. Hij voelde een scherpe pijn in zijn nek en zijn ene schouderblad. Hij had te lang diep geconcentreerd over de brief gebogen gezeten en was vergeten zijn vijfenveertigjarige lichaam te bewegen, en dat ging niet langer, hij kon niet meer zo lang stilzitten. Maar hij leefde nog steeds. Hij hield zijn handen voor zich. Hij kon ze optillen en zijn nek masseren. Dat deed hij ook, toen liet hij zijn handen weer zakken en liep naar Ringmar, die nog steeds bij het raam stond. Winter deed het een eindje open. Hij rook de verkoelende geuren van de avond.

Bertil was boos. Hij was professioneel en boos, en dat was een goede combinatie. Dat versterkte de fantasie, zweepte op. Een politieman zonder fantasie was een slechte jager, in het gunstigste geval een middelmatige. Politiemensen die alles achter zich konden laten als ze het politiebureau uit stapten en naar huis gingen. Dat was misschien wel goed voor hen, maar niet voor het werk. Wie geen fantasie had, kon na kantoortijd alles achter zich laten – en zich later afvragen waarom er nooit resultaten werden geboekt. Velen waren zo, had Winter vaak gedacht tijdens zijn loopbaan bij de recherche, er waren genoeg middelmatige mensen die niet verder konden denken dan het eind van de heuveltop. In die zin waren ze verwant met psychopaten, ze misten het vermogen om verder te denken dan hun neus lang was: is er iets aan de andere kant van de heuveltop? Nee, ik zie niets, dus kan er ook niets zijn. Ik kan dus wel inhalen.

'Ik weet niet of het een boodschap aan ons is,' zei Winter. 'De hand. De witte hand.'

'Wat was er met haar hand?' zei Ringmar.

'Hoe bedoel je?'

'Is er een ... geschiedenis met betrekking tot haar hand? Waarom heeft hij de hand met die vervloekte lakverf beschilderd?'

De verf kwam van Beckers, heette Syntem en was een antiekwitte halfglanzende lakverf voor houtwerk, meubels, muren en ijzeren oppervlakken binnenshuis. Dat stond allemaal op het literblik dat in kamer nummer 10 had gestaan. Het was aan de technici om vast te stellen of de verf ook op een menselijk lichaam was gebruikt. Er was geen reden om daaraan te twijfelen, maar ze moesten het zeker weten. Eén ding wisten ze al zeker: Paula Ney had de kwast die naast het bijna volle blik had gelegen nooit aangeraakt. De verf was gebruikt om Paula's hand te beschilderen. Vervolgens was de kwast grondig afgeveegd.

'Volgens haar ouders is er niets abnormaals met haar hand,' zei Winter.

Verdomme. Haar ouders hadden haar hand nog niet gezien. Pia Eriksson Fröberg en Torsten Öberg waren er nog niet klaar mee. Winter had de hand verborgen moeten houden voor de ouders, maar hij had er wel over moeten vertellen, hij had er vragen over gesteld. Wat een rotwerk is dit toch.

'Wat moet hij ermee?' zei Ringmar. 'Met die hand?'

'Je klinkt alsof hij hem heeft meegenomen.'

'Voelt het dan niet zo?'

'Ik weet het niet, Bertil.'

'Het heeft een bedoeling. Die klootzak wil ons iets zeggen. Hij wil ons iets vertellen.' Ringmar zwaaide met zijn hand in de lucht. 'Over zichzelf.' Hij keek naar Winter. 'Of over haar.' Hij keek door het raam naar buiten. Winter volgde zijn blik. Daar was alleen maar duisternis. 'Of over beiden.'

'Ze kenden elkaar, bedoel je dat?' vroeg Winter.

'Ja.'

'Hadden ze in een achterafhotel met elkaar afgesproken? En voor de zekerheid nagelaten hun komst in de lobby te melden?'

'Ja.'

'En dat geloven wij?'

'Nee.'

'Maar ze kende de moordenaar?'

'Dat denk ik, Erik.'

Winter antwoordde niet.

'Ik zit tien jaar langer dan jij in dit vreselijke vak, Erik, ik heb het meeste wel gezien, maar ik snap niet wat hier aan de hand is.'

'We zullen erachter komen,' zei Winter.

'Natuurlijk,' zei Ringmar, maar hij glimlachte niet.

'Over vroeger gesproken,' zei Winter. 'Toen ik nog een groentje was, ik geloof in mijn eerste jaar als rechercheur, werkte ik aan een zaak waar Hotel Revy bij betrokken was.'

'Het is vast niet de eerste keer dat die plek in een onderzoek voorkomt,' zei Ringmar. 'Dat weet je even goed als ik.'

'Ja ... maar die zaak ... of hoe je het maar moet noemen, was bijzonder.'

Winter keek naar buiten, de nacht in, een zwakke duisternis en een zwak licht, alsof niets daarbuiten een beslissing kon nemen, de zomer die bijna voorbij was en de herfst die langzaam met de mist uit de aarde omhoog steeg.

'Het was een verdwijning,' zei Winter. 'Ik weet het weer.'

'In Hotel Revy?'

'Het was een vrouw,' zei Winter. 'Op dit moment kan ik me haar naam niet herinneren. Maar ze verdween van huis. Zou een boodschap gaan doen. Ik geloof dat ze getrouwd was. En als ik het me goed herinner, had ze in de nacht vóór haar verdwijning in het hotel ingecheckt.'

'Ze verdween? Waarheen?'

Winter antwoordde niet. Hij verzonk in gedachten, in zijn geheugen, net zoals de duisternis buiten over nokken van daken en straten en parken en havens en hotels zonk.

'Wat is er met haar gebeurd?' vroeg Ringmar. 'Ik heb waarschijnlijk te veel verdwijningen onderzocht, ik haal ze door elkaar.'

'Dat weet ik niet,' zei Winter en hij keek Ringmar strak aan. 'Niemand weet het. Ik geloof niet dat ze ooit is teruggevonden. Nee.'

Winter was zevenentwintig geweest, hij werkte nog maar net bij de recherche en de nazomer was groener geweest dan gebruikelijk, omdat het de hele zomer ongewoon veel had geregend. Winter had elke dag door de stad gelopen zonder aan vakantie te denken; hij had aan de toekomst gedacht, deze toekomst, de toekomst van de rechercheur, hij was met zijn rechtenstudie gestopt voordat hij eigenlijk goed en wel was begonnen, om politieman te worden, maar na de opleiding en een jaar uniformdienst en een halfjaar in burgerkleding, wist hij nog steeds niet zeker of hij zijn leven wilde wijden aan het afdalen in de onderwereld. Boven was er zoveel wat veel lichter was. Zelfs als het regende. In anderhalf jaar bij het korps had hij dingen gezien die normale mensen nooit te zien kregen, zelfs niet als ze honderd werden. Zo dacht hij: normale mensen. Zij die in de bovenwereld woonden. Daar leefde hij soms ook, hij kwam en ging, kroop omhoog en weer naar beneden, maar hij wist dat zijn leven nooit 'normaal' zou worden. Wij hebben hierbeneden een eigen wereld, wij politiemensen, samen met de dieven, de moordenaars en de verkrachters. Wij begrijpen het. Wij begrijpen elkaar.

Hij was gaan begrijpen wat het betekent om te begrijpen. Toen hij dat deed, werd het makkelijker. Ik word zoals zij, dacht hij. De moordenaars.

Ik word steeds meer als zij, omdat zij nooit zoals ik kunnen worden.

Hij begreep dat hij in onregelmatige patronen moest denken om antwoorden op raadsels te vinden. Toen werd het makkelijker. Het werd toen ook moeilijker. Hij merkte hoe hij veranderde in de tijd dat hij steeds beter werd in zijn werk, in zijn denken. Als hij de antwoorden op de raadsels had gevonden, of delen van de antwoorden, zei hij dat hij een levendige fantasie had en dat was het dan. Maar het was niet alleen fantasie. Hij had gedacht zoals zíj, was de duisternis in gegaan zoals zíj. Gedurende lange periodes van zijn leven had hij geen eigen leven, hoe bekwamer hij werd, hoe moeilijker het werd om 'normaal' te leven. Hij was eenzaam. Hij was als een rotsachtige landtong. Hij vergat de tijd. Hij vergat alles, behalve zijn raadsel. Hij verzorgde het raadsel, dekte het warm toe, gaf het water; als het om het raadsel ging, was hij een pietje-precies, dwangmatig in zijn zorg. Zijn documenten lagen in rechte rijen op zijn bureau. Thuis lagen zijn kleren in slordige stapels ergens tussen zijn slaapkamer en de badkamer. Tijdens zijn werk droeg hij mooie kleren, omdat hij het geen deugd vond zich sjofel te kleden, maar hij was in feite wel sjofel, onder een mooie schil. Hij probeerde goed te koken, maar stopte halverwege. In plaats daarvan opende hij een fles maltwhisky, dat was in een tijd dat nog bijna niemand wist wat maltwhisky was, daar had Winter een voorsprong op de normale wereld, en hij probeerde de whisky zo langzaam mogelijk te drinken en naar de atonale jazz te luisteren die niemand anders mooi vond. Whisky en jazz, dat werd zijn methode, als de nacht viel, en al het andere daarbuiten; dan zat hij in het halfdonker met zijn documenten, zijn raadsels, later met een laptop die een koud licht verspreidde.

Na een paar jaar op de afdeling realiseerde hij zich dat hij zichzelf had gevonden, omdat hij langzaam was kwijtgeraakt wie hij zelf was geweest, en hij vond het prettig, het was een bevrijding van de normaliteit.

Ellen Börge was bevrijd van de normaliteit. Of ze had zichzelf bevrijd. Ze had haar huis verlaten om een tijdschrift te kopen en was nooit teruggekomen. Zo was het, de werkelijkheid werd als het sprookje: Ellen was echt naar buiten gegaan om een tijdschrift te kopen, een zogeheten damesblad. Winter had eerst gedacht dat het de *Femina* betrof, omdat er een stapeltje *Femina's* op de salontafel had gelegen, geen andere tijdschriften. Haar man, Christer Börge, wist het niet. 'O, de *Femina*. Ja, ik weet het niet. Ze heeft niets gezegd.'

Ze was nooit in de nabijgelegen ICA-supermarkt geweest waar ze meestal haar tijdschriften kocht en alle andere boodschappen deed. De politie had in die zin geluk gehad: de twee winkelbedienden die die middag hadden gewerkt, kenden Ellen Börge. Ze zouden het zich zeker hebben herinnerd als ze daar was geweest, hadden ze gezegd.

Christer Börge had vijf uur gewacht voordat hij de politie belde. Hij werd eerst doorverbonden met wachtdistrict 3 zoals het destijds heette, en na een etmaal zonder Ellen werd de recherche ingeschakeld, nader bepaald de afdeling die zich bezighield met verdwijningen. Het groentje Erik Winter had de zaak gekregen, de nog-nat-achter-de-oren-Winter. Hij vermoedde een misdrijf omdat het zijn werk was aan een misdrijf te denken, het was ook zijn aard om aan een misdrijf te denken, en aan de salontafel met de *Femina's* had hij de eenendertigjarige echtgenoot van Ellen Börge vragen over haar gesteld. Winter was ongeveer even oud als de Börges, maar hij had zich toch een buitenstaander gevoeld, hij had Ellen niet ontmoet, en Christer had niet staan juichen toen Winter was gekomen. Christer Börge was nerveus geweest, maar Winter begreep niet wat voor nervositeit het was. Voor dat soort mensenkennis had je jaren als verhoorder nodig. Dat was niet iets wat je op de Politieacademie leerde. Je moest er gewoon jaren op wachten, steeds opnieuw vragen stellen, gezichten lezen, naar de woorden luisteren en tegelijk proberen de betekenis ervan te begrijpen. Winter had toen, in het begin der tijden, in 1987, al geweten dat literatuurwetenschappers het over onderliggende tekst hadden, en dat was ook een goed woord voor politieverhoren: soms lag er een wereld van verschil tussen wat er werd gezegd en wat werd bedoeld.

'U hebt vijf uur gewacht voordat u contact opnam met de politie,' had Winter tegen Christer Börge gezegd. Het was geen vraag.

'Ja, en?'

Börge had heen en weer geschoven op de bank. Winter had tegenover hem in een fauteuil gezeten, van een soort wit pluche, hij had gedacht dat de meubels te ... volwassen leken voor mensen van zijn leeftijd, het hele huis leek ... gesetteld, alsof het van een echtpaar van middelbare leeftijd was, maar hij vertrouwde niet op zijn eigen oordeel; zelf woonde hij in een tweekamerflat met een bed en een tafel en een soort fauteuil, en in een direct verhoor zou hij niet kunnen zeggen wat voor meubels hij had en waar ze voor dienden.

Maar Christer Börge zou over alles in zijn huis verslag kunnen uitbrengen, hij zou een complete inventarisatie kunnen opgeven, inclusief het aantal servetten in de op één na bovenste keukenla. Daar was Winter zeker van geweest. Börge had eruitgezien als iemand die alles onder controle moest hebben om de wereld haar normaliteit te laten behouden. Zijn vrouw had er bijna net zo uitgezien op een foto die op de salontafel stond, een conservatief gezicht, een oerdegelijk kapsel, een blik die ergens anders was. Maar op die foto had Ellen Börge mooie, zuivere en regelmatige trekken gehad. Het was een gezicht dat in een andere context, met een ander kapsel, bijna sensationeel kon zijn, en terwijl hij op de zware bank zat, had hij gedacht dat Ellen Börge misschien niet zo gelukkig was geweest met haar man. Te veel controle. Misschien hadden ze kinderen gepland, maar pas over een paar jaar, als de maan in de juiste stand stond, als het getij zich had teruggetrokken, als de economie het toeliet. Winter had zelf geen kinderwens, maar hij had dan ook geen vrouw met wie hij dergelijke gedachten kon delen.

Ellen Börge had er misschien niet tegen gekund.

Vijf uur. Toen had haar man de politie gebeld. Als Christer Börge was wie hij leek te zijn, had hij meteen moeten bellen. Op zijn recht moeten staan. Moeten eisen dat er actie werd ondernomen. Hij had zijn vrouw terug moeten eisen.

Winter had ernaar gevraagd. 'Was u niet ongerust? Vijf uur kan een lange tijd zijn als je op iemand wacht.'

'Zouden jullie iets hebben gedaan als ik eerder had gebeld?' Börges stem was plotseling lichter geworden, schel bijna. 'Zouden jullie niet hebben

gezegd dat ik het eerst nog even moest aankijken?'
'Hebt u al eens eerder gebeld?' vroeg Winter. 'Is Ellen al eens eerder verdwenen geweest?'
'Eh ... nee. Ik bedoel alleen maar dat je waarschijnlijk moet wachten. Dat heb ik ergens gelezen. De politie wacht af, is het niet?'
'Dat ligt eraan,' zei Winter, die plotseling degene was die vragen beantwoordde. Mensen verhoren was moeilijk, heel moeilijk. 'Je kunt er niet in algemene termen over praten.'
'Ze ging soms ... wandelen,' zei Börge zonder dat Winter een vervolgvraag had gesteld. 'Ze kon een paar uur wegblijven zonder iets te zeggen. Van tevoren, bedoel ik.'
'Vijf uur?'
'Nee, dat nooit. Twee uur misschien, een enkele keer drie.'
'Dus, waarom?'
'Hoezo waarom?'
Börge zat nu stil op de bank, alsof hij rustiger was geworden toen hij terugkeek naar wat was geweest.
'Waarom bleef ze uren weg zonder dat van tevoren te zeggen?'
'Ik zei een paar uur.'
'Hebt u het aan haar gevraagd?'
'Wat moest ik vragen?' Börge streek over het pluche, alsof hij een hond of een kat aaide. 'Ze ging alleen maar wandelen.'
'En deze keer ging ze een tijdschrift kopen. Misschien de *Femina*.'
'Als u het zegt.'
'Dat is het enige tijdschrift dat hier ligt,' zei Winter en hij pakte de stapel die voor hem lag en keek op de omslag van het bovenste tijdschrift om te zien van welke maand het was. 'U weet zeker dat ze zei dat ze een tijdschrift ging kopen?'
'Ja.'
'Was ze ook nog ergens op geabonneerd?'
'Wat zegt u? Nee ... vroeger wel ... maar tegenwoordig kocht ze losse nummers.'
'Wanneer heeft ze haar abonnement opgezegd?'
Al dat soort dingen kon hij controleren, maar hij wilde het toch vragen. Het konden belangrijke vragen zijn. Dat wist je meestal pas later.
'Tja ...' zei Börge en hij keek naar de kleine stapel op tafel, 'dat weet ik niet meer precies. Een paar maanden geleden, geloof ik.'
'Leest ze nog andere kranten of tijdschriften?'
'De *Göteborgs-Posten* komt natuurlijk elke dag. En die dus.'
Hij wees naar de stapel, die Winter nog steeds vasthield. 'U mag gerust in de kasten kijken, maar ik heb alleen de *Femina* gezien.'
'Ze had hem al,' zei Winter.

'Wat zegt u?'

Winter hield de twee bovenste tijdschriften omhoog. 'Ze had het augustusnummer, en dat van september.'

'Van september? Het is toch nog geen september?'

'Ik vermoed dat ze het nieuwe nummer vlak voor het begin van de nieuwe maand uitbrengen.' Winter keek weer naar de omslag. 'Hier staat het: september 1987.'

'Misschien was het dat tijdschrift niet,' zei Börge. 'Misschien bedoelde ze iets anders toen ze zei dat ze een tijdschrift ging kopen.'

Winter zei niets. Hij wachtte. Hij wist dat het soms goed was om te wachten. Dat was het moeilijkste, de kunst van het verhoren.

Een halve minuut verstreek. Winter zag dat de stilte Börge tot nadenken stemde, de man vroeg zich af of hij misschien iets had gezegd wat Winter niet leuk vond, of misschien wel verdacht. Hij zou iets moeten zeggen wat de stemming rond de salontafel verbeterde, lichter maakte.

Plotseling stond Börge op en liep naar de boekenkast, een heel grote kast tegen de muur, een vitrinekast, waar porselein, sierspullen, boeken en een paar ingelijste foto's in stonden. Winter had Ellens gezicht gezien.

Börge bleef voor de boeken staan, alsof hij een bepaalde titel zocht. Hij draaide zich om.

'We hadden ruzie gehad.'

'Wanneer?'

'Toen … ze naar buiten ging.'

'Waarover hadden jullie geruzied?'

'Kinderen.'

'Kinderen?'

'Ja … zij wilde kinderen, maar ik vond het nogal vroeg. Te vroeg.'

Winter zweeg tegenover de eenendertigjarige man voor hem, vooral omdat hij zelf niets over kinderen kon zeggen omdat het woord 'vroeg' voor hem slechts de voornaam was, een voorwoord. Een eigen gezin lag heel ver in de toekomst. Zelfs zíjn fantasie was niet groot genoeg om zo ver te kijken.

'Daar maakten jullie ruzie over?'

'Dat zei ik. Maar zo erg was het nou ook weer niet.'

'Wat bedoelt u daarmee?'

'Het was geen echte ruzie. Het was alleen dat zij … het erover had.'

'En u wilde het er niet over hebben?'

Börge antwoordde niet.

'Hadden jullie daar vaker ruzie over?'

'Ja …'

'Eindigden die ruzies ermee dat zij naar buiten ging? Zonder te zeggen wanneer ze terugkwam?'

Börge knikte. Winter wilde het antwoord echt horen. Hij herhaalde de vraag.

'Ja,' antwoordde Börge.

'Was dat ook de reden dat ze deze keer vertrok?'

'Tja ... we hadden niet echt ruziegemaakt. En ze zou een tijdschrift kopen.' Börges blik viel op het tijdschrift dat Winter van de stapel had genomen, het tijdschrift dat ze ging kopen, maar al had.

'Was dat altijd de reden dat ze wegging?' Winter volgde Börges blik. 'Ruzies over wanneer jullie aan kinderen zouden beginnen?'

'Tja ... ik kan het me niet goed herinneren,' zei Börge. 'Maar ze kwam altijd terug.' Hij keek Winter nu recht aan, zocht diens ogen. 'Ze kwam altijd terug.'

Maar deze keer kwam ze niet terug.

Ze kwam nooit meer terug.

'Ik weet het weer,' zei Winter. 'Ze is nooit thuisgekomen. Ellen. Ze heette Ellen. Ellen Börge.'

Ze stonden nog steeds bij het raam. De late augustusavond was zo donker alsof het november was. Winter dacht aan een omslag waarop onder de naam van het tijdschrift 'september' had gestaan.

September kwam en ging jaar in jaar uit, maar Ellen Börge verzamelde geen tijdschriften meer op een stapel, niet op die salontafel in elk geval.

'Ik weet het ook weer,' zei Ringmar. Hij glimlachte zwakjes in het schijnsel van buiten. 'En ik herinner me jou ook. Volgens mij was het je eerste zaak, of een van de eerste in elk geval.'

'Eerste zaak, eerste mislukking.'

'Van een lange reeks,' zei Ringmar.

Winter knikte.

'Even serieus,' zei Ringmar, 'het was een verdwijning die we niet hebben opgelost, maar we hebben niet ontdekt of er een misdrijf achter zat.'

'We hebben niet eens ontdekt of het een misdrijf was dat we later moeten oplossen,' zei Winter.

'Betekent het iets voor je?' zei Ringmar. 'Iets bijzonders? Haar verdwijning? Die van Ellen?'

'Ik weet het niet.' Winter voelde zich opeens enorm moe, alsof de jaren van toen tot nu zich in één keer over hem heen hadden gelegd. 'Maar er was iets ... met Ellen ... waardoor ik het maar moeilijk kon loslaten.'

'In het begin is het veel moeilijker,' zei Ringmar. 'Als je nog groen bent.'

'Nee.'

Winter wreef over zijn kin. Hij voelde en hoorde het gerasp van zijn baardstoppels. Ongeveer een jaar geleden waren ze grijs geworden. Vroeg voor zijn leeftijd, maar het was genetisch bepaald, een normaliteit. Zo oud was hij nog niet.

'Ik denk er nog weleens aan,' ging hij verder. 'Zo af en toe. Dat er iets was. Iets wat ik had kunnen doen. Wat ik had kunnen zien. Het was er, het lag voor het grijpen. Ik had het moeten zien. Als ik het had gezien, was ik verder gekomen.'

'Verder met wat?'

'Verder met ... Ellen.'

'Je praat alsof het een misdrijf was,' zei Ringmar. 'Dat ze het slachtoffer was van een misdrijf.'

Winter spreidde zijn armen, naar Ringmar en naar de nacht.

'Nu hebben we in elk geval met een echt en duidelijk misdrijf te maken,' zei Ringmar.

'Hm.' Winter schudde zijn hoofd. Hij voelde er iets rammelen, misschien een moer die nog steviger moest worden aangedraaid. 'Ik voel me plotseling moe. Ik weet zelfs niet meer hoe we op Ellen Börge kwamen.'

'Hotel Revy,' zei Ringmar. 'Zij had ook in de gezelligste herberg van de stad ingecheckt.'

'Maar Paula Ney heeft nooit ingecheckt,' zei Winter.

'Nee,' zei Ringmar. 'En ze heeft ook nooit uitgecheckt.'

2

Had Paula Ney de brief aan haar ouders, Mario en Elisabeth, echt zelf geschreven? Het handschrift leek op dat van Paula, en op dit moment gingen ze ervan uit dat Paula de brief inderdaad had geschreven, maar verdere analyses zouden dat moeten uitwijzen. Alles wat op de plaats delict was gevonden werd nader geanalyseerd, maar Winter kon niet rustig op zijn kamer zitten wachten terwijl anderen al het voorwerk, of achtergrondwerk, deden. De analyses kwamen als ze klaar waren. Hij moest vanaf het eerste uur nadenken over de vier grote vragen die altijd gesteld moesten worden, direct: Wat is er precies gebeurd? Waarom is het gebeurd, en waarom net op die manier? Wie kan de moord op deze manier hebben gepleegd? Welke redenen liggen er in dat geval aan ten grondslag?

Winter stond in de hotelkamer van Hotel Revy. Buiten bewoog de levende stad; ze mompelde achter de dichtgetrokken gordijnen. Hij liep naar het raam en trok de op draperieën lijkende gordijnen open; het licht boven de stad verblindde hem en de geluiden werden plotseling luider, alsof iemand in het stadhuis aan een centrale volumeknop had gedraaid.

Over een paar dagen was het september; de warmte die de hele zomer rond de kreeftskeerkring was blijven hangen en nooit hier was gekomen, was plotseling naar het noorden gedrukt. De zon was nu op weg naar de steenbokskeerkring, maar de warmte lag zwaar en compact boven Scandinavië. De mensen haalden hun verroeste barbecues tevoorschijn, in de zwarte avonden brandden vuren in de tuinen, in het vochtige donker rook het naar roet en Winter dacht aan andere landen, tussen de kreeftskeerkring en de steenbokskeerkring. De tropen. Op een dag zou hij daarheen op weg zijn, naar Thiruvananthapuram, Cochin, Madurai, Georgetown, Singapore, Padang, Surabaya.

In de tropen had je geen schaduwen. Mensen wierpen daar geen schaduw, die stroomde dwars door je lichaam en verdween onder je voetzolen.

Winter knipperde in het verrassende licht dat door het raam naar binnen viel, draaide zich toen om naar de kamer en wachtte tot de contouren duidelijk werden.

De kamer had een gouden gloed. Rood goud. Als hij zijn ogen half dichtkneep, kon hij de vlekken op de muren niet zien. Sommige waren onderdeel van het behang, andere waren later ontstaan.

Hij liep een paar passen in de richting van het bed, dat tegen de ene lange muur stond. Hij verplaatste zijn blik naar de deur. Er zat een patroon op, als een bloem. Het leek alsof iemand een glas zwarte wijn tegen de deur had gegooid. Wijn? Waarom moet ik aan wijn denken? Het lijkt inkt. Het is zwart als het handschrift in Paula's brief. Een afscheidsbrief.

De kamer zag er nog bijna net zo uit als toen ze hier de eerste keer waren gekomen. De stilte die er hing was als een aandenken, een herinnering. Als een van de schilderijen aan de muur, het grootste. Hij kon nu geen sporen meer zien. Niet zulke vlekken. Het rode hierbinnen was het rode goud, even vals als de kamer, het hotel, de wijk, de hele vervloekte stad. Maar nu was het hier stil, alsof de afzetlinten ook alle geluiden uit de stad buitensloten.

Maar er was een verband, alles hing met elkaar samen op een manier die hij nog niet kon zien, zoals wanneer je naar een berg puzzelstukjes kijkt en weet dat die stukjes bij elkaar horen, je weet alleen nog niet hoe.

De vreselijke boodschap in de brief was onderdeel van een grotere boodschap. Hij kende de woorden inmiddels uit zijn hoofd, haar woorden. Ze gingen over liefde, een grote liefde. Of alleen om het tegendeel. Nee. Ja. Nee. Was ze gedrogeerd? Had de moordenaar haar gedicteerd? Wat schrijf je als je je laatste woorden schrijft? Wist ze dat het haar laatste woorden waren? Nee. Ja. Nee. Ja.

Hij liet de vraag en de antwoorden los en concentreerde zich op de kamer. Wat was er hierbinnen precies gebeurd? Paula was hier gekomen, maar ze wisten niet of ze alleen was gekomen, of ze met iemand had afgesproken. De man van de receptie had niets gemerkt en misschien was het zijn werk om niets te merken. Ze had niet ingecheckt en niemand kon zich herinneren dat ze alleen bij de balie had gestaan. Of ze daar überhaupt had gestaan. Mensen kwamen en gingen in dit hotel, vrouwen, mannen, vrouwen, mannen. Zelden kinderen. Ze hadden hier geen speelkamer. Je hoorde geen kindergeluiden en Winter dacht ook niet dat die er ooit waren geweest. Dergelijke herinneringen hingen hier niet.

De moordenaar was hierheen gekomen. Paula Ney had haar woorden op het briefpapier van het hotel geschreven. Dat lag in de kamers, als een overblijfsel uit betere tijden. Overblijfsel. Wat een rotwoord. Had de moordenaar geweten dat er briefpapier in de kamer lag? Of was de brief een plotselinge beslissing, een toevallige gril, geweest? Paula had deze kamer niet verlaten nadat ze door de deur naar binnen was gestapt. Daar was Winter zeker van. Een paar uur later had ze een brief geschreven. Hij keek weer om zich heen. Waarom deze kamer? Waarom dit hotel? Kamer nummer 10. Hij moest opeens aan Ellen Börge denken. Zij had hier een nacht gelogeerd. Welke kamer had zij gehad? Dat moest in haar dossier staan. Winter zag het dossier voor zich. Het lag in het archief in de kelder van het politiebureau, een archief dat niet gedigitaliseerd was, omdat het zaken betrof die voor 1995 hadden plaatsgevonden. Daarna was de moderne tijd begonnen. De documenten over Ellen Börge hadden het stempel 'Niet opgelost. Vooronderzoek gestaakt'. Winter had de papieren in geen jaren in zijn handen gehad. Hij vroeg zich af of er iets over het vooronderzoek in stond. Technisch gezien was het geen vooronderzoek geweest. Hij herinnerde zich niet alle details van de tekst. Opeens wilde hij het weten, zo snel mogelijk. Hij pakte zijn mobieltje uit de borstzak van zijn linnen overhemd.

Janne Möllerström, de registrator, nam op.

'De documenten over de verdwijning van Ellen Börge,' zei Winter. 'Ik heb het gisteren met je over die zaak gehad.'

Ellen was lang voordat Möllerström op de afdeling kwam werken verdwenen. Winter had in het kort verteld wat er destijds was gebeurd.

'Mijn kortetermijngeheugen werkt nog,' zei Möllerström nu.

'Vierentwintig uur? Noem je dat kort?'

'Ha ha.'

'Heb je het dossier gevonden?'

'Ja. Een verdwijning gedocumenteerd voor het nageslacht.'

'Het was geen gewone verdwijning.'

'Je moet hoe dan ook genoegen nemen met papier.'

Möllerström was een grote vriend van geautomatiseerde archieven.

'Heb je het dossier uit het archief kunnen halen?'

'Het antwoord is inderdaad ja,' zei Möllerström. 'Je mag gerust vragen hoe ik daar tijd voor heb gevonden.'

'Hoe heb je daar tijd voor gevonden?'

'Geen idee.'

'Ik wil een detail weten,' zei Winter terwijl hij naar de muur boven het bed staarde. Die was kaal, zonder schilderijen. Van zo dichtbij leek het alsof het patroon van het behang samenvloeide. 'Kun je zien welke kamer Ellen Börge in Hotel Revy had?' Winter probeerde het patroon van het behang toch te onderscheiden. 'Ik ben op dit moment in de Ney-kamer.'

Winter keek naar het raam. Het licht buiten was nog steeds fel. Hij had een vaag gevoel van herkenning, het was onbehaaglijk, als een beginnende misselijkheid. Het had te maken met de huisgevel aan de overkant van de straat. De koperen daken.

'Het zou ergens in het begin moeten staan,' zei hij.

'Als het er überhaupt staat.'

'Verdomme, ik was er zelf bij.'

'Rustig maar.'

'Bel me zodra je iets hebt gevonden.'

Winter verbrak de verbinding en bleef met het mobieltje in zijn hand staan. De zon streek over de groene koperdaken aan de overkant van de straat, een afstand van niet meer dan twintig, dertig meter. Toen de windwijzer op het dak links door een plotselinge windstoot begon te zwaaien en door de zon werd getroffen, flitste er ineens iets door het raam, als een krachtige schijnwerper.

Winter wist dat het een haan was, met een rode kam.

Hij had hier eerder gestaan, in een andere tijd, in een ander leven. Een jonger, onzekerder, opener leven. Onaf, meer onaf dan nu.

Het onbehagen bewoog weer in zijn maag, als een herinnering ergens aan.

Hij voelde de trilling in zijn hand een tel voordat de telefoon overging.

'Kamer nummer 10,' zei Möllerström. 'Het stond op de tweede pagina.'

'Ja.'

'Je lijkt niet verrast.'

'Ik herkende net iets.' Hij zag de haan een kwartslag draaien en de schijnwerper ging uit. 'Maar bedankt voor je snelle antwoord, Janne.'

Winter beëindigde het gesprek en bleef midden in de kamer staan.

Toeval?

Natuurlijk.

Hoeveel kamers telde dit stinkende vlooienhuis?

Meer dan iemand wist.

Was nummer 10 gereserveerd voor vrouwen zonder escorte? Escortservice was wel de specialiteit van Hotel Revy geweest. Winter had het hotel beroepshalve diverse keren bezocht. Prostitutie, drugs, mishandeling. Hotel Revy was als een oude, versufte bokser die altijd bij de negende tel overeind kwam. Het hotel had mogen blijven toen de rest van Nordstan en de omliggende straten door de sloophamers werden verpletterd. Om nostalgische redenen? Was het de blinde zonnevlek op de plattegrond van het park van de Tuinvereniging? Waren de stadsplanologen oude hotelklanten geweest? In twee gevallen was dat zo, een stadsarchitect en een voormalig gemeenteraadslid. Een sociaaldemocraat. Verder hadden ze alles gesloopt, mooi en oud door elkaar, maar Hotel Revy had mogen blijven. De stadsarchitect had mogen bouwen op grond die het gemeenteraadslid had laten opblazen. Misschien hadden ze zaken gedaan in het bordeel, twee oude gangsters. Winter kwam de sociaaldemocraat weleens in de stad tegen, de man liep tegenwoordig met een stok en dacht waarschijnlijk nog steeds met zijn pik. Hij had veel op zijn geweten. Hij leek altijd in een goed humeur te verkeren.

Hotel Revy was er nog steeds, ook nu Paula Ney dood was. Het was er geweest toen Ellen Börge verdween. Kamer nummer 10. Waren hier andere dingen gebeurd? Dat zou hij Möllerström laten uitzoeken. Trefwoorden:

kamer 10. Allemachtig. Er zou in de stoffige archieven moeten worden gegraven. Zonder archief, elektronisch of niet, konden ze het wel schudden. Alles wat nu gebeurde, had te maken met het verleden, direct of indirect. Het was nooit zoals in de tropen. Het verleden wierp hier, op Winters breedtegraad, grote schaduwen.

Er waren schaduwen die zich in kamer nummer 10 verplaatsten. Het bed zag er niet meer precies zo uit als toen hij binnenkwam, de tafel en de fauteuil evenmin, noch het patroon op de muren en de vloer. Er hing een reproductie van een kunstwerk aan de muur naast het raam. Dat was de allerslechtste plek voor een schilderij, er was vrijwel geen licht. Het was een portret van een vrouw met donkere trekken. Gauguin. Winter had het origineel in een museum in Rome gezien, een geleend werk. Gauguin, die dacht ook met zijn pik. Winter had onlangs een biografie over de schilder gelezen. Gauguin had voor de tropen gekozen, leefde daar, stierf daar. Syfilis. Winter pakte zijn notitieboekje uit de achterzak van zijn linnen broek en schreef: schilderijen van alle kamers controleren. Op dit moment wist hij niet waarom. Het was niet noodzakelijk dat te weten. Hij wist dat er meer vragen dan antwoorden waren, tegenover honderd vragen stond maar één antwoord. Dat zou veranderen, er zouden meer antwoorden komen, maar er zouden honderd, misschien wel duizend vragen blijven, en als er meer antwoorden dan vragen waren, was het nog steeds niet zeker dat ze dichter bij een oplossing van het raadsel waren gekomen. Oplossing. Inlossing. Verlossing. Allemaal woorden voor iets wat bijna altijd onduidelijk, onaf bleef. Hij liep nu door de kamer. Paula Ney had niet uitgecheckt. Ze was vermoord. Ze was hier doodgegaan. Ze was doodgegaan omdat iemand haatte. Was het zo? Natuurlijk. Hoe kon iemand zoveel haat voelen? Ze had over liefde geschreven en daarna was ze doodgegaan. Het geweld was van dusdanige aard dat het persoonlijk moest zijn. Je kon het in deze kamer niet zien, er waren geen sporen op de muren of de vloer. Je vermoordt degene van wie je houdt. Of het geweld was zo onpersoonlijk geworden dat het ... persoonlijk was geworden. Kenden ze elkaar, de moordenaar en Paula? Nee. Ja. Nee. Ja. Hij zag hoe de schaduwen zich weer verplaatsten, langer werden. Het verkeer op de straat beneden leek toe te nemen nu het later werd. Hij kon het plotseling horen, alsof het zich door de afzetlinten had gebroken. Hij hoorde een schreeuw, de claxon van een auto, een plotselinge ambulance in het westen, en, op de achtergrond, een stom gebrom van de hele stad. Een zeevogel begon te krijsen toen het geluid van de ambulance plotseling ophield. En nu: het geluid van stappen in een nieuw hoekje van stilte. De stappen van een vrouw. Paula moest al die geluiden hebben gehoord, ze moest het leven buiten hebben gehoord, de normaliteit van de stad. Wat had ze gedacht? Wist ze dat ze zich nooit meer tussen al die heerlijke geluiden zou mogen bewegen? Ja. Nee. Ja.

'Nee,' zei de man achter de balie, 'ik kan me niet herinneren dat er iemand bij haar was. Ik kan me haar niet eens herinneren.'

Hij had een onbestemd uiterlijk dat gedurende decennia was gevormd. Misschien was het dezelfde man die de jonge Winter had gesproken toen hij hier naar Ellen Börge had gevraagd. Nee. Het was hem niet. Dat zou Winter hebben geweten. Maar de man zag eruit alsof hij hier toen was geweest, alsof hij hier altijd was geweest. Sommige mensen hadden zo'n uiterlijk, ze zagen eruit alsof ze onderdeel waren van hun omgeving.

Winter stelde een onmogelijke vraag. Hij wilde het. Misschien was de vraag niet onmogelijk, misschien was het de beste vraag die hij op dit moment kon stellen.

'Kun je je een jonge vrouw herinneren die hier in 1987 incheckte? Ze heette Ellen Börge.'

'Wát zeg je?'

'Ze verdween een dag later.'

De man keek naar Winter alsof hij dronken was.

'We zijn hier toen ook geweest.'

'Ik kan het me niet herinneren,' zei de portier.

'Ze logeerde in dezelfde kamer,' ging Winter verder.

'In dezelfde kamer als wie?'

'Ney. Paula Ney.'

'In 1987?' De man keek om zich heen, alsof er ergens een getuige stond die kon bevestigen dat de hoofdinspecteur voor hem dronken of gek was. Hier kwamen allerlei figuren. 'Zevenentachtig? Op dit moment kan ik me helemaal niets uit de jaren tachtig herinneren.'

'Je lijkt je ook niets van vorige week te herinneren.'

De man antwoordde niet. Hij had al geantwoord. Hij kon zich niet herinneren dat de vrouw had ingecheckt en dat was alles. Bij de receptie was het een voortdurend komen en gaan van mensen, en voor zover hij wist waren het allemaal hotelgasten. Iemand had een sleutel voor kamer nummer 10 gehad, maar hij kon zich niet herinneren dat hij die aan haar had gegeven.

'Hebben jullie veel stamgasten?' vroeg Winter.

De man keek nog onthutster, ondanks zijn onverschillige houding. Winter begreep waarom. De vraag was verkeerd gesteld.

'Mannelijke stamgasten.'

'Wat zakenlui,' zei de man met een glimlach.

'Die je kunt herkennen?'

'Ik herken meestal geen mensen.'

De man geeuwde. Het was een grote geeuw, heel demonstratief.

'Mankeert er iets aan je ogen?'

Winter had met stemverheffing gesproken.

'Wat? Nee ...'

De kaak van de man was halverwege een nieuwe geeuw vast komen te zitten.

'Ik heb toch niets gedaan?!' zei hij een paar tellen later. 'Je hoeft niet kwaad te worden.'

'Hier is een moord gepleegd en jij doet alsof je een idiote dove blinde bent. Concentreer je nu even, verdomme!'

De man keek om zich heen. Er waren nog steeds geen getuigen bij de receptie, niemand achter de doorrookte croton die aan de voet van de trap stond te verwelken, niemand halverwege de trap, niemand achter een halfopen deur die god mocht weten waarheen leidde, niemand achter de palm in de pot bij de ingang. Winter moest plotseling weer aan de tropen denken, dat kwam door de palm, de ventilator die erboven aan het plafond draaide, en de vochtige warmte hier. De nazomer was de afgelopen dagen tropisch geworden. Hij voelde het zweet door zijn overhemd heen. En de receptie van Hotel Revy deed denken aan een koloniaal hotel, of het decor ervan. Het was de filmversie van de tropen. Maar deze film was echt.

'Dus,' zei Winter en hij pakte zijn notitieboekje.

Inspecteur bij de recherche Fredrik Halders zei dat hij geen koffie hoefde. Niemand in deze flat wilde trouwens koffie. Hij begreep hoe ze zich voelden. De twee mensen tegenover hem probeerden zich van de ene dag naar de andere voort te slepen, en dan hielpen koffie en koffiebroodjes niet. Alcohol trouwens ook niet. Halders had het met alcohol geprobeerd toen zijn ex-vrouw, de moeder van zijn kinderen, door een dronken automobilist was doodgereden. Hij was niet meteen gaan drinken. Dat gebeurde maanden na de moord op Margareta. Halders had gevoeld dat de shock langzaam losliet en dat de haat binnenstroomde, en hij had gedronken om de haat op afstand te houden, om zichzelf onbeweeglijk en passief te maken, om de moordenaar niet terecht te stellen, of diens moordwapen kapot te slaan. Halders wist waar het monster stond, voor de villa die erop wachtte in brand te worden gestoken.

Hij had zich uit de crisis gedronken en later had hij zich geschaamd. Niet omdat hij zijn plannen tegen de rijdende moordenaar niet had uitgevoerd, maar omdat hij alcohol had gebruikt als verdoving. De alcohol was een actieve medeplichtige aan de moord geweest. Hij zou geheelonthouder moeten worden en was dat inmiddels bijna. Maar het was te vroeg voor de AA, hij was nog geen alcoholist. Hij dronk koffie, de ene liter na de andere. Maar niet op dit moment.

Mario en Elisabeth Ney dachten misschien aan haat, of misschien konden ze helemaal niet denken. Maar Halders had gevraagd of ze vijanden hadden, of Paula vijanden had. Wie kon zo erg haten?

'Paula was bij iedereen geliefd,' zei Elisabeth Ney.

Dat was een van de grootste clichés in de taal, maar niet voor haar. Elisabeth zag eruit alsof het voor haar waar was. Halders bevond zich aan de andere kant. Hij was niet bij iedereen geliefd. Het ging nu beter, hij kon zijn vrienden zelfs op de vingers van één hand tellen, maar vroeger had hij genoeg gehad aan één opgestoken wijsvinger. Zijn eigen.

'En op haar werk?'

'Hoe bedoelt u, hoofdinspecteur?' Ze sprak met eentonige stem. Haar man, Mario, zei helemaal niets.

'Ik ben inspecteur. Zeg maar je.' Halders had een tijdje overwogen hoofdinspecteur te worden, maar dat lag ook achter hem. Hij was niet iemand voor een cheffunctie. Hij kon niet eens compromissen met zichzelf sluiten.

'Haar collega's,' ging hij verder.

'Daar ... heb ik nooit iets over gehoord.'

'Wat heb je niet gehoord?'

'Dat ze ruzie had met iemand op het werk.'

'Had ze het naar haar zin?'

'Ik heb nooit iets anders gehoord,' zei Elisabeth.

'Vond ze haar werk leuk?'

'Ze heeft nooit iets anders gezegd.'

Geen vijanden, geen conflicten, geen zorgen over het werk. Een uniek mens, dacht Halders. Of het was gewoon zo dat ze nooit iets vertelde.

Hij keek naar de foto van Paula. Die stond midden op de keukentafel. Elisabeth had hem daar neergezet toen ze gingen zitten. Paula moest bij het gesprek aanwezig zijn. Het ging om haar.

De fotograaf had haar zwart-witte afbeelding voor eeuwig gevangen in een beginnende glimlach, of misschien een eindigende. Halders had nooit begrepen waarom portretfotografen zo bezeten waren van glimlachen. Kinderen die met behulp van speelgoed tot lachen werden opgeschrikt. Volwassenen die aan iets leuks moesten denken. 'Cheese' moesten zeggen. Halders vond het even goed met 'shit'. Glimlachen. Werden mensen mooier als ze op bestelling glimlachten? Werd de toekomst mooier?

Paula Ney was mooi, op een conservatieve manier. Ze nam geen risico met haar kapsel. Haar blik was ergens anders, misschien gericht op de muur boven het hoofd van de fotograaf, misschien ver voorbij de muur. Paula Ney had mooie, regelmatige trekken op deze foto, ze had een gezicht dat niet veranderde door de onaffe glimlach. Zittend op de harde keukenstoel bedacht Halders dat Paula Ney misschien niet zo gelukkig was geweest.

'Hoelang werkte ze al bij Telia?'

Halders had zich tot Mario Ney gewend, maar Elisabeth antwoordde.

'Negen jaar. Maar in het begin heette het niet Telia.'

'Het eerste jaar na de middelbare school ...' zei Halders. 'Wat heeft ze dat jaar gedaan?'

'Niets ... bijzonders,' zei Elisabeth Ney.
'Volgde ze een opleiding? Had ze een baantje?'
'Ze reisde.'
'Ze reisde? Waarheen?'
'Geen speciale plek.'
Alle plekken zijn toch speciaal, dacht Halders. Vooral als je besluit erheen te gaan.
'In Zweden? Naar het buitenland?' Hij boog voorover over de keukentafel. Het tafelzeil was geel en blauw. 'Het is belangrijk dat jullie het je herinneren. Alles kan belangrijk zijn in een vooronderzoek. Een reis kan ...'
'We weten het niet goed,' onderbrak Mario Ney hem. Het was het eerste wat hij zei; hij had zelfs niets gezegd toen ze elkaar in de hal een hand hadden gegeven. Hij keek Halders niet rechtstreeks aan; zijn blik was naar boven gericht, naar de keukenmuur, misschien daar voorbij. 'Ze vertelde niet zoveel.'
'Ze was negentien en ging een heel jaar op reis en vertelde niet waar ze was?' vroeg Halders. 'Waren jullie niet ongerust?'
Als het zijn eigen dochter Magda was geweest, zou hij de politie hebben gebeld. Een collega.
'Het ... was niet een heel jaar,' zei Elisabeth op haar aarzelende manier. 'En ze stuurde ons soms een kaartje. We wisten dat ze op reis was.' Elisabeth keek naar Mario. 'We hebben haar op het station uitgezwaaid.'
'Waar ging ze toen heen?'
'Ze had een kaartje naar Kopenhagen.'
'Is ze daar aangekomen?'
Mario haalde even zijn schouders op.
'Waar kwam haar eerste ansichtkaart vandaan?'
'Uit Milaan.'
Halders probeerde Mario's blik te vangen, maar die gleed weer weg. De man was in Italië geboren. Hij zag eruit als iemand die uit een ander deel van Europa of van de wereld kwam. Een donkerder uiterlijk, de ogen, de kin. Hij had bijna geen haar meer, een grijszwarte krans rond zijn oren. Halders had helemaal geen haar meer; wat er niet vanzelf af was gegaan, was eraf geschoren.
'Was ze op zoek naar haar wortels?'
'Haar wortels liggen hier,' zei Mario. Zijn stem klonk onverwacht hard.
Geen *Bella Italia* voor hem, dacht Halders. 'Maar ze ging naar Italië,' zei hij.
'Ze ging ook naar andere landen,' zei Elisabeth.
'Hebben jullie de ansichtkaarten nog?'
'Is dat echt belangrijk?' vroeg Mario.
'Zoals ik al eerder zei,' zei Halders, 'alles kan belangrijk zijn.'

Mario stond op. 'Ik zal kijken of ik ze kan vinden.'

Mario wilde weg. Halders zag dat Mario's handen trilden, misschien ook de rest van zijn lichaam. Mario had zijn gezicht afgewend.

'Je man lijkt niet terug te verlangen naar zijn geboorteland,' zei Halders toen Mario Ney de keuken had verlaten.

'Hij is er misschien niet zonder reden weggegaan,' zei Elisabeth.

'Wat is er gebeurd?'

Ze haalde even haar schouders op, precies zoals haar man eerder had gedaan. Ze had het van hem geleerd, of hij van haar. Maar het leek op een beweging uit een zuidelijk land.

'Werd hij gedwongen te vertrekken?' vroeg Halders.

'Hij heeft er niets over gezegd.'

Allemachtig. Zei niemand in dit gezin ooit iets?

'Is hij alleen naar Zweden gekomen?'

Ze knikte.

'Waarvandaan?'

'Uit Sicilië.'

'Sicilië? Dat is een groot eiland. Welke plaats?'

'Dat weet ik niet.' Ze keek Halders recht aan. 'Ik weet dat het raar klinkt, maar het is de waarheid. Mario heeft er nooit over willen praten.' Ze wendde haar blik af. 'En ik ... begrijp niet wat het ... hiermee te maken heeft.'

'Heeft je man zijn familie ooit nog teruggezien? Na zijn vertrek?' ging Halders verder. 'Zijn familie op Sicilië?'

'Nee.'

'Is hij nooit teruggegaan?'

'Nee.'

'Niemand van jullie?'

'Ik begrijp niet wat je bedoelt.'

'Is Paula er niet heen gegaan?'

'Dat zou ze toch hebben verteld?' zei Elisabeth.

Dat weet ik zo net nog niet, dacht Halders. Maar wat wist Paula over Sicilië? Ze had alleen haar naam mee kunnen nemen naar het eiland van haar vader, en misschien was Ney daar een heel gewone naam.

'Sprak Paula Italiaans?'

'Destijds niet,' antwoordde Elisabeth.

'Nu begrijp *ík* het niet,' zei Halders.

'Ze heeft het ... later geleerd. Een beetje Italiaans.'

'Na die reis?'

Elisabeth knikte.

'Na Milaan?'

Elisabeth knikte opnieuw.

'Is ze ooit teruggegaan?' vroeg Halders.

'Ik weet het eerlijk gezegd niet,' zei Elisabeth en ze keek Halders weer recht aan. Hij geloofde haar. Of hij dacht dat hij haar geloofde.

'Reisde ze met iemand samen?'

'Nee.'

'Geen enkele keer?'

'Ze heeft er in elk geval niets over gezegd.'

'Hoe was ze toen ze terugkwam? Was ze veranderd?'

Elisabeth antwoordde niet. Toen Halders naar de familie Ney was gegaan, had hij niet aan reizen gedacht. Nu leidden zijn vragen hem rond de Middellandse Zee. Misschien zat hij er helemaal naast, was het een zinloos uitstapje.

'Was ze vrolijk? Verdrietig? Opgewekt?'

'Ze was zoals altijd,' zei de moeder.

Ze draaide plotseling haar hoofd om, alsof ze iets in de tuin had gehoord. Ineens zag Halders de gelijkenis. Het kwam door het licht. Het was hem niet eerder opgevallen. Iets in het profiel. Halders keek van de vrouw op de foto naar de vrouw die voor hem zat. Het was een gelijkenis die hij niet meteen had gezien. Gelijkenis. Wat een rotwoord.

'Wat wil dat zeggen?' vroeg hij. 'Dat ze was zoals altijd?'

Misschien was Elisabeth van plan geweest te antwoorden. Ze had haar hoofd weer naar Halders gedraaid. Maar Mario kwam de keuken binnen en liep snel naar hen toe. Hij legde een paar ansichtkaarten op de tafel.

'Dit zijn de enige ansichtkaarten die ik heb kunnen vinden. Ik geloof dat ze er ook een paar mee naar huis heeft genomen.'

Huis. Halders was in Paula's flat geweest. De renovatie was bijna klaar, anderhalve kamer was behangen en geverfd. Het was een vreemde ervaring geweest. Om in een flat rond te lopen die bezig was een nieuw gezicht te krijgen, een andere geur, terwijl de persoon die daar had gewoond er niet langer was. Hij kon zich niet herinneren dat hij dat eerder had meegemaakt. Het had iets weerzinwekkends. Een belediging van het leven.

Halders had kasten en planken en een los ladeblok gezien, alles bedekt met halfdoorzichtig plastic, het leek op nevel, alsof iemand onder het plastic ademde. De technici van Öberg hadden een stuk van het plastic opgetild en Paula's bezittingen aangeraakt. Ook dat voelde als een soort belediging.

Misschien vonden ze een tien jaar oude ansichtkaart. Zouden ze daar iets aan hebben? Ja. Nee. Nee.

3

Het team kwam bijeen in de vergaderkamer. Sinds Winter op de afdeling werkte, hadden er twee renovaties plaatsgevonden, maar nu was dat afgelopen. Geen stucwerk meer in deze gangen die bekleed waren met bakstenen die aan een andere tijd deden denken. Geen renovaties meer. Daar was geen geld meer voor. De bakstenen buiten zijn kamer zouden in de loop van de tijd van de muren vallen.

Hij kon het laatste stukje zonsopgang boven het Ullevi-stadion zien. De zon klom tegen haar zin over zijn deel van de wereld. Een zinloze bezigheid; de winter kwam toch wel. De zon was op weg naar de evenaar, waar ze thuishoorde. Hier heerste de grote zonsondergang van het jaar, en daarna duisternis. De arctische nacht was nog maar een paar maanden verwijderd. De lange onderbroeken zouden in het begin jeuken, maar je wende er altijd weer aan.

'Shit, wat is het warm,' zei Ringmar, die net was binnengekomen en nu het zweet van zijn voorhoofd wiste.

'Laat dat,' zei Halders.

'Sorry?' zei Ringmar met zijn hand nog steeds op zijn voorhoofd.

'Het ergste zijn noorderlingen die op de zon schelden zodra die tevoorschijn komt.'

'Ik zei alleen dat het warm is,' zei Ringmar.

'"Shit, wat is het warm", dat zei je.' Halders wees naar de warmtenevel. 'Is dat geen negatieve opmerking?'

'En dat zegt de grootste optimist van het politiekorps,' zei Ringmar, terwijl hij zijn voorhoofd nog een keer afveegde.

'Carpe diem,' zei Halders en hij glimlachte.

'Mea culpa,' zei Ringmar, 'mea maxima culpa.'

'Kan iemand dat vertalen?' zei Lars Bergenhem, nog steeds de jongste inspecteur van het rechercheteam.

'Heb je niet de klassieke richting gevolgd?' vroeg Ringmar.

'Hoezo klassiek?'

'De klassieke richting op de Politieacademie,' zei Halders. 'Eerst denken, dan doen. Die richting bestaat niet meer, die hebben ze geschrapt.'

'Carpe diem, begrijp ik,' zei Bergenhem, 'maar wat was dat andere?'

'Mijn fout, mijn schuld,' zei Ringmar.

Winter dronk het laatste restje koffie uit zijn beker op. De koffie was tenminste koud in deze warme kamer. Hij schraapte zijn keel. Het ochtendlijke opwarmgesprek tussen Halders, Ringmar en Bergenhem verstomde.

'Het staat jullie vrij te zeggen wat je wilt,' zei hij, 'maar de politiemacht kan zich helaas geen vertalers meer veroorloven.'

Aneta Djanali begon te lachen, heel kort. Het was het eerste geluid dat ze deze ochtend in de vergaderkamer uitte. Ze had eerder op de ochtend met Fredrik Halders gepraat, en met Fredriks kinderen Hannes en Magda, maar de warming-up sloeg ze graag over. Ze had het al warm. Vanavond zouden ze naar de klippen bij Saltholmen gaan voor de laatste duik van deze zomer. Dat zeiden ze al de hele week. Maar de zon ging elke avond als een bloedsinaasappel achter Asperö onder, en dat betekende dat ze de volgende ochtend terugkwam.

'Er bestaat een flinke kloof tussen Paula en haar ouders,' zei Halders. 'Bestond, kan ik beter zeggen.'

Winter knikte.

'Niemand zegt iets of heeft iets gezegd, en dat maakt me altijd achterdochtig.'

Winter knikte opnieuw.

'Volgens mij is ze die avond van huis gegaan met de bedoeling niet meer terug te keren,' zei Halders.

'Zonder koffer?' Ringmar leunde naar voren over de tafel. 'Haar handtas was heel klein.'

'Ze had toch een flat?' Halders keek om zich heen. Bergenhem knikte aanmoedigend. 'Ze had toch een sleutel? Het was avond, de schilders waren vertrokken. Ze had naar haar flat kunnen gaan om een koffer te pakken en daarna weer weg kunnen gaan. Dan heeft ze daarna die vriendin, ik weet niet meer hoe ze heet, ontmoet en is verdergegaan.'

'Naar Hotel Revy?' vroeg Ringmar.

'Ik weet niet of ze van plan was daarheen te gaan.'

'De vriendin heet Nina Lorrinder,' zei Winter. 'Ze heeft niets over een koffer gezegd.'

'Hebben we daarnaar gevraagd?' zei Halders.

'Nee,' zei Bergenhem. 'Ik heb het haar niet gevraagd.'

'Zo gaat het als je de klassieke richting niet hebt gevolgd,' zei Halders.

'Jij zou dat dus als eerste aan haar hebben gevraagd?' zei Bergenhem. Hij keek nu boos. Dat was het moment waarop Halders had gewacht.

'Zo is het wel genoeg,' zei Winter. 'Ze leeft. We kunnen het haar nu vragen.'

'Ik bel meteen,' zei Bergenhem en hij stond op.
'Goed plan!' zei Halders.
'Kappen, Fredrik,' zei Aneta Djanali.
'Er was iets heel vreemds met haar ouders,' zei Halders onaangedaan, en zonder zijn hoofd naar Aneta Djanali om te draaien.
'Ze hebben net hun enige kind verloren,' zei Ringmar.
'Het was de stilte bij hen thuis,' vervolgde Halders alsof hij Ringmar niet had gehoord. 'Na een dergelijk trauma willen mensen altijd praten. Ze kunnen niet genoeg praten. Niet genoeg huilen. Maar bij de Neys vloeiden geen tranen.'
'Misschien verkeerden ze nog in shock,' zei Ringmar.
'Nee,' zei Halders en zijn gezicht veranderde. 'Geloof me, Bertil, ik heb hier ... ervaring mee. De eerste dagen is er geen shock. Alleen maar haat.'
Het werd stil in de kamer. Iedereen hoorde de koffieautomaat een van zijn laatste zuchten slaken. Ringmar veegde weer zijn voorhoofd af. Winter kon het verkeer buiten horen. Aneta Djanali kon de airco horen, als trieste fluisteringen langs het lage plafond.
Bergenhem kwam terug.
'Geen koffer,' zei hij.
'Ze kan hem in de garderobe hebben neergezet. Bioscopen hebben soms een garderobe,' zei Halders.
'Ze kwamen elkaar buiten tegen. Ze had alleen haar handtas bij zich.'
'Ze kan al binnen zijn geweest om haar koffer daar af te geven.'
'Ze zijn samen van de bioscoop naar het café gegaan. Geen koffer.'
'En dat heb je allemaal aan haar gevraagd?' zei Halders.
Bergenhem knikte.
'Ze kan van tevoren naar het café zijn gegaan en haar koffer daar hebben neergezet,' zei Halders.
'Nee.'
'Heb je dat ook gevraagd?'
'Zij, Nina, zei dat zijzelf had voorgesteld daarheen te gaan. Paula had een ander café voorgesteld.'
'Dan moeten we daar controleren,' zei Halders.
'Ze gaan om vier uur open,' zei Bergenhem.
'Heb je dat al gecheckt?'
Bergenhem knikte weer.
'Goed gedaan, jochie. Je hebt fantasie.'
'Maar het enige wat we hebben is een imaginaire koffer,' zei Winter.
'Kan iemand dat vertalen?' zei Halders en hij keek om zich heen.
'Ze kan ook naar het centraal station zijn gegaan,' zei Aneta Djanali. 'Als ze een koffer had en van plan was om voorgoed weg te gaan, had ze misschien geen zin om ermee rond te zeulen.'

'We hebben geen sleutel van een kluis in haar handtas gevonden,' zei Bergenhem. 'Van zo'n bagagekluis.'

'De moordenaar kan de sleutel hebben meegenomen,' zei Ringmar. 'Misschien kon hij de verleiding niet weerstaan.'

'Of hij ligt ergens anders,' zei Aneta Djanali.

'Misschien is de kluis nog steeds op slot,' zei Bergenhem, 'met de koffer erin.'

'Daar wilde ik inderdaad heen,' zei Aneta Djanali.

'We moeten dus twee dingen doen,' zei Halders. 'We moeten nog een keer in Paula's flat kijken of ze een koffer heeft meegenomen. En zo ja, uitzoeken waar die is.'

'En als we daarachter komen?' vroeg Aneta Djanali. 'Het zou betekenen dat ze van plan was weg te gaan. Dat haar ouders dat misschien niet wisten. Maar misschien betekent het niet meer dan dat.'

'Het kan ook betekenen dat ze van plan was met iemand anders weg te gaan,' zei Halders. 'Misschien lagen er tickets in haar handtas.'

'Als we niet uitkijken, ontbreken er straks heel wat imaginaire dingen uit die handtas,' zei Ringmar. 'Waarom niet de hele handtas stelen? Dat is een kleine handeling voor een moordenaar. Waarschijnlijk een voorzorgsmaatregel.'

'Dat kan betekenen dat er niets in de handtas lag dat hij wilde hebben,' zei Winter.

'Dus mijn gepraat over een imaginaire koffer is slechts ...' begon Halders.

'Imaginair,' vulde Bergenhem aan.

'Het is de moeite waard het te controleren,' zei Winter. 'Ga nog een keer in haar flat kijken, Fredrik.'

Aneta Djanali zat ondertussen Paula Neys laatste brief te lezen. Ze gingen er althans van uit dat het haar laatste brief was. Ze las hardop: *'Als jullie boos op me zijn, wil ik jullie om vergeving vragen.'* Ze keek op. 'Wil je zoiets als laatste groet schrijven?'

'Ze had misschien niet gedacht dat het een laatste groet was,' zei Ringmar.

'Maar wat als ze dat wel dacht? Als ze dacht dat ze dood zou gaan. Vraagt een ter dood veroordeelde op zo'n moment om vergeving?'

Niemand rond de versleten tafel reageerde op Aneta Djanali's woorden. Een smalle zonnestraal schoot plotseling door het raam en deelde de tafel in tweeën: Bergenhem en Halders aan de ene kant, Winter, Ringmar en Aneta Djanali aan de andere kant. Het was alsof er een grens tussen hen werd getrokken, hoewel die er niet was. We zijn al heel lang samen, dacht Winter terwijl hij naar de zonnegrens bleef kijken. Zelfs Bergenhem begint rimpels te krijgen. Winter moest plotseling aan een van zijn eerste moeilijke zaken als kersverse hoofdinspecteur denken. Misschien de moeilijkste die hij ooit had gehad. Zonder twijfel een van de vreselijkste. Het was binnenkort alweer bijna tien jaar geleden. Allemachtig, Bergenhem was toen ook nieuw geweest, een verse assistent bij de recherche, hij had eruitgezien alsof hij zo van de basisschool was gekomen. Bergenhem had toen een fout gemaakt. Hij was bijna doodgegaan. Ze hadden gedacht dat hij dood was.

'Ze was toch katholiek?' zei Halders. 'Misschien bad ze om vergeving van haar zonden.'

'Nee,' zei Winter, 'Paula was niet katholiek.'

'Welke zonden?' vroeg Bergenhem en hij boog zich naar Halders toe.

'Ik bedoel het overdrachtelijk. Een routinekwestie, of hoe je het ook maar wilt noemen. Een biecht.'

'Je bedoelt dat Paula biechtte?' vroeg Aneta Djanali.

'Ik weet het niet. Misschien is dat niet het goede woord.'

'Iemand was misschien bereid haar haar zonden te vergeven,' zei Ringmar.

'Wie dan?' zei Halders.

'De moordenaar.'

'De moordenaar werd haar biechtvader?' vroeg Bergenhem.

'Hij liet haar de brief schrijven.'

'Of dwong haar daartoe,' zei Halders.

'Hij dicteerde haar,' zei Bergenhem.

'Nee,' zei Winter. 'Dat denk ik niet.'

'Maar het kan erop wijzen dat er een grote, en oude, tegenstelling bestond tussen Paula en haar ouders,' zei Halders.

'Wanneer is dat niet zo?' zei Aneta Djanali. 'Tussen kinderen en hun ouders?'

'Ik zei een gróte tegenstelling,' zei Halders.

'Daar moeten we achter zien te komen,' zei Ringmar.

'Dat zal niet makkelijk zijn,' zei Halders. 'We kunnen niet beide kanten horen.'

'Er zijn meer dan twee kanten,' zei Bergenhem.

'Wat krijgen we nou?' zei Halders en hij draaide zich om naar Bergenhem. 'Eerst Latijn en dan filosofie. Heb je van de zomer soms een cursus algemene ontwikkeling gevolgd, Lars?'

'Dat is niet nodig om te begrijpen dat we met andere mensen dan haar ouders over haar relatie tot haar ouders kunnen praten,' antwoordde Bergenhem.

'Heb je dat genoteerd, Erik?' zei Halders en hij draaide zich om naar Winter.

'We gaan aan het werk,' zei Winter en hij stond op.

Winter pakte de telefoon. Hij belde naar de portier van Hotel Revy, het was dezelfde man. Nee, hij had geen koffer gezien. Waarom zou hij ook, dacht Winter toen hij ophing. Die man zag niets, hoorde niets, zei niets.

De telefoon ging over.

'Het lijkt erop dat iemand in haar kleren en schoenen heeft zitten rommelen,' zei Halders.

Hij klonk ver weg.

'Ja?'

'Misschien heeft ze het zelf gedaan, het kan ook iemand anders zijn geweest en het kan honderd jaar geleden zijn gebeurd. Maar dat denk ik niet.'

'Waarom niet?' vroeg Winter.

'Hier is geen koffer te bekennen. Ook geen rugzak, of iets anders waarin je kleren vervoert.'

'Heb je op de zolder gekeken? In de kelder?'

'Natuurlijk,' antwoordde Halders. 'Ik heb toch zo'n zomercursus gevolgd.'

'En bij haar ouders thuis?'

'Ik heb ze zonet gebeld.'

'Ze moet haar spullen toch ergens in hebben gestopt toen ze bij haar ouders ging logeren,' zei Winter, 'toen haar flat werd gerenoveerd.'

'Daar heb ik ook aan gedacht,' zei Halders. 'Maar weet je dat haar ouders die koffer ook niet kunnen vinden? Ze zeggen dat ze een vrij nieuwe Samsonite had, een zwarte, maar die staat momenteel niet bij de familie Ney.'

'Goed gedaan, Fredrik.'

'Ach ja. Ik heb lopen nadenken in deze spookflat. Het is net of de hele boel hier in een lijkkleed is gewikkeld. Wit, plastic, een antiseptische geur van verf en terpentine. Het is niet prettig hier, Erik. Het is hier te wit.'

'Ik begrijp wat je bedoelt, Fredrik.'

Halders zei niets. Winter hoorde een ruis door de telefoon. Misschien had Halders een raam opengezet in Paula's witte flat, misschien was het de wind door de grijze heuvels in Guldheden.

'Je zei dat je had lopen nadenken,' zei Winter na een poosje.

'Hè? Ja, nou ja, nadenken ... misschien is het allemaal niet meer dan een zijspoor. De koffer, bedoel ik. Misschien heeft het helemaal niets met de moord te maken. Dat iemand hem heeft meegenomen. De moordenaar. Ze had gewoon enorme pech toen ze naar het centraal station ging. Kwam iemand tegen. En toen liep het helemaal mis.'

'Jij denkt dat ze op weg was naar het centraal station? Die avond, nadat ze met haar vriendin ergens wat had gedronken?'

Ze hadden geprobeerd vast te stellen wat Paula de laatste uren had gedaan. De laatste uren in vrijheid, had Winter gedacht. Maar tot nog toe hadden ze niemand gesproken die haar had gezien, haar had opgemerkt, haar had herkend. Het was zoals altijd, de grote stad was een anonieme plek, bood altijd bescherming, voor slechte mensen, soms voor goede, gaf onveiligheid maar ook veiligheid. De grote stad kende een grote en eigenaardig vanzelfsprekende inherente paradox: hoe meer mensen, hoe groter de eenzaamheid. Op het platteland kon niemand zich schuilhouden, iedereen wist alles binnen een straal van 100 kilometer oerbos, hoorde alles, zag alles, merkte alles op, herkende alles.

'Wat ik denk, is niet zo belangrijk,' antwoordde Halders, 'het wordt tijd dat we echt iets te weten komen.'

Halders verbrak de verbinding. Hij keek om zich heen, naar het plastic dat de meubels moest beschermen, naar het schilderwerk op de muren dat nog maar half af was, alsof alles definitief was en tegelijkertijd een vervolg moest krijgen. Het was een koopflat, niet exclusief, ook niet shabby, al maakte dat niet uit, want alle flats kostten een vermogen. Deze tweekamerflat in Guldheden zou anderhalf miljoen kronen opleveren, misschien meer, ongeacht het bedrag dat maandelijks aan de vereniging van eigenaren betaald moest worden. Wanneer had ze de flat gekocht? Had iemand dat al gevraagd? In dat geval had Halders het nog niet vernomen. Hoeveel jaar had ze hier gewoond? Hadden haar ouders de flat gekocht? Iemand anders? Dat moet ik uitzoeken, dacht Halders. Ik moet verder vragen.

De bomen bewogen heen en weer in de wind, iepen, linden, esdoorns, 25 meter hoge kruinen, honderdjarige reuzen die hier nog steeds zouden staan als ook hij dood was, samen met de anderen die vanochtend rond de koffietafel hadden gezeten; de hele groep zou uit het aardse paradijs zijn verdwenen, sommigen eerder, anderen later, en al het groen dat tot halverwege de hemel reikte, zou nog steeds heen en weer bewegen in de aangename zomertijd. Hij dacht de laatste paar jaar steeds vaker na over de zin van het bestaan. Hij was een existentialist geworden, omdat hij had gemerkt dat het in zijn werk allemaal slechts een kwestie van tijd was. Hij hield zich bezig met het ophouden van het bestaan, met de voortijdige eindes. Het was moeilijk werk, gevoelig werk, en soms vroeg hij zich af waarom God en de minister van Justitie dit werk aan politiemensen hadden gegeven.

Hij schudde deze gedachten, of wat het ook maar waren, van zich af en liep voor de tweede keer naar de slaapkamer.

Er was iets wat hij de eerste keer dat hij hier was, niet had gezien. Hij had verwacht hier iets aan te treffen, maar wist zelf niet wat. Dat gebeurde vaak, hij wist dat er iets ontbrak, maar niet wát. Het kon in een kamer zijn, bij een persoon, op een vindplaats, op een plaats delict. Wat daar niet was, kon interessanter zijn dan de dingen die hij kon zien, kon vasthouden. Het beeld was niet volledig als hij niet ontdekte wat er ontbrak.

Wat had hij zonet, voordat hij met Winter sprak, in deze kamer gemist? Het was iets wat je vaak in een kamer zag, vooral in een slaapkamer. Een bed? Nee, het bed stond er, nog steeds onder de plastic beddenhemel. Een ladekast? Nee.

Halders had tijdens zijn carrière als rechercheur in honderden slaapkamers gestaan. Hij had gerechercheerd. Hij had geregistreerd. Hij had details bestudeerd, hij had geprobeerd zich de dingen in een andere situatie voor te stellen, in een ander leven.

Wat stond er nou altijd in een kamer als deze? Iets persoonlijks, intiems zelfs. Iets wat de bewoner van de kamer 's avonds, 's morgens, als laatste, als eerste zag. Het hing meestal aan een muur. Of het stond op een nachtkastje. Hier hing niets aan de muur. Dat kwam doordat de muren net in de grondverf waren gezet. Er stond niets op het tafeltje naast het bed. Dat had op zich best gekund, de plastic hemel beschermde alles wat eronder stond.

Er was geen foto in de kamer, niet van Paula, niet van iemand anders. In de hele flat was geen enkele ingelijste foto te bekennen. Het was alsof de eenzaamheid hierdoor werd versterkt, leger, glimmender werd.

Ze hadden een paar enveloppen met foto's gevonden, alledaagse kiekjes, maar die gaven altijd een onpersoonlijke indruk, het waren toevallige opnames van toevallige momenten, je zou ze niet missen als je ze niet meer had.

Ingelijste foto's waren heel anders. Die waren op de een of andere manier voor het nageslacht. Die waren ... intiemer.

Zo'n foto had hij niet gevonden in de laden of op de planken waar tijdens de renovatie tijdelijk spulletjes waren weggelegd.

Hij moest haar ouders ernaar vragen. Halders pakte zijn notieboekje en schreef het op. Ze moesten toch helpen met de identificatie van alle gezichten op de gevonden foto's. Misschien waren er geen ingelijste foto's. Misschien was dat niet de stijl van Paula Ney.

Wat wás haar stijl?

Halders liep de slaapkamer uit en ging in de woonkamer staan. Hij moest opeens denken aan de pronkkamers van vroeger. Niet dat deze kamer op een pronkkamer leek, nee, maar vroeger hadden mensen naast een woonkamer ook een pronkkamer, een koude en vergrendelde kamer die alleen werd gebruikt als er bezoek kwam, wat misschien nooit het geval was. De kamer was er alleen maar, als een vaste constante. Zo was het in elk geval in Halders' ouderlijk huis geweest, niemand kwam op bezoek en de deur naar de pronkkamer werd nooit geopend, het tafelzilver werd nooit uit de cassettes gehaald. Als jongen had Halders soms voor de deur naar de pronkkamer gestaan en geprobeerd de dingen daarbinnen door het melkachtige glas te zien. Alles was wazig geweest, het waren vooral drijvende contouren, alsof hij bijziend was en geen bril droeg, maar hij wilde toch weten wat daarbinnen stond, hoe het eruitzag als het scherp en duidelijk was. Alsof hij op die manier kon ontdekken waarom niemand in die kamer vertoefde.

Hij kon zich plotseling niet herinneren of hij ooit in de pronkkamer van zijn jeugd was geweest. Dat zou hij toch eigenlijk moeten weten. En later, toen hij nog steeds een kind was, scheidden zijn ouders en iedereen verhuisde een andere kant op en de pronkkamer werd een herinnering die van meet af aan wazig was, maar nooit waziger werd. Integendeel, het was alsof het beeld in de loop van de jaren steeds duidelijker werd, omdat het destijds zo moeilijk te zien was geweest.

Haar stijl, Halders had aan Paula's stijl gedacht. Het was niet haar stijl om vermoord te worden. De moord toonde aan dat niemand vrij was. Na verloop van tijd, als ze meer over haar leven te weten kwamen, haar vorige leven, zou dat beeld misschien ook veranderen, opklaren, of donkerder worden terwijl het steeds duidelijker werd.

'Hoe kwamen we op bagagekluizen?' vroeg Ringmar.

Ze hadden besloten even in het park te wandelen, heen en weer naar het Shell-station. Eigenlijk kon je niet van een park spreken, het benzinestation was groter dan het park.

'Aneta wees op het centraal station,' zei Winter. 'En daar kan natuurlijk een koffer liggen.' Hij keek omhoog, alsof hij met behulp van de zon wilde bepalen hoe laat het was. Zijn zonnebril begon plotseling goudachtig te glinsteren. 'Ik heb gebeld en naar de man gevraagd die verantwoordelijk is voor de kluizen.'

'En?'

'Ze zouden contact met hem opnemen.'

Ringmar knikte.

Winter volgde de weg van de zon weer. Hij keek op zijn eigen horloge.

Plotseling realiseerde hij zich dat ze een fout begingen.

'Ze hebben daar toch camerabewaking, Bertil? Vierentwintig uur per dag?'

'Ik dacht van wel.'

'Wanneer worden de beelden van de harde schijf gewist?'

'Na drie dagen,' zei Rolf Bengtsson, filiaalchef van Snabbfoto AB, het bedrijf dat de bagagekluizen van de Zweedse Spoorwegen had overgenomen. 'Soms eerder.'

Winter was naar het centraal station gereden. Dat had vijf minuten geduurd, inclusief fout parkeren, hij had zijn auto op een taxistandplaats neergezet. Hij liep snel het gebouw in. Het bagagedepot was onlangs verbouwd, net als vele andere ruimtes. Hij moest de weg vragen. De kluizen bevonden zich tegenwoordig in de onderwereld van het centraal station. De trap ernaartoe was steil. Winter hoorde de lift achter zich zoeven. Hij zag de bewakingscamera's aan het plafond. Het was goede nepapparatuur.

'Ik heb een setje foto's uit een automaat, die ik je straks wil laten zien,' zei Winter toen ze de trap afliepen.

'Waarom?'

'Kun je zien wanneer iemand zich in een automaat heeft laten fotograferen? Hoe laat de foto's zijn genomen?'

'Nee.'

'Oké, maar kun je bepalen in welke automaat de foto's zijn genomen?'

'Ja. Dat kunnen we, we kennen de eigenaardigheden van onze apparaten.'

'Mooi,' zei Winter.

De ruimte beneden baadde in een groene kleur die de architect misschien rustgevend noemde. Misschien kalmerend, therapeutisch. Overal was het groen, als in een tropisch woud. Mensen kwamen en gingen in het rustgevende licht. Misschien was het te rustgevend, te relaxed om iets zinnigs op de beelden te kunnen zien. Als er iets te zien viel wat zij wilden zien.

'Het aantal dagen hangt af van de drukte hier,' ging Bengtsson verder. 'De camera gaat pas lopen als iemand beweegt.'

Drie dagen, dacht Winter. Ze konden geluk hebben, of ze konden een grote fout hebben begaan. Of het betekende helemaal niets.

'Elke hoek van deze ruimte komt op het beeld terecht,' zei Bengtsson. 'Niemand kan ontsnappen.'

'Als er nog beelden zijn,' zei Winter.

'Soms hebben we nog opnames van vijf dagen oud. Dat hangt af van de drukte, zoals ik net al zei.'

'Maar de beelden kunnen toch worden teruggehaald?' zei Winter. 'Ook als de schijf is gewist?'

'Ik weet alles van fotoautomaten en bagagekluizen,' zei Bengtsson, 'niet van computers. Ik weet dat computerdeskundigen bij de politie het hebben geprobeerd, maar het is ze niet gelukt.' Hij glimlachte. 'Je mag me trouwens wel Roffe noemen.'

De activiteit bij de kluizen was zo gering geweest dat de beelden van vierenhalve dag bewaard waren gebleven. Daar was Winter blij mee, nu konden ze waarschijnlijk zien of Paula Ney een koffer in een kluis had geplaatst. En of zij, of iemand anders, die er de afgelopen dagen weer uit had gehaald. Het slachtoffer. De moordenaar.

Roffe Bengtsson bracht Winter naar de controle- en opslagkamer in het kleine kantoor links van de trap. Twee mensen werkten hier beneden en hielden zich bezig met schoonmaak, opslag, ontvangst, bewaking. Een jonge man en een jonge vrouw. Ze hadden veel te doen. De mensen kwamen en gingen. Het was druk boven, het drukste tijdstip van de dag.

De vrouw stelde zich voor als Helén, ze gaf Winter een hand. Ze knikte naar het beeldscherm rechts aan de muur.

'Ben je hier al eens eerder geweest?' vroeg ze.

'Nee, niet sinds de verbouwing,' zei Winter en hij liep naar het platte beeldscherm. Het leek op een schilderij, verdeeld in zes vakken. Een installatie. In de vakken bewogen mensen met vreemde schokkerige bewegingen die niet alleen werden veroorzaakt door de koffers die ze in de kluizen plaatsten en eruit haalden. Alle mensen op de beelden zagen eruit als een geval voor de orthopeed. Winter wist dat dit de prijs was die de toeschouwer voor de digitalisering moest betalen.

'Hoeveel camera's hebben jullie?' vroeg hij.

'Acht.' Ze knikte naar het scherm. 'De twee andere draaien ook, natuurlijk. Een ervan filmt mensen op de trap. Die noemen we onze geheime camera.'

'Dat is goed,' zei Winter terwijl hij de beelden in real time bestudeerde. 'De nepcamera's zien er trouwens ook goed uit.'

'Vorige week is er een gestolen,' zei ze en ze glimlachte.

'Waar zitten de camera's?'

'In de sprinklers en in de brandmelders.'

'Ik vond inderdaad dat er nogal veel waren.'

'Je kunt niet voorzichtig genoeg zijn,' zei ze en ze glimlachte opnieuw.

Winter zat voor het beeldscherm en bestudeerde de films van de avond van Paula's verdwijning. Voor een eerste keer. Ze zouden de films van de harde schijf kopiëren en alles vergroot afdraaien op de eigen monitoren van het politiebureau. Of ze zouden de hele computer meenemen. Dat was wel vaker gebeurd.

Hij concentreerde zich eerst op de vrouwen. Hij zag vrouwen in zomerkleren die kluizen openden, kluizen dichtdeden, op slot deden, van het slot haalden, naar voren liepen, terugliepen met die vreemde schokkerige bewegingen op het scherm. Het was als een stomme film, maar deze beelden waren in kleur, opmerkelijk scherp, en tegelijk overtrokken met die groene kleur die alles een vreemde schaduw gaf. De schaduwen vielen in de hoeken aan het eind van een paar gangpaden, je kon niet zo goed zien wat daar gebeurde, wie wat deed.

Maar in een hoek van iets wat een doodlopende gang leek, zag Winter een man die zich stond uit te kleden.

'Daarginds staat geen nepcamera,' zei Helén met een knikje naar het scherm. 'Mensen denken dat ze daar alles kunnen doen wat ze willen.'

Winter keek naar de man. Die was inmiddels helemaal naakt en keek om zich heen, alsof hij nog een kledingstuk zocht dat hij kon uittrekken. Zijn gezicht lag gedeeltelijk in het donker. Zijn pik zwaaide ritmisch mee als hij zich heen en weer bewoog.

'Wat is er met die vent gebeurd?' vroeg Winter.

'Je collega's hebben hem meegenomen.'

Winter keek naar het scherm. Meneer Bloot had op de avond dat Paula verdween om 20.28 uur staan strippen. Maar op dat tijdstip had zij in de bioscoop gezeten.

'Toen ze hem meenamen, schreeuwde hij dat het te warm was voor de tijd van het jaar.'

'Daar had hij gelijk in,' zei Winter en hij bestudeerde de vakken weer. Hiervoor had je eigenlijk facetogen nodig. Hij concentreerde zich weer op de vrouwen. Het waren er niet veel. En de camera's toonden op de een of andere eigenaardige manier de gezichten niet recht van voren. Misschien wilde men de integriteit van de mensen bewaken. Een absurde afweging die alleen in Zweden kon worden gemaakt, dacht hij. Wel bewaken, maar niets onthullen, wel vaststellen dat iemand op een bepaalde plek is geweest, maar de persoonlijke integriteit beschermen. De criminele integriteit.

'Het is moeilijk om de gezichten te zien,' zei hij.

'De geheime camera boven de trap is daar het meest geschikt voor,' antwoordde Helén. 'Daar komen alle gezichten op.' Ze wees naar de groene zaal. Winter kon de trapleuningen zien. 'Halverwege de trap doen ze hun bivakmuts af.'

4

Ze namen de computer mee naar het politiebureau. Ringmar en Aneta Djanali zaten in een grote vergaderkamer met een grote monitor te wachten. Andere collega's zaten in andere kamers te wachten.

'Weet iedereen hoe ze eruitziet?' had Winter gevraagd.

'Ze weten in elk geval hoe ze eruitziet op de foto's die ze hebben gekregen,' had Ringmar geantwoord. Hij had zelf een paar foto's van Paula in zijn hand gehad. 'Maar op een slechte videofilm is het een heel ander verhaal.'

'Zullen we proberen een beetje positief te zijn?' had Aneta Djanali gezegd.

'De video is niet slecht,' had Winter gezegd.

Ze waren positief geweest, alle agenten in alle kamers. Er waren een paar gissingen, maar niets definitiefs.

Winter zat op zijn kamer de gissingen te bestuderen. De vrouwen in hun nazomerkleding. Hij wist wat Paula die laatste avond aan had gehad, maar dat hoefde niets te betekenen.

Eerst zouden ze proberen Paula op de groenige beelden te vinden.

Daarna zouden ze kijken naar iemand die misschien een koffer pakte uit dezelfde kluis waar de koffer in was gezet.

Winter had zes mogelijkheden voor zich, zes mogelijke Paula's. Hij bekeek de beelden steeds opnieuw, zes, zeven, acht, negen, tien keer. Deze vrouwen zetten allemaal een koffer die op die van Paula leek – een zwarte Samsonite – in een kluis. Sommigen hadden daar moeite mee. Anderen smeten hem er gewoon in, ongeacht de hoogte van de kluis.

Hij vergeleek de beelden met de foto's die ze van de negenentwintigjarige vrouw hadden. De bijna dertigjarige Paula. Ze had nog niet echt de leeftijd bereikt waarop sommige vrouwen zich ineens oud voelen.

Ze hadden een marge van een paar uur waarin Paula de koffer in de kluis kon hebben gezet, als ze dat tenminste niet een paar dagen eerder had gedaan. Maar als het op de avond van haar verdwijning was gebeurd, of liever gezegd die middag, dan zou iemand van de zes anonieme profielen op de films Paula kunnen zijn. De vergrotingen hadden niet het resultaat

opgeleverd waarop hij had gehoopt. Dat kwam door het licht, en de kleuren in de onderwereld. De manier waarop de mensen hun hoofd bewogen.
Winter belde de officier van justitie voor een huiszoekingsbevel.
Ze identificeerden de nummers van de zes kluizen met behulp van Roffe Bengtsson.
Ze openden de koffers ter plekke.
Er zaten keurige naametiketten aan de buitenkant, in sommige koffers aan de binnenkant.
Ze konden alle eigenaars snel identificeren.
Geen van hen was Paula Ney.

Winter verliet Bengtssons kantoor, dat verborgen lag achter rijen bagagekluizen. Het leek alsof de hele wereld iets had wat bewaard moest worden. Alsof de hele stad op reis was. Oost west, elders best. Als de mensen tenminste een keuze hadden. Winter wist dat onvoorstelbaar veel mensen uit hun huis werden gezet en hun bezittingen naar het centraal station verhuisden. Die pasten in een paar plastic tassen, misschien in een koffer.
Hij hoorde Bengtsson achter zich.
'Hoeveel kluizen heb je hier?'
'394,' zei Bengtsson en hij keek alsof hij ze nog een keer telde.
'En in hoeveel kluizen past een koffer van het formaat dat wij zoeken?'
Bengtsson begon te lachen. Het echode in de ruimte. Een vrouw die 10 meter verderop stond, draaide zich om en keek hen met een scherpe blik aan.
'Je weet toch dat er een wereldrecord bestaat voor het aantal mensen dat in een Volkswagen past?' zei Bengtsson en hij volgde de vrouw met zijn ogen toen ze de ruimte verliet. Ze liep snel, alsof ze net was beledigd. 'Toen er nog Volkswagens waren. Het oude model.' Bengtsson zwaaide met zijn hand. 'En zo is het hier ook. Het is niet normaal hoeveel troep mensen in een bagagekluis kunnen proppen. Ze proberen elke dag weer het wereldrecord te breken.'
Winter knikte. Als een bevestiging van Bengtssons woorden kwam een gezin het bagagedepot binnen, ze zeulden met koffers die een eigen goederenwagon nodig zouden hebben, of een transportvliegtuig. De groep stopte midden op de glimmende vloer en de man begon lege kluizen te zoeken. Bengtsson lachte weer. De man keek op en glimlachte. Hij was van Indische afkomst. Hij draaide zich weer om naar de kluizen.
'Die man heeft wel dertig kluizen nodig en dan moet hij zijn koffers ook nog in vijf stukken hakken,' zei Bengtsson. 'Misschien zitten er motorblokken in. Sommige buitenlanders proberen auto's in bouwpakketten mee naar huis te nemen.'
'Ik wil dat je alle kluizen hier beneden opent,' zei Winter terwijl hij zag hoe de man naar zijn gezin terugliep en zijn armen spreidde.

Ringmar had een garnalensandwich gekocht, die eruitzag alsof hij zeven dagen in een bagagekluis had gelegen. Winter kon het niet laten dat tegen hem te zeggen.

'Waarom nou net zeven?' vroeg Ringmar en hij veegde mayonaise van zijn bovenlip.

'Dan is de tijd voorbij,' zei Winter. 'De kluizen hebben een tijdschakelaar voor maximaal zeven dagen. Als een kluis na zeven dagen niet is geleegd, opent Bengtsson de kluis om te kijken wat erin ligt.'

Ringmar keek naar zijn garnalensandwich.

'Deze heeft hij dus gevonden?'

Ze zaten in een van de nieuwe cafés op het centraal station. Bengtsson had gebeld om hulp te krijgen bij het openen van de kluizen. Het huiszoekingsbevel was nog steeds geldig.

'Waar is hij?' vroeg Ringmar. Hij legde de sandwich op het bord, legde er een servet overheen en keek in het rond.

'Ik maakte maar een grapje, Bertil,' zei Winter en hij keek naar het bord. 'Sorry. De sandwich ziet er heerlijk uit. Heel vers. Je hoeft hem niet te verstoppen.'

'Neem jij de rest maar,' zei Ringmar en hij schoof het bord naar Winter. 'Ik heb op dit moment niet zo'n trek.'

'Dat had ik wel,' zei Ringmar. 'Je hebt me van mijn lunch in de stad weggerukt.'

'Het spijt me, Bertil, het kwam door iets wat Bengtsson zei.'

'Geef je hem nu de schuld? Terwijl hij hier niet eens is.' Ringmar keek om zich heen. 'Waar is hij?'

'Hij komt zo. Maar hij zei dat ze vrij vaak kluizen moeten openen vanwege etensluchtjes. Of hoe je het ook moet noemen.'

Ringmar stond op, pakte zijn bord met de halve garnalensandwich en bracht het naar een rek waarop de gasten na het eten hun gebruikte spullen konden neerzetten.

'Ik trakteer op een nieuwe,' zei Winter toen Ringmar terugkwam.

'Niet hier.'

'Het is nog erger dan het klinkt,' zei Winter. 'De etensresten komen uit iemands voorraadkast. Als mensen uit hun huis worden gezet, nemen ze alles mee wat ze mee kunnen nemen en stoppen het hier in een kluis. Foto's. Prullaria. Kleren. Eten uit de koelkast.' Hij spreidde zijn handen. 'Het wordt woonkamer en keuken ineen.'

'Kamer nummer 300,' zei Ringmar. 'Of nummer 10.'

'We zullen straks zelf zien hoe het eruitziet.'

Winter had Bengtsson gevraagd of hij weleens eerder alle kluizen tegelijk had gecontroleerd. Bijna, had Bengtsson geantwoord. Een keer had een vreselijke stank bijna alle levende wezens van het centraal station verdreven. Uiteindelijk hadden ze de spullen gevonden van een arme stakker die uit zijn huis was gezet, spullen uit zijn koelkast. De eigenaar was nooit teruggekeerd. Misschien was hij, of zij, voor de trein gesprongen. Dat gebeurde wel vaker. Het spoor was immers vlakbij.

'Wat doet hij met alle spullen die niet worden opgehaald?' vroeg Ringmar, terwijl hij het laatste slokje café au lait opdronk. Ze hadden hier geen gewone koffie. 'En dan bedoel ik niet bedorven kaas.'

'Het meeste wordt een paar maanden bewaard,' antwoordde Winter. 'Als er genoeg ruimte is. Als er niemand komt opdagen, gaan de spullen naar het Leger des Heils. Dat vervolgens een deel weggeeft aan de daklozen.'

'Je zou het dus een kringloop kunnen noemen,' zei Ringmar.

Hij wist dat veel van Bengtssons klanten daklozen waren. Velen van hen stierven met de kluissleutel in hun zak, of ze verdwenen op een andere manier.

'Per dag haalt hij tien tot vijftien kluizen leeg,' zei Winter. 'Daar komt hij trouwens net aan.'

Halders kon geen ansichtkaarten in Paula Neys flat vinden. Niet van tien jaar geleden. Van geen enkel jaar. Of er was niemand die aan haar dacht, zelfs niet met de snelle gedachten die op een ansicht pasten, of ze waren ook uit de flat verwijderd, samen met de foto's.

De koffer, dacht hij. Ze is niet vertrokken, maar de koffer staat wel ergens. Ik denk niet dat hij leeg is. Iemand heeft hem bewaard, om een speciale reden.

Een geverfde rechterhand. Wat is dat voor iets zieks? Zoiets heb ik nog nooit meegemaakt. Het kàn toch niet met de identificatie te maken hebben. Een moedervlek? Die hebben we niet nodig. Ligt er nu een foto van de hand in de koffer? Waarom denk ik zo? Is de witte hand op weg ergens naartoe? Waarom had die klootzak haar hand nodig? Een handenverzamelaar? Mijn god. Halders liep naar het raam en keek naar buiten. Deze gedachten. Wat een baan. Je intellect bezighouden met gedachten over geverfde dode handen. Dode mensen. Hij had kernfysicus kunnen worden, diskjockey, ijshockeytrainer. Hij had de zon boven de stad kunnen zien ondergaan zonder gedachten aan de ellende die ze de volgende ochtend zou openbaren.

Nu was ze weer op weg naar beneden, steeds lager, en weg. Volgend jaar zou hij Aneta en de kinderen eind oktober meenemen naar Cyprus, dat hadden ze al afgesproken. Het was daar in oktober en begin november nog steeds warm, dat wist hij omdat hij in de jaren tachtig als VN-soldaat een winter op Cyprus had doorgebracht. Een gemillimeterde MP die nog steeds haar had. Nu had hij een kale kop. Dat was beter, niemand hoefde een schram op te lopen als hij een kopstoot uitdeelde. Dat deed hij trouwens toch niet, zelfs niet bij de dronken automobilist die zijn ex-vrouw had vermoord. Cyprus. Hij zou hun voor het eerst Cyprus laten zien. Hij was zelf niet terug geweest. Maar het eiland lag er nog steeds. Hij dacht niet dat Larnaca erg veranderd zou zijn. Hij wist dat Fig Tree Bay wel was veranderd. Destijds was daar niets geweest, alleen een baai waar ze in een oude bus heen reden, een schuur waar drank werd verkocht. Aiya Napa was toen niets bijzonders geweest. Een vermoeid vissersdorp, VN-soldaten met een kater, Nizzi Beach. Een duik in het zoute water, een siësta in de schaduw van het palmbosje bij de ingang, twee biertjes in de Pelican Bar en dan kon je weer overal tegen.

Oktober. Dit jaar, of het volgende. Zouden ze de moordenaar van Paula Ney dan hebben opgepakt? Hij keek door het raam, het was hetzelfde uitzicht als Paula de laatste jaren had gehad. In oktober zouden de bomen op de heuvel vrijwel kaal zijn. Er zouden niet veel kleuren meer in deze stad zijn. En dat zou alleen nog maar het begin zijn van de winterellende. Het zou tijd zijn om de ellende te verlaten. Om te reizen. Op reis te gaan. Deze zaak ging over reizen, op een manier die hij nog niet begreep. Hij draaide zich om. Het was niet alleen de koffer.

Halders mobieltje begon te rinkelen. Het geluid werd gedempt in de half voltooide flat. Hij dacht aan de flat als half.

'Wat ben je aan het doen?' vroeg Aneta Djanali.

'Om je de waarheid te zeggen, dacht ik aan Cyprus.'

'Tijdens werktijd?'

'Vertel het niet verder.'

'Zij was misschien op weg naar de zon,' zei Aneta Djanali.

'Of naar een heel andere plek.'

'Ben je nog in haar flat?'

'Ja.'

'Heb je iets gevonden?'

'Nee. Niets persoonlijks.'

'We weten niet veel over het privéleven van Paula Ney,' zei Aneta Djanali.

'Opvallend weinig.'

'Het lijkt erop dat ze op haar werk geen vrienden had. Ik ben in elk geval niemand tegengekomen.'

'Dat is natuurlijk ook niet makkelijk als je de hele dag met een koptelefoon op je hoofd zit,' zei Halders.

'Ze werkte aan iets anders, in elk geval de laatste tijd.'

'Wat deed ze dan precies?'

'Tja ...'

'Dank je. Veel preciezer kun je niet zijn.'

'Diensten. De ontwikkeling van diensten voor de klanten.'

'Verdomme. Ik dacht dat het er juist om ging de diensten voor de klanten af te bouwen,' zei Halders en hij draaide zich om naar de kamer, de woonkamer. De pronkkamer. 'De ex-klanten.'

'Het was nogal ingewikkeld,' zei Aneta Djanali.

'Ja, dat kan ik me goed voorstellen.'

'Maar ze had dus geen koptelefoon.'

'We moeten die dienstontwikkelende collega's spreken,' zei Halders. 'Verder nog iets?'

'Winter is bezig alle kluizen op het centraal station leeg te halen.'

'Dat is mooi.' Halders liep een paar passen de kamer in. Hij was nog niet helemaal passé, ze luisterden nog steeds naar hem. Hij zag de takken van de boom in een machtige beweging heen en weer zwaaien. De boomkruin was enorm groen.

'Het zijn er geloof ik vierhonderd,' zei Aneta Djanali.

'Dan hebben ze hulp nodig.'

Paula Ney had een zwarte Samsonite gehad en daar konden ze dus naar zoeken. Haar ouders hadden de ruwe maten doorgegeven. Het was geen groot model. Het was een vrij oud model.

Bengtsson opende de kluizen samen met twee parttimers van Snabbfoto AB en zes politieagenten.

'Wat zoek je eigenlijk?' had Bengtsson gevraagd toen ze begonnen.

'Alleen maar een koffer,' had Winter geantwoord.

'Wat zit erin?'

'Kleren, foto's, misschien tickets. Dat willen we controleren.'

'Hm,' had Bengtsson gemompeld. Hij had eruitgezien alsof hij Winter niet geloofde.

Er waren veel koffers.

'Wat een koffers,' zei Halders, die erbij was gekomen.

Ze probeerden zo snel mogelijk te werken. Het voelde als een onmogelijke klus, het was een onmogelijke klus. Wat zoek ik eigenlijk, dacht Winter. Niet alleen een koffer.

Ze boften dat het zomerseizoen inmiddels voorbij was en er minder werd gereisd. Een derde van de kluizen was leeg. Sommige bevatten complete inboedels, een huis in een kluis. In een van de grootste kluizen stond een tuinkabouter. De kabouter zocht Winters blik toen Winter de kluis opende.

Na een uur riep Bengtsson, die in de linkerhoek aan het werk was. Winter keek op en zag Bengtsson een paar passen naar achteren doen.

Winter rende door de hal.

Bengtsson draaide zich met een eigenaardige gelaatsuitdrukking om naar Winter. 'Het ruikt niet,' zei hij. 'Het moet toch ruiken?'

Winter boog zich voorover, het was een laag geplaatste kluis. Het duurde even voordat zijn ogen aan het donker waren gewend.

Hij zag een hand. Die was in een doorschijnende plastic zak gewikkeld. De zak was afgesloten met een elastiek dat er kleurloos uitzag. De hand was krijtwit.

Het nummer van de kluis was 110.

In de kluis rook het inderdaad nergens naar.

De hand leek van gips.

De hand was van gips. Hij lag op een tafel in de onderste regionen van het centraal station. Het koude licht maakte de hand nog naakter. Levend als het ware. Hij was in een open handdruk gevat, of in rust. De vingers waren nauwelijks van elkaar gescheiden.

'Wat is dit, verdomme?' zei Halders.

'Een hand van gips,' zei Ringmar, meer tegen zichzelf dan tegen de anderen.

'Een afgietsel,' zei Winter. 'Een perfect afgietstel.'

'Van Paula's hand?' zei Halders.

'Dat weten we nog niet,' zei Ringmar.

Halders keek naar de hand. 'Hij is niet groot.' Hij keek op. 'Haar hand was net zo wit.'

'Vind je dit soort handen vaak?' vroeg Halders aan Bengtsson, die een paar passen achter de tafel stond.

'Dit is de eerste keer,' antwoordde Bengtsson, die nog steeds in een soort shock leek te verkeren. 'Ik heb wel gipskatten gezien, en -kikkers ... maar nog nooit zoiets als dit.'

'Een perfect afgietsel,' zei Ringmar nog een keer. 'Als het een afgietsel is.'

'De hand was in rust toen het afgietsel werd gemaakt,' zei Winter.

'Waarschijnlijk was hij dood,' zei Halders.

'Er zit een soort litteken aan de bovenkant,' zei Winter, 'een lijn.'

Hij keek naar de hand. Hij boog zich er dichter naar toe. Het was een onaangenaam voorwerp. Tussen de groene kluizen en de groene muren had de hand een groene glans gekregen, een misselijkmakende nuance. Hij was er niet langer zeker van of de hand wel zo perfect was. Hij leek eerder in een standaardvorm te zijn gegoten. Misschien was hij zelfs in een winkeltje met curiosa gekocht.

Maar het ging er niet om hoe de hand eruitzag. Het ging erom wat hij was, wat hij betekende. Wat hij symboliseerde, zou je kunnen zeggen. Winter was ervan overtuigd dat de hand met de zaak te maken had. Met Paula. Het was een groet van de moordenaar aan hen.

Een zwaai. Hij wilde dat zij hem zouden zien.

Hij wist dat ze dat zouden doen.

De moordenaar wist dat ze hem weldra zouden zíén.

Dat ze hem op een videofilm met groene nuances zouden zien.

Hij zou misschien zwaaien. Een teken maken dat zij zouden begrijpen.
Ze zouden begrijpen dat hij het wist.

Winter voelde de welbekende kou in zijn lichaam. Die kwam bij bepaalde zaken, bij de allermoeilijkste, opzetten. Er konden jaren tussen zitten. Het was een gevoel dat met angst te maken had.

Kijk naar me, schreeuwde de moordenaar.

Kijk wat ik heb gedaan!

Dit ben IK!

'Iemand heeft die hand hier gebracht en in een kluis gestopt,' zei Ringmar.

'Dan moeten we weer tv gaan kijken,' zei Halders.

Winter moest opeens aan standbeelden uit de klassieke oudheid denken. Die hadden geen ledematen, geen hoofd. Meestal was het slechts een torso, een krijtwitte torso. Hij had er tijdens zijn reizen in Zuid-Europa honderden gezien.

Hier was het net andersom. Een ledemaat zonder torso, alleen maar een hand. Betekende dat iets? Een standbeeld was een dood ding dat iets levends voorstelde.

Winter draaide zich om naar Bengtsson.

'De tijdschakelaar was bezig de tweede dag af te tellen,' zei hij. 'Iemand heeft deze kluis nog geen veertig uur geleden op slot gedaan. Dat zou nog op de harde schijf moeten staan, dacht je niet?'

Bengtsson knikte.

Volgens het display was de kluis om 00.17 uur op slot gedraaid, bijna precies negenendertig uur geleden.

De video-opname liet niet veel meer zien dan een rug.

Ze stonden voor het beeldscherm in de kale kamer achter de kantoorruimte. De rug was helemaal aan het eind van het gangpad te zien. Het beeld was vrij scherp, maar daar hadden ze op dit moment niets aan.

Ze zagen alleen maar een rug, een lange jas, de achterkant van een hoed met een brede rand. Het was onmogelijk de lengte van de persoon in kwestie te bepalen. Ze moesten zijn lengte vergelijken met de hoogte van de kluizen.

'Daar hebben we onze man,' zei Halders.

Winter speelde de sequentie nog een keer af. Die duurde vijftig seconden. In die tijd stopte de Rug muntstukken in de gleuf, legde iets in de kluis, deed de deur dicht, draaide de sleutel om. Aan de hand van de lichaamsbewegingen konden ze volgen wat hij deed.

'De klootzak heeft handschoenen aan,' zei Ringmar.

'Gelukkig maar,' zei Halders. 'Wie heeft er tijd om tienduizend munten van vijf kronen te controleren?'

Ze draaiden de film nog een keer.

'Kijk hoe hij beweegt,' zei Ringmar. 'We zien hem nooit van opzij. Alleen maar zijn rug.'

'Hoogzomer en een lange jas,' zei Halders. 'Hij was echt gekleed voor een plaats op het toneel.'

'Hij weet precies waar de camera's hangen,' zei Winter en hij draaide zich weer om naar Bengtsson. 'Of is het puur geluk?'

'Laat de film nog een keer zien,' zei Bengtsson.

Ze draaiden de film nog een keer. Winter voelde opwinding, maar ook een nog grotere frustratie. Dit was misschien de moordenaar. Hij bestond echt in deze stad, in elk geval kort geleden. Hij stond daar op het scherm, liep op het scherm met de schokkerige bewegingen die het gevolg waren van de digitalisering.

Winter kon zijn hand uitsteken en hem aanraken.

En hij wist dat Winter dat kon doen, hij wist dat Winter dit zou zien. Waarom deed hij het? Het was tenslotte een risico. Hij stelde zich bloot. Hij werd beschermd door zijn kleding en lichaamshouding, maar de kleding en lichaamshouding waren wel zichtbaar. Het lichaam onthulde altijd iets over de eigenaar. De lengte. De manier van lopen, de manier van bewegen, ook als dit beïnvloed werd door de techniek.

De Rug strekte zijn hand uit. Winter zag de beweging op dat moment, van achteren. Hij strekte zijn hand ... met de hand uit.

'Hij vermijdt camera's in zijn gezicht, van voren,' zei Bengtsson.

'Dat kan geen geluk zijn,' zei Ringmar.

'Dan kent hij deze plek beter dan ik,' zei Bengtsson.

'Is dat mogelijk?' vroeg Ringmar.

'Nee.'

'Dan heeft hij de ruimte en de kluizen grondig verkend,' zei Halders, 'van tevoren.'

'Of het is een ex-werknemer,' zei Ringmar. 'Hij weet waar de camera's hangen.'

'Nee,' zei Bengtsson, 'dat weten alleen ik en een paar oude extra krachten. En die hebben niet zo'n rug.' Hij keek naar Ringmar. 'En ik trouwens ook niet.'

'Hij staat misschien op andere films,' zei Winter. 'Als hij hier heeft rondgelopen om de verschillende hoeken te verkennen.'

'Dat is waarschijnlijk allemaal gewist,' zei Halders.

'We hebben opnames van een paar dagen. We hebben een paar dagen.'

'Dit is misschien lang van tevoren gepland,' zei Ringmar. 'Hij was hier misschien maanden geleden.'

Winter antwoordde niet.

De figuur verdween van het scherm.

'Hij heeft de trap niet genomen!' zei Winter.

'De geheime camera,' zei Ringmar.

'Wat bedoelen jullie?' vroeg Halders.

'Als hij de trap had genomen, hadden we zijn gezicht in beeld gehad,' legde Ringmar uit.

'Zien jullie het licht onder de trap?' zei Winter.

Hij draaide de sequentie nog een keer. Het was alsof er een paar tellen een licht aanging.

'Hij nam de lift!' zei Winter.

'Zit daar geen camera in?' vroeg Halders.

'Nee,' antwoordde Bengtsson. 'Maar buiten de lift wel.'

'Daar hebben wij niets van gezien,' zei Ringmar.

'Hij moet het doen,' zei Bengtsson. 'Normaal gesproken doet hij het.'

'Controleren jullie dat niet?' vroeg Halders.

'Natuurlijk wel.'

'Laten we dan maar gaan kijken,' zei Halders.

Ze vonden de sequentie. Maar het enige wat ze zagen was een stuk van een jas die door de liftdeur aan het oog werd onttrokken.

'Hij moet tegen de muur zijn opgeklommen,' zei Bengtsson.

'Is het dezelfde jas?' zei Ringmar.

'Ja,' zei Winter en hij draaide zich om naar Bengtsson. 'Hoe vaak maken jullie hier schoon?'

'Wat zeg je?'

'Hoe vaak maken jullie de vloer hierbeneden schoon?'

Winter kon een stuk van de vloer buiten de kamer zien, gladde plavuizen die ook een groene glans hadden.

'Ik maak niet schoon,' antwoordde Bengtsson. 'Ik zal het Helén vragen.' Hij liep weg en kwam na een halve minuut terug. 'Minstens vier of vijf keer per dag, zegt ze.'

'Verdomme,' zei Winter, 'maar we gaan het toch proberen.' Hij draaide zich om naar Bergenhem, die net was teruggekomen na de brandmelder boven de lift te hebben gecontroleerd. 'Zet de ruimte rond de kluis af. En bel Öberg.'

'Wat wordt er verdomme met die hand bedoeld?' zei Halders. 'Daar wordt toch iets mee bedoeld? Hij wist dat we dat gipsding vroeg of laat zouden vinden.'

'Hij wist niet wanneer,' zei Winter.

'Oké, hij dacht misschien dat het langer zou duren, hij wist niet hoe slim we zijn, of hoe dom, maar hij wíst het, en hij wist van de bewakingscamera's, en hij nam het risico die ... boodschap achter te laten.'

'Misschien is het geen boodschap,' zei Ringmar.

'Wat is het dan?' vroeg Halders.

'Het is precies wat het lijkt te zijn. Er wordt een voorwerp bewaard. Iemand wilde het in de bagagekluis bewaren.'

'In dezelfde kluis als waar hij Paula's koffer uit heeft gehaald?'

'Dat weten we niet,' zei Winter. 'We weten niet eens of ze haar koffer hierheen heeft gebracht. We weten niet eens of het relevant is voor deze zaak. Ze kan hem wel hebben weggegeven, of verkocht, of hem heel ergens anders in bewaring hebben gegeven.'

'We moeten de films nog een keer bekijken,' zei Halders, 'de scènes waarin kluis nummer 110 de hoofdrol speelt.'

Winter knikte.

'En kijken wie hier eergisteren vlak na middernacht zijn geweest.' Hij draaide zich om naar Bengtsson. 'Was jij toen hier?'

'Ja. Hier in het kantoor.' Bengtsson keek om zich heen in de kamer, en toen door de gesloten deur, alsof hij nu pas doorhad dat hij zich een tiental meters van een mogelijke moordenaar had bevonden.

'We gaan om halfeen dicht,' vervolgde hij, 'en 's morgens om halfvijf gaan we weer open.'

'Waren er toen mensen?' vroeg Halders.

'Wanneer bedoel je?'

'Om halfeen 's nachts. Rond middernacht.'

'In elk geval één,' zei Bengtsson met een knikje naar de flakkerende monitor.

'Heb je nog andere mensen gezien?'

'Tja ... er waren er wel een paar. In de stationshal, bedoel ik. Wat zielenpieten die zich zo lang mogelijk warm wilden houden.'

'Geen mensen bij de kluizen?'

'Toen ik de boel afsloot, was hier niemand.'

'Zullen we dan maar weer films gaan bekijken?' zei Halders.

5

'Daar!' Halders vloog overeind en wees met zijn hele hand. 'Dat is haar koffer!'

Winter zag een zwarte Samsonite. Ringmar zag het, en Bengtsson. Winter zag een vrouw die hij niet herkende, en de open kluis, nummer 110. De vrouw stopte de koffer erin, deed de kluis op slot en liep weg zonder om te kijken. Winter had een gedeelte van haar gezicht gezien, haar kleren in de nazomer. Geen lange jas, geen hoed. Het haar was heel licht op het scherm, wit of blond. Ze had een zwarte zonnebril op, die de identificatie merendeels verpestte.

'Ze maakt zich niet druk om de camera's,' zei Ringmar.

'Misschien weet ze niet dat ze er zijn,' zei Winter. 'Of het kan haar niets schelen.'

'Kennen we haar?' vroeg Halders.

'Het is dus niet Nina Lorrinder, de vriendin van Paula?' vroeg Ringmar. 'Jij bent de enige die Lorrinder heeft gezien, Fredrik.'

'Zij is het niet, dat zie ik ondanks de zonnebril,' zei Halders. 'Lorrinder is veel knapper. En bovendien een stuk jonger.'

'Hoe laat is het?' vroeg Ringmar. Hij bedoelde de tijd die hij op het scherm zag. Wat daar gebeurde, vond vier dagen geleden plaats.

'Halfzes,' zei Bengtsson. 'In de middag.'

'Hoe laat had Paula afgesproken met haar vriendin?' vroeg Ringmar. 'Ze zouden toch naar de film gaan?'

'Om kwart over zes voor de bioscoop,' zei Winter. 'De voorstelling begon om halfzeven.'

'Ze had dus tijd om zelf de koffer in de kluis te zetten en daarna naar de bioscoop te gaan,' zei Ringmar.

'Maar dat deed ze niet,' zei Halders. 'Dat is toch niet Paula?'

'Draai de film nog een keer,' zei Winter.

Hij zag een onbekende vrouw een onbekende koffer in een bekende bagagekluis stoppen.

'Het kan een gewone burger zijn, en een willekeurige Samsonite,' zei

Ringmar terwijl hij naar het scherm wees. 'Een paar uur later haalde ze de koffer er weer uit en iemand anders gebruikte de kluis, en toen weer iemand anders, en ga zo maar door.'

Winter keek naar Bengtsson.

'Dat kan niet,' zei Bengtsson, 'dat hadden we kunnen zien. De schimmige figuur die we op het scherm zagen moest drie dagen extra betalen om de kluis te openen.' Hij knikte naar het scherm. De vrouw op het beeld vertrok voor de vierde keer. Winter moest aan filmopnames denken, herhaalde opnames. Het klopte nog niet.

'Nummer 110,' verduidelijkte Bengtsson.

'Je weet dus honderd procent zeker dat de Rug dezelfde koffer uit de kluis haalde als de blondine erin zette?' vroeg Halders.

Bengtsson knikte.

'Wie is ze?' zei Ringmar.

Ze hadden twee personen die met de moord op Paula Ney te maken hadden. De ene duidelijk, de andere onduidelijk, als een schaduw, maar beide onbekend. Het zou zinloos zijn een foto van de vrouw via de pers te laten zien, ze zouden tienduizenden tips krijgen over een blonde vrouw met een zonnebril. Het zou in principe hetzelfde zijn als een foto van een mannenrug laten zien.

'Het heeft iets ... doortrapts,' zei Ringmar. 'Dat geldt voor beide figuren.'

Ze waren teruggegaan naar het café. De serveerster behandelde hen al als stamgasten. Ze glimlachte diverse keren. We komen hier niet weg, dacht Winter. Kijk naar haar. De zaak begint en eindigt hier. Als die eindigt. Hij wilde niet aan symboliek denken, dat deed hij nogal snel en dat kon elke willekeurige kant op leiden, vaak de verkeerde. Het bracht hem zelden verder. Hij duwde de gedachte aan iemand die op een station zit en nooit zijn trein op het computerscherm ziet verschijnen weg. Die daar uren, dagen blijft zitten. Een zwaar lot. Maar niet zo zwaar als de dood. De serveerster glimlachte naar hem toen ze de cappuccino op tafel zette. Hij had gezien dat ze whisky achter de bar hadden, een halve meter flessen. De serveerster was blond, net als de vrouw op het scherm.

'Neem nou de blondine,' zei Ringmar. 'Ze komt met haar neus in de wind binnendraven, maar wel met een zonnebril op. Het is een vermomming. Ze weet dat ze wordt gezien, of zal worden gezien. Misschien draagt ze trouwens een pruik.' Hij nam een slokje café au lait. Die smaakte alleen naar melk en plotseling verlangde hij naar de vreselijke koffie uit de automaat op het hoofdkwartier, zoals Halders hun afdeling noemde. 'Maar ze maakt zich er niet druk om. Het is op de een of andere manier doortrapt ... het heeft iets arrogants. Ze kiest ...'

'Waarom zou ze zich ergens druk om maken?' onderbrak Halders hem.

'Ze deed niets crimineels. Ze zette alleen de koffer van een vriendin in een kluis. Paula zou hem later ophalen.'

'Denk je dat?'

'Nee.'

'Ze zet de koffer van iemand anders in een kluis,' ging Ringmar verder. 'Het kan haar eigen koffer zijn, maar we gaan ervan uit dat die van iemand anders is omdat ze hem er niet zelf uit heeft gehaald. Waarom? Waarom een koffer naar het station slepen? Hij leek vrij zwaar toen ze hem in de kluis zette. Was dat in opdracht van Paula Ney? Of is de koffer gestolen? Waarom moest hij op het centraal station worden bewaard? Waarom een aantal dagen wachten voordat je hem uit de kluis haalt?' Hij knikte naar de vertrekhal. 'Voordat de Rug hem eruit haalt?'

'Er is in elk geval één ding dat erop wijst dat deze vrouw op de een of andere manier betrokken is bij de moord op Paula,' zei Winter.

'Wat dan?' zei Halders.

'Ze heeft zich niet gemeld,' zei Winter.

Ze bleven op het centraal station zitten. Ze konden zich niet bewegen. We kunnen hier ook nadenken, dacht Winter, er is iets met deze plek. Als we hier weggaan, verdwijnt de fantasie. We hebben andere mensen voor de routineklussen. Maar hier hebben we de denktank. Dit is het hoofdkwartier. Ik vind het trouwens toch niet prettig op mijn kamer. Ik ga niet terug.

Het café had geen ramen met uitzicht op het spoorwegemplacement, maar door een soort zuilengang die gelijk met de verdere nieuwbouw was gebouwd, kon hij naar buiten kijken. Hij zag dat de zon daar nu weg was. Overal op het station brandde elektrisch licht. Je merkte het licht pas als de zon achter de wolken verdween of onderging. De zuilen wierpen zwakke schaduwen op de witte muren. Alles leek van gips te zijn gemaakt.

'We zullen haar vinden,' zei Halders.

'Als ze nog leeft,' zei Ringmar.

'Waarom zou ze niet meer leven?' zei Halders.

Ringmar haalde even zijn schouders op. Het gebaar betekende dat Paula Ney dood was en dat andere mensen ook dood konden zijn.

'Als ze nog leeft – en niet gevangen wordt gehouden – moet ze erbij betrokken zijn,' zei Winter.

'Net als onze vriend in de lange jas,' zei Ringmar.

'Hij is niet mijn vriend,' zei Halders. 'Ik mag die klootzak niet, los van wat hij wel of niet heeft gedaan.'

'Hij heeft een hand gemaakt,' zei Winter.

'Ik kan nauwelijks wachten tot ik weet waarom,' zei Halders.

'Wacht niet, Fredrik,' zei Ringmar. 'Waarom zou je daar nu mee beginnen?'

Aneta Djanali belde toen Winter op het punt stond in zijn auto te stappen. De noordelijke uitbouw van het station was een muur van scherp metaal en glas, waardoor bij zon een spiegeleffect ontstond. Er waren daar geen zuilen, alleen zwaaideuren die naar voren en naar achteren gleden als de reizigers heen en weer liepen. Bussen reden af en aan. Toen Winter naar zijn auto liep, bedacht hij dat hij in geen jaren in een bus had gezeten, zelfs niet als hij naar de jaarlijkse bijeenkomst van hoofdinspecteurs ergens aan de kust van de provincie Bohuslän ging. Hij reed altijd zelf.

'De mensen in het hotel zijn zo gesloten als een oester,' zei Aneta Djanali.

'Ze zullen wel denken dat ze daar een reden voor hebben.'

'Ik begrijp dat je de verdenking van prostitutie bedoelt. Maar dit is een moordonderzoek.'

'Dat maakt niet uit,' zei Winter.

'Niet dat ze een goede naam hebben die ze kunnen kwijtraken, maar toch.'

'Het hotel beschermt zijn klanten,' zei Winter. 'De hoerenlopers, en god mag weten wie nog meer.'

'Ik heb niet de namen van alle gasten gekregen,' zei Aneta Djanali. 'Dat geloof ik tenminste niet. Het is niet makkelijk, om het mild uit te drukken.'

'Ik begrijp het.'

Het begon te kraken in Winters oortje, alsof ze plotseling op een andere frequentie zaten.

'Maar het verbaast je niet, hè?' zei Aneta Djanali.

'Wat?'

'Welke gasten Hotel Revy bezoeken. Of dat vroeger deden.'

'Nee,' antwoordde Winter. 'Niet meer.'

'Ze gaan trouwens sluiten.'

'O?'

'De portier met wie ik sprak zei dat. Hij wist er verder niets over. Maar er was iets aan de gang.'

Er was een tijd dat Winter zich overal over kon verbazen. Verbazen, boos worden, bang worden. Verward raken. Er was zoveel wat hij niet wist. Toen hij kennis opdeed, hielp dat hem in zijn werk, na verloop van tijd, maar hij had niet het gevoel dat hij daardoor een rijker mens werd, een completer mens. Alle duisternis die hij tegenkwam, deed hem naar de zon verlangen, veel zon. Hij voelde dat hij steeds eenzamer werd naarmate hij meer ervaring opdeed. Hij kon zijn gedachten niet aan de haak aan de binnenkant van de deur ophangen als hij zijn werkkamer verliet. Hij kon het politiebureau niet verlaten en alles vergeten als de deuren achter hem dichtsloegen. Hij wist dat er collega's waren die alles vergaten als het avond werd, niet veel, maar het waren er genoeg om het voor hemzelf, en voor anderen die hun werk serieus namen, moeilijker te maken. In het begin dacht hij dat hij het allemaal te serieus nam. Maar hoe moest je het anders doen? Eenzaamheid was een eerste voorwaarde. Hij had nooit een grote vriendenkring gehad. Een paar vrouwen, een paar mannen. Een enkele jeugdvriend. Hij had nooit iets tegen de eenzaamheid gehad. Hij voelde zich niet eenzaam. Als het tegenovergestelde betekende dat je 's avonds met mensen moest zitten praten, gaf hij de voorkeur aan zijn eigen gezelschap. Hij kon met zichzelf praten als hij 's avonds een stem wilde horen. Dat had hij soms gedaan. Hij kon iemand bellen. Hij hoefde niet alleen te zijn als hij dat niet wilde. Hij zocht zijn eigen methode. Die vereiste een stilte die alleen in zijn flat te vinden was, niet op de afdeling. Hij woonde destijds in de wijk Guldheden, in een huurflat tussen de Guldhedsschool en het Doktor Friesplein. Het was een hoog flatgebouw en hij kon ver kijken, over de rivier, de bergen, de meren in het oosten, de snelwegen die rondom de stad werden aangelegd; weliswaar dertig jaar te laat, maar tegelijkertijd omsloten ze een soort onschuld in deze stad waar hij was opgegroeid, en gebleven. Hij kon op het gammele balkon op de zesde verdieping staan kijken naar het brede wegennet dat zich rond de oude uitvalswegen slingerde; hij dacht eerder aan uitvalswegen dan aan invalswegen. Daarbeneden werd de snelweg meter voor meter gebouwd en een deel van de onschuld zou binnen de wegen blijven, zoals ze vroeger binnen de oude stadswal was gebleven. Buiten de wegen: de wildernis. Of was het net andersom? Alle statistieken, alle beschikbare feiten, toonden aan dat de stad in de bijna twintig jaar dat hij hier als politieagent werkte een slechtere plek was geworden om te leven. Gevaarlijker, onberekenbaarder, als een bijlslag op je hoofd op een milde voorjaarsavond. Twintig jaar, een half beroepsleven. Als ik nog eens twintig jaar mag blijven, is er alleen nog maar wildernis, dan heeft de jungle het overgenomen, maar er zullen geen mooie palmen zijn. Hij dacht meer van dat soort gedachten. Het was niet de bedoeling dat hij zo zou denken, maar hij wist wat het was: de methode. Of de inleidende fase. In het begin van een zaak was hij niet veel waard. Zijn wereld was zinloos en hij was degene die die wereld zo had geschapen. Als hij voorgoed weg was, zou er alleen maar een dikker strafregister zijn, een grotere harde schijf. Hij werd elk jaar kleiner, steeds meer vervangbaar. Enzovoort, enzovoort.

Hij stond op, liep naar het balkon, stak een dun sigaartje op en keek naar de koperen daken aan de overkant van het Vasaplein. De obelisk in het park was een vingerwijzing naar de hemel. De geluiden van de trams werden onderweg naar zijn balkon gedempt, de lichten beneden waren helderder, als vertraagde bliksemflitsen wanneer auto's en trams langzaam begonnen te bewegen of te remmen.

Een poosje op het balkon. Dat was een van de betere momenten, vooral nu, en vooral 's avonds, tijdens de overgang van augustus naar september, als de lucht om hem heen iets luchtigs en een speciaal blond en blauw licht bezat waardoor alles veel doorschijnender werd dan anders. Hierboven hingen nog steeds geuren van hartje zomer die zich vermengden met iets kruidigers, en iets natters. De herfst had een nattere geur, de zomer een drogere. Deze zomer was geen van beide geweest. En plotseling was hij voorbij.

Winter liep de kamer in en schonk een glas whisky in uit een karaf die tussen andere karaffen en flessen op een hoektafel stond. Hij wist welk merk er in de karaffen zat, maar vrienden die op bezoek kwamen, wilden misschien hun kennis over maltwhisky testen. Hij had vrienden, nieuwe vrienden. Dat was één ding dat veranderd was. Angela had daarbij geholpen, en Elsa; dat kwam doordat enkele van de kersverse ouders met elkaar waren blijven omgaan ook toen ze geen kersverse ouders meer waren. En toen Lilly werd geboren begon alles weer van voren af aan, zij het met wat minder kersverse ouders.

Angela.

Hij keek op zijn horloge. Of zij belt binnen vijf minuten, of ik bel. Hij bracht het glas naar zijn mond. De telefoon ging toen hij de eerste slok van de dag via zijn keel naar zijn borst en middenrif voelde gloeien.

'Met het hoofdkwartier,' antwoordde hij.

'Wat als het iemand anders was geweest?' zei ze.

'Het hoofdkwartier is waar ik mijn hoed ophang.'

'Je hebt helemaal geen hoed.'

'Het is een spreekwoord.'

'Het is een anglicisme. Bovendien zeg je "thuis". Thuis is waar ik mijn hoed ophang.'

'Dit is thuis,' zei Winter en hij keek om zich heen.

'Hoe is het thuis?' zei Angela.

'Eenzaam. Hoe is het bij jullie?'

'Nogal warm. Maar gisteren heeft het geregend. De mensen dansten op straat. De laatste keer dat er in augustus regen viel, was in 1923.'

'Mijn geboortejaar,' zei hij en hij nam een paar druppels whisky in zijn mond. De whisky rook naar verbrande turf en water uit de Atlantische Oceaan van 5 graden. Smaakte naar wilde kruiden uit Noord-Europa. Een continent verwijderd van de Costa del Sol. Angela en de meisjes waren bij Siv, zijn kettingrokende moeder. Hij was tien dagen geleden met een bruin kleurtje en een lichte kater van zijn moeders zeer droge martini's weer naar huis gevlogen. Maar zij was de laatste jaren minder gaan drinken. Wellicht in verband met de geboorte van Elsa. Misschien wilde ze wat langer blijven leven. Het leven aan de zonnekust was inspannend, met golfbanen en galeries en verveelde belastingontduikers die op vroege cocktailparty's het bestaan probeerden te ontvluchten.

Angela mocht Siv. Ze had haar zelfs zo ver gekregen dat Siv na al die jaren aan de Middellandse Zee eindelijk ook in het zoute zeewater was gaan zwemmen. Ze hadden een mooi strand bij Estepona gevonden. Als je goed zocht, waren er ook kleine baaien dichter bij Puerto Banús. Elsa en Lilly zwommen, lachten, Elsa rende onder de schaduw van de parasols heen en weer, werd bruin als chocola.

Er was opeens leven in het krijtwitte huis in Nueva Andalucía, er werd gelachen, kinderen huilden, er kwamen rammelende geluiden uit de keuken, en niet langer alleen van de shaker, die heel lang het favoriete keukengereedschap van Siv was geweest. Elsa speelde onder de palm in de tuin, Lilly van één leerde lopen. Angela had soms genoeg van het appartement aan het Vasaplein. Dat zei ze zo nu en dan. Ze hadden een stuk grond aan zee, ten zuiden van Billdal. Iets hield hem tegen. Hield hem hier in het hart van de stad. Het was een groot appartement. Kinderen vinden het leuk om in een groot appartement te spelen. Dat zei hij tegen Angela. Misschien was ze het met hem eens. Maar het balkon was geen tuin. Ze zouden een zomerhuis op het stuk grond kunnen laten bouwen, om mee te beginnen.

'Voel je je weer oud, Erik?' hoorde hij haar stem. Het suisde door de lijn, alsof hij de cicaden helemaal tot hier kon horen.

'Ik liep net aan de eerste jaren te denken,' zei hij.

'De jaren twintig?'

'Toen ik met deze klotebaan begon.'

'Is het vanavond zo erg?'

Hij vertelde in het kort wat er met Paula Ney was gebeurd.

'Daarvoor ben je dus naar huis gegaan.'

'Ik had moeten blijven.'

'Dat zei ik toch.'

'Wie moet dan ons steeds groter wordende gezin onderhouden?'

'Ik, natuurlijk.'

'Je hebt toch niet weer met die mensen van de kliniek in Marbella gesproken?'

'Nee, nog niet.'

'Ben je van plan dat te doen?'

'Ik zou meer verdienen dan jij en ik samen, Erik.'

'Ik hoop dat je een grapje maakt.'

'Niet over het salaris.'

'Ik zou kunnen stoppen met werken. We zouden het toch wel redden.'

'Dat zeg ik toch.'

'Ik bedoel dat er genoeg geld is, ook zonder die baan in de kliniek.'

'Dat weet ik ook wel.'

'Je hoeft de baan dus niet te nemen.'

'Ik geloof ook niet dat ik het echt wil. Maar een halfjaar of zo hier in het zuiden ... de meisjes hebben de goede leeftijd, we hoeven niet aan scholen te denken ... een winter in de zon ... tja ...'

‘En wat moet ik dan doen?’
‘Je met de meisjes bezighouden, natuurlijk.’
Het klonk zo eenvoudig. En zo vanzelfsprekend.
Hij keek op zijn horloge, alsof hij wilde kijken wanneer de winter begon. Plotseling had hij een beslissing genomen.
‘Het is een goed idee,’ zei hij. ‘Ik hoef alleen maar verlof te nemen.’
‘Waarom zou je niet met pensioen gaan?’
‘Ik meen het serieus, Angela.’
‘Echt waar?’
‘Het is een goed idee. Ik besefte het zonet. Ik meen het echt.’
Hij was serieus, hij voelde zich serieus. Hij was nog niet beïnvloed door de drank, nog niet.
‘Ik ga morgen meteen met Birgersson praten. Ik kan vanaf 1 december verlof opnemen.’
Ze antwoordde niet.
‘Dat is volgens de regels. Het duurt nog twee maanden voordat het december is.’
‘Maar ... je zaak dan? Die moord?’
Die is dan opgelost, dacht hij. Dat moet gewoon.
‘We regelen iemand die me als leider van het vooronderzoek kan vervangen,’ antwoordde hij. ‘Dat kan. Dat kunnen we nu al doen, voor het geval dat.’
Ze zei niets.
‘Heeft iemand anders de baan in de kliniek gekregen?’ vroeg hij.
Winter merkte zelf hoe benauwd hij klonk. Plotseling wilde hij in de winter in de zon lopen, meer dan wat ook. Een ijsje in de haven met de meisjes. Een tochtje naar Málaga, een glas seco tussen de tonnen en het zaagsel in Antigua Casa Guardia, het oude café waar Picasso vroeger kwam. Meer ijs voor de meisjes. Zwemmen. Gegrilde zeebaars. Lekkere tapas bij zonsondergang.
‘Angela?’ Ze moest de benauwdheid in zijn stem wel horen. ‘Heb je nee gezegd? Heeft iemand anders de baan gekregen?’
‘Ik heb maar één keer met ze gepraat, Erik. En dat was eigenlijk heel terloops. Tenminste van mijn kant.’
‘Bel ze meteen om een afspraak te maken voor een gesprek.’
‘Wat een haast opeens,’ zei ze. ‘Maar ... waar moeten we wonen? Als het doorgaat. We kunnen niet de hele tijd bij Siv wonen.’
‘Maak je daar maar niet druk om. Dat regelt zich allemaal.’
Nu waren de rollen omgedraaid. Zij aarzelde. Hij had een besluit genomen. Maar zij had nooit een besluit genomen. Het was een idee, een voorstel, iets anders. Een goede herinnering, misschien. Je leeft maar één keer. En Elsa zou snel leren in het Spaans een drankje voor hem te bestellen. *Un fino, por favor.*

'Oké, ik zal ze bellen,' zei ze. 'Maar het is te laat om dat vanavond nog te doen.'

'Spaanse klinieken gaan 's morgens vroeg open.'

'Ik weet het, Erik.'

Hij hoorde haar glimlachen.

'Nu wil ik even met Elsa praten,' zei hij. 'En met Lilly.'

'Lilly ligt al uren te slapen. Hier komt Elsa.'

Zijn dochter vertelde over haar dag. De woorden kwamen als een waterval, er zat geen pauze tussen.

Hij vertelde niet over zijn dag.

Hij droomde over een vrouw die met haar ene hand naar hem zwaaide. De andere hield ze achter haar rug verborgen. Ze had geen gezicht. Er was niets. Op de plek waar haar gezicht had moeten zitten, was alleen een wit, mat oppervlak. Ze zwaaide nog een keer. Hij draaide zich om om te kijken of er iemand achter hem stond, maar hij was alleen. Achter hem was alleen een wit oppervlak, een muur die geen eind had. Iemand zei het woord 'liefde'. Dat kon niet van haar komen, want ze had geen mond. Hij kon het ook niet zijn, hij wist dat hij niets had gezegd. Nu kwam het nog een keer: liefde. Het was als een wind. Nu kon hij de wind zien, die was rood en snelde over de muur naar beneden en maakte de muur rood. De hele tijd stond de vrouw daar met haar armbeweging, een jurk die door de wind werd gegrepen. Alles werd rood, wit, rood, wit. Hij hoorde weer iets, maar het was een stem zonder woorden, of woorden die hij niet kon verstaan, een andere taal die hij nog nooit had gehoord. Hij wist niet wat hij daar deed. Hij kon niets doen. Hij kon de vrouw die met de wind werd weggesleept niet helpen. Hij kon zich niet bewegen. De wind nam toe, geluiden die klonken als klappen, wind, klappen, wind. Hij hoorde een naam. Het was niet Paula's naam, ook niet die van Angela, of van Elsa of Lilly.

Winter werd naakt wakker. Hij moest meteen aan de witte muur denken die rood was geworden. Hij kon hem in het donker niet zien. Hij merkte dat hij het koud had. Hij hoorde geluiden van klappen, en van de wind, en hij begreep dat hij in slaap was gevallen terwijl het raam op een kier stond; het was harder gaan waaien en het haakje van het raam was losgeraakt en nu sloeg het raam met perfecte regelmaat tegen het raamkozijn. Het klonk als een roep.

Hij kwam overeind en zette zijn voeten op het laken dat op de vloer terecht was gekomen. Hij keek op zijn horloge. Toen hij een paar uur geleden het licht had uitgedaan, was het een warme, vochtige, vroege nacht geweest. Hij had de slaap moeilijk kunnen vatten en het dunne dekbed uit de overtrek getrokken. Nu was het weer omgeslagen, met wind uit het noorden. Van tropisch naar gematigd, of Scandinavisch. Hij huiverde weer, trok zijn linnen broek aan en liep in het donker naar de keuken, pakte een fles mineraalwater uit de koelkast en dronk. Achter het raam naar de binnenplaats heerste nog steeds de zwarte nacht. Onlangs was het rond deze tijd nog steeds bijna dag geweest, nog maar een paar weken geleden. Het was altijd weer verrassend. De duisternis kon niet wachten. Die kon zich niet inhouden. Over een paar maanden zou het 's middags om drie uur al nacht zijn. Welkom in Scandinavië.

Hij zette de fles neer. Hij herinnerde zich de naam die hij in zijn droom had gehoord. Ellen. Een vrouwenstem had de naam geroepen, dwars door de wind heen. Ellen. Hij had Paula gezien, maar Ellens naam gehoord. Hij had Paula's gezicht niet gezien, maar het moest Paula zijn geweest. Ze had haar hand verborgen gehouden.

Ze hoorden bij elkaar. Ellen en Paula hoorden bij elkaar.

Nee.

Hij herinnerde zich wat hij laatst tegen Bertil had gezegd toen ze over de zaak Ellen Börge hadden gesproken: daar was iets. Iets wat ik had kunnen doen. Iets wat ik had kunnen zien. Het was daar, voor mijn ogen. Ik had het moeten zien.

Wat had hij moeten zien? Had het te maken met de zaak Paula Ney? Waarom was hij aan Ellen Börge gaan denken toen de dood van Paula Ney in zijn leven kwam?

Het kwam door de kamer.

Het hotel, dacht hij. Hotel Revy, dat hebben ze gemeen. En de kamer, en hun leeftijd, negenentwintig jaar.

Maar ik ben niet dezelfde.

Winter maakte zich los van het aanrecht, hij had het gevoel alsof hij eraan was vastgehecht.

Hij liep naar de woonkamer en ging op de bank zitten. Alles was nog steeds donker.

Waar is Ellen?

Had ze een zonnebril op?

Nee, stop hiermee, Winter.

Wat betekende Paula's hand? Waar zou die voor worden gebruikt? Wezen de vingers in een bepaalde richting? Zouden ze het begrijpen? De juiste richting volgen?

Nee.

Ja.

Nee.

6

Winter stapte het gebouw binnen en knikte naar de bewaker die achter het glas zat. De jongen glimlachte, alsof ze een geheim grapje deelden.

Winter keek naar de liftdeuren. Die glommen mat en wierpen zijn spiegelbeeld als een silhouet terug. Je kon willekeurig wie zijn.

In de lift dacht hij dat dit als een eerste reis voelde.

De deuren naar de hal gingen open en hij stapte uit. Hij kon de grasmat van het oude Ullevi-stadion door het raam zien, groen als op een schilderij. Hij liep door de hal en toetste de cijfercombinatie in die naar de verlokkelijke gang achter de deur leidde. Dit was de eerste keer. Hij voelde dat het een bijzondere dag was. De deur ging niet open. Hij toetste de combinatie nog een keer in, maar er gebeurde niets. Het waren de juiste cijfers, tenzij ze sinds gistermiddag waren veranderd.

'Ik denk dat je verkeerd bent, jongen.'

Hij draaide zich om. De man glimlachte, maar niet vriendelijk. Winter herkende hem niet. Hij was in burgerkleding, net als Winter. Maar het begrip 'burger' was rekbaar. Sommige mensen zouden misschien zeggen dat Winter op een snob leek. De andere man zag er zonder meer onverzorgd uit. Winter kende de meeste gezichten van het politiebureau, maar dit gezicht kende hij niet. Het was geen prettig gezicht. Het kon mensen bang maken, en niet altijd op de juiste manier. De kin was vierkant en de oren waren kleiner dan normaal. De ogen hadden een bijzondere glans, waarvan Winter vermoedde dat die er een beetje te vaak was. De glimlach was niet geruststellend. Dat gezicht hoorde thuis aan de andere kant van de wet, op pagina 1 of 2 of 3 in het strafregister. Het hoorde bij een nieuwe cliënt.

Of bij een nieuwe misdaadbestrijder.

'Legitimatie, alstublieft!' zei de gemillimeterde schooier. Hij strekte zijn hand uit en glimlachte opnieuw op die eigenaardige manier.

'Luister eens even ...'

'Legitimatie! We willen niet dat Jan en alleman aan de deur van de afdeling Onderzoek staat te krabben.'

'Ik werk hier,' zei Winter en hij deed een pas naar achteren toen de agressieve collega een pas naar voren deed. Het was een collega. Winter rook de geur van de alcohol van de vorige avond in de ochtendfrisse adem van de schooier. De ogen van de man waren bloeddoorlopen. Hij verkeerde niet in een stralend ochtendhumeur. Winter ook niet. Hij begon genoeg te krijgen van dit toneelspel.

'We hebben niemand besteld om vandaag onze schoenen te poetsen of de ramen te lappen,' zei de collega. Hij glimlachte wederom onbehaaglijk en gaf Winter een por tegen diens schouder, waarop Winter de ander een oplawaai verkocht op de plek waar die het hardst aankwam.

'Dit heb ik nog nooit meegemaakt!'

Winter staarde recht in een ander gezicht, meer gegroefd dan het vorige, maar met helderder ogen. Het gezicht was dichtbij. Winter rook een vage, maar toch duidelijke tabaksgeur. Die was afkomstig van de kleren van de man en werd vermengd met de verse lucht van de sigaret die hij in zijn hand hield. De rook prikte plotseling in Winters ogen. Hij knipperde om te voorkomen dat zijn ogen gingen tranen. Dat zou er niet fraai uitzien.

'Waar zijn jullie in godsnaam mee bezig?!'

De oudere man draaide zich om naar de jongere, die met de glimlach, die naast Winter zat, en drukte zijn gezicht dicht tegen het zijne. Er was geen glimlach op het gezicht van de oudere man te zien. De glimlach van de jongere man was nu verdwenen.

'Moeten we je weer de straat op sturen, daar waar je thuishoort, Halders?!'

'Hij begon.'

'Hou je bek,' schreeuwde de oudere man met zijn gezicht nog steeds vlak bij dat van de ander. Winter zag hoe de spuug als een motregen op Halders' gezicht spatte. Hij heette dus Halders. Hij was kennelijk nieuw op de afdeling, niet even nieuw als Winter, maar het scheelde niet veel. Winter wist dat de schreeuwende, spugende en kettingrokende man Sture Birgersson was, hoofdinspecteur en hoofd van de afdeling Onderzoek. Een probleemoplosser met fantasie. Daarom loste hij problemen ook op. Maar dit probleem had hem levensgevaarlijk rood in zijn gezicht gemaakt. De bloeddruk wist niet waar die heen moest en leek in zijn lichaam rond te razen, wanhopig op zoek naar een weg naar buiten.

'Zit je de schuld op iemand anders af te schuiven, vervloekte lafaard?!'

Hij trok zijn gezicht terug en wierp zijn harde blikken op Winter. Winter zag dat Birgerssons ogen geel waren, helder en geel. Dit was de eerste keer dat hij onder hem werkte. De eerste dag, het eerste uur, de eerste minuten. Een schitterend begin.

'En wat doen we met deze etalagepop?!'

Halders begon te grijnzen.

'Ik zei dat je je bek moest houden!' schreeuwde Birgersson zonder Halders aan te kijken. Zijn gezicht kwam nu weer dicht bij dat van Winter. 'Je hebt kennelijk niet goed begrepen om wat voor baan het gaat! Heb je soms te veel politieseries gezien? *Miami Vice* of hoe ze ook maar heten? Homosnobs in Armani-pakken die iedereen een pak slaag mogen geven? Denk je soms dat je baan dat inhoudt!?'

Winter deed zijn mond open, maar voordat hij iets kon zeggen schreeuwde Birgersson: 'Bek houden!'

'Ik heb voor je gestemd, jongen.'

Birgersson staarde Winter recht aan. Birgerssons ogen deden denken aan een maanlandschap. Hij voelde ook ongeveer even ver weg, hoewel hij zo dichtbij was dat Winter de sigarettenlucht uit zijn mond kon ruiken. De rook van de sigaret in Birgerssons hand steeg omhoog en prikte wederom in Winters ogen en hij moest zijn best doen om nu niet te knipperen. Knipperen zou ook een teken van zwakte zijn. Als hij ook maar één keer met zijn ogen knipperde, zou hij meteen van deze gang en deze afdeling worden weggestuurd en nooit meer in een Armani-pak een zaak mogen onderzoeken. Hij zou weer een uniform moeten dragen, weer 's nachts moeten patrouilleren in de hoerenbuurten bij Pustervik, waarschijnlijk samen met Halders. De dood was nog een beter alternatief.

'Ik heb verdomme voor je gestemd, lummel,' zei Birgersson. Hij trok zijn gezicht terug en ging met een zware plof op zijn kantoorstoel zitten. Het was een wonder dat de stoel niet kapotging. 'Ik moest zelfs mijn stem verheffen,' ging Birgersson verder, alsof dat iets unieks voor hem was, 'er waren mensen die bezwaren tegen jou hadden en ik heb mijn woord van eer moeten geven dat je rijp was voor de baan!' Hij draaide zich bruusk om naar Halders. 'En dan dit!'

Halders was zo verstandig zijn mond te houden.

'Niemand weet hoe het allemaal zou zijn afgelopen als Bertil niet net op dat moment uit de lift was gestapt!'

'Waarschijnlijk bij de hoofdcommissaris,' zei de vierde man in de kamer. Hij had tot dan toe niets gezegd. Hij heette Bertil Ringmar en was inspecteur bij de recherche en rijp voor de titel van hoofdinspecteur, overrijp, maar het was moeilijk om voortdurend in de schaduw van Birgersson te staan, moeilijk om uit diens schaduw te stappen. Winter had het afgelopen jaar een paar keer met Ringmar gepraat en had hem een aardige vent gevonden. Hij was ongeveer tien jaar ouder dan Winter. Winter had zich erop verheugd met hem samen te werken, van hem te leren.

Nu had hij het misschien voor altijd verpest.

Tegelijkertijd zou hij het opnieuw kunnen doen. Het opnieuw kunnen verpesten. Halders een dreun verkopen en zien hoe die vervloekte glimlach in iets heel anders veranderde. Hij was hier misschien niet rijp voor.

'Niet alleen bij de baas,' zei Birgersson. 'Dat deel is nog te hanteren. Ik heb het over het Sahlgrenska-ziekenhuis, vermoedelijk de Spoedeisende Hulp, en dan natuurlijk de kranten, de televisie, het kantongerecht, het gerechtshof, de regering en de hele VN!'

In elke hoek van het café stonden enorme planten in potten. Het leek wel een jungle, alsof de planten wilden zeggen dat het mogelijk was een verre reis te maken. Winter zou daar binnenkort misschien alle tijd van de wereld voor hebben. Dat lag eraan hoe rijp hij zich in de nabije toekomst toonde.

Ze hadden het politiebureau zo snel mogelijk verlaten. Niemand voelde er wat voor om 20 meter van Birgerssons kamer koffie te drinken.

Halders vertrok zijn gezicht toen hij ging zitten.

'Doet het pijn?' vroeg Winter.

'Doet wat pijn?' zei Halders.

'Ik verheug me er echt op met je samen te werken,' zei Winter.

'Wees daar maar niet te zeker van,' zei Halders. 'De ouwe is wel vaker van gedachten veranderd.'

De ouwe Birgersson was gestopt met preken, zijn sigaret was opgerookt en hij had hen met een waarschuwing zijn kamer uit gezet. Ringmar was met de twee slungels meegestuurd.

'Ik heb geen tijd om te babysitten,' ging Halders verder.

'Ik was niet van plan te gaan zitten,' zei Winter.

'Wat wil je dan gaan doen?' zei Halders en hij glimlachte zijn glimlach.

Hier moet een eind aan komen, dacht Winter. Al duurt het jaren, hier moet voor altijd een eind aan komen. Hij is in het voordeel. Zal ik hem vragen me een stomp in mijn buik te geven zodat we quitte staan?

Ringmar schraapte zijn keel: 'Wat Birgersson op zijn eh ... subtiele manier probeerde te zeggen, is dat het bij de politie geen schoolplein of babybox is.'

'Wat betekent "subtiel"?' vroeg Halders.

'Gevoelig,' antwoordde Winter.

'Ik wist wel dat jij dat wist,' zei Halders en hij glimlachte.

'Net zo gevoelig als jij,' zei Winter.

Halders glimlachte nog steeds.

'Hebben jullie eigenlijk wel begrepen wat ik net zei?' zei Ringmar.

Augustus was groener geweest dan anders omdat er die zomer meer regen was gevallen dan normaal. Het regende nog steeds, en het regende op dit moment, nu Winter voor Hotel Revy stond. Het was vier uur in de middag en het licht was verdwenen, opgezogen in de hemel die laag en grijs was, een winterhemel begin september.

Hij keek omhoog naar de tweede verdieping, een rij ramen aan de straatkant, drie ramen, en het middelste was van kamer nummer 10. Niemand was midden in de nacht door dat raam naar buiten geklommen, dat wist hij.

Ellen Börge niet. Iemand anders ook niet.

In de lobby was het even donker als buiten. De duisternis werd versterkt door de planten. Winter dacht aan het café waar hij een week of wat geleden met Ringmar en Halders had gezeten. Hij dacht weer aan zuidelijke landen. In de lobby hing een vreemde lucht. Misschien uit het zuiden.

Hij was alleen in de lobby. Ergens kwam muziek vandaan, misschien van een radio. De muziek zei hem niets. Het leek alsof niemand ernaar luisterde. De muziek stopte en hij hoorde de regen op de luifel boven de ingang kletteren. Er zaten gaten in, er was een regendruppel op zijn wang gevallen toen hij de trap opliep.

Het hotel leek gesloten, verlaten. Maar een hotel was nooit gesloten, vooral dit niet.

Hij liep naar de balie en keek om zich heen. De muziek was weer begonnen, een zacht gesuis. Misschien was het een stofzuiger. Het geluid leek van boven te komen. Misschien was er een schoonmaakster in kamer 10 bezig. Winter was daarboven geweest, een technicus was er ook geweest, maar er viel niets te onderzoeken. Ellen had er een nacht geslapen, of bijna een nacht, en was bij het eerste ochtendlicht weg geweest. Dat was gisternacht. Niemand had haar Hotel Revy zien verlaten, zelfs de portier niet, Ze had betaald toen ze incheckte, dat was het beleid van het etablissement. Winter begreep wel waarom. De meeste gasten woonden er maar een uur, een halfuur. Hij vroeg zich af waarom Ellen een plek als deze had gekozen. Misschien juist daarom. Niemand zag iets, hoorde iets. Iemand die ervandoor wilde gaan, deed er goed aan voor Hotel Revy te kiezen. Een paar uur nadenken, als dat hier mogelijk was, misschien even rusten, van slapen kwam waarschijnlijk niet veel, en dan weg met de ochtendtrein, of de bus, naar het zuiden, naar het oosten, naar het noorden. In het westen was alleen maar zee, dan zou het een boot moeten worden, een veerboot. Ze wisten niet welke windrichting ze had genomen, als ze echt op reis was gegaan. Tot nu toe hadden ze geen reisbureau gevonden dat kaartjes aan haar had verkocht.

De portier werd zichtbaar achter de balie. Hij stapte door een deuropening die, net als alles hier, in duisternis was gehuld. Er was geen deur, alleen een gordijn. Hij geeuwde, alsof hij net siësta had gehouden. Misschien was het zwaar om in een hotel te werken, vooral hier. Hij was een werknemer die verantwoordelijk was voor de kamersleutels, en waarschijnlijk was het moeilijk om hier 's nachts ongestoord te slapen.

De man geeuwde opnieuw, zonder een poging te doen dat te verbergen. Hij was ongeveer van Winters leeftijd, nog geen dertig. Hij droeg een colbertje, net als Winter, maar het verschil was dat deze vent het ook als pyjama had gebruikt.

'Zware dag gehad?' vroeg Winter. 'Of nacht?'

'Hè ... wat?'

De portier krabde aan zijn hoofd. Zijn haar was lang in de nek, kort bij de oren. Hij had wel wat weg van Elvis.

'Ik was hier gisteren,' zei Winter.

'Ja?'

'De verdwijning. Ellen Börge.' Winter liet zijn legitimatiebewijs zien. De portier bestudeerde het met ogen die bijziend leken.

'Jij was hier gisteren niet,' zei Winter. 'Je collega zei dat je hier nu zou zijn. Jij hebt haar toch ingecheckt?'

'Wie?'

Hij was nog niet echt wakker. Misschien werd hij nooit echt wakker.

'Ellen Börge. Jij hebt haar om 23.30 uur ingecheckt.'

'Hm.'

'Weet je dat nog?'

'Ik ben niet dom.'

'Niemand zegt dat je dom bent.'

Nog niet, dacht Winter. Maar je bent een slome donder. Dit is niet de eerste keer dat je met de politie praat. Hier komt voortdurend politie langs. Je bent het zat. Je bent ons zat.

'Je collega liet ons de map zien waarin de mensen worden ingeschreven. Haar naam stond erin. Kun je de map even pakken?'

'Ik kan me haar herinneren,' zei de portier zonder zich te bewegen. 'Börge. Ik keek nog een keer naar haar naam toen ze naar haar kamer was gegaan. Ik vond dat die als een jongensnaam klonk.'

'Doe je dat vaker, extra naar de naam van de gasten kijken?'

'Eh ... nee. Maar ... ze was alleen.'

'En ze zag er niet uit als een hoer. Bedoel je dat?'

De portier keek zonder te antwoorden omlaag, alsof hij plotseling de schaamte van dit hotel op zich nam. Hij keek op. 'Ze had ook geen koffer bij zich, alleen een handtas.' Hij zwaaide met een paar vingers naar de balie. 'Die legde ze daar neer toen ze schreef. En toen ze wegliep, moest ik daaraan denken, dat ze geen koffer bij zich had.'

'Beschrijf haar handtas eens,' zei Winter.

'Tja ... zwart.'

'Zwart? Is dat alles wat je je kunt herinneren?'

'Ja ... en klein. Hij had een riem. Zoals dameshandtassen eruitzien. Ik zie het verschil niet.'

Hij keek naar de trap, alsof Ellen zich daar zou manifesteren. 'Ze wekte de indruk dat ze onderweg was. Ik weet nog dat ik dat dacht. Dit hotel ligt vlak bij het centraal station en er komen veel gasten die de eerste de beste kamer nemen voordat ze weer verder reizen. Reizigers. Ik heb geleerd mensen te herkennen die onderweg zijn.'

'En zij zag eruit alsof ze onderweg was?'
'Dat vond ik.'
'Ze is ook weggegaan.'
'Dat heb ik begrepen.'
'Ergens gedurende de nacht, of in de vroege ochtend.'
'Dat zeggen ze.'
'Geloof je het niet?'
'Ik geloof niets. Ik wéét niets. Ik was hier niet. Mijn dienst zat er om twaalf uur op.'
'Je collega heeft niets gemerkt.'
'Dát weet ik. Dat begrijp ik.'
'Wat bedoel je?'
'Hij merkt nooit iets. Hij slaapt.' De portier glimlachte. 'Hij deelt sleutels uit in zijn slaap.'
Winter geloofde hem. Hij had dezelfde indruk gekregen. Deze grappenmaker was slaperig, maar de andere was veel erger.
'Wat voor indruk maakte ze?'
'Hè?'
'Ellen Börge. Toen ze incheckte. Je hebt haar gezien. Ze was je opgevallen. Wat voor indruk maakte ze? Leek ze nerveus? Was ze gespannen? Keek ze onzeker? Iets?'
'Ze leek rustig, vond ik.'
'Het regende. Was ze droog?'
'Nu kan ik je niet volgen.'
'Het stortregende. Had ze een paraplu bij zich? Leek ze een verzopen kat? Leek ze te willen schuilen voor de regen?'
'Tja ... ik heb geen paraplu gezien. En ze was nat, vooral haar haar.' Hij wreef over zijn matje. 'Jaa ... misschien kwam ze inderdaad wel schuilen. Maar om dan ook in te checken gaat wel een beetje ver, vind je ook niet?'
Winter antwoordde niet. Ellen was van huis gegaan toen de zon scheen, vrijwel geen wolken aan de lucht. Christer Börge kon niet precies zeggen wat voor kleren ze aan had gehad toen ze wegging, maar het was 'iets luchtigs' geweest. Geen jas, hij beweerde dat alles er nog hing. En de paraplu's, het waren er twee, stonden in een sierlijke paraplubak. Ja, had Winter gedacht, waarom zou ze een paraplu meenemen als de zon als een bezetene scheen, alsof ze alles van deze natte zomer wilde inhalen.
Zevenenhalf uur later had ze hier ingecheckt, was ze vanuit de regen naar binnen gekomen.
'Beschrijf haar kleren eens,' zei Winter.

'Kunt u haar kleren nog een keer beschrijven?' vroeg Winter.
'Is dat echt noodzakelijk?'

'Wilt u zo vriendelijk zijn haar kleding te beschrijven?' herhaalde Winter.
Christer Börge vertelde over haar kleren.
'Ik heb echt mijn best gedaan,' zei hij toen hij klaar was.
'Maar u weet het niet helemaal zeker?'
Börge haalde zijn schouders op. 'Wie kan tot in de details de kleren van zijn vrouw beschrijven? Na een paar dagen? Kunt u dat?'
'Ik ben niet getrouwd.'
'U begrijpt wel wat ik bedoel.'
Winter knikte.
'Maar ik geloof niet dat ze een jas aanhad. Het was tenslotte een warme dag, of avond. Of middag, ik weet niet hoe ik het moet noemen.'
Winter knikte opnieuw, hoewel er niets te knikken viel. Börge stond nog steeds onbeweeglijk voor hem, al sinds Winter de hal was binnengestapt. Börge wilde hem daar niet hebben, en Winter begreep hem.
'Zullen we even gaan zitten?'
'Waarom?'
Winter hoefde daar geen antwoord op te geven, en dat deed hij ook niet. Hij knikte naar de kamer. Die werd verlicht door een sterk avondschijnsel. De zon ging onder in een rode en gouden gloed, septemberkleuren.
Börge draaide zich om en liep naar de woonkamer. Winter volgde hem. Ze gingen zitten. Het rook plotseling naar het licht buiten, naar kruiden die Winter niet bij naam kende en misschien nooit zou proeven. De deur naar het balkon stond wijd open. Er was geen wind. De kamer en het balkon wekten een indruk van elegantie toen het licht van de heldere dag naar binnen viel. Maar de meubels waren even plucheachtig als toen hij hier anderhalve dag geleden was geweest. Zo zou het misschien blijven. Hij vroeg zich af of Christer Börge hier over een jaar, een halfjaar nog zou wonen. Of Ellen hier terug zou komen. Winter dacht dat ze ergens anders een gelukkig leven zou leiden. Daarvandaan zou ze iets van zich laten horen. Christer zou ongelukkig blijven, of gelukkig. Hij verborg zijn bezorgdheid misschien achter een verveeld gezicht. Hij was een vreemde voor Winter, net als bijna alle andere mensen. Winter werkte met vreemden, sommige levend.
'Hotel Revy,' zei Winter.
'Nooit van gehoord,' zei Börge. 'Dat heb ik toch al gezegd.'
'Daar heeft ze haar intrek genomen.'
'Intrek genomen? Intrek genomen? Ze was er maar een paar uur. Ze had geen koffer bij zich. Dat noem ik niet intrek nemen.'
'Hoe moet je het dan noemen?' vroeg Winter.
Börge antwoordde niet.
'Waarom net dat hotel?' zei Winter.
'Waarom een hotel?' zei Börge.

'Dat vraag ik me inderdaad af. En ik vraag het u.'
Börge zei iets wat Winter niet verstond.
'Sorry, wat zei u?'
'Ze had er geen reden toe,' zei Börge zachtjes. De stem had iets wat Winter niet eerder had gehoord, een andere toon.
'Wat bedoelt u daarmee?'
'Precies wat ik zeg.' Börge keek Winter recht aan. 'Ze had geen reden om daar haar intrek te nemen, zelfs niet voor een paar uur. Überhaupt niet om ergens heen te gaan. Ze moet ziek zijn geworden. Dit was haar huis.' Hij keek om zich heen, naar de woning. 'Hier hoorde ze thuis.' Hij keek weer naar Winter. 'Hier hoorde ze thuis.'
De man klinkt alsof hij haar nooit meer zal zien, dacht Winter. En precies op dat moment, daar op de zachte bank, toen de zon plotseling schuilging achter een wolk en alles donker werd, donker als in de lobby van Hotel Revy, op dat moment dacht Winter dat Christer en Ellen elkaar voor het laatst hadden gezien.

7

De luifel boven de trap was tegenwoordig blauw. Er was geen wind, en ook geen regen. De trap was droog. Van onderen naar boven liepen er scheuren over de trap. Een rivierensysteem zonder delta.

Winter liep de trap op. Hij zag de scheuren tussen de treden en het onkruid dat omhoogkwam uit de onderwereld. De derde wereld, dacht hij. Het gaat snel als het eenmaal achteruitgaat. Er vindt nivellering plaats. Aan beide kanten van de evenaar gaat het naar de bliksem.

Het was donker in de lobby, en de duisternis werd versterkt door het open licht buiten. Daar was de lucht wijd open, alsof hij probeerde de horizons te verplaatsen. De lucht had een lichtere blauwe kleur, alsof hij door de zomerregen was geschrobd.

Winter was alleen in de lobby. Ergens kwam muziek vandaan, misschien van een radio. De muziek zei hem niets. Het leek alsof niemand ernaar luisterde.

Hij liep naar de balie en keek om zich heen. De muziek was weer begonnen, een zacht gesuis. Hij herinnerde het zich. Het was alweer bijna twintig jaar geleden, maar alles was hetzelfde. Zijn gevoel van déjà vu was geen déjà vu. Het was echt. Eigenlijk gebeurt er niets in twintig jaar, dacht hij, alles herhaalt zich gewoon.

De portier werd zichtbaar achter de balie. Hij stapte door een deuropening die, net als alles hier, in duisternis was gehuld. Er was geen deur, alleen een gordijn.

Winter herkende hem meteen.

De portier herkende Winter meteen. Dat zag Winter aan zijn ogen. Die lichtten op, een fractie van een seconde, als een zaklamp in de lobby.

De portier zei niets, maar zijn blik ging naar de trap, naar boven, door de gang, naar kamer nummer 10. De kamer was nog niet vrijgegeven door de politie. De hele verdieping trouwens niet.

Deze man was kennelijk een paar dagen vrij geweest. Winter had hem tijdens dit vooronderzoek nog niet gezien. Maar Winter was niet degene die de portiers van het hotel verhoorde, nog niet. Pas nu. Hoe heette hij? Winter was het vergeten. Hij had zijn naam gelezen en was die vergeten, vreemd genoeg. De naam van deze man stond in Paula's dossier, net als die van alle werknemers in Hotel Revy. Dat betekende dat zijn naam met een tussenruimte van bijna twintig jaar in twee dossiers voorkwam. Hij zag er niet twintig jaar ouder uit. Hij had een ander kapsel. De tijd bewoog hier in het donker langzamer. Buiten in het licht, voorbij de luifel, werd alles sneller oud. Maar de portier had Winter herkend. Salko. Hij heette Salko. Richard Salko. Was er vroeger niet een kunstrijder geweest die Salko heette? Een dubbele salchov en een dubbele lutz. Dat was lang geleden, vóór de heerlijke jaren tachtig.

'Dat is een tijd geleden,' zei Richard Salko.

'Je herkent me dus?'

'Net zoals jij mij herkent.'

'De jaren zijn kennelijk vriendelijk voor ons geweest,' zei Winter.

'Dat ligt eraan waar je van uitging,' zei Salko, 'toen. Hoe je er toen voor stond.'

Salko's blik gleed weer naar de trap, en terug.

'Vreselijk,' zei hij. 'Hoe heeft het kunnen gebeuren?'

Winter zei niets.

'Ik was hier niet,' zei Salko. 'Ik was ziek.'

'Ik weet het.'

'Ik kan je dus niets vertellen.'

'Wat had je?'

'Migraine. Dat duurt soms een paar dagen. Een enkele keer een hele week.'

Winter knikte.

'Ik slik er medicijnen voor. Ik ga naar een dokter.'

'Ik geloof je,' zei Winter.

'Toen het ... gebeurde, lag ik thuis op bed.'

Winter liet hem een foto zien. 'Heb je haar weleens gezien?'

Salko bestudeerde Paula's gezicht.

'Het is niet dezelfde foto als in de krant.'

'Nee.'

'Ze lijkt helemaal niet op die foto.'

'Daarom laat ik je deze ook zien.'

'Nee,' zei Salko en hij schudde zijn hoofd. 'Ik heb haar nog nooit gezien.'

'Ze is hier niet geweest?'

'Niet voor zover ik weet.'

'Je collega's herkennen haar ook niet.'

Salko haalde zijn schouders op.

'Toch koos ze voor dit hotel,' zei Winter.

'Deed ze dat?'

'Hoe bedoel je?'

'Was zij degene die het hotel koos?'
Winter antwoordde niet.
Salko haalde zijn schouders weer op.
'Ze checkte zelf in, als je het zo mag zeggen.'
'Ze ging naar de kamer, nummer 10,' zei Winter. 'Voor zover we weten heeft ze de kamer nooit verlaten. Ze had geen sleutel. Niemand hier heeft haar zien komen of gaan. Ze is er de hele nacht geweest. Ze kreeg bezoek. We weten niet wanneer. Niemand heeft een bezoeker gezien.'
'Dit is een hotel,' zei Salko. 'Mensen komen en gaan.' Hij gebaarde met zijn hand naar de lobby. 'Je ziet het zelf. Het is hier zo donker dat je nauwelijks een hand voor ogen kunt zien.'
'Waarom is dat zo?' vroeg Winter.
'Dat moet je aan de eigenaars vragen.'
Dat zouden ze doen. Maar het was geen misdrijf om op elektriciteit te bezuinigen. En anonimiteit was een onderdeel van deze plek. Elektriciteit ging niet goed samen met anonimiteit.
'Ik heb gehoord dat jullie gaan sluiten,' zei Winter.
'Wie heeft dat gezegd?'
'Is het alleen maar een gerucht?'
'Dat moet je mij niet vragen.'
'Je weet er niets van?'
'Er doen zoveel geruchten de ronde,' zei Salko. 'Deze plek is al twintig jaar bezig te sluiten.'
'Dat moet een onzekere werksituatie voor je zijn,' zei Winter.
Salko glimlachte niet. 'Deze keer is het misschien waar. Het gerucht is misschien waar.' Hij keek Winter over de balie recht aan. 'Ik stel voor dat je het aan de eigenaar vraagt.'
Winter knikte. Hij zag dat Salko zijn blik verplaatste. Hij hoorde een deur achter zich en draaide zich om. De deuren zwaaiden heen en weer, maar hij zag niemand. Hij had niemand door de lobby horen lopen. Hij draaide zich weer om naar Salko.
'Wie was dat?'
'Sorry?'
'Wie liep er net door de deur naar buiten?'
'Ik heb niemand gezien.'
'De deuren bewogen toch?'
'Dat moet de wind zijn geweest.'
'Het waait helemaal niet.'
'Ik zei toch dat ik niemand heb gezien.'
Winter zag dat Salko loog. Dat leerde je in twintig jaar. De leugens zien, dat was zijn erfdeel.
'We hebben de schoonmaakster gesproken en zij heeft niets gemerkt. De

dag of de dagen ervoor, bedoel ik. Bovendien had ze de kamer de laatste twee dagen niet schoongemaakt.'

Salko haalde voor de derde keer zijn schouders op.

'Hij stond toch leeg. Waar wil je heen?'

'Wordt er geen ... tja, inspectie verricht? Worden de kamers niet elke dag gecontroleerd? Of elke avond?'

'Nee.'

'Worden de kamers niet elke dag schoongemaakt? In elk geval als er iemand logeert?'

'Dat ligt aan de gast. Je kunt een bordje aan de deur ophangen.'

'Gelieve niet schoon te maken?'

'Niet storen.'

'Dat is niet hetzelfde,' zei Winter. 'Ik begrijp niet dat een hotel zo slordig kan zijn met schoonmaken.'

Salko hoorde de verandering in Winters stem. Als hij al van plan was geweest zijn schouders op te halen, liet hij dat nu achterwege.

'Je begrijpt wat dat kan betekenen?' zei Winter. 'Begrijp je dat?'

Nina Lorrinder was een half hoofd groter dan Aneta Djanali.

Ze was ook een half hoofd groter geweest dan Paula Ney.

Het was kwart over vijf en het café op de Västra Hamngatan was net opengegaan. Bishops Arms had wel wat weg van een pub in Londen. Aneta Djanali was er al eens eerder geweest, onlangs op een avond, samen met Fredrik. Na een halfuur waren Bertil en Erik opgedoken. Erik had voor iedereen een pint van de net binnengekomen verse ale besteld. Voor Aneta was het de eerste keer geweest, en de laatste. Ze kon een goedkoper drankje met dezelfde smaak en geur krijgen door een vaatdoek uit te wringen.

'Ahhh, dat was lekker,' had Erik gezegd toen hij zijn glas leeg had. 'Nog eentje?'

Maar nu was er geen sprake van nog eentje. Er was helemaal geen sprake van ale. Aneta Djanali en Nina Lorrinder dronken thee.

Nina en Paula hadden allebei een glas wijn gedronken. Ze hadden aan dit tafeltje gezeten. Nu was het de enige lege tafel in het café, alsof het gerucht de ronde had gedaan.

Aneta had Nina gevraagd of ze daar zouden gaan zitten en Nina had bevestigend geknikt. Het is macaber, dacht Aneta Djanali. Maar misschien frist het haar geheugen op.

'Hoe lang hebben jullie hier gezeten?'

'Die vraag heb ik toch al beantwoord?' antwoordde Nina Lorrinder, maar ze klonk niet onvriendelijk.

'We stellen dezelfde vraag vaak verschillende keren.'

Soms omdat we stom zijn, dacht Aneta Djanali. Soms omdat we elke keer een ander antwoord krijgen.

Nina Lorrinder tilde haar kopje op, maar dronk er niet uit. Ze zette het weer neer. Ze keek naar de deur, alsof Paula zou binnenstappen. Ze verplaatste haar blik naar Aneta Djanali, alsof Paula daar zat.

Ze begon te huilen.

Het kopje trilde in haar hand.

'We gaan ergens anders heen,' zei Aneta Djanali.

In een Frans café verderop in de straat herhaalde Aneta Djanali haar vraag.

'Een uur, ongeveer.'

'Hoe laat was het toen jullie afscheid van elkaar namen?'

'Ongeveer tien uur.'

'Was dat buiten voor het café?'

'Ik ben met haar meegelopen naar het Grönsaksplein. Daar zou ze de tram nemen. Lijn 1.' Nina Lorrinder schrok op toen er buiten een tram langsreed. De deur naar de straat stond open. Het was een warme nazomeravond. 'Maar dat weten jullie al.'

'Ben je blijven wachten tot ze instapte?'

'Nee.'

'Waarom niet?'

'Mijn eigen tram kwam eraan. Lijn 3.'

'Waarom stapten jullie niet in bij de halte bij de Domkerk?'

'Tja ... we wilden eerst een eindje lopen.'

'Dus jij stapte lijn 3 in terwijl Paula op lijn 1 wachtte?'

'Ja.' Nina Lorrinder zag er in het cafélicht heel bleek uit. Het licht was een bleke mengeling van elektriciteit en herfstzon.

'Was dat verkeerd van me?'

Aneta Djanali zag de tranen in Nina's ogen.

'Had ik moeten blijven wachten?' Nina Lorrinder wreef over haar ogen. Toen ze haar hand weghaalde, hadden haar ogen een vlies van tranen. Ze snikte. 'Ik heb erover nagedacht. Bijna aldoor. Als ik niet was ingestapt, was het misschien niet gebeurd.' Ze keek Aneta Djanali met haar doorschijnende ogen aan. 'Begrijp je? Als ik maar was blijven wachten.'

'Jou valt helemaal niets te verwijten,' zei Aneta Djanali.

'Hoe had ik het moeten weten? Hoe had iemand het moeten weten?'

Aneta tilde haar kopje op en dronk van de nieuwe thee. Op dit moment verlangde ze naar een glas wijn, of whisky. Nina Lorrinder zag eruit alsof ze een glas whisky kon gebruiken. Ze konden straks naar een bar gaan. Ze kon Nina trakteren. Ze had zich in Nina Lorrinders verdriet binnengedrongen.

'Niemand kon het weten,' zei Aneta Djanali.

'Hoe heeft het kunnen gebeuren?' Nina Lorrinder keek Aneta Djanali aan alsof zij een antwoord zou kunnen geven. 'Waarom?'

'Daar proberen we een antwoord op te vinden.'

'Kan dat?' Nina Lorrinder spreidde haar ene hand. Het leek een reflex. 'Hoe kun je op zoiets een antwoord vinden?'

Wat moest ze antwoorden? Er waren duizend antwoorden, maar misschien waren ze allemaal verkeerd. Er waren duizend vragen.

'Onder meer door met iedereen te praten die haar heeft gekend,' antwoordde Aneta Djanali uiteindelijk. 'Wat wij nu doen. Jij en ik.'

'Ze kende niet zoveel mensen,' zei Nina Lorrinder.

Aneta Djanali zei niets, wachtte.

'Ze was niet direct ... hoe zal ik het zeggen ... een oppervlakkig type.' Nina Lorrinder maakte dat gebaar weer, alsof het bij haar stem hoorde. 'Paula hield zich het liefst een beetje op de achtergrond. Begrijp je wat ik bedoel? Ze wilde niet in te grote gezelschappen verkeren. Ze wilde niet in het middelpunt staan en zo.'

'Wat wilde ze wel doen? Wat wilde ze het liefst doen?'

'Ik ... weet het niet.'

'Hadden jullie het daar nooit over?'

Nina Lorrinder gaf eerst geen antwoord. Aneta Djanali liet haar nadenken, ze leek in elk geval na te denken.

'Ze wilde ergens anders heen,' zei Nina Lorrinder uiteindelijk.

'Waar wilde ze heen?'

'Waarheen? Waar ze heen wilde? Ze heeft nooit een specifieke plaats of een specifiek land genoemd, als je dat bedoelt.'

'Maar je weet dat ze weg wilde?'

'Ja ... het is moeilijk uit te leggen ... het was alsof ze soms zelfs ergens anders wás. Ze was niet híér. Begrijp je wat ik bedoel? Ze was hier, maar tegelijkertijd was ze ergens anders, waar ze het liefst wilde zijn.'

'En ze had het nooit over die plek? Waar ze het liefst wilde zijn?'

'Ik weet niet eens of het een plek was,' zei Nina Lorrinder. 'Ik weet niet eens of ze het zelf wel wist.'

Een jonge vrouw kwam van de witte straat het café binnen. Ze zocht een tafeltje. Er waren diverse tafels die niet bezet waren. Ze legde haar lange sjaal op een tafeltje bij de muur, liep weer naar buiten en hield de deur open voor een jonge man die een kinderwagen naar binnen duwde en die hij naast de gemarkeerde tafel bij het raam neerzette. Een kind van twee jaar zat in de wagen te slapen. De man ging zitten en deed zijn zonnebril af. Hij knipperde een paar keer met zijn ogen in het zwakke licht van het café.

'Had ze het weleens over iemand anders?' vroeg Aneta Djanali en ze leunde over de tafel. 'Was er een man in Paula's leven? Of een vrouw?'

Nina Lorrinder schrok even op.

'Dat is een van de vragen die gesteld moet worden,' zei Aneta Djanali. 'Het is een routinevraag, of hoe je het ook moet noemen.'

'Noemen jullie dat routine?' zei Nina Lorrinder en ze keek Aneta Djanali strak aan. 'Hoe kun je dat routine noemen?'

'Het is een slecht woord. Ik ben het met je eens.'

'Doe je dit elke dag? Worden er elke dag ... mensen vermoord?'

'Nee, nee.'

'Wat een baan,' zei Nina Lorrinder.

Aneta Djanali zei niets.

Nina Lorrinder keek naar de tafel bij de muur, waar de vrouw terugkwam met een dienblad. Ze zette het blad neer. De man pakte de kopjes en glazen eraf. De vrouw ging zitten. Het kind sliep.

'Ze was niet lesbisch, als je dat mocht denken,' zei Nina Lorrinder, met haar blik nog steeds op het jonge gezin gericht. 'En ik ook niet.'

'Ik denk niets,' zei Aneta Djanali. 'Op dit moment mag ik helemaal niets denken of geloven.'

'Dat hoort zeker ook bij de routine?'

Nina Lorrinder keek haar weer aan. Aneta Djanali probeerde een glimlach in Nina's gezicht te ontdekken, ergens, maar die was er niet.

'Heb je er genoeg van?' vroeg Aneta Djanali. 'Zullen we ermee stoppen?'

'Er was een man,' zei Nina Lorrinder.

Ze keek weer naar het stel. Het kind was wakker geworden en de moeder haalde het uit de kinderwagen. Het leek een jongetje. Hij had een blauwe overall aan. De moeder gaf hem een zoen. De vader schonk water in een glas.

'Had Paula een vriend?' vroeg Aneta Djanali.

'Niet op dit moment.' Nina Lorrinder keek haar weer aan. 'Niet voor zover ik weet tenminste. Maar een poosje geleden was er wel iemand.'

'Wie?'

'Dat weet ik niet.'

'Je hebt hem nooit ontmoet?'

'Nee.'

'Hoe weet je dan van zijn bestaan?'

'Paula zei iets.'

'Wat zei ze?'

'Ze zéí niet dat ze een vriend had. Zo was ze niet ... dat zou ze nooit zomaar vertellen. Maar ik begreep het. Snap je? Er waren dingen die me opvielen. Als vriendin. Opeens was er iets veranderd. We zagen elkaar minder vaak. Ze ging in de weekends soms iets anders doen, terwijl wij anders misschien hadden afgesproken. Ze ging ergens heen.'

'Ze ging ergens heen?'

'Tja, bijvoorbeeld.'

'Is het alleen maar een voorbeeld? Of reisde ze echt ergens heen? Weet je daar iets van?'

'Je bedoelt of ze naar het buitenland ging?'

'Dat maakt niet uit.'
'Ik weet het echt niet. Maar ik weet dat ik haar een week lang probeerde te bereiken en toen leek ze niet thuis te zijn.'
'Wanneer was dat?'
'Dat was ... een paar maanden geleden. Drie, misschien.' Nina Lorrinder maakte weer die beweging met haar arm, als een vaag spasme. 'Is het belangrijk?'
'Ik weet het niet,' zei Aneta Djanali. 'Dat weet je nooit. Maar ik wil dat je probeert je te herinneren wanneer het was, zo exact mogelijk.'
'Ik zal het proberen.'
'Was dat ongewoon?' vroeg Aneta Djanali. 'Dat Paula de stad uit ging?'
'Ik weet niet of ze dat deed. Die keer. Maar zolang ik haar ken, was het nogal ... ongewoon.'
'Jullie hadden het er nooit over?'
'Nee. Het kwam nooit ter sprake.'
'Zijn jullie weleens samen op reis gegaan?'
'Naar het buitenland?'
'Maakt niet uit.'
'Nee. Als je tenminste niet de tram bedoelt.'
'Op dit moment niet, nee,' zei Aneta Djanali.
'We bleven hier, in de stad. Maar anderzijds zagen we elkaar niet zo vaak. Niet elke week of zo.'
'Hoe hebben jullie elkaar leren kennen?' vroeg Aneta Djanali.
Nina Lorrinder knikte naar het raam. Aneta Djanali volgde haar blik, langs het jonge gezin. Aneta Djanali zag de straat, een tram die voorbijkwam, mensen die langsliepen. De gevel van de Domkerk.
'In de kerk,' zei Nina Lorrinder en ze knikte weer naar het raam.
'In de kerk?' zei Aneta Djanali. 'Bedoel je de Domkerk?'
'Ja.'
'Vertel.'
'Er valt niet zoveel te vertellen. Ik ging er soms heen ... gewoon om er even te zitten en ... en na te denken. Een avondgebed. Tja ...' Ze bleef naar de kerk kijken. De gevel ging bijna schuil achter de takken van de bomen die rond het kerkplein stonden. 'Ik ga er nog steeds af en toe heen.' Ze verplaatste haar blik naar Aneta Djanali. 'Het voelt op de een of andere manier geborgen. Nee, ik weet niet hoe ik het moet zeggen.'
'Het geeft je een goed gevoel,' zei Aneta Djanali.
'Ja.'
'En daar heb je Paula dus ontmoet.'
'Ja.'
'Hoe ging dat?'
Het leek bijna of Nina Lorrinder glimlachte. 'Ja, een kerk is waarschijn-

lijk niet de plaats waar je nieuwe … vrienden leert kennen. Het was trouwens eerder buiten de kerk. We hadden elkaar een paar keer binnen gezien en … toen besloten we ergens koffie te gaan drinken. Ik geloof dat het zo is gegaan. Ik weet het niet goed meer.'

'Wanneer was dat?' vroeg Aneta Djanali.

'Wanneer we koffie zijn gaan drinken?'

'Toen jullie voor het eerst met elkaar praatten.'

'Ja … ik denk … een paar jaar geleden.'

'Was Paula alleen?'

'Ja.'

'Altijd?'

Nina Lorrinder knikte. Aneta Djanali kon in Nina's ogen zien dat zij ook alleen was geweest. Dat ze eenzaam was. Je ging niet met een groot gezelschap naar de kerk. De gemeenschap die je zocht, kon daar misschien worden gevonden. Aneta Djanali keek weer naar het raam. De takken van de bomen zwaaiden heen en weer rond de kerk, als een cirkel.

De ouders hadden de overall van het jongetje uitgetrokken. Hij had een T-shirt aan waar iets op stond wat Aneta Djanali vanaf haar plaats niet kon lezen. Hij wiebelde heen en weer op zijn vaders schoot, alsof hij weg wilde, weer de zon in. De vader stond op en tilde het jongetje hoog de lucht in en hij begon te lachen, een licht en helder geluid in het café, net als de dag buiten. Hierbinnen is het als de nacht, dacht Aneta Djanali. Het jongetje bracht daar verandering in, voor heel even.

'Had ze het weleens over Italië?' vroeg Aneta Djanali.

Nina Lorrinder had de gymnastische oefeningen aan het andere tafeltje ook gevolgd. Aneta Djanali had de glimlach op haar gezicht gezien. Het was moeilijk geweest niet te glimlachen. Ze had het zelf ook gedaan.

'Italië? Nee. Waarom vraag je dat?'

'Had ze het nooit over haar vader? Dat hij uit Italië kwam? Sicilië? Dat ze daar was geweest?'

'Is ze op Sicilië geweest?'

'Dat weten we niet. Het is mogelijk.'

'Wanneer?'

'Tien jaar geleden.'

'Nee. Daar heeft ze nooit iets over verteld.'

'Had ze het weleens over haar vader?'

'Dat hij daarvandaan komt, bedoel je?'

'In het algemeen.'

'Tja … dat heeft ze vast weleens gedaan. Maar volgens mij was het niets bijzonders …'

Nina Lorrinders blik was weer buiten, bij de kerk. Aneta Djanali kon zich niet herinneren dat ze zelf ooit zo lang naar de Domkerk had gekeken.

'Hoe was Paula's relatie met haar vader?'
'Normaal, neem ik aan.'
'Alleen maar normaal?'
'Waarom vraag je dat?'
'We proberen altijd achter ... de relaties binnen het gezin te komen.'
Dit was niet goed. Het was onhandig uitgedrukt. Dit soort dingen was altijd heel moeilijk.
'De routine, bedoel je?'
'Zag ze haar ouders vaak?'
'Dat weet ik eerlijk gezegd niet.'
'Had ze het vaak over hen?'
'Die vraag had ik toch al beantwoord?'
'Had ze het weleens over haar moeder?'
'Ja. Soms.'
'Maar je merkte nooit dat er misschien ... problemen waren?'
'Problemen?'
'Tussen hen. Tussen de ouders. Of tussen Paula en een van haar ouders.'
Nina Lorrinder schudde haar hoofd.
... als jullie boos op me zijn, wil ik om vergeving vragen ...
Paula's laatste woorden op schrift. Ze gingen over schuld, en over vergeving. Elke keer dat Aneta Djanali Paula's brief aan haar ouders las, voelde ze een huivering, meer dan een huivering, het was net een koude wind die een warme dag overviel.

8

Winter liep van de ene kamer naar de andere en zette de ramen open. Het was warm in het appartement, zo warm was het in geen maanden geweest; al het stof was lucht geworden. Daar bestond een woord voor: bedompt. Het zou uren duren voordat er enige verkoeling van buiten kwam, de avonden waren ook warmer dan ze in maanden waren geweest, maar toch zette hij de ramen open. Het waaide in elk geval een beetje. Het rook naar de late namiddag. De warme nazomer bevatte een paar herfstgeuren en dat was voldoende om het koolmonoxideparfum dat van het verkeer omhoogsteeg enigszins te verhullen. Niet dat hij er problemen mee had. Hij had het zijn hele volwassen leven geroken, hij bewoog zich er elke dag in en als hij er last van kreeg, stak hij een Corps op.

Hij stak nu een Corps op. Het was de duurste sigaar van Europa, maar het was een oude gewoonte. Hij was lekker. Hij was hygiënisch. De roker moest zelf de beschermende folie van de lange, smalle sigaren verwijderen. Sinds een paar jaar moest Winter zijn Corps speciaal in Brussel bestellen, omdat hij kennelijk de enige in de stad was die dit merk rookte. Dat verleende de sigaar een exclusiviteit die hij eigenlijk niet verdiende.

Hij stond op het balkon, ademde rook in en blies die weer uit; de geur van de sigaar vermengde zich met de andere geuren. Een SUV reed rondjes, op zoek naar een parkeerplaats, of eigenlijk twee. Winter zag een blond kapsel op de voorbank. Een vrouw zocht naar een plaatsje. Ze stak haar hoofd door het open raam. De Chrysler leek wel een pantserwagen. Tractorwielen. Precies wat een gezin nodig heeft, dacht hij. Precies wat deze stad nodig heeft. SUV's. *Smart for one, dumb for all*, zoals zijn Schotse collega Steve MacDonald ooit had gezegd. Goed voor één, onzinnig voor allen.

De telefoon ging over. Hij legde de half opgerookte sigaar in de asbak op de balkontafel en liep naar binnen om op te nemen.

'Ik gokte erop dat je al thuis was,' zei ze.

'Ik ben er net een kwartiertje.'

'Stond je op het balkon te roken toen ik belde?'

'Nee.'

'Je liegt.'
'Ja.'
'Leven de planten nog?'
'Het eerste wat ik heb gedaan toen ik thuiskwam, was zuurstof naar binnen laten.'
'Is het warm?'
'Recordwarm.'
'Dan is er geen verschil tussen hier en daar.'
'Het ruikt hier naar herfst,' zei hij, ''s morgens vroeg en 's avonds laat.'
'Dat mis ik.'
'Het zal nog meer ruiken als jullie thuiskomen.'
'Over thuiskomen gesproken, ik ben naar de kliniek geweest,' zei Angela.
'En?'
'Het is goed.'
'Per wanneer?'
'Vanaf 1 december. Tot 1 mei, misschien.'
'Misschien?'
'Van hun kant is het open, Erik. Ze stelden een jaar voor. Maar dat willen we toch niet?'
'Nee.'
'Het is sowieso de vraag wat we willen. Is het wel zo'n goed idee?'
'Ja.'
'Is dat alles wat je kunt zeggen?'
'Ik heb al gezegd dat ik enthousiast ben, Angela. Het is een goed idee. Van december tot mei in een mild klimaat, dat is een verdomd goed idee. Dat is de periode waarin Göteborg een heel slecht idee is.'
'Terwijl je altijd zo'n lokale patriot bent geweest.'
'Dat geldt niet voor het winterweer in Göteborg.'
'Ik denk wel dat ik het met je eens ben.'
'Als je zo oud bent als ik, zul je het nog meer met me eens zijn, Angela. Het trekt in je benen. De wind, de regen. Het wordt elk jaar erger.'
'Het gaat dus alleen maar om het weer?'
Nee. Het ging niet alleen om het weer. Het ging ook om het leven. Hij had meer dan een maand vakantie nodig om afstand te scheppen tussen zijn werk en zijn leven. Het waren zware jaren geweest, lange jaren. Nu was zijn leven ook zijn werk, en het was een leven dat hij had gekozen, werk dat hij had gekozen. Hij offerde te veel op, dat wist hij. *Smart for all, dumb for one.* Hij was een dienaar van het publiek, maar het was geen dienst die hij zichzelf bewees of zijn gezin. Zo was hij, maar het vroeg veel van zijn leven. Zo zou hij altijd zijn, ook als hij na een halfjaar in het buitenland terugkwam. Hij zou niet 360 graden veranderen. Maar het zou hem misschien helpen, het zou alles misschien een graadje milder maken. Hij was nieuwsgierig,

nieuwsgierig naar hoe hij dan zou zijn. Hoe hij zou denken. Misschien zou hij nog helderder denken. Misschien zou hij slechter denken, stomper. Nee. Misschien zou zijn fantasie anders zijn. Hij dacht dat die dieper zou worden, en breder. Hij zou verder kunnen kijken.

'Het gaat om veel meer,' antwoordde hij. 'Dat weet je, Angela.'

'Ik weet het,' zei ze.

'Wat vind je ervan? Jij bent degene die moet werken.'

'Ik moet sowieso werken.'

'Wat vind je ervan? Jij bent in de kliniek geweest.'

'Kun jij dan vrij krijgen, Erik?'

'Je beantwoordt een vraag met een tegenvraag. Maar ik kan inderdaad vrij krijgen. Ik heb al met Birgersson gepraat.'

'Gooide hij je er niet uit?'

'Birgersson wordt steeds milder. Dit is zijn laatste jaar. Hij is de vader geworden die hij nooit was.'

'Wat wil je daarmee zeggen?'

'Hij begint voor ons te zorgen.'

'En daarom laat hij je een halfjaar verlof nemen?'

'Hij was zelf van plan geweest dat voor te stellen, zei hij.'

'En dat geloof je?'

Winter geloofde het inderdaad. Een paar jaar geleden zou zijn prestige dat inzicht in de weg hebben gestaan. Maar de laatste tijd had zijn prestige zich op de achtergrond gehouden. Hij begon een vermoeidheid te voelen die hij nog nooit eerder had opgemerkt. Het kwam niet door zijn gezin, de kleine kinderen. Jawel. Die speelden natuurlijk ook een rol, maar het kwam door hemzelf, doordat hij zichzelf tijdens zijn werk in brand stak. Nachten met te weinig slaap. De lange avonden achter de laptop, als het stil was en hij probeerde na te denken.

'Kun je je werk echt zomaar in de steek laten, Erik? Dat heb je nog nooit kunnen doen. Dat was altijd wat ...' zei ze, maar ze onderbrak zichzelf.

'Ik weet het,' zei hij.

'Hoe zal het deze keer gaan? Als ik het contract teken en op 1 december in de kliniek begin, dan moet jij er ook zijn. Siv kan misschien een paar dagen voor de kinderen zorgen, maar niet een hele week.'

'Hm.'

'Haar emfyseem wordt er niet beter op, om het zo maar te zeggen.'

'Ze is toch gestopt met roken?'

'Doe je niet dommer voor dan je bent, Erik. Dat is het probleem met rokers. Jullie doen je dommer voor dan jullie zijn. En toch zijn jullie al vanaf het begin hartstikke gestoord.'

'Ik rook nooit over mijn longen.'

'Zoals ik al zei. Dommer dan jullie eigenlijk zijn.'

Hij was gestopt. Toen was hij weer begonnen. Birgersson was gestopt en niet meer begonnen. Winter bewonderde Birgersson daarom, hij was een mensenleeftijd lang een kettingroker van filterloze sigaretten geweest en hij was gestopt voordat hij doodging. Maar Birgersson had over zijn longen gerookt. Misschien dat hij daardoor nu milder was geworden.

'Je werkt toch aan de moord op die vrouw,' ging Angela verder. 'Je hebt toch de leiding van het onderzoek? Dan zou iemand anders het nu toch al van je over moeten nemen?'

Hij had het haar verteld, natuurlijk. Ze had elke dag de één dag oude *Göteborgs-Posten* van Siv gelezen. Als je dat lang genoeg deed, miste je niet veel. Hij had zelf een paar verklaringen afgelegd.

Hij had geen details verteld. Niet aan de lezers. Niet aan Angela.

Zij ging ervan uit dat de zaak niet voor zijn vertrek zou zijn opgelost.

September. Oktober. November. Drie maanden, bijna.

Hij moest opeens aan Ellen Börge denken. Hij zag haar gezicht plotseling voor zich. Achttien jaar geleden. Ze wisten nu niet meer dan achttien jaar geleden. Tweehonderdzestien maanden. Je werkt toch aan de moord op die vrouw, had Angela gezegd. Welke moord? Welke vrouw? Hij kon het niet loslaten, hij kon Ellen niet loslaten. Haar gezicht verscheen voor zijn geestesoog als hij Paula zag. Hij wist dat hij ook aan de moord op Ellen werkte, dat hij dat misschien altijd had gedaan, en dat zijn werk en zijn betrokkenheid daardoor waarschijnlijk zo zwaar voelden. Het falen. De zwaarte van het falen. De fout. Hij had toen een fout begaan. Kon hij maar begrijpen welke. Kon hij het maar begrijpen, kon hij het zich maar herinneren. Voordat hij het losliet. Voordat de zon op zijn gezicht scheen.

'We zullen de zaak oplossen,' antwoordde hij na de korte stilte tussen Vasastan en Nueva Andalucía.

'Ben je daar net zo zeker van als je klinkt?'

'Nee. Ja.'

'Allemachtig.'

'We doen toch wat we hebben afgesproken?'

'Maar wát doen we dan, Erik? Over vier dagen kom ik weer thuis met de kinderen en dan moeten we een beslissing hebben genomen. Over twee dagen trouwens. Dan willen ze het horen.'

'We hebben al een beslissing genomen,' antwoordde hij.

De zon ging sneller onder dan ooit tevoren. Hij merkte dat hij het koud kreeg. Zijn colbertje lag nog boven op zijn kamer. Een paar uur geleden was het bijna 20 graden geweest, maar in de schemering was het alweer herfst.

Hij liep schuin over het Drottningplein. Een krant van vandaag of gisteren waaide langs, op weg naar het kanaal. Hij zag een 'B' en een 'S' van een kop die hij niet kon lezen. De krant waaide verder, alsof hij een afspraak had met een lezer.

Winter liep het centraal station binnen. Er kwam herrie uit de luidsprekers, een stem die absoluut onverstaanbaar was. Ergens moest een school zijn voor mensen die in luidsprekers moeten praten, dacht hij, een onduidelijkheidsschool. Buschauffeurs, trambestuurders, stationspersoneel. De uitspraak werd gepolijst tot hij niet meer te duiden viel, het huiswerk moest over als iemand in staat was iets te verstaan.

Hij ging linksaf en voelde de bloeduitstorting in zijn enkel. Het was een flinke blauwe plek. Hij liep een beetje mank.

Halders had zich gistermiddag op hem gestort toen ze in Heden een partijtje voetbalden. Voetbal was de fysieke training van het seizoen. En Halders kon niet vergeten. Er was een maand verstreken sinds Winter Halders voor de deur van de afdeling lichtjes had aangeraakt, maar Halders was wrokkig. Hij had Winter met zijn noppen geraakt en daarna had hij even onschuldig gekeken als die Italiaanse verdediger. Hoe heette hij ook alweer, de pijpbeenversplinteraar van het Italiaanse elftal ... Gentile. Claudio Gentile, de man die invaliden achterliet op het gras. Een onschuldig gezicht na vreselijke overtredingen. Een passende naam, 'de aardige', 'de gulle'. Ja, hij was kwistig met zijn capaciteiten, net als Halders. Halders was kwistig met zijn charme, een heel aardige man in alle opzichten.

'Heb je je enkel verstuikt?' had Halders gevraagd.

Winter was overeind gekomen, maar had moeite gehad om op zijn been te steunen. Hij zag dat Ringmar zijn hoofd schudde.

'Staan we nu quitte?' had Winter gevraagd.

'Ik snap niet waar je het over hebt,' had Halders gezegd.

Winter dacht aan Halders' neutrale gezicht toen hij langs de bagagekluizen liep. Zou hij in de toekomst met hem kunnen samenwerken? Kende Halders dat woord, 'samenwerking'?

Hij moest opzijstappen voor een groot gezin dat met rugzakken die een hoofd groter waren dan zijzelf uit de ruimte met de bagagekluizen kwam. Ze droegen allemaal dezelfde kleren en hadden allemaal hetzelfde gezicht. De luidspreker begon weer te schetteren en het gezin rende weg. De trein zou gaan rollen, naar Kiruna, Konstantinopel, Krakau.

Ellen Börge was misschien op weg. Of ze was niet langer op weg ergens naartoe.

Hij liep door de deur naar de kleine informatiebalie, de kleinste ruimte van het station, bedoeld voor de duizenden mensen die informatie wilden hebben over hun reis. Misschien was er een logica, maar die had Winter nooit begrepen. Hij had vroeger zelf urenlang in de rij gestaan om iets te weten te komen over zijn treinreizen, om vervolgens te horen te krijgen dat hij in een andere rij moest plaatsnemen om zijn kaartje te kopen. Het leek

Italië wel, corporatief fascistisch. Toen had hij besloten dat hij, zodra hij het zich kon veroorloven, zijn eerste Mercedes zou kopen, zodat hij niet langer in de rij hoefde te staan.

Hij liep naar de balie, en de mensen in de rij keken hem boos aan toen hij hen passeerde.

'We staan allemaal in de rij, hoor,' zei iemand.

Dat is leuk voor jullie, dacht hij, maar dat zei hij niet. Dat had Halders wel kunnen zeggen.

De medewerkster achter de balie herkende hem en knikte. Met een hand waarin ze een stadsplattegrond vasthield, wees ze naar de deur achter haar. Voor haar stond een man met een donkere zonnebril en een leren vest. Hij mompelde iets wat Winter niet kon verstaan.

Binnen zat een andere vrouw over een bureau gebogen dat vol papieren lag. Ze keek op toen Winter binnenkwam. Achter haar zag hij allerlei briefjes op een prikbord. Ze waren in meerdere lagen op elkaar vastgeprikt. Misschien zat daar ook een logica in. De ruimte was heel klein en had geen raam.

Winter stelde zich voor en liet zijn legitimatiebewijs zien. De vrouw was misschien tien jaar ouder dan hij. Met een uitdrukking alsof ze het eigenlijk niet geloofde, keek ze naar zijn legitimatiebewijs en vervolgens naar hem. Die reactie had hij vaker meegemaakt. Hij zag er te jong uit. Maar dat probleem zou verdwijnen.

'Gaat u maar zitten,' zei de vrouw.

Winter probeerde op de spijlenstoel voor het bureau te gaan zitten, maar het lukte niet, de stoel was te klein voor hem. En zijn voet deed pijn. Het bonkte erger als hij zat.

'Dank u, ik blijf wel staan.'

'Het ging om een reiziger?' vroeg ze.

Winter pakte een foto uit zijn borstzakje en gaf die aan haar. Ze keek naar Ellen Börges gezicht zoals ze net naar Winters gezicht had gekeken. Ze keek op.

'En wij zouden haar moeten kunnen herkennen?' Ze keek weer naar Ellens gezicht. 'Ze ziet er heel gewoon uit.'

Winter antwoordde niet. Hij liet haar weer naar de foto kijken.

'Ik herken haar in elk geval niet. Zou ze hier geweest moeten zijn?'

Moeten, hij wist niet wat er moest. Hij wilde alleen weten of Ellen Börge op het station was geweest. Of iemand haar had gezien. Als ze hier was geweest, was er hoop, in elk geval voor haar leven. Dan hoefden ze de hoop niet te laten varen. *Gij die hier binnentreedt.* Hij moest aan een kerk denken, een kruis, een graf.

'Zou dat moeten?' herhaalde de vrouw.

Hij wilde het liefst ja zeggen.

'We proberen alleen uit te zoeken of ze hiervandaan ergens naartoe is gereisd,' zei hij. 'Ze is verdwenen. We zoeken haar.'

'Ik herken haar in elk geval niet,' herhaalde de vrouw. 'Wanneer is ze verdwenen?'

Winter noemde een datum.

'Maar ze kan hier natuurlijk later zijn geweest,' voegde hij eraan toe.

'Ze heeft zich eerst verborgen gehouden en is daarna vertrokken?' vroeg de vrouw.

Winter haalde zijn schouders op.

'Wat kan ik doen?'

'U kunt de foto aan uw collega's laten zien.'

'We zijn maar met zijn drieën.'

'Laat hun de foto zien. We hebben kopieën uitgedeeld aan alle medewerkers op het station.'

'Dat moet niet veel tijd hebben gekost,' zei ze met een grijns. 'Er lijken geen andere mensen te werken. Iedereen komt bij ons.' Ze zwaaide met haar hand naar de deur achter Winter. 'U hebt de rijen toch wel gezien? Iedereen komt hier.'

'Zij misschien ook,' zei Winter en hij knikte naar de foto die de vrouw nog steeds in haar hand hield.

Ze keek weer naar Ellens gezicht.

'Of ze wist al waar ze heen ging,' zei ze en ze keek Winter weer aan.

Hij zat weer in het perfecte appartement. Daar was niets veranderd, misschien veranderde daar nooit iets. Christer Börge zat tegenover hem. Zijn kleren waren hetzelfde. De balkondeur stond open en liet de namiddaglucht binnen. Het rook naar zon en herfst in de kamer, en naar iets wat Winter niet herkende. Maar hij herkende Börges gezicht. De man had teleurgesteld gekeken toen hij de deur opende. Hij wist dat Winter zou komen, maar hij had eruitgezien alsof hij iemand anders verwachtte. Winter dacht dat hij het wel begreep. Börge leefde op de hoop. Dat was misschien het enige waarop hij leefde. Hij zag er mager uit, dunner dan toen Winter hem de eerste keer had gezien. Dat was nog niet zo lang geleden. Voor Börge moest het veel langer lijken.

'Jullie hebben toch zeker wel een spoor?' zei Börge.

'Om eerlijk te zijn, nee,' zei Winter.

'Waarom zou u niet eerlijk zijn?' vroeg Börge, maar Winter kon niet zien of er een glimlach op Börges gezicht verscheen, of een zweem van een glimlach. 'De politie moet toch zeker eerlijk zijn?'

Alweer dat moeten. Dat achtervolgde hem vandaag. Dat zou toch moeten. Alsof alles voorbestemd was. Alles herhaalt zich. Misschien zit ik hier over twintig jaar weer. Misschien hebben Ellen en Christer dan vier kinderen. Misschien is ze helemaal niet teruggekomen. Misschien heb ik kinderen, een gezin. Is dat mogelijk? Nee. Ja. Nee.

'Mensen kunnen dus zomaar verdwijnen?' zei Börge. 'Wat is dit voor klotemaatschappij waarin mensen zomaar verdwijnen?' Hij verhief zijn stem niet. Dat was vreemd. Börge gebruikte woorden die een luidere stem vereisten, maar hij klonk alsof hij Winter vriendelijk om de koffiemelk had gevraagd. 'Het lijkt ... het lijkt ...' ging hij verder, maar het leek of hij niet goed wist wat hij wilde zeggen.

Het lijkt Uruguay wel, dacht Winter. Of Argentinië, of Chili.

'Het is beter dat u hier niet meer komt,' zei Börge. 'Ik begrijp niet waarom jullie je vragen niet telefonisch kunnen stellen, als jullie vragen hebben.' Hij keek Winter aan. 'Vragen, dus.' Ook nu glimlachte hij niet.

'Hoe was het met Ellen de dagen voordat ze verdween?'

'Dat hebt u al een keer gevraagd.' Börge wees naar het notitieboekje dat Winter in zijn ene hand hield. Hij had er nog niets in geschreven. 'Kijk daar maar in, dan ziet u dat u dat al een keer hebt gevraagd.'

Geen glimlach, het klonk als een gewone opmerking. Börge bewoog de hele tijd op de bank heen en weer, kleine bewegingen die aan een tic deden denken, maar waarschijnlijk uitingen van algemene bezorgdheid waren. Ik zie er misschien net zo uit, dacht Winter.

'Soms denk je vaker dan één keer aan hetzelfde. We werken hier met zijn allen aan. We willen weten wat er met Ellen is gebeurd.'

'Ja, ja, dat begrijp ik wel,' zei Börge.

Hij stond plotseling op, liep naar de balkondeur en deed die dicht.

'Het begint koud te worden,' zei hij met zijn gezicht naar de straat gewend.

'Hoe was het met Ellen?' vroeg Winter.

Börge draaide zich om. Achter hem zag Winter de daken van de huizen. Toen de zon plotseling uit een kleine wolk gleed en vanaf de overkant van de straat recht naar binnen scheen, werd Börges gezicht een silhouet. Hij draaide zijn gezicht om, naar de zon, en Winter zag het silhouet van opzij. Hij zou het zich nog lang blijven herinneren.

Börge liep terug en ging weer zitten. De zon scheen nu recht in Winters gezicht en hij hield zijn ene hand voor zijn ogen.

'Zal ik de gordijnen dichtdoen?' vroeg Börge.

'Nee, dat is niet nodig, de zon verdwijnt al.'

De zon gleed terug in een wolk en over een paar minuten zou ze voor deze dag verdwenen zijn.

'U vroeg iets,' zei Börge.

'Ellen. Was er iets bijzonders ...'

'Ja, ja. Hoe het met haar was. Volgens mij ging het goed met haar. De dagen ervoor? Tja, je voelt je toch nooit de hele tijd hetzelfde? De ene dag

is het zus en de andere is het zo, toch? Dat geldt toch voor iedereen? Geldt dat niet voor u? Voor mij wel.'
'Was ze onrustig? Rusteloos?'
'Niet meer dan ... normaal.'
'Hoe bedoelt u?'
'Daar hebben we het al over gehad. Dat met kinderen. Dat soort dingen.'
'Heeft ze ooit gezegd dat ze op reis wilde gaan?' vroeg Winter.
Börge antwoordde niet.
'Dat ze een poosje weg wilde gaan. Alleen.'
'Niet zonder koffer,' zei Börge, maar ook deze keer glimlachte hij niet.
'En jullie zijn nooit in Hotel Revy geweest?'
'Ik wist niet eens dat het bestond,' zei Börge.
'Maar Ellen wel.'
'Jullie hebben de verkeerde voor je.'
'Nee.'
'Ellen zou nooit haar intrek in dat hotel hebben genomen. Nooit.' Hij keek Winter weer aan. De zon was nu definitief weg. De kamer was plotseling donker geworden. Hier was elektrisch licht nodig. Winter kon Börges gelaatstrekken nauwelijks onderscheiden. Anderzijds veranderden die niet. Zijn gezicht leek nooit te veranderen.
'Mensen lijken op elkaar,' ging Börge verder. 'Veel mensen zien er ongeveer hetzelfde uit. Alle landen hebben hun eigen kenmerken. Hier zijn we blond en hebben we blauwe ogen. Voor een buitenlander ziet iedereen er hier misschien hetzelfde uit. In Afrika is het net zo. Een Afrikaan in een hotel in zwart Afrika ziet geen verschil tussen de ene Europeaan en de andere die in een hotel incheckt. Zo is het ook in China.'
'Mensen in het hotel hebben haar herkend,' zei Winter.
'Wat wil dat zeggen? Een portier met een kater? Of die misschien slaapdronken was? Ik geef er niet veel voor. Dat zou u ook niet moeten doen.' Hij boog zich naar voren. Winter zag zijn neutrale gezicht. Daarin bespeurde hij geen opwinding. 'Is het nooit bij u opgekomen dat ze daar misschien helemaal niet is geweest?'
'Jawel.'
'Nou dan.'
Börge leunde weer achterover.
'Wat denkt u dan?' vroeg Winter.
'Waarover?'
'Waar Ellen is?'
Börge antwoordde niet.
'Wat er met haar gebeurd kan zijn?'
Börge antwoordde nog steeds niet. Hij draaide zijn hoofd weer om, alsof iemand plotseling vanaf de straat had geroepen. De lucht boven de daken

van de huizen was erg blauw. Winter wilde er plotseling heen, naar het blauw.

'Ik hou van haar,' zei Börge. Hij draaide zich weer om naar Winter. 'En zij houdt van mij.'

Ze voelde een wind in haar nek, alsof iemand op haar ademde, iemand die heel dichtbij stond en koude lucht uitademde.

Ze draaide zich om. Er was niemand. Aan de andere kant van de speeltuin zag ze de wind aan de boomkruinen rukken, alsof die de takken van de bomen wilde trekken. Er kwamen twee of drie windstoten waardoor de bomen trilden alsof ze hevige pijn hadden. Toen was het voorbij, ze hoorde de vogels weer zingen. Misschien een lach van de twee kinderen die nu aan het schommelen waren. De kinderen hadden gewacht toen de wind voorbijbulderde, ze hadden stil op de schommels gezeten en hun voeten en benen uitgestoken alsof ze de temperatuur wilden voelen, of de sterkte van de wind. Een van de kinderen had een schoen laten vallen, het meisje. De jongen was van de schommel gesprongen en had de schoen hoog boven zijn hoofd getild. Hij had iets tegen het meisje gezegd waarom ze moest lachen, maar het gelach was in de wind niet te horen geweest.

Ze liep verder door het park. Het pad hield op bij de woonhuizen. Daarvandaan kon je de stad zien, recht onder de huurflat waarin zij woonde. Ze hield van het uitzicht, en ze vond het prettig hier te lopen met het zonlicht schuin van opzij. Zoveel van de stad te kunnen zien waarin ze woonde. En te zien hoe geaccidenteerd die eigenlijk was. Alle heuvels en bergen. En al het water eromheen, niet alleen in het westen, waar de zee was. De zon daalde nu neer boven de zee. Het was een heldere dag geweest en daarom was het een beetje vreemd dat het plotseling zo was gaan waaien. Misschien was er een weersverandering op komst. Ze keek weer naar de lege hemel, maar daar was niets anders dan een diepe blauwe kleur. Daar was geen enkele dreiging van iets anders.

Op weg naar de portiek voelde ze de wind in haar nek weer. Ze draaide zich om en zag de boomkruinen die heen en weer zwaaiden boven de rij garages. Maar nu was het een rustig zwaaien, bijna als een zwak ritme waarop niemand zich kan bewegen. Dat dacht ze toen ze de bomen zag, een ritme, iets wat je merkt voordat je het hoort.

Ze draaide zich weer om naar de portiek en net op dat moment zag ze aan de rand van haar gezichtsveld iets bewegen. Wat was dat? Ze verplaatste haar blik, maar het was weg. Daarginds was iets ... opgeschrikt. Iets zwarts of bruins. Een soort beweging. Waarom maakte ze zich daar druk over?

Omdat ze het nog nooit eerder had gezien.

Als je iets voor het eerst ziet, reageer je daarop, dacht ze. Maar het is niet iets waarover ik me druk hoef te maken.

Toch deed ze dat.

Daar!

Tussen de boom en het fietsenrek had iets bewogen. Alsof iemand er met de snelheid van de bliksem tussendoor was gerend. Maar dat was niet mogelijk. Nu moet je naar binnen gaan. Het begint te schemeren. Misschien was het de schaduw van een vogel. Ze keek weer omhoog naar de lucht. Daar waren geen vogels. De lucht was nu nog blauwer, werd bijna zwart. Ze rook de geur van de herfst om zich heen, het was echt een geur, iets wat fijner was dan lucht, zachter dan gewone lucht. De geur bevatte verschillende dingen.

Nu rook ze tabak.

Weer die beweging!

Achter de boom!

Plotseling was ze heel bang. Alsof bijna alle lucht haar longen had verlaten. Het was ineens moeilijk om adem te halen. Ze wilde niet naar die kant kijken, naar rechts. Ik wil niet rennen. Ik loop zo snel ik kan. Het is niet goed om te gaan rennen. Goed voor wie? Ben ik bang dat ik me belachelijk maak? Ze hoorde haar eigen schoenen knarsen op het grind. Het was nog 5 of 7 meter naar de portiek. Lieve god, ik wil de portiekdeur achter me dicht horen slaan. Voorgoed dicht horen slaan. Ze dacht er niet over na of ze nog ademde. Ze wilde schreeuwen. Er was niemand naar wie ze kon schreeuwen. Het flatgebouw zag er leeg uit, verlaten. De ramen waren donker. Waarom heeft niemand een lamp aangedaan? Ze greep naar de grove deurknop, maar het was alsof ze aan een steen rukte. De trap achter het glas was zwart als steen. De portiekcode, wat is de code? Ik ben de code vergeten! 5 ... 1 ... nee! Ze zag zichzelf in het langwerpige glas van de deur, haar gezicht als een lichtere schaduw in het zwart. 5 ... 7 ... 3 ... Ze zag een schaduw achter zich! Het was weer de trek van de wind. Haar hart voelde plotseling als een wild dier in haar borst, het rukte en trok om naar buiten te komen. Ik draai me niet om. Draai je niet om! Ze drukte op de toetsen, drukte, drukte, drukte, 5-8-8-5!

9

We zullen elkaar weer zien. Winter las de woorden voor de honderdste keer. *We zullen elkaar weer zien.* Sinds de technici hadden gezegd dat de hand tijdens het schrijven had getrild, zag hij dat ook.

We zullen elkaar weer zien.

Hij zag de hand die op de tafel lag, een afgietsel van de hand die deze woorden vanuit de hel had geschreven. Als je het zo wilde zien. Er was niet zoveel keus. Paula had niet zoveel keus gehad.

Een vogel vloog zonet langs het raam en ik zal weldra als die vogel zijn. Denk aan mij als jullie een vogel zien, welke vogel dan ook. Ik denk aan jullie, nu en voor altijd.

'Je zou er bijna van gaan huilen,' zei Ringmar en hij keek op van de kopie van de brief die hij in zijn hand hield.

'Doe dat dan.'

'Ik probeer het. Ik probeer het echt.'

'Haar laatste woorden,' zei Winter.

'Schreef ze wat ze zelf wou?' zei Ringmar.

Winter antwoordde niet. Hij had net een vogel langs het raam zien vliegen. Hij wist niet wat voor vogel het was, hij was niet goed in vogels.

'Erik? Wat denk je? Zijn het haar eigen woorden?'

'Wie kan dat weten? Behalve zij, en de moordenaar?'

'De vogel. Is dat een symbool?'

'De ouders konden het in elk geval niet duiden,' zei Winter.

'En jij?'

'Vlucht,' zei Winter. 'Vlucht, vrijheid.'

'Buiten haar bereik,' zei Ringmar. 'Wat buiten haar bereik lag.'

'Misschien niet.'

'Hoe bedoel je?'

'Ze zou worden als een vogel, schrijft ze.' Winter keek op. Hij had naar het bureaublad zitten staren. 'Het zou haar vlucht worden. En haar vrijheid.'

'Het was niet haar eigen keus,' zei Ringmar.

Winter antwoordde niet. Hij keek door het raam naar buiten, maar er vlogen geen vogels meer langs. Het was een grijze dag. Er viel een lichte regen, de herfst was begonnen, het seizoen was nu serieus aangebroken.

'Het was niet haar keus om in die klotekamer te zitten en over vrijheid te schrijven. En over liefde. Het was niet haar keus.'

'Misschien werd het dat,' zei Winter.

'Het touw om haar hals? Ze had geen keus.'

'In het begin niet,' zei Winter. 'Na verloop van tijd was ze even overtuigd.'

'Even overtuigd? Even overtuigd als de moordenaar?'

Winter antwoordde niet. Dit waren vreselijke gedachten. Daar was hij mee bezig. Met vreselijke gedachten.

'Overtuigde hij haar ervan dat ze dood moest? Jouw tijd is voorbij, Paula. Schrijf een brief om dat te bevestigen.'

Winter antwoordde nog steeds niet.

'Raakte ze even overtuigd als hij?'

'Ga door,' zei Winter.

'Wist hij haar ervan te overtuigen dat ze zich beter zou voelen als ze dood was?'

'Zich beter zou voelen?' zei Winter. 'Voelde ze zich niet goed?'

'Laten we daarvan uitgaan. Ze was niet tevreden met haar leven. Ze wilde weg. Ze wilde iets anders doen. Ze wilde vluchten. Ze wilde een ander soort vrijheid. Ze wilde iemand anders wórden.'

'Zeg dat nog eens,' zei Winter.

'Laten we ervan uitg...'

'Nee, dat laatste,' zei Winter.

'Ze wilde iemand anders worden,' zei Ringmar.

'Ja. Daar gaat het om. Ze zou iemand anders worden. Hij zou haar tot iemand anders maken.'

'Verdomme, Erik.'

'Ze zou vluchten, wegkomen. Hij hielp haar.'

'Wie werd ze dan?' zei Ringmar. 'Wie zou ze worden?'

'Een deel van hem,' zei Winter. Hij herhaalde het: 'Een deel van hem.'

Nu zei Ringmar niets. Hij dacht aan Winters woorden. Hij wist dat dit een deel van hun methode was, de woorden konden veel betekenen, of niets, en hij hoopte dat de laatste woorden helemaal niets betekenden. Dat Winter het mis had. Als hij gelijk had, als hij maar enigszins gelijk had, kon dat betekenen dat dit nog maar het begin was.

'Wie is hij?' zei Ringmar. 'Een predikant? Een krankzinnige predikant? Een zwarte engel? Een opgestegen engel?' Hij begon plotseling te niezen, alsof hij allergisch was voor het uitspreken van het woord 'predikant'. 'Moeten we met de kerkelijke gemeenschappen gaan praten?'

'Ik weet het niet.'

'Wat bedoel je? Jij bent hierover begonnen!?'

'Ik heb nog niet zoveel aan hem gedacht,' zei Winter. 'Ik heb aan Paula gedacht.'

'Maar ze was niet religieus,' zei Ringmar. 'Tenminste niet voor zover wij weten. Niet diep religieus.' Hij haalde een zakdoek tevoorschijn en veegde zijn neus af. 'Ze is een paar keer met haar vriendin in de kerk geweest, maar dat was voor de rust.'

'Er zijn verschillende soorten,' zei Winter.

'Religiositeit?'

'Ja. Het hoeft niet met God te maken te hebben,' zei Winter.

'Bestaat er iets wat met God te maken heeft?'

'Wat bedoel je daarmee?'

'Bestaat God?' zei Ringmar.

'Ik geloof dat we maar even koffie moeten gaan drinken,' zei Winter.

Die middag had Winter een gesprek met Birgersson. Het hoofd van de afdeling stond zoals gebruikelijk bij het halfopen raam. Er kwam maar weinig licht door het raam naar binnen. Vroeger had Birgersson daar altijd gestaan om de rook naar buiten te zien dwarrelen, en om naar het Ullevistadion te kijken. Nadat hij gestopt was met roken, was hij toch bij het raam blijven staan. Het was een soort fantoomcompositie; in zijn hand zat een sigaret die er niet langer was. Nog een jaar, dan zou Winter hem opvolgen, maar Winter was hem al opgevolgd. Er zou niets veranderen, het zou slechts een formele verandering zijn. Winter zou waarschijnlijk niet naar deze kamer verhuizen. Na alle sigarettenrook van Birgersson moest de kamer hoe dan ook worden gereinigd met waterstofcyanide, maar dat zou niet helpen. Het gif zou in de muren blijven zitten, het zou niet gezond zijn om hier te werken. Sigaretten waren niet gezond, net zomin als sigaren.

'Je mag best roken, Erik,' zei Birgersson vanaf het raam. 'Dat weet je.'

'Dat zou niet juist voelen, niet hierbinnen,' zei Winter. 'Je weet dat ik er zo over denk, Sture.'

Birgersson liet een raspende lach horen. Het klonk alsof er een schep grind in de kamer werd gestort, dwars over de vloer.

Winter zag Birgerssons silhouet in het bleke licht. Dat had hij bijna zijn hele volwassen leven gezien. Hij was ook als politieassistent in deze kamer geweest. Hij wist niet meer wat het toen betrof. Maar hij was bang geweest. Dat hoorde bij de jeugd. Dat je vaak bang was. Soms miste hij dat gevoel. Hij vond het beangstigend dat hij tegenwoordig niet meer zo vaak bang werd. Dat was niet gezond.

'Hoe gaat het met ons meisje?' vroeg Birgersson en hij draaide zich om naar het Ernst Fontellplein buiten. Hij kon al het verkeer beneden zien, naar en van het politiebureau, mensen in uniform, politiewagens, privéauto's, mensen in burgerkleding, vrouwen, mannen, oude mannen met een hoed. Het was alsof hij persoonlijk verantwoordelijk was voor al het verkeer dat naar binnen en naar buiten ging, alsof hij het op zich had genomen dat te bewaken. 'Heb je alle gekken al gecontroleerd?'

'Daar zijn we mee bezig.'

'Het worden er steeds meer,' zei Birgersson. Hij had zich weer omgedraaid naar Winter. Zijn gezicht was wazig in het grijze licht, alsof hij al bezig was te verdwijnen. 'Toen ik hier begon, kon je ze voor de lunch opbellen. Allemaal.'

'Ik weet het, Sture.'

'Meer waren het er niet. Ik had ze allemaal daar in de filofax zitten.' Birgersson knikte naar het oude opbergsysteem op zijn bureau. 'Dat was vóór de tijd van de mobiele telefoon. Vóór de internettijd. Dat waren heerlijke tijden.'

'Ik denk dat de gekken er hetzelfde over denken,' zei Winter.

'Ja, ja, we hebben tegenwoordig misschien betere elektronische mogelijkheden, maar dat weegt niet op tegen het feit dat er nu meer dan tien keer zoveel gekken op straat rondlopen. Vind je ook niet?'

'Hm.'

'Wie is onze speciale gek in deze zaak?'

'Ik weet het niet. Nog niet.'

'Is het een oude bekende?'

'Ik denk ... het niet.'

'Je aarzelt.'

'Kun je je Ellen Börge herinneren?'

'Vertel even wat meer.'

'Ze verdween. Er zat een luchtje aan. We konden niet ontdekken wat het was. Ze is nooit teruggekomen.'

'Börge?'

'Ja.'

'De naam komt me bekend voor.'

'Mooi.'

'Ik ben misschien wel oud, maar nog niet seniel.'

'Het was hetzelfde hotel, dezelfde kamer.'

'Verdomme.'

'Ellen, als zij het inderdaad was, heeft vlak voor haar verdwijning haar intrek in dat hotel genomen.'

'En?'

'Tja ... dat is alles. En het feit dat Ellen nooit is teruggevonden. Nooit meer is ... thuisgekomen.'

'Je aarzelde weer even.'

'Volgens mij wilde ze niet terug naar huis.'

'Naar haar eigen huis. Haar appartement?'

'Ja. En naar haar man.'

'Je weet je die zaak goed te herinneren, Erik. Of heb je je geheugen net opgefrist?'

'Ik heb het een en ander nagelezen. Het was een van mijn eerste zaken.'

Birgersson knikte.

'Onopgeloste zaken,' zei Winter.

'Die je nu wilt oplossen,' zei Birgersson.

'Nee, nee.'

'Ontken het maar niet, Erik. Ik heb het in de loop van de jaren vaker op de afdeling gezien, bij anderen. Ook bij jou. Jullie lopen rond met iets wat niet af is, en dat knaagt aan jullie, jullie denken dat jullie iets over het hoofd hebben gezien. De zaak is ijskoud, maar jullie proberen er toch vuur in te blazen.' Birgersson zweeg, alsof hij nadacht over zijn metafoor. 'Dan komt er een nieuwe zaak, en jullie gaan zoeken naar overeenkomsten met de oude.'

'Ik heb niet gezocht,' zei Winter. 'Ik zei alleen dat er een paar overeenkomsten zíjn.'

'Het is twintig jaar geleden,' zei Birgersson.

'Achttien,' zei Winter.

'Kijk eens aan! Je weet het heel goed. Als het maar niet ten koste gaat van Paula Ney.'

'Beledig me niet, Sture.'

'Nee, nee, neem me niet kwalijk, Erik. Maar je begrijpt wat ik bedoel.'

'Hm.'

'Een gek van achttien jaar geleden. Hij heeft iets met Ellen Börge gedaan en nu weer met Paula Ney? Heeft hij bijna een hele generatie gewacht? Dat zou iets nieuws zijn. Dat hebben we nog nooit meegemaakt.'

'Iemand moet de eerste zijn,' zei Winter.

'Hou je me voor de gek, Erik?'

'Ik zou niet durven,' zei Winter.

'Probeer die gek te vinden,' zei Birgersson.

'Hij zit daar misschien wel in,' zei Winter en hij knikte naar de antieke filofax op Birgerssons bureau. 'Daar heb je alle gekken van achttien jaar geleden in zitten.'

'Je bent wel vasthoudend,' zei Birgersson.

'Mag ik hem lenen?' vroeg Winter.

Net toen Winter Birgerssons kamer had verlaten, bedacht hij dat hij was vergeten het nog een keer over zijn verlof te hebben. Hij draaide halverwege de gang om en liep terug. De deur naar Birgerssons kamer stond nog steeds half open, zoals hij hem had achtergelaten. Hij zag Birgersson bij het raam staan, met zijn rug naar de kamer. Winter klopte op de deur en stapte naar binnen. Birgersson draaide zich met een heftige beweging om, alsof Winter hard op zijn rug had geklopt. Zijn gezicht was dat van iemand anders. Er was iets wat Winter nog nooit eerder had gezien. Het waren de tranen in het gezicht van de oudere man. Winter voelde dat hij onuitgenodigd Birgerssons meest persoonlijke ruimte was binnengestapt.

'Wat wil je verdomme nu weer?'

'Neem me niet kwalijk, Sture,' zei Winter, 'ik kom later wel terug.'

'Kom verdomme binnen en doe de deur achter je dicht,' zei Birgersson. Hij haalde een zakdoek uit zijn broekzak, snoot zijn neus en gebaarde met zijn andere hand naar de bezoekersstoel bij het bureau. 'Verdomme, ik heb kennelijk in september hooikoorts gekregen,' zei hij en hij ging moeizaam tegenover Winter zitten. 'Mijn ogen blijven maar tranen.'

Misschien houdt hij zichzelf voor de gek, dacht Winter.

'Is er iets gebeurd?'

'Gebeurd? Wat zou er gebeurd zijn?'

'Sture. Je hebt al je verkoudheden weggerookt. Of andersom. Maar er is iets. Je hoeft er niet over te praten. Maar ik ben niet van plan te doen alsof er niets aan de hand is. Daar ben ik te oud voor. En jij ook.'

'Jij bent niet oud, Erik, nog niet.'

Winter antwoordde niet.

'Ik ben oud,' zei Birgersson. 'Dit is mijn laatste herfst hier. Ik heb geen idee wat er daarna gebeurt. Daar dacht ik aan toen ik bij het raam stond. Toen jij binnenkwam. Opeens kwam er een traan. Ik had het niet gepland.' Birgersson probeerde te glimlachen. 'Het heeft met de leeftijd te maken. Als je ouder wordt, verlies je de controle over je lichaamsvochten. Ik moet tegenwoordig altijd een pisbak in de buurt hebben. Of een zakdoek kennelijk.'

'Heb je het al met een katheter geprobeerd?' zei Winter.

'Laat me eerst maar met pensioen gaan,' zei Birgersson.

'Hebben wij ooit over andere dingen dan het werk gepraat?' zei Winter.

'Waarom vraag je dat?'

'Omdat het belangrijk is.'

'Voor wie?'

'Voor ons allebei, denk ik.'

'Ik geloof niet in dat soort dingen,' zei Birgersson en hij keek weg. Wie het wist, kon nog steeds sporen van tranen in zijn ogen zien, en Winter wist het. Hij wist ook dat Birgersson een eenzaam man was. Hij weigerde te geloven dat het hele leven van zijn chef híér was, hier in deze gesloten werkkamer, maar soms leek het wel zo. Birgersson sprak nooit over zijn andere leven. Niemand wist hoe hij dat leidde. Hij nodigde nooit iemand uit in dat leven. Misschien betaalde hij daar nu een prijs voor, hier, bij het raam, in zijn laatste herfst.

'Ik weet een leuke plek met goed licht,' zei Winter. 'Ga met me mee.'

'Wat moeten we daar doen? Samen huilen? Dat gaat niet, niet bij goed licht.'

'We moeten praten.'

'Ik geloof niet in dat soort dingen, zei ik toch.'

Hun tijd is voorbij, dacht Winter. De mensen die niet in 'dat soort dingen' geloven. De doodstille mannen.

'Doe als ik,' zei hij.

'Wat?'

'Ga met verlof. Draag het een keertje over.'

'Wat zeg je? Moet ik een halfjaar voor mijn pensioen verlof nemen?' Birgersson begon zelfs te lachen. 'En dat moet ik van jou horen?! Hoofdinspecteur Winter predikt het verlof. Voor de tweede keer in korte tijd.' Birgersson stond op van zijn stoel, met een heftige beweging, alsof hij kwetsbaarder was als hij zat, kwetsbaar voor woorden. 'En trouwens, voor zover ik weet, heeft niemand hier toestemming gekregen om met verlof te gaan.'

'Het duurt nog drie maanden,' zei Winter.

'Wat zullen de anderen ervan zeggen? Het is tegen alle ongeschreven regels.'

'Ik neem genoegen met de geschreven regels, Sture.'

Winter dacht aan de anderen, Ringmar, Halders, Bergenhem, Aneta Djanali, Möllerström, andere collega's boven en onder hem. Er zouden gemengde gevoelens zijn.

'Bovendien ben je met een zaak bezig. Als we die niet oplossen, kunnen we misschien allemaal met verlof gaan.'

'We lossen de zaak op,' zei Winter.

'In minder dan drie maanden?'

Winter antwoordde niet.

Birgersson wees naar de filofax.

'Je had het er net zelf over. Soms is achttien jaar niet genoeg.'

'We weten niet of het een misdrijf was,' antwoordde Winter. 'Ellens verdwijning. Dat zei je net zelf.'

'Ik herken je niet, Erik. Is dat Spanje-gedoe Angela's idee?'

'Nee. Dat komt van mij.'

'Maar waarom?'

'Daar wilde ik het met je over hebben, op die leuke plek.'

Fredrik Halders en Aneta Djanali keken naar de video. Ze zagen de blonde vrouw komen en gaan, komen en gaan.

'Een donkere zonnebril is een fantastische vermomming,' zei Halders.

'En een pruik,' zei Aneta Djanali.

'Is het een pruik?'

'Ja.'

'Ik kan het niet zien. Moet je vrouw zijn om dat te kunnen zien?'
'Ja.'
'Zou je het merken als ik een pruik droeg? Als je me niet kende?'
'Ja.'
'Zou je nog steeds van me houden als ik een pruik ging dragen?'
'Nee.'
'Waarom niet?'
'Een vrouw kan niet van een man houden die een pruik draagt.'
'Maar vrouwen dragen toch pruiken?'
'Dat is anders.'
'Waarom draagt zij een pruik?' zei Halders en hij wees naar het scherm. De vrouw liep weer weg. 'Is het een vermomming?'
'Voor wie?'
'Voor ons natuurlijk. Ze wil niet herkend worden. De pruik en de zonnebril.'
Aneta Djanali speelde de band af en spoelde hem weer terug.
'Ik kan niet begrijpen waarom ze de koffer in een kluis zette als ze ... wist wat er met Paula ging gebeuren. Of in elk geval wist dat Paula de koffer niet zelf zou ophalen.'
'Ga door,' zei Halders.
'Waarom zette ze de koffer überhaupt in de kluis? Als ze medeplichtig is? Waarom een koffer in een kluis zetten als de medeplichtige die er later weer uit haalt? En dat allemaal min of meer openlijk. Dat gaat er bij mij gewoon niet in.'
'Het alternatief is dat ze het voor Paula deed. Een dienst.'
'Waarom heeft ze zich dan niet bij ons gemeld?' zei Aneta Djanali.
'Om de bekende reden,' zei Halders. 'Ze is bang.'
'Bang voor wie?'
'Voor alles.'
'Wordt ze door iemand bedreigd?'
'Misschien.'
'Door de moordenaar?'
'Misschien.'
'Maar dan is er een soort contact tussen haar en de moordenaar.'
Halders antwoordde niet. Hij bestudeerde de vrouw weer. Er was iets met haar manier van lopen. Ze liep niet mank, maar het leek alsof ze haar best deed dat niet te doen. Haar manier van lopen had iets eigenaardigs. Het leek niet door de digitale schokkerigheid van de bewegingen te komen. Mank lopen werd kennelijk ook versterkt door de resolutie.
'Is zij de moordenaar?'
Halders draaide zich om naar Aneta Djanali.
'Wat zei je?'

'Is zij de moordenaar?'

Halders richtte zijn blik weer op de persoon met de blonde pruik en donkere zonnebril. Ze bewoog alsof ze op treden liep die op de vloer waren geverfd, een pad. Hij telde haar passen.

'Nee,' antwoordde hij, 'ze heeft niemand vermoord.'

Aneta Djanali volgde zijn blik.

'Waar kijk je naar, Fredrik?'

'Zie je hoe ze loopt? Is er niet iets vreemds aan haar manier van lopen?'

Aneta Djanali vroeg hem de sequentie nog een keer af te spelen. De vrouw liep, heen en weer.

'Ja,' zei Aneta Djanali uiteindelijk, 'ze loopt inderdaad niet helemaal normaal.'

'Wat is het?'

'Iets met haar voeten.'

'Weet je het zeker?'

Halders keek naar de voeten van de vrouw. Ze had donkere laarzen aan, waarschijnlijk van leer. Ze zagen er niet comfortabel uit.

'Te krappe laarzen?'

'Misschien,' zei Aneta Djanali.

'Wat kan het anders zijn?'

'Een probleem met haar voeten. Of tenen.'

'Tenen?'

'Ik vind dat ze loopt als iemand die last heeft van haar tenen.' Ze draaide zich om naar Halders. 'Als je last hebt van je tenen, krijg je altijd problemen met lopen.'

Halders knikte.

'Ik heb gehoord dat mensen die hun grote teen missen, helemaal niet kunnen lopen,' zei hij.

'Zij kan wel lopen,' zei Aneta Djanali met een knik naar de monitor, 'maar misschien heeft ze last van haar tenen.'

'Hoe oud denk je dat ze is?' vroeg Halders.

'Wat denk je zelf?'

Halders probeerde het gezicht van de vrouw te lezen, wat hij ervan kon zien. Dat was niet veel. Ze hadden nog geen close-ups. Maar haar bewegingen hadden iets wat op rijpheid wees. Het was niet alleen haar manier van lopen.

'Ver boven de dertig,' zei hij.

'Misschien boven de veertig,' zei Aneta Djanali.

10

Ze vonden een leuke tent met slecht licht. Dat wilde Birgersson.

'Zodat niemand het kan zien als ik weer water in mijn oog krijg.'

Birgersson keek om zich heen en wees naar een nis achter de bar. Boven de nis hing een schilderij dat niets voorstelde, dat was vanaf de plaats waar zij stonden in elk geval niet te zien. Toen Winter ging zitten, zag hij dat er een zee tussen de lijst golfde, of een veld, of een bos, of een grote stad gezien vanuit de verte.

'Hoe laat is het?' vroeg Birgersson en hij keek naar de bar waar de barkeeper een wijnglas opwreef. Behalve een man op een barkruk waren zij de enige gasten.

'Kwart over vier,' antwoordde Winter.

'Dan neem ik een groot glas bier en een glas brandewijn.'

'Is vier uur het magische tijdstip?' vroeg Winter.

'Ik weet niet of het magisch is, maar het is een fatsoenlijk tijdstip voor een borrel.'

'Ik begin meestal pas om zeven uur.'

'Met whisky, ja. Die hoofdpijn wil ik niet al om vier uur hebben.'

'De hoofdpijn komt later,' zei Winter. 'Maar die hangt af van de kwaliteit van de whisky.'

'Wanneer ligt het niet aan de kwaliteit?'

'Zullen we bestellen?'

Birgersson zag eruit alsof hij nu al hoofdpijn had. Hij wreef over een plek boven zijn ene oog en bestudeerde de brandewijn in het glas met de hoge voet.

Winter nam een slok van zijn bier.

Birgersson bracht zijn hand weer naar beneden en keek om zich heen.

'Ik ben hier nog nooit geweest,' zei hij. 'Is het een stamkroeg van jou?'

'Nee, nee.'

'En we hebben ook nooit zo gezeten,' ging Birgersson verder. 'Jij en ik met zijn tweeën in een bar in de stad.'

‘Ze zeggen dat er voor alles een eerste keer is.’

‘Wie zegt dat?’

Winter lachte ten antwoord.

‘Je moet alles in elk geval een keer proberen,’ zei Birgersson, ‘behalve incest en volksdansen.’

‘Wie zegt dat?’ vroeg Winter.

‘Dat is een oud spreekwoord uit mijn geboortestreek.’

‘Wat is jouw geboortestreek, Sture? Dat heb je nooit verteld.’

‘Die bestaat niet meer. Dus er valt niets te vertellen.’ Birgersson hief zijn glas. ‘Deze brandewijn ziet er lekker uit.’

Winter hief zijn bierglas. Hij had overwogen een glas whisky te nemen, maar het was nog lang geen zeven uur. En een eerste whisky werd graag gevolgd door een tweede.

Birgersson nam een slok van zijn brandewijn, zei genietend ‘Ahhh’, zette het glas neer en keek nog een keer om zich heen.

‘Hier zou ik best een tijdje kunnen blijven zitten.’

‘Dan doen we dat,’ zei Winter.

‘Als ik me niet vergis, heb jij toch een gezin waar je heen moet?’

Winter begon te lachen.

‘Ben je niet onlangs weer vader geworden?’ ging Birgersson verder.

‘Alweer een jaar geleden,’ antwoordde Winter.

‘Het was toch een meisje?’

‘Dat klopt. Ze heet Lilly.’

‘Lilly? Dat klinkt als een oude tante, hoewel ze pas een jaar is.’

‘Misschien wordt ze wel een oude tante,’ zei Winter.

‘Maar het is een mooie naam.’

‘Ik geloof dat die haar nu al bevalt.’

‘Hij doet op de een of andere manier aan Sture denken.’

Winter glimlachte.

‘Ze blijven nog bijna een week aan de zonnekust,’ zei hij.

‘Aha.’

‘Ben jij daar weleens geweest?’ vroeg Winter.

‘De zonnekust? De Costa del Sol?’

Winter knikte. Birgersson was in veel opzichten een legende op het politiebureau, en de mystiek rondom de periodes dat hij afwezig was, was groot. Niemand wist waar hij zijn eenzame vakanties doorbracht. Of ze wel eenzaam waren. Birgersson had nooit een gezin gehad, in elk geval niet voor zover men wist, maar eenzaamheid had diverse gezichten.

‘Misschien,’ zei Birgersson.

Dat was het juiste, mystieke antwoord.

‘Je bent van harte welkom om in de winter langs te komen. Of in het voorjaar.’

'Kalm aan nou maar, Erik. Het voorjaar is nog ver weg.'
'Is het dat niet altijd?'
'Dat klinkt depressief. Ben je depressief?'
'Ik dacht van niet.'
'Het is voldoende dat je denkt dat ik het ben.'
'Er komt altijd een voorjaar,' zei Winter. 'Klinkt dat beter?'
Birgersson glimlachte.
'Je bent een rare vogel, Erik Winter.'
'Zijn we dat niet allemaal?'
'Het werk kleurt ons,' zei Birgersson.
'Misschien. Maar wij waren vanaf het begin al raar.'
'Of getikt. Kijk naar Halders.'
'Hij is rustiger geworden,' zei Winter.
'Sinds jij hem een klap verkocht, bedoel je?'
'Dat weet je nog?'
'Als de dag van gisteren.'
'Het was in de herfst,' zei Winter, 'eigenlijk nog in de late zomer.'
'Het was de tijd van de jeugd,' zei Birgersson. 'Proost!'
Hij dronk de borrel in één teug op en zette het glas neer.
'Ik heb je verlofaanvraag ondersteund,' zei hij.
'Dank je, Sture.'
'Maar onze vriend, het hoofd van de Rijksrecherche, beslist. Dat weet je.'
'Ik heb geen conflict met Leinert,' zei Winter. 'En hij is me dit verschuldigd.'
'Waarom is hij je dat verschuldigd?'
'Alle overuren die ik nooit heb opgenomen. Kom op, Sture. Je weet hoe het zit.'
Birgersson antwoordde niet.
'Halders kan het overnemen,' zei Winter. 'Als het dan nog actueel is.'
'Moet Halders het vooronderzoek leiden? Is dat wel verstandig?'
'De officier van justitie leidt het vooronderzoek,' antwoordde Winter. 'Dat weet je toch, Sture?'
Birgersson glimlachte flauwtjes.
'Als er een verdachte is, ja,' zei hij. 'Is er in deze zaak een verdachte?'
'Nee.'
'Dat betekent dus dat Halders de leiding over het geheel krijgt?'
'Ik heb het over na 1 december.'
'Dan is Molina misschien ingeschakeld, bedoel je dat?'
'Misschien zijn we dan allemaal uitgeschakeld,' zei Winter.
'Dan heb je alles opgelost?'
'Dan hebben wíj alles opgelost.'
'Ja, ja.'

Birgersson bestudeerde zijn glas met een bezorgd gezicht, alsof het nooit meer gevuld zou worden.

'Fredrik is nu echt aan de beurt,' zei Winter. 'Hij is er meer dan klaar voor.'

'Dat ik jou dat hoor zeggen,' zei Birgersson.

'Mensen veranderen.'

'Jij? Of hij?'

Winter zag twee jonge mannen binnenkomen, ze liepen door de kleine ruimte en gingen aan een tafel vlakbij zitten. Ze waren ongeveer even oud als hij en Halders waren geweest toen ze elkaar leerden kennen.

'Als hij mij gaat vervangen ... eventueel gaat vervangen, moet hij nu worden geïnformeerd,' zei Winter.

'Misschien eist hij dan wel dat hij hoofdinspecteur wordt,' zei Birgersson.

'Laat hem dat dan worden,' zei Winter.

'Ik wil eerst nog een borrel,' zei Birgersson en hij keek naar de bar.

'Ik heb er met Bertil over gepraat,' zei Winter. 'Hij heeft geen bezwaar. Integendeel.'

'Ja, ja,' zei Birgersson.

Winter volgde zijn blik en gebaarde naar de barkeeper, die knikte. Birgersson stak twee vingers omhoog en de barkeeper knikte opnieuw.

'Intelligente vent.'

'Dat zijn ze allemaal,' zei Winter.

'Ben jij een kroegtijger?'

'Dat woord heb ik al heel lang niet meer gehoord.'

'Of kroegkoning, zoals ze tegenwoordig zeggen.'

'Alleen op de dag dat ik mijn salaris krijg.'

'Met jouw salaris kun je toch wel de rekening van de kroeg betalen?' zei Birgersson.

'Volgens Halders' VN-herinneringen op Cyprus was het loon van de Britse officieren precies voldoende voor de rekening van de messroom,' zei Winter.

'Natuurlijk,' zei Birgersson. 'De rest werd met privémiddelen betaald. Dat doe jij ook.'

'Zoveel heb ik nou ook weer niet,' zei Winter.

'Dat ligt eraan waarmee je het vergelijkt.'

'Vergelijk het maar met die Britse officieren.'

'Koop jij niet nog steeds met de hand gemaakte schoenen in Londen?'

'Alleen als ik ook een pak bestel.'

Birgersson lachte. De man bij de bar bewoog niet. Twee vrouwen aan een tafel bij de uitgang draaiden hun hoofd om. Het was het laatste kwartier drukker geworden in de kroeg.

Twee nieuwe glazen bier en een nieuw glas brandewijn werden op tafel gezet.

'Hoe laat is het nu?' vroeg Birgersson.
'Kwart voor vijf. Hoezo?'
'Nog een kwartier voordat het blauwe uur begint,' zei Birgersson.
'Hm.'
'We halen het blauwe uur bijna nooit.' Birgersson hief zijn bierglas en leek de kleur van de inhoud te bestuderen. 'Dan zitten we meestal boven onderzoeksteksten met een onbegrijpelijke syntaxis gebogen.'
'Verheug je dan op je blauwe uren, Sture.'
Birgersson antwoordde niet. Zijn blik leek weg te glijden, door de blauwe rook die in de kroeg begon op te stijgen.
Toen keek hij Winter recht aan.
'Zeg eens eerlijk, Erik. Heb jij nooit genoeg van die hele klerezooi?'
'Alleen als die me tot de nek komt.'
'Het begint aardig in de buurt te komen,' zei Birgersson. 'Merk je niet hoe moeilijk het tegenwoordig is om je armen te bewegen?'
Hij bracht zijn arm in een hoek omhoog. Het glas brandewijn belandde midden in een straal licht van het plafond en de alcohol kreeg een kleur.
'Toen ik nog maar net op de afdeling werkte, heb jij een keer gezegd dat dit een strijd is die we niet kunnen winnen, maar die we wel moeten voeren,' zei Winter.
Birgersson nam een slok, zette het glas neer en vertrok zijn gezicht.
'Zei ik dat? Heb ik dat gezegd?'
Winter knikte.
'Dat was waarschijnlijk toen we met de zwaarste drugs te maken kregen. Toen de heroïne kwam.'
'Nee, het was eerder.'
'Tja ... ja ... wat vond je ervan?'
'Het was niet direct bemoedigend,' zei Winter.
Birgersson zei niets, er was niets bemoedigends in zijn gelaatsuitdrukking, en het was een uitdrukking die Winter herkende.
'En tegelijk was het dat wel. Bemoedigend.'
'Ik had misschien een slechte dag toen ik dat zei,' zei Birgersson. 'Misschien was er net een meisje van twaalf doodgeslagen.'
'Ik weet niets meer van die dag, behalve wat jij toen zei.'
'Kennelijk meende ik het wel.'
'Ik ben niet gewend dat je over dat soort dingen grapjes maakt, Sture.'
'Een strijd die we moeten voeren, hè? Ja, dat klopt waarschijnlijk wel.'
'Dat impliceert dat je genoeg krijgt van de hele klerezooi,' zei Winter. 'Want een klerezooi is het. Een enorme zooi.'
'Een grote berg,' zei Birgersson en hij hief het bierglas. 'Tot aan de hemel. Proost op alle klerehuizen die plaats bieden aan de rotzooi. Die ervoor zorgen. Alle klerelijers.'

Winter hief zijn glas en proostte, zonder goed te begrijpen wat Birgersson bedoelde.

'De reden dat ik het nog steeds uithoud met een klerelijer als jij, is dat jij probeert te vermijden cynisch te worden,' zei Birgersson.

Winter wist niet wat hij op Birgerssons woorden moest zeggen. Soms had hij zich zorgen gemaakt dat hij niets anders dan cynisch kon worden. Dat mensen die in dit segment van de wereld en de menselijkheid leefden en werkten cynisch werden. Cynisch of idioot. Of allebei.

'Een cynicus houdt op met denken,' zei Birgersson, alsof hij Winters gedachten had gelezen. 'De hersenen worden automatisch.'

'Dat zou je je misschien soms kunnen wensen,' zei Winter.

'O nee, jongen. Dat is niets voor jou.'

'Ook niet voor jou, Sture.'

Birgersson begon weer te lachen; het was een sissend geluid dat de twee jonge mannen aan het tafeltje ernaast hun rustige conversatie deed onderbreken. Ze wierpen een snelle blik op de gerimpelde man in het witte overhemd met de open hals en de opgestroopte mouwen.

'Nee,' zei Birgersson een halve minuut later, 'wie zou op de gedachte komen mij cynisch te noemen?'

Wie zou op de gedachte komen Fredrik Halders cynisch te noemen? Om eerlijk te zijn: vrij veel mensen. Iedereen met wie hij ooit in contact was geweest zelfs.

Hij vond zelf dat hij redenen had voor zijn kijk op het leven, en dat waren niet alleen de redenen die hij door zijn werk had gekregen. Maar mensen maken in hun leven geestelijke veranderingen door, in elk geval sommige mensen, en Halders had het geluk een van hen te zijn. Hij beschouwde het als geluk. Hij wist wat er gebeurde en hij wilde niet in steen veranderen voordat zijn kinderen volwassen waren.

Hij stond weer in de flat van Paula Ney. Waar zoek ik naar? Is het nog steeds de foto? Nee. Hij luisterde ergens naar. Niet naar de wind buiten, of naar het getik van de regen tegen de ruit, en ook niet naar de auto's op de rotonde bij het Doktor Friesplein. Niet naar de geluiden van de natuur en de stad. Daar hoefde hij niet naar te luisteren, die geluiden waren na al deze jaren op straat, in auto's, in huizen, in parken, overal waar hij zijn voet kon neerzetten, in zijn hersenen ingeprogrammeerd. Hij keek naar zijn voet, de ene stond voor de andere, alsof hij op het punt stond zich uit het raam te werpen. De wolken waren grijs, je moest hoog vliegen om de blauwe hemel te bereiken. Was zij daarheen gevlogen? En weer terug naar beneden? Halders keek om zich heen naar een antwoord. De flat was nog steeds in een lijkkleed gehuld. De stilte hing er nog steeds. Hij luisterde opnieuw, maar hoorde niets. Hij wist dat er hierbinnen antwoorden waren, misschien meerdere. Noodzakelijke antwoorden, tragische antwoorden. De antwoorden die hij verzamelde, bezaten niets wat de wereld tot een gelukkiger, liefdevoller plek maakte. Het was alleen maar een strijd.

De ochtend was lichter, alsof de naakte hemel nog één keer alles wilde laten zien. Winter zette zijn fiets in het fietsenrek, deed hem op slot en liep naar de ingang. Een roofvogel cirkelde hoog boven het politiebureau. De vogel tekende zich scherp af tegen het blauw. Plotseling dook hij naar beneden en verdween achter het gebouw.

Winter nam de lift naar de verdieping boven de zijne.

Torsten Öberg wachtte in zijn kamer. Uit een aantal kamers van de technische afdeling had Winter het geluid van fotoflitsen gehoord. Hij had de geur van iets scherps geroken. Een vrouw met een grote plastic zak had hem gepasseerd. De zak had er zwaar uitgezien.

'Het duurt een paar dagen voordat we antwoord krijgen van het Gerechtelijk Laboratorium,' zei Öberg nog voordat Winter was gaan zitten.

Winter knikte. Hij zag het touw voor zich. De knoop. De bloedvlek die overal vandaan kon komen. Als het bloed was.

'Je wilde toch geen voorkeursbehandeling?'

'Die hadden we toch niet gekregen.'

Door het raam achter Öberg kon Winter de stad zien. Deze kamer lag hoger dan de zijne, je had hier een weids uitzicht. Ginds in de warmtenevel, achter de Älvsborgsbrug die hiervandaan op het skelet van een prehistorisch dier leek, kon hij de zee vermoeden. Ik zou een andere kamer moeten nemen, dacht hij, een verdieping hoger. De vogel was terug, misschien was het een havik. Door het perspectief leek hij boven de brug te cirkelen, een enorm wezen met prehistorische vleugels.

'We hebben een spoor,' zei Öberg. 'Een schoen.'

Winter leunde naar voren. Hij voelde iets over zijn hoofd bewegen, als een plotselinge wind van buiten.

'Iemand heeft voor de kluis met frisdrank geknoeid,' ging Öberg verder. 'Ze hadden daar wel schoongemaakt, maar niet goed genoeg. Wat gunstig was voor ons. Frisdrank is goed voor technici van de recherche. Er blijft veel kleven in Pommac.'

'Was het Pommac?' vroeg Winter.

Öberg glimlachte. 'We zijn nog niet klaar met de analyse van de frisdrank.'

'Een schoenafdruk,' zei Winter.

'Voor wat het waard is,' zei Öberg.

'Veel spreekt ervoor dat het onze man is,' zei Winter. 'Het ligt eraan hoe oud de afdruk is.'

'Die is vers.'

'Hoe vers?'

'Een dag, misschien twee.'

'Het is onze man.' Winter dacht na over wat hij zojuist had gezegd. 'Als het een man is. Is het een man? Een mannenschoen?'

'Ja ... dit is de enige afdruk die we hebben.' Öberg opende de map die op de tafel tussen hen in lag. 'Voor zover ik weet dragen vooral mannen dit soort schoenen. Of droegen, kan ik misschien beter zeggen.' Hij pakte een paar foto's en liet er een aan Winter zien. 'Herken je dit patroon?'

Winter pakte de foto in zijn hand. De afbeelding leek eerst een oneffen oppervlak, een verlaten landschap misschien. Hij zag randen. Aan de rand was iets wat een deel van een letter kon zijn.

Hij keek op.

'Herken je het?' herhaalde Öberg.

'Het komt me bekend voor. Maar ik weet niet echt wat het is.'

'Niet jouw merk?'

'Nee.'

'Maar ooit zat die schoen aan de voet van iedere man,' zei Öberg. 'Behalve aan die van jou.'

'Wat is het?'

'Ecco.'

'Ecco?'

'Ecco. Klinkt dat bekend?'

'Natuurlijk.'

'Ecco Free. Een heel gewoon schoenenmerk. In elk geval een jaar of twintig geleden. En nu maakt het kennelijk een soort revival door.'

Winter schudde zijn hoofd.

'Niet waar we op hadden gehoopt, hè?' zei Öberg.

Winter keek zonder te antwoorden weer naar de foto. Het landschap zag er nu minder verlaten uit. De afbeelding was eerder een kaart die misschien geduid kon worden.

'Maar de zool is niet nieuw,' zei Öberg. 'Als we de schoen vinden, kunnen we gaan vergelijken.'

'Een twintig jaar oude zool?'

'Nee. Zo lang blijft zelfs een Ecco niet goed.' Öberg knikte naar de foto in Winters hand. 'Ik heb ze zelf ook gehad.'

'Dragen mensen die schoenen echt nog steeds?' zei Winter, maar vooral tegen zichzelf. 'Ik heb ze al heel lang niet gezien.'

'Misschien is dat dan toch een voordeel voor jullie,' zei Öberg. 'Misschien zijn er inderdaad niet veel mensen die nog steeds Ecco-schoenen in de schoenwinkels in de stad kopen.'

'Hm.'

'Maar als ik het me goed herinner, werd het merk ook nagemaakt. Ik weet niet of dat nog steeds gebeurt.' Hij keek op. 'Dat moeten jullie uitzoeken.'

'Verder heb je niets bij de kluis gevonden?' vroeg Winter en hij legde de foto neer.
'Hier kom je misschien een eind mee.'
'Je weet het nooit,' zei Winter en hij wilde opstaan.
'Ik word niet echt wijs uit die gipshand,' zei Öberg.
'Je bent niet de enige,' zei Winter.
'Hij is nogal knullig gemaakt.'
Winter knikte.
'Er is een gietvorm gebruikt,' zei Öberg. 'Ik weet niet waar je dat soort dingen koopt.'
'Het is niet erg gebruikelijk.'
'Maar gips ... normaal giet je toch een soort plastic massa in zulke vormen. Voor etalagepoppen en zo.'
'Etalagepoppen,' herhaalde Winter.
Hij deed zijn ogen dicht en zag een leeg gezicht voor zich, en naakte ledematen in een kleur die niet bij mensen voorkwam. Etalagepoppen hadden niets menselijks.
'Er zaten geen gipssporen op haar hand,' zei Öberg. 'Alleen maar verf.'
Winter deed zijn ogen weer open.
'En daar heb je geen nieuws over, neem ik aan.'
'Nee, doodnormale half glanzende lakverf.' Öberg leunde achterover in zijn stoel. 'Verkrijgbaar in vrijwel elke verfwinkel.' De warmtenevel achter de brug was opgelost. Winter kon de opening naar de zee zien. 'Kleefvrij na vijf uur.' Öberg keek Winter aan. 'Maar op haar lichaam duurde het minder lang.'
'Bel me zodra je iets van het Gerechtelijk Laboratorium hoort,' zei Winter en hij stond op. 'Bel ze en vraag ze vriendelijk om een snel antwoord.'
'Ik ben altijd vriendelijk,' zei Öberg.

11

Winter hoorde woorden, maar dat was alles. Hij begreep niet wat er werd gezegd. Het was als een geluid tussen andere geluiden.

'Erik? Luister je?'

Het was Ringmars stem.

Winter maakte zich los uit zijn dagdroom. Hij was een paar tellen heel ergens anders geweest, maar hij wist niet meer waar.

'Ik luister.'

'Wat zei ik net?'

'Herhaal,' antwoordde Winter.

'Dat lukt je alleen maar in het leger,' zei Halders.

'Is dit niet het leger?' zei Aneta Djanali.

'Daar dragen ze een uniform,' zei Bergenhem.

'Zijn er geen militairen in burger?' vroeg Aneta Djanali.

'Jawel, dan ben je van de CIA,' zei Halders.

'Of van de KGB,' zei Bergenhem.

'De KGB bestaat niet meer,' zei Halders.

'Hoe heet het nu dan?'

'De Nationale Moordcommissie.'

'Net als hier in Zweden?'

'Ja. Dezelfde naam, een andere betekenis. Daar pleegt de commissie moorden op nationaal niveau, terwijl die van ons ze probeert op te lossen.'

'Als wij eens zouden proberen onze eigen moord op te lossen,' zei Ringmar.

'Hebben wij een eigen moord begaan?' zei Halders.

Niemand antwoordde. Het klonk alsof Bergenhem een zucht slaakte, maar misschien ademde hij alleen maar uit.

'Er is iets in haar flat wat wij niet hebben gezien,' zei Halders.

'Hoe bedoel je?' vroeg Ringmar.

'Ach,' antwoordde Halders, 'het is een gedachte, of een voorgevoel, of hoe je het ook moet noemen.'

'In jouw geval is het vast een voorgevoel,' zei Bergenhem.

'Wat?'

'Denk je aan een ansichtkaart, Fredrik?'

Dat was Winter. Hij dacht dat hij begreep wat Halders bedoelde. Het was dezelfde gedachte, of hetzelfde voorgevoel, die hij zelf had gehad toen het Ellen Börge betrof. Iets wat hij niet had gezien.

'Niet direct een ansichtkaart,' antwoordde Halders. 'Maar ik voel gewoon iets als ik in die vervloekte eenzame flat sta.' Hij keek om zich heen. 'Jullie zouden er ook eens moeten gaan staan.'

'Maar niet allemaal tegelijk,' zei Bergenhem.

'Ik begin behoorlijk moe van je te worden, Lars,' zei Halders.

'Ik ben er geweest,' zei Winter. 'Ik begrijp wat Fredrik bedoelt.'

'Eindelijk,' zei Halders.

'Moeten we de flat nog een keer binnenstebuiten keren?' vroeg Aneta Djanali.

'Daar gaat het niet om,' zei Halders.

'Gaat het om iets wat daar is, maar er tegelijkertijd niet is?' zei Aneta Djanali.

Niemand antwoordde.

'Ik denk dat we het zullen zien,' zei Halders na een poosje. 'En dan zullen we het begrijpen.'

Ringmar ging mee naar Winters kamer. Winter vond het steeds moeilijker om in zijn werkkamer te zijn. Het begon moeilijk te worden om daar na te denken, om zijn fantasie een kans te geven. Hij had er te veel uren doorgebracht, de muren waren net als in de bajes. Ze lieten niets naar buiten gaan, gaven geen rust. Hij dacht aan Öbergs kamer. Die had ruimte. Daar kon je de zee zien.

Ringmar ging bij het raam staan. Hij werd net als Birgersson.

'Ik heb Paula's ouders gebeld,' zei Ringmar. 'De moeder nam op. Elisabeth.'

Winter knikte.

'Het is de vraag of ze uit de shock komt.'

Winter zei niets. Mensen met verwondingen en mensen met een shock hoorden bij elkaar, vaak kwamen ze uit hetzelfde gezin. Het geweld vond dikwijls binnen het gezin plaats. Het beïnvloedde hen hoe dan ook voor altijd. Er waren geen uitzonderingen. Een simpele inbraak had lang invloed. Alles had invloed.

'Waarom belde je ze?' vroeg Winter nu.

'Ik wil ze weer spreken,' zei Ringmar. 'Binnenkort.'

Winter knikte weer.

'Het is net zoiets als waar Fredrik het over had,' zei Ringmar. 'Er is iets bij die mensen wat wij niet zien. Als we het zien, begrijpen we het. Iets wat ze voor zich houden.'

'Misschien is dat iets waar wij niets aan hebben,' zei Winter.

‘Waar hebben wij dan iets aan?’ zei Ringmar.

‘Alles,’ zei Winter en hij glimlachte.

Ringmar keek door het raam naar buiten. Winter zag de regendruppels op het glas. Het was een lichte regen, je kon hem niet horen. In oktober zou hij zwaarder zijn, *donk-donk-donk-donk* tegen zijn raam.

‘Ze klonk buiten adem toen ze opnam,’ zei Ringmar en hij bleef naar buiten kijken, toonde zijn profiel aan Winter. Dat lichtte op door het grijze licht. Winter zag Ringmars zachte kin, misschien het begin van een onderkin. Dat was hem nooit eerder opgevallen. Ringmars gezicht begon in te storten, maar alleen als een schaduw, alleen in een bepaald licht.

Met Birgersson is het erger. En daarna ben ik aan de beurt.

‘Maar het was niet alsof ze van de kelder naar boven was komen rennen of zo,’ zei Ringmar.

‘Ze verwachtte niet dat jij het was,’ zei Winter.

‘Precies. Ze dacht niet dat we zo snel weer van ons zouden laten horen.’ Ringmar draaide zich om naar Winter en zijn kin werd strak, smal bijna. ‘Ze verwachtte iemand anders.’

‘Was haar man thuis?’ vroeg Winter.

‘Ik verzon een smoesje en vroeg of ik hem even kon spreken. En, ja, hij was er.’

‘Ze hebben familie, vrienden. Iedereen had kunnen bellen.’

‘Ik weet het niet,’ zei Ringmar. ‘Ik weet het niet.’

Winter stond op van zijn stoel. Hij wilde daar niet zitten, wilde daar nooit meer zitten. Hij deed plotseling zijn ogen dicht om de deur niet te hoeven zien, de muren, het bureau. Hij voelde zijn hartslag. Hij voelde zich niet echt lekker. Is dit een levenscrisis, dacht hij. Ik heb nooit iets van een crisis gemerkt toen ik veertig werd. Nu ben ik vijfenveertig, precies in het midden, ik krijg de crisis van veertig en vijftig tegelijk.

‘We gaan naar ze toe,’ zei hij.

‘Nu?’

‘Ja.’

De zon scheen door de wolken heen toen ze over de Allén reden, een geel schijnsel door de bladeren die bezig waren van kleur te veranderen. Winter voelde zich nog steeds onbehaaglijk, alsof hij misselijk zou worden. Ringmar zat achter het stuur. Winter deed een raampje open en liet de lucht naar binnen stromen. Dat voelde prettig in zijn gezicht. Het rook naar herfst, een natte lucht. Hij voelde een zonnestraal in zijn oog, maar dat was niet onbehaaglijk. Hij deed zijn ogen weer dicht.

Wanneer waren Ringmar en hij voor het eerst samen op pad geweest voor het werk? Winter kon het zich niet herinneren.

De tweede keer herinnerde hij zich wel.

Ze had zelf gebeld. Winter had het telefoontje in de auto gekregen. De centrale had haar doorverbonden, ze waren in de buurt van haar huis geweest. Haar stem had buiten adem geklonken. Heel bang. Toen ze voor het huis stonden, hadden ze binnen geschreeuw gehoord. Geluiden van het gezin. Het geschreeuw van een vrouw. Het was niet het meisje. Het was de moeder, dat begrepen ze later. Het meisje wilde niet doen wat haar vader zei. Ze was een paar keer laat thuisgekomen. Nu wilde ze weer op pad. Haar vader wees haar terecht met een stuk keukengerei. Winter zag haar gezicht toen hij met zijn ogen dicht over de Allén reed. Waarom denk ik in godsnaam aan haar? Mariana? Hoe heette ze? Maria? Bertil weet het wel, hij is goed in namen, beter dan ik. Maar ik zal het hem niet vragen. We dachten dat we haar hadden gered. In de ambulance leefde ze nog. Ze kwamen zo snel, dat verbaasde me. De vader was weg, hij was nu in een andere wereld. Het mes was in de tuin beland. Het raam stond open, het was de tweede verdieping. Alles was in de keuken gebeurd. De kleur van het tafelzeil viel me op, ik zou het patroon nog steeds kunnen tekenen. Het avondeten stond nog op tafel, ze waren amper begonnen. Hij had het gevraagd. Waar ga je heen? Waar ga je nu heen? Als hij het niet had gevraagd, had de moeder later gezegd. Als hij het maar niet nog een keer had gevraagd. Shock, ze verkeerde in shock en waarom zou ze daar uit komen? Ze zou er natuurlijk nooit uit komen. Elisabeth Ney ook niet.

'Het tocht,' zei Ringmar.

'Vooral bij mij,' zei Winter.

'Maak je je gedachten schoon?'

'Mijn herinneringen. Ik maak herinneringen schoon.'

'Goed,' zei Ringmar. 'Dat is nuttig.'

'Weet je al wat we het echtpaar Ney gaan vragen als we er zijn?'

'Zie jij ze als een paar?'

'Dat is de vraag,' antwoordde Winter.

'En wat is het antwoord?'

Winter keek naar de oever aan de andere kant van de rivier. Daar stonden koopwoningen, en er zouden er nog meer komen, tot de balkons in het troebele water kiepten. Alleen al de balkons waren meer waard dan wat de werfarbeiders, die een paar decennia geleden op dezelfde plek schepen hadden gebouwd, in hun hele leven hadden verdiend. Winter had als jongen het lawaai van de werf gehoord als hij met de veerboot de rivier overstak. Hij had de schepen gezien, half klaar, helemaal klaar. Hij had op de steiger bij de Nieuwe Werf gestaan en gezien hoe de schepen weggleden, naar Vinga, over de zeeën, naar de evenaar, nog verder weg, naar de Stille Oceaan, Australië. Ze gleden weg alsof ze de hele wereld bezaten.

Wie op een schip de evenaar passeert, krijgt een rituele doop. Daar had hij als jongen aan gedacht, hij had er veel aan gedacht, maar hij had het nooit gedaan, hij leefde al bijna een halve eeuw op deze aarde, maar was de middellijn van de aardbol nog niet op een schip gepasseerd.

'Je moet een paar nooit als een paar zien,' antwoordde hij uiteindelijk. 'Dan maak je je schuldig aan generalisatie.'

'Sommige mensen vergroeien met elkaar,' zei Ringmar.

'Wat zeg je?'

Winter richtte zijn blik op Ringmar.

'Sommige paren worden één,' ging Ringmar verder. 'Ze vergroeien als het ware met elkaar.'

'Dat klinkt eng. Je bedoelt dat ze in de loop van de jaren een Siamese tweeling worden?'

'Ja.'

'Dat de een niet zonder de ander naar de plee kan?'

'Zo is het,' zei Ringmar. 'Het sluipt erin. En op een dag is het een feit. Geen stap zonder de ander.'

'Ik hoop niet dat je uit eigen ervaring spreekt, Bertil?'

'Ik zit hier alleen, toch?'

'Gelukkig maar.'

'Maar het is de moeite waard erover na te denken.'

Ze reden door Kungsten om de spits op de hoofdwegen te vermijden. Ze werden bijna door een bus verpletterd. Ze zagen hem komen maar ze konden niet langs elkaar rijden. Met een heftige beweging draaide Ringmar de auto op een stuk trottoir dat er plotseling was. Er liepen geen voetgangers. In de achteruitkijkspiegel zag Winter de bus verder slingeren naar de rotonde. Ringmar reed de auto de straat weer op.

'Als we in een politiewagen hadden gezeten, had die schijnheilige klootzak als een normaal mens gereden,' zei hij.

'Ik heb het nummer.'

'Laat maar. Daar hebben we geen tijd voor.'

Ringmar reed de Långedragsvägen op. Ze passeerden de Hagenschool. Na het voetbalveld sloeg Ringmar op de kruising links af de Torgny Segerstedtsgatan in. Mario en Elisabeth Ney woonden in een huurflat in Tynnered. De rode bakstenen gebouwen stonden als een muur naar de zee bij Fiskebäck. Er stond een sterke wind op de vlakte, het waaide hier altijd. Winter zag de huizen toen ze op de hoofdweg reden.

Ringmar reed naar het OK-benzinestation om te tanken.

Winter liep naar de winkel en kwam terug met de *Göteborgs-Tidningen*. Hij bladerde even en hield vervolgens het artikel onder Ringmars neus toen deze de bon uit de automaat trok.

'Is dat niet je slechte kant?' zei Ringmar.

'Ik bedoel vooral de kop,' zei Winter.

'POLITIE ZONDER SPOOR IN HOTELMOORD,' Ringmar las de tekst boven de foto van Winter die zich net omdraaide, waarschijnlijk na een kort interview. 'Is dat grammaticaal correct?'

'Is het een correcte conclusie?' zei Winter.

'In principe wel,' zei Ringmar, 'als we de videobeelden buiten beschouwing laten.'

'En de hand,' zei Winter. 'En het touw. En de schoenafdruk.'

'Eigenlijk hadden ze dat allemaal al moeten weten,' zei Ringmar. 'Hoe heet die vriend van jou bij de krant? Bry... Bru...'

'Bülow,' antwoordde Winter, 'maar hij is geen vriend van me.'

'Hij weet hoe dan ook meestal veel boven water te krijgen. Maar dit dus niet.'

'Onze hoofdcommissaris heeft de gaten waarschijnlijk gedicht,' zei Winter.

'Je bedoelt door te stoppen?' zei Ringmar. 'Want ik neem aan dat je het over De Zeef hebt?'

Winter knikte. Einar de Zeef Berkander, ex-hoofdcommissaris, had tijdens zijn commissariaat een relatie gehad met een gescheiden journaliste van de *Göteborgs-Posten*. Dat kwam uit, net als het meeste wat De Zeef in de armen van de bewuste dame had verteld. De Zeef was tegenwoordig ook gescheiden.

'We moeten niet vergeten dat we vaak de hulp van de pers inroepen,' zei Ringmar.

'Dat we ze gebruiken, bedoel je?'

'We hebben ze nodig,' zei Ringmar en hij keek weer naar het artikel.

'Staat er iets in waar we wat aan hebben?'

'Ik weet het niet,' zei Winter, hij vouwde de krant dicht en gooide hem op de achterbank.

Ze verlieten het benzinestation en reden de wijk met de flats in. Ringmar parkeerde de auto. Winter controleerde het adres.

In het trappenhuis rook het naar eten, een onbestemd gerecht, bijna geen kruiden. Het was de oude trappenhuislucht. De nieuwe was beduidend kruidiger, kruiden uit de hele wereld, mensen uit de hele wereld.

Ringmar belde aan. Niemand deed open. Hij belde nog een keer. Ze meenden voetstappen te horen. Ze begrepen dat ze door het spionnetje werden gadegeslagen.

De deur werd nauwelijks 20 centimeter geopend. Ze zagen het gezicht van Elisabeth Ney.

'Ja?'

'Mogen we even binnenkomen, mevrouw Ney?'

Ringmar deed het woord. Ze hadden inmiddels geen legitimatiebewijs meer nodig.

'Ja ... waar gaat het over?'

Ze antwoordden niet. Ze hadden al gevraagd of ze binnen mochten komen. Even, dacht Winter. Wat een uitdrukking. Even kon dagen betekenen.

'Mijn man is niet thuis,' zei ze.

Ze zijn momenteel dus van elkaar gescheiden, dacht Winter. We hebben geluk.

'Dat geeft niet,' zei Ringmar.

Hoe pak je het aan als je moet proberen een moeder te vragen hoe het contact met haar vermoorde dochter was? Hoe pak je een dergelijk gesprek, dat eigenlijk een verhoor is, aan?

Winter kon het plein door het keukenraam zien. Een jonge moeder duwde haar dochtertje op de schommel. Het meisje lachte toen ze hoger ging. Dit kwam hem niet onbekend voor. Hij had Elsa jarenlang op de schommel geduwd, en nu was Lilly aan de beurt.

Elisabeth moest daar ook mee bekend zijn.

Het kon niet goed zijn dat ze nu door dat raam naar buiten zat te kijken.

Het raam in de woonkamer was beter, met uitzicht op het benzinestation, de snelweg, het industrieterrein aan de andere kant van de snelweg.

Ringmar had naar Paula's lange reis van bijna tien jaar geleden gevraagd.

'Ik begrijp niet waarom dat interessant kan zijn,' zei Elisabeth Ney. 'Het is zo lang geleden.'

'Misschien betekende die reis meer dan we begrijpen,' zei Ringmar.

Elisabeth Ney antwoordde niet. Ze zat in een stijve houding aan de keukentafel, alsof ze niet wist wat ze daar deed. Alsof ze willekeurig waar had kunnen zijn. Het maakte niet uit.

Winter hoestte even, discreet.

'Uw man wil niet over zijn verleden praten,' zei hij.

Ze keek hem aan.

'Maar dat kan ... hier toch niet mee te maken hebben?'

'Dat weten we niet,' zei Winter. 'Denk daaraan. We weten het niet. Daarom vragen we ernaar.'

We zijn het leven van dit gezin binnengevallen. Een week geleden wist ik niet eens dat er iemand in deze stad woonde die Ney heet. Nu wil ik alles weten.

'Maar ik heb geen antwoorden,' zei Elisabeth Ney.

'Had Paula ergens verdriet over?' vroeg Ringmar.

'Dat hebben jullie al gevraagd.'

'Iets wat onlangs was gebeurd?'

'Ik heb geprobeerd daar antwoord op te geven. Nee. Ik weet het niet. Mijn god, ik wéét het niet.'

Winter zag de tranen in haar ogen.

Winter ging op de stoel tegenover haar zitten. Tot dat moment had hij bij het raam gestaan.

'Waarom wilde Paula niet dat u of uw man haar vriend zou ontmoeten?'

'Wat zegt u?'

'Volgens een vriendin had ze een vriend. Maar Paula heeft hem nooit aan jullie voorgesteld.'

'Dat wisten we niet,' zei Elisabeth Ney. 'Daar weet ik niets van.'

'Nee,' zei Ringmar vriendelijk. 'Maar waarom wist u dat niet?'

'Wie is het?' vroeg ze en ze keek hem aan. 'Wie is hij?'

Ringmar keek naar Winter.

'Dat weten we niet,' zei Winter.

Elisabeth Ney verplaatste haar blik.

'Dat weten jullie niet? Hoe bedoelt u?'

'We weten niet wie hij is.'

'Hoe kunnen jullie dan zo zeker weten dat Paula echt een vriend had?'

'Haar vriendin dacht het.'

'En jullie geloven haar?'

'Ze lijkt vrij zeker van haar zaak. Maar we kunnen het natuurlijk niet zeker weten.'

'Waar is hij? Waarom heeft hij niets van zich laten horen?' Haar blik ging heen en weer tussen Winter en Ringmar. 'Wat is dat voor vriend die niets van zich laat horen?'

Ze antwoordden niet.

Plotseling begreep ze het.

Haar hand vloog naar haar mond, alsof ze erin wilde bijten. Winter zag alle vreselijke gevoelens in haar ogen. Hij hoorde een lach van het plein. Het was het meisje. De lach zou hier niet te horen mogen zijn. Het raam had dikker moeten zijn.

'Ik dacht dat u ... misschien ... dat zij misschien iets over hem had verteld,' zei hij, 'of dat u iets vermoedde.'

'Paula woonde hier niet. Behalve nu, de laatste week. Als ze ...'

Daar onderbrak ze zichzelf. Haar hand schoot weer voor haar mond.

'Mijn god, ik zei "de laatste week". Ik bedoelde "de afgelopen week". Soms vergis je je. Ik zeg er meestal wat van als mensen "laatste" in plaats van "afgelopen" zeggen.'

Winter knikte. Elisabeth Ney keek hem aan met een blik die nu plotseling blind was.

'Ik ben lerares. Ik heb Zweeds en geschiedenis gegeven op de middelbare school. Ik heb altijd tegen mijn leerlingen gezegd dat het belangrijk is zorgvuldig met je taal om te gaan. Zonder taal kom je nergens.'

'Mevrouw Ney ...'

'En nu zeg ik zelf "laatste".' Ze keek van Winter naar Ringmar en weer terug. Haar blik was nog steeds blind geweest, maar nu barstte die. 'Laatste! En ik had gelijk! Het was haar laatste week!'

'Mevrouw Ney ... Elisabeth ....'

'Het is bijna komisch!' Haar ogen hadden weer glans gekregen. Een eigenaardige glans. 'Ik had ...'

'Mevrouw Ney!'

Ze veerde op, kwam echt omhoog, alsof een windvlaag, eerder dan Winters woorden, haar had opgetild, de zwaartekracht had getrotseerd.

'Elisabeth? Wil je dat we je ergens heen brengen? Wil je iemand spreken? Elisabeth?'

Ze antwoordde niet. Haar blik had geen scherpte toen ze plotseling opstond en met uitgestrekte armen als een blinde door de keuken liep.

Ze ging bij het raam staan. Winter en Ringmar waren ook opgestaan. Winter kon elke lijn in Ringmars gezicht zien. Het leek een zwart-witfoto. Dat moest door de schemering komen.

'Ik hoor het meisje niet meer,' zei Elisabeth Ney. 'Zij lachte zopas toch?'

12

De deur in de hal werd geopend. Winter hoorde iemand hoesten. De deur werd dichtgedaan. Winter hoorde de echo van het trappenhuis. Elisabeth Ney leek niets te horen. Ze zaten in de woonkamer. Winter en Ringmar zaten. Elisabeth Ney stond bij het raam, met haar rug naar hen toe.

Er kwam geen stem uit de hal, geen 'Ik ben er weer' of 'Hallo' of zoiets. Alleen maar voetstappen.

Mario Ney kwam de kamer in en schrok. 'Wat is dit verdomme?!'

Elisabeth Ney zei niets. Ze draaide haar hoofd niet om. Misschien luisterde ze nog steeds naar het kleine meisje.

'Goedenavond, Mario.'

Dat was Ringmar. Hij was opgestaan. Vanaf de plaats waar Winter zat, leek Ringmar wel een schaduw. De schemering was gevallen terwijl ze hier in de kamer zaten, en niemand had een lamp aangedaan. 'Schemering' was een woord dat associaties opriep met gezelligheid en rust. Wachten op het donker in een toestand van rust.

'Wat doen jullie hier?'

Winter kon Neys gezicht niet goed zien.

'Elisabeth? Wat doen ze hier?'

Ze antwoordde niet. Haar blik was nog steeds ergens anders, misschien op het plein, misschien nergens.

'Elisabeth!'

Ze draaide zich langzaam om. Winter overwoog om op te staan en een lamp aan te doen, maar hij bleef zitten. Hij kon Elisabeth Neys gezicht duidelijk zien toen ze zich omdraaide, het werd verlicht door het laatste daglicht voordat de zon achter het flatgebouw aan de andere kant van het plein verdween.

Het lijkt wel een masker, dacht hij. Alsof er iets om haar heen was gehangen om iets dicht te stoppen wat anders een gat zou worden. Nee. Een ander gezicht?

Toen was het alsof haar blik weer ziende werd.

Ze zag haar man. Ze schrok even, net zoals hij zonet had gedaan toen hij de kamer binnenkwam.

Winter zag een plotselinge angst in haar gezicht.

Hij keek naar Mario Ney. De man stond een meter in de kamer. Het zware gezicht was nu duidelijker. Het had dezelfde kracht als de eerste keer dat Winter het had gezien. Toen hij met het bericht over de dood van hun dochter kwam. De kracht was in het gezicht gebleven, onder het verdriet.

'Wat doen ze hier, Elisabeth?' Ney zwaaide naar Winter. 'Ik wist niet dat ze terug zouden komen.'

'Dat wist je vrouw ook niet,' zei Winter en hij stond op. 'We kwamen alleen maar even langs.'

'Waarom?'

'Waarom ga je niet even zitten?'

'Waarom brandt er geen licht in de kamer?' vroeg Ney.

'Dat zijn we vergeten,' zei Ringmar.

'De schemering valt snel,' zei Winter.

'De schem... wat is dit voor lulkoek?' Hij deed een paar snelle passen de kamer in. 'Elisabeth? Waar hebben jullie over gepraat?'

Winter zag hoe ze weer schrok. Dat duurde maar een tel, en ondertussen probeerde Winter te begrijpen of het door haar shock kwam, haar wanhoop, haar angst voor alles. Of dat het door haar man kwam.

Het was moeilijk te bepalen. Maar ze was bang. Bertil ziet het ook, maar amper. We kunnen beter wat lampen aandoen voordat we tegen elkaar botsen.

'Jullie hebben het recht niet hier zo binnen te dringen!'

'Je vrouw vond het goed,' zei Winter.

'Wat betekent dat?'

'Dat ze het goed vond.'

'Dat ga ik verdomme controleren.'

'We kunnen je ook voor een verhoor naar het bureau laten komen,' zei Winter. 'Het Wetboek van Strafrecht, hoofdstuk drieëntwintig, paragraaf zeven.'

'We weten wat we doen,' zei Ringmar. 'We breken niet in.'

Mario Ney zei nu niets.

'Zou je een lamp willen aandoen, Mario?' vroeg Winter zo vriendelijk als hij maar kon.

Mario Ney richtte zijn blik in Winters richting. Zijn ogen zagen er hard uit.

'Zijn jullie van plan lang te blijven? Zal ik vast met het eten beginnen?' Hij lachte even. 'Zullen we de bedden vast gaan opmaken? Hebben jullie lakens meegenomen?'

'Ze zijn hier voor Paula,' zei Elisabeth Ney.

Het was als een vreemde stem in de kamer. Plotseling klonk ze sterk, duidelijk.

Ze was van het raam weggelopen, had een paar passen de kamer in gedaan. De schemering was rood geworden. Op dit moment hoefde niemand een lamp in de kamer aan te doen. Het licht was overal.

Mario Ney bleef staan. Hij leek opeens met zijn mond vol tanden te staan.

'Ze proberen erachter te komen wat er met Paula is gebeurd, Mario. Ze doen hun werk.' Ze keek naar Winter en toen weer naar haar man. 'Als het helpt ... als ze hier komen ... dan mogen ze dat altijd doen.'

'Ja, ja.' Hij leek ineen te zakken, een paar centimeter korter te worden. 'Altijd, wanneer ze maar willen. Midden in de nacht.'

'Ze vroegen naar Paula's vriend,' zei Elisabeth Ney.

'Wat? Wat?'

Hij was weer geschrokken. Winter kon niet uitmaken of het kwam doordat Ney verrast was. Het rode licht was weer weg, even snel als het was gekomen. Nu was het echt donker in de kamer.

'Ze had kennelijk een vriend,' zei Elisabeth Ney.

Winter liep snel om de bank heen en deed een staande lamp met een grote kap aan. De kamer werd verlicht als een toneel. Soms had hij dat gedacht, dat hij zich op een toneel bevond, als hij in een kamer had gestaan en vragen had gesteld aan mensen die hij niet kende, terwijl hij tegelijk had geprobeerd hun gezichten te bestuderen, alsof hij in een paar tellen alles van hen te weten zou kunnen komen. Alsof iemand hen allen gadesloeg, een publiek. Alsof hij weldra zijn tekst moest zeggen.

'We weten het niet,' zei hij. 'Daarom vragen we het.'

'Maar jullie hebben het kennelijk van iemand gehoord?' vroeg Mario Ney. Zijn gezicht was scherp en donker in het elektrische licht.

'Zullen we gaan zitten?' zei Winter.

Mario Ney keek naar de meubels alsof hij ze voor de eerste keer zag, en alsof hij nog moest leren zitten.

Hij liep een paar passen, zeeg diep neer in een fauteuil, maar ging meteen weer rechtop zitten.

'Wat is dit ... dat Paula een relatie zou hebben gehad? Wanneer dan?'

'Had ze de laatste tijd een relatie?' vroeg Ringmar.

Allemachtig. Winter keek naar Elisabeth Ney, maar zij leek niet te reageren op wat Ringmar zojuist had gezegd. De kracht had haar weer verlaten. Ze zat op het randje van de bank, alsof ze elk moment weer kon opstaan.

'Nee,' zei Mario Ney.

'Wanneer had Paula voor het laatst een vriend?' vroeg Winter.

Mario Ney antwoordde niet. Zijn vrouw hoorde niets. Winter hoorde buiten sirenes, een ambulance op weg ergens naartoe. Een poosje geleden had hij overwogen er zelf een te bellen, toen Elisabeth Ney ver in zichzelf, ver van zichzelf, leek te verdwijnen. Hij keek naar haar. Ze leek weer in die toestand te geraken. Haar man keek naar haar. Hij gaf geen antwoord op Winters vraag.

Winter stelde hem nog een keer.
'Ik weet het niet.'
'Denk er even over na.'
'Dat heeft geen zin.'
'Waarom niet?'
'Ze had geen relatie.'
'Wat zeg je?'
Mario Ney keek naar zijn vrouw. Ze hoorde niets, zag niets.
'Ik heb geen vriend ontmoet,' zei Mario Ney. Hij leek moeite te hebben dat woord uit te spreken. 'Nooit.'
'Nooit?'
'Hoor je niet wat ik zeg?' Hij keek Winter recht aan. 'Moet ik het duizend keer herhalen?'
'Heeft Paula nooit een vriend aan jullie voorgesteld?' vroeg Winter.
Mario Ney schudde zijn hoofd.
'Mario?'
'Hoe vaak moet ik het zeggen?'
Winter keek naar Ringmar, die zijn ene wenkbrauw fronste. Elisabeth Ney zat doodstil op de rand van de bank. De sirene kwam terug in de dichter wordende duisternis buiten, een gil van de andere kant nu. Winter had weer het gevoel dat hij zich op een toneel bevond. Maar hij had geen manuscript. Niemand had opgeschreven wat hij moest zeggen. En wat hij zei was belangrijk, misschien bepalend. Wat hij vroeg. In die zin schreef hij zijn eigen manuscripten, gebaseerd op ervaring en gevoel. Misschien medegevoel.
'Hadden jullie het daar nooit over?' vroeg Winter.
'Nu begrijp ik er helemaal niets meer van,' zei Mario Ney. 'Wat bedoel je daarmee?'
Winter keek naar Elisabeth Ney. Hij bedoelde of de ouders er samen over hadden gepraat. Maar dat wilde hij niet zeggen. Hij wilde dat zij het zouden zeggen.
'Wilde Paula erover praten?'
'Nee,' zei Mario Ney.
'Wilden jullie erover praten? Jij en je vrouw?'
'Met wie? Met haar?'
'Ja.'
'Nee ... dat deden we niet.'
'Waarom niet?'
Mario Ney keek naar zijn vrouw. Ze leek niet te luisteren. Ze kon hem niet helpen.
'Ze wilde het niet.'
'Waarom niet?'

'Waarom, waarom, waarom … je vraagt wel heel vaak "waarom".'

'Paula was negenentwintig,' zei Winter. 'Volgens jou heeft ze nooit een relatie gehad. Ze wilde er nooit over praten. Je vroeg haar er nooit naar. Jullie hadden het er nooit over. Is het zo?'

Mario Ney knikte.

'Maar jij en je vrouw praatten er wel over?'

'Ja … soms.'

'Geloofden jullie Paula? Geloofde jij haar?'

'Waarom zou ze erover liegen?'

Winter zei niets.

'Dat is toch niets om over te liegen? Het is toch eerder omgekeerd?'

'Hoe bedoel je?' vroeg Winter.

'Dat begrijp je toch wel? Waarom zou ze het geheimhouden als ze een vriend had?' Mario Ney keek naar zijn vrouw. 'Wij zouden toch zeker niet protesteren? Wat zeg jij ervan, Elisabeth? We zouden er toch geen bezwaar tegen hebben gehad?'

Elisabeth Ney barstte in huilen uit. Winter kon niet uitmaken of het kwam door wat haar man zei, of dat het sowieso zou zijn gebeurd. Daarentegen kon hij wel zien dat ze nu hulp nodig had, professionele hulp. Hij pakte zijn mobieltje uit de binnenzak van zijn colbert en toetste een nummer in.

Beneden op het Vasaplein gilde een sirene, een politiewagen. Winter was thuisgekomen, had zijn jas opgehangen, was in het donker gaan zitten en had een minuut rustig gezeten voordat hij de sirene hoorde, en daarna de telefoon.

In het donker kon hij het nummer op het display niet zien. Het kon iedereen zijn.

'Ja?'

'Hoi.'

'Dag, Angela.'

Het geluid van de sirene werd luider, steeg langs de huizen omhoog, kwam de kamer binnen.

'Wat is dat voor lawaai op de achtergrond? Is er brand?'

'Een ambulance,' antwoordde hij.

'Wat ben je aan het doen?'

'Nu? Ik ben net thuis. Ik heb mijn jas opgehangen en had bijna de whiskyfles gepakt.'

'Je moet eerst eten,' zei Angela.

'Ik heb een kleine lamsrack gekocht in de markthal.'

'Wat heb je vandaag gedaan?'

'Een vrouw naar het ziekenhuis gestuurd,' antwoordde hij en hij vertelde wat er was gebeurd.

De sirene verdween voorbij de Aschebergsgatan, op weg naar het Sahlgrenska-universiteitsziekenhuis.

'Dat meisje, Paula, moet erg eenzaam zijn geweest,' zei Angela.

'Als het waar is,' zei Winter. 'Het hoeft niet zo te zijn. Haar vriendin dacht niet dat het zo was.'

'En jij denkt dat er een geheim vriendje is?'

'Als hij bestaat, willen we hem graag spreken.'

'Hoe moeten jullie hem vinden?'

'Na verloop van tijd lukt het ons,' zei Winter. 'Als hij bestaat.'

'Dat kan een poos duren.'

'Ja. Het kan heel lang duren. Dat en de rest. Veel werk.'

'Over drie dagen komen we weer thuis,' zei Angela. 'Ik kan het nog doorgeven aan de kliniek.'

'Angela ...'

'Ik kan het appartement ook nog afzeggen. Dat is heel makkelijk omdat ik het contract nog niet heb getekend. Dat hoeft morgen pas.'

'Ik wist niets van een appartement. Daar heb je niets over gezegd.'

'Dat wilde ik nu doen. En dat heb ik net gedaan.'

'Waar ligt het?'

'In Marbella.'

'Balkon? Terras?'

'Maakt dat wat uit?'

'We hebben een plan,' zei Winter. 'En daar houden we ons aan.'

'Maar de anderen misschien niet,' zei ze. 'Ik hoef je niet te zeggen wie ik bedoel.'

Nee, hij wist het. De anderen waren slachtoffers en daders en ouders en vriendjes en verdwenen mensen. Misschien was een halfjaar aan de zonnekust een droom. Of het was een goede werkmethode voor de toekomst om midden in het vooronderzoek de zaak over te dragen. Misschien was de oplossing nabij, de verlossing, de inlossing. Hij wist het, hoewel hij het niet wist, het was zoals hij zelf had gedacht, en Halders – er was iets wat ze niet hadden gezien, niet hadden begrepen. Als ze het hadden gezien en begrepen, kon hij door de vriendelijke wolken rechtstreeks naar de zon vliegen.

Hij hoorde de sirene 's nachts weer, na een droom. In de droom was hij iemand tegengekomen die had gezegd dat hij bij de kruising achter zich de verkeerde richting had gekozen. Hij kon geen gezicht zien. Help me, had hij gezegd. Je moet jezelf helpen, had de stem gezegd. Jij bent de enige die jezelf kan helpen. De stem leek van een silhouet te komen. Ik moet een lamp aandoen, had hij gedacht. Dan zie ik hoe hij eruitziet. Die stem klinkt bekend. Het is iemand die ik ken. Als ik het gezicht zie, kan ik de zaak oplossen. Ik kan de zaak oplossen voordat ik terug moet naar de kruising, waar ik de andere weg moet nemen.

Toen hij wakker werd, zat de herinnering aan de droom nog in zijn hoofd. Beneden gilde de sirene.

Hij lag wakker met gesloten ogen. Met wat voor zaak was hij bezig geweest toen hij het silhouet tegenkwam? In de droom was geen plaats voor die informatie. Of wie de vreemde was. Hoewel het geen vreemde was.

Winter ging rechtop in bed zitten. Hij was nog niet echt wakker. Dit was geen ongewone situatie voor hem. Zijn hersenen werkten terwijl hij sliep, terwijl hij droomde. Maar konden dromen hem de richting op een kruising aangeven? Hij wist het niet, hij wist het nog steeds niet.

Hij had het gezicht waarnaar hij in zijn dromen zocht nooit gezien.

Het geluid van de sirene stierf weg in de nacht. Winter leunde naar opzij en pakte zijn horloge, dat hij op het nachtkastje had gelegd. Kwart over drie, de nacht was op weg naar het uur van de wolf.

Hij wist dat hij de slaap niet meer zou kunnen vatten als hij niet eerst opstond om een glas water te drinken, en misschien even op het balkon ging roken. Dat zou niet de eerste keer zijn. En hij zou niet echt alleen zijn buiten. Op een balkon aan de andere kant van het Vasaplein had hij een paar keer de gloed van een sigaret gezien. Altijd in het uur van de wolf.

De houten vloer voelde zacht en warm aan aan zijn voeten. Vele jaren geleden had hij tijdens een week vakantie zelf alle vloeren in het appartement geschuurd; de week erna had hij ze drie keer gelakt en daarna was hij naar de zon vertrokken, nog steeds high van de houtstof en de levensgevaarlijke dampen. In de zon had hij dat verruild voor een andere roes, een milde maar voortdurende roes. Hij had tijdens het wolfsuur gezwommen, maar dat zag er op een strand aan de Middellandse Zee anders uit. De maan was groter.

Angela had er niet anders uitgezien op het strand. Ze was in elk licht en op elk tijdstip mooi.

Ze woonden toen nog niet samen. Maar het werd tijd. De vloeren waren daar een onderdeel van. Er was zoveel meer. Hij wilde niet langer alleen zijn. De eenzaamheid was niet langer een eeuwige en trouwe vriend. Dat had hij gedacht toen hij zijn eenzame vloeren met de schuurmachine bewerkte.

Nu liep hij erover. Her en der lag wat speelgoed.

In de keuken schonk hij een glas water uit een karaf waar ook schijfjes citroen in zaten. Hij hoorde weer een sirene. Het laatste etmaal moest een soort record zijn. Hij had niets gehoord van een ernstig ongeluk. Een plotselinge epidemie. Hij zat aan de keukentafel. Hij probeerde heel even nergens aan te denken, maar dat lukte hem niet. Hij dacht aan Mario Ney. Wat zou er met hem gebeuren als de shock verdween? Wat er met zijn vrouw gebeurde, was gisteravond duidelijk geworden.

Wie zou Mario dan worden? Wie was hij nu? Hij had iets over zich wat niets met een shock te maken had. Hij weigerde alle vormen van gesprek met wat voor therapeut dan ook. De enige gesprekken waartoe hij werd gedwongen waren die met Winter, en zelfs daar waren de leemten tussen de woorden te groot. Als valkuilen. De familie Ney droeg een groot zwart geheim met zich mee. Misschien deden veel mensen dat. Maar het leidt zelden tot moord. Had het geheim van de familie Ney tot een moord geleid? Direct of indirect? Hij dacht aan Paula. Hij kon haar gezicht zien. Een eenzaam gezicht, als je dat zo kon zeggen. Iedereen was eenzaam, gezichten, lichamen, levens. Je moest je eigen leven zo goed mogelijk zien mee te slepen. Winter had genoeg mensen gezien die dat niet konden, die niet beseften dat het leven de moeite waard was. Die het leven als een last beschouwden. Alleen een idioot geloofde iets anders. Mensen konden het niet aan. Dat zag je op veel manieren. Nee, ik ben niet cynisch geworden. Ik geloof nog steeds. Soms geloof ik zelfs in God, ik ga zelfs een enkele keer naar de kerk. Welke belijdende cynicus doet dat?

Winter geloofde niet in Satan. Hij geloofde in mensen. Dat kon hetzelfde zijn. Dat was het vreselijke van zijn werk. Gezichten, lichamen, levens, zoals hij, en Angela, en de kinderen, zijn vrienden, de politiemensen. En toch. Satan. De daden bestonden. Een gezicht zonder leven in een stomme hotelkamer in een kleine grote stad aan de rand van de wereld. Mijn god, die witte hand. Die bevatte een boodschap die hij niet kon lezen. Geen van de vingers wees in een bepaalde richting.

Toch wist hij dat hij het te weten zou komen. Uiteindelijk zou er een antwoord zijn, of delen van een antwoord, delen van een oplossing van het raadsel. Zo was het. Hij vreesde dat moment. Hij was nu al bang voor wat hij dan te weten zou komen. Daar was iets wat hij nooit van zijn leven wilde weten, echt nooit. Waarom denk ik zo? Hoe kan ik zo denken? Wat vermoed ik? Ik wil het niet weten, dacht hij en hij keek naar de klok in de keuken. Het uur van de wolf was weer aangebroken.

Toen hij de volgende ochtend door Heden fietste, zag hij een groep mannen voetballen. De septemberzon was mild en het licht maakte de contouren van de stad ronder, bijna als de bal; die vloog door de lucht zijn kant uit, raakte de grond en stuitte recht tegen zijn voorwiel.

'Hier met die bal, Winter.'

Hij keek op van de bal en het wiel.

De doelman zwaaide. Winter herkende hem nu, evenals een paar van de andere spelers in blauwe overall. De mobiele eenheid nam even pauze van haar kamikazewerkzaamheden. Maar pauze was een relatief begrip voor deze groep mannen. Voor hen was het altijd ernst. Verschillenden van hen zouden het komende halfuur op het veld geblesseerd raken; een knie in hun middel, een elleboog boven de milt, noppen tegen de enkel.

'Het is beter voor jullie gezondheid als ik hem hou!' riep Winter en hij pakte de bal op.

'Kijk uit dat je das niet in je spaken blijft haken, jongen!' riep een van de veldspelers.

Een paar anderen grijnsden.

Winter droeg vandaag geen das, niet eens een colbertje, of een jas. Maar hij had een reputatie.

Zonder iets te zeggen gooide hij de bal terug het veld op.

'Zeg maar tegen Halders dat wij er klaar voor zijn als hij zo ver is,' riep zijn collega.

Een paar anderen grijnsden weer.

Winter wist wat hij bedoelde. De afdeling Onderzoek had een voetbalteam binnen het politiekorps gehad, maar alles was na tien minuten afgelopen geweest. Halders had geprotesteerd tegen een beslissing van de scheidsrechter door de man een trap tegen zijn achterste te geven. Het team werd gediskwalificeerd en Halders mocht vier jaar lang niet meedoen.

'Hij mag over twee jaar weer spelen,' riep Winter.

'Hij weet ons te vinden!'

'Hij kijkt ernaar uit, jongens,' riep Winter.

'Je mag wel met ons meedoen als je wilt, Winter!'

'Ik zal erover denken.'

Hij hoorde weer een paar mannen lachen. De mobiele eenheid was een vrolijke groep mensen.

Toen hij zijn fiets in het fietsenrek bij het politiebureau zette, kwam hij Ringmar tegen, die van de parkeerplaats kwam.

'Dat zou ik ook moeten doen,' zei Ringmar.

'Doe het dan.'

'Is het zo eenvoudig?'

Ze deden een stap opzij voor een surveillancewagen. De collega aan het stuur hief zijn hand ter begroeting. We zijn net één grote familie, dacht Winter. En we hebben geen geheimen voor elkaar.

Hij glimlachte.

'Waarom grijns je?'

'Nergens om, Bertil.'

'Het is niet goed als je nergens om grijnst.'

'Ik dacht er alleen maar aan dat we net één grote gelukkige familie zijn binnen dit korps.'

'Ja, geweldig.'

'Hoe is het met de familie in Tynnered? Ben je langs het ziekenhuis gegaan?'

'Ze sliep. De pillen werkten nog.'
'Hoe is haar nacht geweest?'
'Rustig. Ze heeft geen woord gezegd.'
'Zal ze dat nog doen?'
'Een woord zeggen? Ik weet het niet, Erik.'
Ringmar stapte weer opzij voor een politiewagen. De chauffeur zwaaide, de passagier ernaast zwaaide, Winter en Ringmar zwaaiden.
'Misschien wil ze ons iets zeggen,' zei Ringmar terwijl hij de auto met zijn blik volgde toen die afsloeg naar de Skånegatan.
'Dit is haar manier om dat te doen,' zei Winter.
'Hm. En om het niet te doen.'

Het gevoel dat je wordt achtervolgd. Het-gevoel-dat-je-wordt-achtervolgd. Waar kwam dat gevoel vandaan? Het moest toch gebaseerd zijn op iets werkelijks?
Het gevoel van de wind in haar nek, als een rauwe ademtocht.
Toen ze zich omdraaide, was er geen wind. Er was niets, alleen de dagelijkse dingen, en alles wat bij het dagelijkse leven hoorde. De realiteit. Maar het was een andere werkelijkheid, iets wat ze kon herkennen.
Dit kon ze niet herkennen.
Daar? Of daar? Was daar iemand? Stond iemand daar naar haar te kijken toen ze langsliep?
Stond er iemand voor haar huis? Haar deur?
Gisteravond had ze bij het raam naar buiten staan kijken. Alle lampen in de flat waren uit. De verlichting buiten was zwak, het was net alsof er een gele mist hing, of een vlies over de herfst. Een auto kwam de berg op rijden. Ze kon de koplampen zien voordat die haar zagen. De auto reed naar de rij garages, iemand stapte uit en trok de zware garagedeur naar beneden en liep de andere kant op, naar de flatgebouwen, die altijd van de heuvel af leken te glijden. Soms zag je ze als halve flatgebouwen en soms zag je ze helemaal niet. Ze had weleens gedacht dat die krotten liever in het centrum wilden staan dan hierboven. Dat was een leuke gedachte.
Nu was het niet leuk om hier in het donker naar buiten te gluren. Ben ik hysterisch, ben ik hysterisch geworden? Heeft ... dat wat er is gebeurd me voor alles bang gemaakt? Ik word misschien overal bang voor. Ook voor mezelf. Ik kan hier misschien niet blijven wonen. Misschien zal ik de stad verlaten. Er zijn andere steden. Er zijn trouwens ook andere landen.
Daar!
Het was een gezicht.
Mijn god, het is geen gezicht.
Wat is het dan?
Nu is het niets.

Als je naar die boom staart, kan hij willekeurig wat worden. Hij kan gaan lopen. Hij kan een ... gezicht worden. Je fantasie kan hem tot van alles en nog wat maken.

De telefoon ging. Haar telefoon! Ze schrok op. Trok bijna het gordijn naar beneden dat ze ongemerkt kennelijk heel stevig had vastgehouden. Ze zag de koplampen van een auto achter de heuvel schijnen als twee zaklampen, en toen waren ze weg. Maar ze hoorde de sirene. Het moest een ambulance zijn. Die was misschien op weg naar het Sahlgrenska-ziekenhuis.

Ze liep snel naar de telefoon en nam op.

'Hallo? Hallo?'

Niemand zei iets aan de andere kant. Maar de lijn was open. Ze hoorde een geruis als van de wind.

'Hallo? Wie is daar? Hallo?'

Ze hoorde de sirene buiten weer, die verwijderde zich.

Maar ze hoorde hem ook hierbinnen.

Aan de andere kant van de lijn gilde de sirene op de achtergrond.

Winter moest zich bij zijn baas melden.

Hij hoorde gehoest achter de deur voordat hij klopte.

Birgersson zat achter zijn bureau. Dat was ongebruikelijk.

'Ga zitten, Erik.'

'Ik denk dat ik voor de verandering maar bij het raam ga staan.'

Birgersson glimlachte niet.

'Ik ben een halfuur geleden door Mario Ney gebeld.'

'Ja?'

'Hij zegt dat jij en Bertil een zenuwinzinking bij zijn vrouw hebben veroorzaakt.'

'Zei hij dat zo? "Veroorzaakt"?'

'Wat is er gebeurd?' vroeg Birgersson.

'We hebben een fout gemaakt. Maar niet gisteren. We hadden ervoor moeten zorgen dat zij, Elisabeth, meteen hulp kreeg.'

'Hij zegt dat hij aangifte tegen ons zal doen. Tegen jou.'

'Ja, wat moet ik daarop zeggen?'

'Je kunt zeggen hoe we daarop moeten reageren als de pers erover begint te schrijven.'

'We? Dat zal ik wel weer zijn, zoals gewoonlijk.'

'Waarom zijn jullie er eigenlijk heen gegaan, Erik? Zonder afspraak?'

'Dat vraag je aan mij?'

Winter liep weg van het raam en boog zich over het bureau.

'Volgens mij is dat een van jouw methodes. Bel niet van tevoren. Bel gewoon aan.'

'Dat ligt eraan,' zei Birgersson.

'In dit geval moesten we het zo doen,' zei Winter. 'Er is iets met de familie Ney waar we achter moeten zien te komen. Snel, misschien meteen. Bertil en ik zijn er niet heen gegaan om hem een pak slaag te geven. Zijn vrouw liet ons binnen. We stelden een paar vragen. Ze vond het goed. Toen hij thuiskwam, deed hij alsof we hadden ingebroken.'

'Waar was hij geweest?'

'Dat hebben we niet gevraagd.'

'Hoe is het nu met zijn vrouw?'

'Ze slaapt. We gaan proberen nog een keer met haar te praten. Dat moeten we doen, Sture.'

'Hm.'

'Ik denk niet dat hij aangifte zal doen. Dat denk jij ook niet echt.'

'Hij heeft het gedaan. Bij mij.'

'Laat het dan bij jou blijven.'

Birgersson knikte.

Winter kwam overeind. Hij stond op het punt weg te gaan.

'Erik?'

'Ja?'

'Eh … dat gesprek van laatst. Zullen we dat maar vergeten?'

'Welk gesprek?'

'Precies.'

'O, dat,' zei Winter in de deuropening. 'Dat was alleen wat gefilosofeer over het leven.'

13

Het ochtendoverleg ging over Paula's eenzaamheid. Het lijstje met haar kennissen was kort. Dat hoefde niet te betekenen dat ze een eenzaam persoon was geweest, maar niemand leek haar echt na te hebben gestaan.

'Of het zou Nina Lorrinder moeten zijn,' zei Halders.

'Daar lijkt het niet op,' zei Ringmar.

'Ik wilde vanmiddag met haar gaan praten,' zei Halders.

'Waarover?'

Dat was Bergenhem.

'Je moet niet denken dat iedereen slecht is, Fredrik.'

Dat was Aneta Djanali.

'Volgens mij weet ze meer dan ze zegt,' zei Halders. 'Zowel over Paula als over haar vriendje. Of vriendjes.'

'Of vriendin,' zei Aneta Djanali. 'Misschien zat het zo. Misschien was ze daarom zo gesloten.'

'In de eenentwintigste eeuw?' Halders keek om zich heen. 'Zou iemand zich daar nu nog voor schamen? Verdomme, de flikkers en de potten staan in de rij om uit de kast te komen! Het is enorm dringen bij de garderobedeur!'

'Paula was misschien anders,' zei Aneta Djanali. 'Ze wilde misschien niet dringen.'

'We hebben met haar collega's gesproken,' zei Halders. 'Niemand heeft iets gezegd wat daarop duidt.'

Aneta Djanali haalde haar schouders op.

'We hebben geconstateerd dat ze nogal eenzaam leek,' zei ze.

'Daar wil ik Nina Lorrinder over aan de tand voelen,' zei Halders.

'Doe het wel een beetje voorzichtig,' zei Bergenhem.

'Ben je nu ook serieus, Lars?'

Bergenhem knikte.

'Wanneer kom jij trouwens uit de kast?'

Bergenhem schrok op. Hij deed zijn mond open.

'Kappen, Fredrik!' zei Winter.

'Ik maakte maar een grapje,' zei Halders.

Winter en Ringmar verlieten het politiebureau meteen na het overleg. Winter stelde voor om ergens heen te gaan waar ze konden praten, en misschien denken.

Ringmar reed naar Gullbergsvass en parkeerde de auto bij het gasreservoir. De geur van de tabaksfabriek was duidelijk te ruiken.

Ze staken de weg over en liepen verder over de kade. De roestige vaartuigen schommelden heen en weer in het water. Sommige werden bewoond door drop-outs van de samenleving. Ringmar knikte naar een woonboot die ooit had gezeild. Nu was hij rood van de roest en niet langer bewoond. De ramen waren leeg en zwart. Een meeuw steeg op van het dek en vloog met een hese schreeuw naar de andere kant van de rivier. Op de achtergrond voer een aak langs. Het begon zachtjes te regenen. Winter deed de kraag van zijn jas omhoog. Hij keek naar boven en zag dat de hemel zich naar het noorden opende toen de regenwolk naar het zuiden trok. Het stopte met regenen. Winter stak een Corps op. De rook dreef weg over de weg, de regen achterna.

'Daar woonde die stripteasedanseres op wie Bergenhem destijds viel,' zei Ringmar toen ze de halfgezonken woonboot passeerden.

Winter knikte. Bergenhem was gevallen, hij was hard gevallen, diverse keren, in de boot, op de vloer in een café, op een veld. Hij was bijna doodgegaan. Het was een zaak die in Winters gedachten terugkwam, steeds vaker de laatste tijd. Het was een gruwelijke zaak geweest. Hij was verdergegaan, ze waren allemaal verdergegaan. Soms begreep hij niet waarom. Het was alsof je je midden in een oorlog bevond en overleefde, daarna trok je er weer op uit, overleefde opnieuw en vervolgens ging je weer verder.

'Je zou misschien wat gedecideerder moeten optreden tijdens het werkoverleg,' zei Ringmar en hij draaide zich om naar Winter. 'Als het om de discipline gaat, bedoel ik.'

Winter haalde de sigaar uit zijn mond. 'Bedoel je Halders?'

'Ja ... en Bergenhem.'

'Halders denkt beter als hij niet nadenkt bij wat hij zegt.' Winter glimlachte. 'Kijk naar jou en mij.'

'Het wordt te persoonlijk,' zei Ringmar. 'Het schoot Bergenhem in het verkeerde keelgat.'

'Hm.'

'Halders ging te ver.'

'Is Bergenhem homo?'

'Dat weet ik niet.'

'Dat moet hij toch zelf weten,' zei Winter.

'Ja, precies. Daar heeft Halders niets mee te maken.'

'Lars is een zoekende jongeman, maar ik geloof niet dat hij homo is,' zei Winter en hij glimlachte weer. 'En als hij het wel is, heb ik daar lak aan.'

'Maar hij misschien niet,' zei Ringmar. 'Hij heeft er misschien geen lak aan, bedoel ik.'

'Denk je dat hij erover moet praten?' vroeg Winter.

Ringmar haalde zijn schouders op.

'Hanne komt na de kerst weer terug.'

'O ja?'

Hanne Östergaard was jarenlang dominee en zielenherder bij de politie geweest. Winter had in bepaalde periodes nauw met haar samengewerkt. Het waren gecompliceerde zaken geweest. Ze was hem en anderen tot steun geweest. Sinds twee jaar werkte ze als dominee in een zeemanskerk in Sydney. Toen ze de baan had gekregen, had ze het aan Winter verteld. Hij had haar gevraagd of het mogelijk was om nog verder bij de onderwereld van Göteborg vandaan te komen en zij had geantwoord dat dat niet het geval was. Ze hadden geen plaatsvervanger voor haar gekregen. Zo ging dat bij de politie. De collega's moesten maar wachten met hun innerlijk lijden. Misschien ging het vanzelf over.

Een net van zwarte vogels vouwde zich uit boven de barakken aan de overkant. Het leek op nieuwe regen. Winter hoorde het doordringende signaal van een sleepboot. De rivier had haar eigen sirenes.

'Ik wil niet gedecideerd zijn,' zei hij, en hij nam een trek en blies de rook weer uit. Die dreef nu over het water, de wind was gedraaid. 'Dat gaat bijna nooit goed.'

Ringmar schopte tegen een kleine steen. Die vloog het water in en ketste drie keer op voordat hij zonk.

'Heb je daar lang op geoefend?' vroeg Winter.

'Je zou eens moeten zien als ik het met mijn linkerhand doe.'

Winter zag de zwerm vogels naar het zuiden afwijken en recht op hem af vliegen. Hij kon nog steeds niet zien of het kraaien, eksters of kauwen waren. Je kon het geluid van de vleugels horen, als een tweede wind.

'Ze schreef dat ze als een vogel zou worden,' zei hij en hij volgde de vogels toen ze over hem heen vlogen en verdergingen naar het zuiden, kleiner werden, in het grijs van de lucht begonnen te verdwijnen. 'Ze zou worden als de vogel die buiten langsvloog.'

Ringmar antwoordde niet. Winters ogen lieten de hemel los en hij keek naar Ringmar, die ineens bleek leek. Het kon door het licht komen. Dat maakte alles bleek.

'We hebben die brief op inhoud en oppervlak geanalyseerd, maar we zijn niet veel opgeschoten,' zei Winter.

'Zoiets als dit hebben we nog nooit meegemaakt,' zei Ringmar.

'Misschien kan dat ons helpen.'

'Hoe zou dat ons helpen, Erik?'

'We hebben niets om van uit te gaan. Soms is dat goed.'

Ringmar schopte weer tegen een steen. Deze bereikte de kade niet. Ze kwamen een man op een bakbrommer tegen. Hij groette niet. Winter draaide zich om en zag de man bij een van de boten stoppen, een kleine trawler die onlangs een nieuw laagje verf had gekregen. De boot zag er zeewaardig uit. De man had een rode puntmuts op. Hij verdween benedendeks. Die schuit kan de evenaar passeren, dacht Winter. Die houdt het wel.

'Zijn er andere brieven?' zei Ringmar en hij wilde weer tegen een steen schoppen, maar bedacht zich halverwege.

'Hoe bedoel je?'

'Ik weet het niet ... of Paula in het verleden ook zoiets heeft geschreven ... waarbij het natuurlijk niet om een moord ging, of een ontvoering ... maar waarbij ze zich eerder op deze manier heeft geuit.'

'Tegenover wie?'

'Haar ouders.'

'Dát zouden ze toch zeker wel hebben verteld?' zei Winter.

Ringmar antwoordde niet. Winter hoorde de brommer starten. Hij draaide zich om en zag de man met de muts keren en hen passeren. Er lag een volle afvalzak in de bak. Die stuiterde met een gemeen geluid toen de brommer hen passeerde.

'Ze kunnen toch niet overal over zwijgen?' ging Winter verder.

'Waar kwam het geld voor Paula's flat vandaan?' zei Ringmar.

Mario Ney had het koopcontract voor de flat in Guldheden ondertekend. Hij was voor negen tiende eigenaar.

'Is dat belangrijk?' zei Winter.

'Het was veel geld,' zei Ringmar.

'Een erfenis uit Sicilië?' zei Winter.

Ringmar glimlachte.

'Ben jij daar weleens geweest, Erik?'

'Ja. Ongeveer tien jaar geleden. In Taormina. Maar dat is eigenlijk niet Sicilië.'

'Wat is het dan?'

'De droom van Sicilië. Zo ziet het er in werkelijkheid niet uit.'

'Ik vraag me af hoe Mario's werkelijkheid eruitzag.'

'Hij wil er niets over zeggen.'

'Nee, inderdaad.'

'Heeft hij het vaker gedaan?' zei Ringmar en hij stopte. De kade was nat en glimmend en leek op een stenen landweg.

'De moordenaar? Of hij eerder heeft gemoord? Bedoel je dat?'

'Ja. En of hij het slachtoffer, of de slachtoffers, heeft gedwongen een afscheidsbrief te schrijven.'

'Waar zijn die brieven dan?'

'Misschien zijn ze nooit verstuurd,' zei Ringmar.

Winter dacht na. Het regende weer, maar zo licht dat het niet te zien was als de regen de grond bereikte.

'Bedoel je dat er ergens gezinnen zijn met een afscheidsbrief van hun dierbaren waar ze niets over hebben verteld?'

'Ik weet niet of ik zo ver heb gedacht.'

'Stel dat iemand is verdwenen, vertrokken, misschien op de vlucht is geslagen, en dat de familie een brief krijgt die over liefde en vergeving gaat.'

'Maar de persoon in kwestie keert nooit terug?'

'De familie denkt dat hij of zij uit vrije wil is verdwenen,' zei Winter. 'Hij of zij leeft, maar wil met rust worden gelaten.'

'Dat is niet ongebruikelijk,' zei Ringmar. 'En een laatste groet is misschien ook niet echt ongebruikelijk.'

'Bestaat dat soort groeten?' zei Winter. 'Die op die van Paula lijken?'

'Ik durf er amper aan te denken,' zei Ringmar.

'De vraag is hoe we daarachter moeten komen,' zei Winter.

'Niet via de pers,' zei Ringmar.

'Nee, dat zou te kras zijn. De mensen zouden iets te angstig worden. Zijn er gradaties? Meer of minder angstig?'

Winter antwoordde niet. Ze hadden bijna de fundering van de brug bereikt. Wat er vanuit de verte klein had uitgezien, was nu heel groot. Het verkeer boven op de brug maakte een verschrikkelijk lawaai.

'Net als met de hand,' zei Ringmar. 'Dat is gewoon iets wat we niet aan het publiek kunnen vertellen.'

De witte hand. Winter had er gisteren weer naar gekeken. Het was een van de meest vreemde dingen die hij tijdens een onderzoek had meegemaakt.

De hand was wit als pas gevallen sneeuw. Hij was schoon, zag er ongerept uit. Het woord 'onschuldig' was bij hem opgekomen. Maar dat was niet het goede woord.

'Ik heb er vannacht over gedroomd,' zei Ringmar. 'Hij zwaaide naar me.'

Ze stonden nu onder de brug. Het lawaai van boven klonk als kettingen die tegen ijzer werden geslagen. De dunne regen raasde als een nevel over de rivier. Door de regennevel kon Winter silhouetten van meeuwen zien, op glijvlucht tussen de oevers. De sirene van een vaartuig gilde weer. Het klonk als het gebrul van een walvis.

Paula had zich twee dagen voordat ze werd vermoord laten fotograferen. Ze had in zo'n hokje op het centraal station gezeten. Dat was het snelst, het makkelijkst, het goedkoopst.

Winter zat met de vier foto's voor zich. Paula's laatste gezicht. Hij dacht aan haar moeder, en toen weer aan haar.

Waar had ze deze foto's voor nodig? Voor een reis? Foto's zijn altijd handig als je op reis gaat. Als je wegkomt.

Hij bestudeerde haar gezicht. Het was hetzelfde, in vier versies. Misschien deed ze haar ene ooglid op een van de foto's omlaag. Ze glimlachte niet. Ze keek alleen maar, recht naar hem. Ze zag er niet uit alsof ze op weg was ergens naartoe.

Aneta Djanali keek weer naar de film, meerdere keren. Ze kreeg pijn in haar ogen van het groene licht op de beelden, het waardeloze licht op het centraal station.

Ze volgde alle bewegingen van de vrouw vanaf het moment dat ze zichtbaar werd tot ze verdween.

Ze volgde de bewegingen van de man.

Het was niet koud in de kamer, maar ze had het wel koud. Toen ze de toetsen van de afstandsbediening indrukte, voelden haar vingers als ijs.

Het gezicht van de vrouw was als een masker achter de zonnebril, onder de pruik. Dit is verdomme niet haar eigen haar. Nu begin ik met Fredriks woorden te denken. 'Verdomme niet'. 'Niet' is voldoende. Je hoeft verdomme niet altijd te vloeken.

De valse blondine zette de koffer tussen 18.29 en 18.31 uur in de kluis. Ze was niet alleen in het vertrek, maar het was ook niet heel druk.

Aneta Djanali begon de andere personen in het vertrek te bestuderen. Het waren onbekende gezichten, recht van voren, van opzij. Onbekende ruggen.

Ze zag een glimp van een jas.

Een paar schoenen.

Aan de rand van het beeld.

De jas. Een detail, maar zichtbaar.

De schoenen.

Bij de tweede rij kluizen. Iemand stond daar, zonder zich te bewegen. Het vertrek maakte daar een scherpe bocht. Er ontstond een nieuwe ruimte.

Aneta Djanali haalde de film van de vrouw uit het apparaat en stopte die van de man erin. Hij was nog geen zes uur na de vrouw gekomen en had de koffer uit de kluis gehaald. En de hand erin gelegd. Aneta Djanali keek naar de jas, naar de schoenen. Het kon dezelfde jas zijn. De schoenen waren zwart, breed. Groot. Maat 44 of 45. Ze deed de andere film erin. De schoenen. Zwart, breed. Öberg dacht maat 44. Ze stonden stil. De camera kwam niet hoger dan de benen van de man. De onderkant van de jas begon plotseling heen en weer te zwaaien, alsof het tochtte, maar de schoenen bewogen niet. Wat voor merk was het? Ze was geen expert op het gebied van herenschoenen. Maar ze was goed in waarnemingen.

Ze nam de hoorn van de haak.

'Probeert hij zich te verstoppen?' vroeg Halders.
'Of staat hij ergens naar te kijken?' opperde Ringmar.
'Het is toch niet normaal om zo stil te staan?' zei Aneta Djanali.
'Misschien probeert hij warm te worden,' zei Bergenhem.
'Er was op dat moment een hittegolf,' zei Aneta Djanali.
'Speel de film nog een keer af,' zei Winter.
Ze speelden hem nog een keer af. De jas wapperde, de schoenen waren onbeweeglijk. Winter zag dat het dezelfde jas kon zijn, dezelfde schoenen.
'Wat doet hij daar de eerste keer?' vroeg Bergenhem.
'De boel controleren natuurlijk,' antwoordde Halders.
'Of de koffer echt in de kluis belandt?'
'Ja.'
'Waarom haalt hij hem er niet meteen uit?'
'Weet ik niet.'
'Waarom neemt hij überhaupt die omweg met de kluizen?' zei Aneta Djanali.
'Precies,' zei Ringmar.
'De vrouw zet een koffer, waarvan wij denken dat die van Paula is, in de kluis. Deze man ziet dat ze dat doet. Controleert het misschien. Dan wacht hij zes uur voordat hij hem eruit haalt. Waarom?'
'En waarom neemt hij een dubbel risico om ontdekt te worden?' zei Ringmar.
'Dat was de bedoeling,' zei Winter.
Iedereen in de kamer keek hem aan.
'Deze film is opgenomen voor publiek,' ging Winter verder. 'Wij zijn het publiek.'
'Ze hebben het geregisseerd?'
Dat was Bergenhem.
Winter knikte.
'Dat is de enige manier waarop ik het kan verklaren. Wij moesten het zien. Ze wisten dat wij dit zouden zien en ons zouden afvragen wat het betekent.'
'En wat betekent het?' vroeg Aneta Djanali.
'Een of ander duivels spel,' zei Halders. 'Ze spelen met ons.'
'Maar waarom?' zei Bergenhem.
'Dat is altijd een heel goede vraag,' zei Halders.
'We moeten die schoenen nader bekijken,' zei Ringmar.
'Zien eruit als Ecco Free,' zei Halders.
'Bestaan die echt nog steeds?' vroeg Bergenhem.
'Elke goed gesorteerde schoenenwinkel in de stad verkoopt ongeveer twintig paar Ecco Free-schoenen per jaar,' zei Ringmar.
'Dat lijkt me niet veel,' zei Bergenhem. 'Dan hebben ze waarschijnlijk stamgasten.'

'Misschien al wel twintig jaar lang,' zei Aneta Djanali.
'Waarom net twintig jaar?' vroeg Winter.
'Wat?'
'Waarom dacht je net aan twintig jaar geleden?'
'Dat ... weet ik niet, Erik. Ik had ook dertig kunnen zeggen.'
Halders zei niets. Hij keek naar de schoenen op het scherm. Ze wachtten op vergrotingen. De schoenen zagen er schoon uit, bijna ongebruikt. De zool was grof.
'Ik heb zulke schoenen eerder gezien,' zei Halders, 'niet zo lang geleden.'
Zijn ogen lieten het scherm los. 'Waar heb ik ze gezien?'

Winter stond op van zijn stoel. In de kleine kamer rook het sterk naar koffie, omdat hij net zijn plastic beker op de tafel had omgegooid. Halders was op het laatste moment opzijgesprongen om geen hete koffie op zijn dij te krijgen.
'Kijk uit je ogen, verdomme!'
Winter liep weg om papieren handdoekjes te halen.
'Het spijt me,' zei hij toen hij terugkwam.
'Wat ben jij toch altijd onhandig!' zei Halders.
'Het was een ongelukje,' zei Ringmar.
'Die vent is een wandelend ongeluk,' zei Halders.
'Ik zei dat het me speet,' zei Winter en hij begon de tafel droog te vegen.
'Wat als er bewijsmateriaal op de tafel had gelegen?' zei Halders. 'Vingerafdrukken, bloedsporen, aantekeningen, handtekeningen. Schoenafdrukken.'
Winter antwoordde niet. Hij werkte nu een paar maanden op de afdeling en was al aardig aan Halders gewend geraakt. Dat met de koffie was een ongeluk geweest. Hij vermoedde dat Halders daar anders over dacht, maar dat was Halders' natuur.
De deur ging open en Birgersson stapte de kamer binnen.
'Wat gebeurt hier?' zei hij.
'Niets,' zei Ringmar.
'Heb je even tijd, Erik?' zei Birgersson en hij zwaaide met zijn duim naar de deur.
Winter volgde Birgersson door de gang naar diens kamer. De weg voelde lang, alsof er na de mars een reprimande wachtte.
'Ga zitten,' zei Birgersson terwijl hij zelf bij het raam ging staan. Het was eind oktober. Vanaf Winters plaats leek het alsof er afgelopen nacht achter het raam een muur van de aarde tot aan de hemel was verrezen. Die smoorde alle geluiden van buiten. Het enige wat je hoorde was Birgerssons ademhaling als hij rook inhaleerde. Zijn kamer rook naar tabak, oude en nieuwe. Er stond een leeg koffiekopje op het bureau, naast een overvolle asbak.
'Je mag roken als je dat wilt,' zei Birgersson.

Als ik hier ademhaal, krijg ik al genoeg rook naar binnen, dacht Winter.

'Ik probeer tot na twaalven te wachten,' antwoordde hij.

'Net als Hemingway,' zei Birgersson. 'De schrijver.'

'Ik weet wie hij is.'

'Maar bij hem ging het om drank,' ging Birgersson verder. 'Voor twaalf uur dronk hij niets, daarna des te meer.' Birgersson glimlachte. 'Maar aan het eind van zijn carrière bevond hij zich ergens op de wereld en begon hij al om tien uur te pimpelen. Toen iemand zei dat het nog geen twaalf uur was, antwoordde hij: "Dat maakt niets uit, het is twaalf uur in Miami!"'

'Oké,' zei Winter en hij pakte zijn pakje Corps.

'Waarom rook je die troep?'

'Het is een gewoonte geworden.'

Birgersson lachte even, hij nam weer een trek en blies de rook uit. Het raam stond 10 centimeter open en de rook gleed naar buiten en verdween tussen alle andere grijze nuances.

'Ik hoorde dat je weer met de man van die verdwenen vrouw hebt gepraat,' zei Birgersson.

'Ik ben net bezig het verhoor uit te schrijven,' zei Winter.

'Nee, dat is niet waar, je zit nu hier. Maar vertel.'

'Tja ... ik ben eigenlijk niet veel verder gekomen. Als je überhaupt verder kunt komen met hem. Hij zegt dat ze soms wat kibbelden, maar dat het niet ernstig was.'

'Hm.'

'Dat zij kinderen wilde, maar dat hij wilde wachten.'

'Denk je dat hij iets verbergt?'

'Dat weet ik eerlijk gezegd niet. Wat zou hij verbergen?'

'Dat hij schuldig is natuurlijk.'

Winter zag Christer Börge voor zich. Had hij zijn vrouw kunnen vermoorden en het lijk kunnen verstoppen en net kunnen doen alsof er niets aan de hand was? Na de verdwijning van zijn vrouw de rol van bezorgde echtgenoot kunnen spelen?

'Dat gebeurt wel vaker, weet je,' zei Birgersson.

'Ik weet het,' zei Winter.

'Heb je hem onder druk gezet?'

'Zo goed ik kon.'

'Heb je hulp nodig?'

'Denk je dat hij iets heeft gedaan?' vroeg Winter. 'Geloof je dat echt?'

'Ik geloof helemaal niets, zoals je weet. Geloven doe je in de kerk. Ik vroeg alleen maar of we die Börge de duimschroeven wat harder moeten aandraaien om te zien of er dan wat meer uit hem komt.'

'Daar heb ik geen bezwaar tegen,' zei Winter.

'Laat hem naar het bureau komen,' zei Birgersson.

Het was gaan waaien toen Winter het politiebureau uit stapte. Hij had een sjaal moeten hebben. Bovendien had hij het afgelopen uur keelpijn gekregen. Het was geen prettig idee naar huis te moeten fietsen.

Hij hoorde de claxon van een auto en draaide zijn hoofd om. Halders zwaaide achter het stuur.

Winter liep erheen.

'Wil je een lift?'

'Graag.'

Winter stapte in en Halders ging er plankgas vandoor.

Ze reden over de Allén. Over een paar weken zouden de bomen alweer helemaal kaal zijn. Rode bladeren dwarrelden door de lucht.

Winter begon te hoesten.

'Verkouden?'

'Ik weet het niet.'

'Er waart iets rond. Aneta was vanmorgen ook al niet lekker.'

'We hebben geen tijd om ziek te zijn, zo is het toch, Fredrik?'

'Nee, baas.'

'Het is lang geleden dat je me "baas" noemde.'

'Heb ik dat ooit gedaan?'

'Dat zou dan in ons eerste jaar moeten zijn geweest.'

Halders lachte.

'Ja, precies. Toen we vrienden voor het leven werden.'

Winter glimlachte.

'Ik heb een tijdje gedacht dat je met opzet koffie omgooide,' ging Halders verder. 'Het gebeurde altijd als ik naast je zat.'

'Dus daarom ben je naar de andere kant van de tafel verhuisd?'

'Natuurlijk.'

'Ik was alleen maar onhandig,' zei Winter. 'En onzeker.'

'*What is new*?' zei Halders.

'We zijn inmiddels ouder,' zei Winter en hij knikte naar de straat. 'Je kunt me hier wel afzetten.'

Halders sloeg af.

'Ik ga nu met haar vriendin praten,' zei hij. 'Nina Lorrinder.'

'Succes.'

'Ze heeft meer verhalen te vertellen.'

14

Nina Lorrinder had een rode haarband in haar haar. Halders wist niet of hij die kleur eerder had gezien.

Hij vroeg ernaar.

'Karmozijn,' zei ze en ze keek hem lang aan.

'Ik ben alleen maar nieuwsgierig,' zei hij.

'Ben je geïnteresseerd in kleuren?'

'Mijn vader wilde dat ik schilder zou worden.'

Nina Lorrinder verplaatste haar blik naar het drie verdiepingen tellende gebouw aan de andere kant van het plein. De benedenverdieping was van steen, de twee bovenste waren van hout. Dit type huizen bestond alleen in deze stad en ze werden gouverneurshuizen genoemd. Twee schilders stonden op een steiger de gevel te verven in een gele kleur die Halders eerder had gezien.

'Zoals zij daar,' zei Halders.

Ze keek weer naar hem.

'Maar op de lange duur is het niet gezond,' ging Halders verder. 'In elk geval vroeger. De verf gaat in je longen zitten. En in je hersenen.'

Ze wierp weer een blik op de schilders.

'Je kunt er een beetje dom van worden,' zei Halders. 'Niet dat ik denk dat die jongens dom zijn, of het kunnen worden, maar je kunt beter geen risico nemen.'

Ze had nog steeds niets gezegd. Halders vroeg zich af wanneer ze hem zou onderbreken.

'In plaats daarvan werd ik politieman,' zei hij.

'Ben je ironisch?' zei ze.

'Een beetje maar.'

Ze keek weer om zich heen, alsof ze alles accepteerde wat Halders zei en alleen maar verwachtte dat ze op de bank moest zitten luisteren naar wat komen zou. Het was niet koud. Halders voelde zelfs een zwak zonnetje in zijn nek. Hij zag een paar bejaarden op een bank aan de andere kant van de fontein. De zon leek fel in hun wassen gezichten. Die hadden ongeveer dezelfde geelbleke kleur als de verf die de schilders van boven naar beneden op de huismuur smeerden. Halders hoorde muziek uit die richting, rockmuziek uit een gettoblaster die op de tweede etage van de steiger balanceerde, maar hij kon niet horen welk nummer het was. Het was te ver weg. De bejaarden konden het ook niet horen. Zij behoorden tot de generatie van vóór de rock-'n-roll, de generatie vóór hem.

Als hij zelf ooit zo zou zitten, met stijve ledematen en een geel gezicht, zou hij voorzichtig zijn hoofd op de rock-'n-roll bewegen wanneer er een paar handwerkslieden in de buurt waren met hun eeuwige gettoblasters. Maar dan zouden ze geen rock-'n-roll draaien. God mocht weten wat ze tegen die tijd zouden draaien. Misschien was er niets meer om te draaien.

'Je wilde me iets vragen,' zei Nina Lorrinder.

'Hoelang ken je Paula al?'

'Je klinkt alsof ze nog leeft. Alsof ik haar nog steeds ken.'

Halders zei niets. Nina Lorrinder keek weg naar de schilders. Ze klommen nu van de steiger. De muziek was uitgezet.

'Maar dat is waarschijnlijk ook zo,' ging ze verder zonder Halders aan te kijken. 'Zo zou je het kunnen zien. Je kunt het zo voelen.' Ze keek Halders aan. 'Begrijp je wat ik bedoel?'

'Ja.'

'Hoe kun je dat begrijpen?'

'Mijn vrouw is doodgereden door een dronken automobilist. We hebben twee kinderen.'

'Het spijt me.'

'Het speet mij ook. Heel erg, en ik was vreselijk boos. Dus ik kan je begrijpen.'

'Ik ben ook boos geweest,' zei ze.

'Waarom?'

'Omdat het zo ... verschrikkelijk is. Zo verschrikkelijk. En zo zinloos.'

Halders knikte.

'Wie doet zoiets?'

'Daar proberen we achter te komen.'

'En waarom?'

'Daar proberen we ook achter te komen.'

'Maar hoe moeten jullie dat doen?'

'Onder andere door te doen wat ik nu doe.'

'Maar het gaat zo langzaam,' zei ze. 'Vragen stellen. En dan moeten jullie de antwoorden doornemen. Word je er niet gek van dat het zo langzaam gaat?'

'Niet zo gek als een schilder,' zei Halders.

De schilders waren vertrokken, voor vandaag zat hun werk erop. De halve muur was geel, maar de zon scheen op het niet-geverfde deel van het pand en de muur daar zag er nog vrolijker uit.

De bejaarden op de bank tegenover hen waren ook vertrokken.
'Maar het gaat zo langzaam,' zei Nina Lorrinder nog een keer.
'Het is de enige manier,' zei Halders.
'Ik wil het nú weten,' zei Nina Lorrinder. 'Wie. En waarom.'
'Goed, hoelang ken je Paula al?' vroeg Halders.

Zijn mobieltje begon te rinkelen toen hij over het Kungsplein liep. Hij zag het nummer van zijn moeder op het display. Of het *displaya*, als je grappig wilde zijn. Siv had het zo genoemd. Winter was verbaasd geweest. Elsa had het nieuwe woord in haar woordenschat opgenomen.
'Papa!'
'Hallo, meisje!'
'Wat ben je aan het doen, papa?'
'Ik ga eten kopen in de markthal.'
'Wat ga je kopen?'
'Vis, denk ik.'
'Wij hebben gisteren vis gegeten.'
'Wat goed.'
'Ik heb hem gebakken!'
'Wat knap, Elsa.'
'Lilly kreeg een klein stukje. Dat heeft ze uitgespuugd.'
'Wat zonde.'
'Dat zei ik ook tegen haar.'
'En wat zei zij toen?'
'Blèèèh!'
'Wat betekent dat?'
'Dat ze melk van mama wil!'
'Ha ha!'
'Maar mama zegt dat ze dat niet krijgt.'
'Ik weet het, meisje.'
'Dat is niet lief van mama.'
'Lilly moet leren vis te eten. Ze wordt al groot.'
'Ze is helemaal niet groot!'
'Nee, niet zo groot als jij, Elsa.'
'Ben je thuis als wij thuiskomen, papa?'
'Natuurlijk ben ik dan thuis.'
'We komen morgen!'
'Ik dacht overmorgen.'
'Ja, ja.'
'Ik heb een cadeautje voor je gekocht. En ook voor Lilly.'
'Ik heb een cadeautje voor jou gekocht, papa!'
'Wat spannend.'

'Hier komt mama. Kusjes!'
'Ook voor jou, meisje.'
Hij hoorde gerammel op de achtergrond, en een klein kind dat schreeuwde. Hij hoorde de stem van zijn moeder. Siv had het er maar druk mee.
'Daar ben ik,' zei Angela. 'We zijn net klaar met eten.'
'Ik niet.'
'Ik begreep dat je bij de markthal bent.'
'Hoe weet je dat?'
'Deductie. Herken je dat?'
'Nee.'
Op de achtergrond krijste Lilly weer.
'Alles is hier nu geregeld,' zei Angela. 'Het wordt duur als we in de herfst niet terugkomen.'
'Hier ook,' zei hij.
'Met goedkeuring van alle betrokkenen?'
'Ja,' loog hij.
'Je liegt.'
'Nee.'
'Wel waar. Wat vindt oom Birgersson ervan?'
'Om je de waarheid te zeggen weet ik niet wat hij ervan vindt, maar hij heeft toestemming gegeven voor mijn verlof. En hij moet aan zijn eigen pensioencrisis denken.'
'Maar jij gaat toch niet met pensioen, Erik?'
'Natuurlijk niet.'
'Ik wil niet dat dit het einde van jouw carrière betekent. Het is niet de bedoeling dat ...'
'Wijting,' onderbrak Winter haar. Hij bekeek de lijst buiten de viswinkel in het westelijke eind van de markthal. 'Ik neem wijtingfilet.'
'Je onderbrak me.'
'Even door de bloem halen, dan snel bakken in olijfolie met knoflook, citroen en peterselie. Aardappelpuree. En de riesling van Hunawihr.'
'Je lijkt je goed te redden zonder ons.'
'Ik red me tot overmorgen en geen dag langer.'
'Goed.'
'Ik mis jullie.'
'Drink niet alle flessen leeg als troost.'
'Alleen die van 2002 zijn op. Of gaan vanavond op.'
'We moeten nu maar ophangen. Lilly zit een beetje te spugen op oma.'
'Wat heeft ze?'
'Het is niets.'
'Dat zeggen dokters altijd,' zei Winter. 'Je gaat je bijna afvragen of ze wel nodig zijn.'

'Wil je mij afschaffen, zoals je ook bezig bent jezelf af te schaffen?'
'Zorg nou maar voor Lilly,' zei hij. Ze namen afscheid en verbraken de verbinding.
Hij liep de winkel in, kocht de vis en liep door het Kungspark naar huis. De boomtoppen waren rood en geel, zoals een geverfde haar die zijn oorspronkelijke kleur terugkrijgt. Nog even en de haar zou op de grond vallen. En daarna zou hij weer uitgroeien. Het was een wonderlijke wereld.
Het Vasaplein lag er verlaten bij. Het was bijna altijd leeg rondom de obelisk. Soms zat er iemand op een bank aan de zuidkant, maar niet altijd. Het Vasaplein was geen plek voor rust, het was niet eens een park, hoewel het groen was. Maar voor Erik Winter was deze wijk een plek van rust. Hier keerde hij altijd naar terug, naar het centrale punt van de stad. Het was rustig in de kern. In de stormkern.
Hij opende de portiekdeur en nam de oude lift naar zijn verdieping. De lift was honderd jaar oud en verfraaid alsof hij een avond moest dienstdoen in het Riddarhuset. Zolang Winter hier woonde was de lift altijd onwillig met hem naar de tweede verdieping geklommen. Voor zover Winter wist was de lift nooit defect geweest, maar hij klonk altijd alsof dat elk moment kon gebeuren.
In de keuken legde hij het pak met de kleine visfilets op het aanrecht en pakte olijfolie, knoflook en aardappels uit de voorraadkast. Hij schilde de aardappels en sneed ze in kleine stukken. Hij opende de fles Elzaswijn en dronk een eerste glas. De wijn was koel en rustgevend, alsof iemand die je vertrouwde zijn hand op je voorhoofd had gelegd. Alsof alles uiteindelijk goed zou komen.
Het rook lekker in de keuken toen hij de vis met dunne plakjes knoflook in de olijfolie bakte. Hij deed er wat fijngehakte peterselie bij en kneep er een halve citroen boven uit. Hij at de vis met de puree, die naar boter en grof zout smaakte, en wat verse sperziebonen. Hij dronk twee glazen wijn bij het eten en toen hij had opgeruimd, nam hij de fles mee naar de woonkamer.
Er was nog steeds niemand op het gras van het Vasaplein. Hij rookte op het balkon, maar zag niemand hetzelfde doen op het balkon aan de overkant. De schemering viel snel. Onder zijn raam stonden veel mensen op de tram te wachten. De rails kwamen onder hem samen. De hele stad had daar haar kruispunt, haar breekpunt. Alle mensen in de stad kwamen ooit in hun leven onder zijn raam langs. Als ze omhoogkeken, zouden ze hem zien.
Hij liep naar binnen en ging in de fauteuil zitten. Hij schonk een glas wijn in en deed zijn laptop aan. Hij zocht in de bestanden. Het licht van de monitor was het enige licht in de kamer.
De telefoon ging.

'Twee jaar ongeveer,' zei Nina Lorrinder.

'Jullie kennen elkaar al twee jaar?' vroeg Halders.

Ze knikte.

'Maar dat heb ik ook aan die andere agent verteld.'

'Ik weet het.'

'En toch vraag je ernaar?'

'Waar ontmoetten jullie elkaar meestal? Afgezien van de kerk?'

'Tja, we gingen weleens koffiedrinken. Soms naar de bioscoop. Een enkel keertje naar een kroeg.'

Halders knikte.

'Soms bij Friskis & Svettis, het fitnesscentrum.'

'Welk filiaal?'

'In de Västra Hamngatan.'

'Kun je daar wel met elkaar praten?' vroeg Halders.

'Hoe bedoel je?'

'Met al dat gepuf en gesteun om je heen.'

Nina Lorrinder begon bijna te lachen.

'Ze hebben er ook een kleine bar,' zei ze.

'En daar praatten jullie met elkaar?'

Ze knikte.

'Hoe ging dat?'

'Wat bedoel je?'

'Waren jullie alleen?'

'Ja.'

'Alle keren?'

'Ja.'

'Had ze een goede conditie?'

'Is dat echt belangrijk?'

Halders wist het niet. Was het belangrijk? Er was ook niemand anders die het wist.

'Ik probeer alleen zo veel mogelijk over Paula te weten te komen,' zei hij.

'Ik weet niet of ik ... dat deed,' zei ze. 'Of ik haar zo goed kende, bedoel ik.'

'Waarom niet?'

'Ze ... liet niemand dichtbij komen.'

'Waarom niet, denk je?'

'Zo ... zo was ze gewoon.'

'Hoe dan?'

'Ja ... teruggetrokken, misschien. Of een beetje gereserveerd.' Nina Lorrinder keek Halders over de tafel aan. 'Niet iedereen is hetzelfde.'

'Nee, daar heb je helemaal gelijk in.'

'Ik geloof dat ze het liefst met rust werd gelaten.'

'Maar ze ging wel naar het fitnesscentrum,' zei Halders.
'Daar word je eigenlijk ook met rust gelaten, zoals je zelf net zei.'
'Het gepuf en gesteun.'
'Ja, precies.'
'Iedereen levert zijn eigen gevecht.'
Nina Lorrinder leek dit laatste niet te horen. Plotseling leek ze diep in gedachten verzonken.
'Hoe vaak gingen jullie sporten?' vroeg Halders.
'Hè … wat zei je?'
Halders herhaalde zijn vraag. Nina Lorrinder leek plotseling weg met haar gedachten. Haar blik was leeg.
'Hoe gaat het?' vroeg Halders.
'Ik moest ergens aan denken …'
Halders wachtte.
'Je vroeg of we alleen in de bar zaten.'
'Ja?'
'Ik geloof dat ze tijdens het sporten iemand heeft ontmoet.'
Halders zei niets. Hij knikte alleen maar.
'Een … man.'
Nina Lorrinder leek heel hard naar het verleden te staren, alsof dat haar zou helpen het zich te herinneren. Ze deed haar ogen dicht, alsof ze haar blik wilde verhelderen. Ze opende haar ogen. Die waren nu helderder.
'Misschien zit ik ernaast.'
'Ga maar door.'
'Ze sprak een paar keer met iemand.'
'Waar?'
'Toen we … tijdens het sporten. In de zaal.'
'Is dat zo ongebruikelijk?'
'Voor Paula wel.'
'In welk opzicht?'
'Ze zocht gewoon geen contact. Niet op die manier.'
'Misschien was zij niet degene die contact had gezocht. Misschien had hij op haar tenen getrapt en bood hij haar zijn verontschuldigingen aan. Misschien is dat een paar keer gebeurd.'
'Ik weet het niet …'
'Misschien is het een manier om iemand bij Friskis & Svettis te versieren.'
'O ja?'
'Is het niet een van de grootste versierplekken van de stad?'
'Dat weet ik eerlijk gezegd niet. Ik heb er nooit over nagedacht.'
'Maar je merkte dat Paula met iemand praatte.'
'Ja.'

'En wel zo vaak dat jij er nu aan moest denken,' zei Halders. 'Dat je het je herinnerde.'

'Het heeft misschien niets te betekenen.'

'Wat herinner je je nog meer? Over Paula's ontmoeting.'

Nina Lorrinder deed haar ogen weer dicht. Ze deed echt haar best. Halders kon bijna zien hoe de gedachten achter haar voorhoofd bewogen. Een zenuw begon te kloppen. Ze duwde haar haar achter haar oor. Haar slaap klopte nog steeds.

Ze deed haar ogen weer open.

'Het leek alsof ze hem kende.'

Winter nam de telefoon op en keek tegelijk hoe laat het was.

Het was Torsten Öberg.

'Het is al laat,' zei hij, 'maar ik dacht dat je dit wel wilde weten. Een vrouw op het Gerechtelijk Laboratorium die overwerkte, dacht dat ik het ook wilde weten.'

'Vertel, wat hebben ze ontdekt?'

'Het is bloed en het is haar bloed,' zei Öberg.

'Wat?'

'Nogal teleurstellend, vind je ook niet?'

'Maar de vlek was toch oud?'

'Ja. Ze kunnen niet zeggen hoe oud precies, maar meer dan een maand oud in elk geval.'

'Ze had het touw dus zelf meegenomen,' zei Winter.

'Dat weet ik niet,' zei Öberg. 'Dat is jouw werk.'

'Verder geen sporen? Op het touw?'

'Verder geen sporen.'

'We weten niet of ze zelf de lus heeft gemaakt,' zei Winter.

'Nee. De vlek kan daar op elk willekeurig moment zijn terechtgekomen.'

'Shit. Ik had mijn hoop hierop gevestigd.'

'Je bent niet de enige.'

Winter hoorde de tram buiten. Zo laat was het dus nog niet. Het was een stuntelig geluid, vertrouwd, rustgevend. Als de trams 's nachts stopten met rijden werd de stad een onrustiger plek.

'Kunnen we iets in de kamer over het hoofd hebben gezien?'

'Is dat een belediging, Erik?'

'Ik had het tegen mezelf.'

'Niet zacht genoeg.'

'Kom op, Torsten. Praat ook eens tegen jezelf.'

'Kunnen we iets in de kamer over het hoofd hebben gezien?' vroeg Öberg.

'Zou dat kunnen?'

'Wat zouden we over het hoofd hebben gezien, Erik? Sporen? Afdrukken?

Vlekken? Ik geloof het niet. Ik zou willen zeggen dat ik denk dat we dat naar alle waarschijnlijkheid niet hebben gedaan. Maar ik weet het niet zeker.'

'Hm.'

'Het was een nette kamer. Een schone kamer. Dat maakt het veel lastiger.'

15

'Die klootzak deed dus misschien haasje-over naast haar!'

'Haasje-over?' vroeg Ringmar.

'Of wat voor stomme oefeningen ze bij Friskis & Svettis ook maar doen,' ging Halders verder.

Hij had Winter meteen gebeld nadat hij met Nina Lorrinder had gesproken.

'Het wordt tijd dat je daar zelf een kijkje gaat nemen,' zei Winter.

'Dat zal interessant worden.'

'Hoe duidelijk is het signalement?' vroeg Bergenhem.

'Vaag,' antwoordde Halders.

'Kan ze zich niet hebben vergist?' opperde Ringmar.

'Vergissen, vergissen, iedereen kan zich vergissen.' Halders strekte zijn armen naar achteren, alsof hij al in het fitnesscentrum was. 'Maar ze zag Paula met iemand praten, kennelijk meerdere keren. Ze had de indruk dat ze elkaar al eerder hadden gezien, ergens anders. En Nina Lorrinder lijkt niet dom.' Halders bracht zijn armen weer naar beneden. 'Dit heb ik allemaal uit haar moeten trekken.'

'We zijn dol op zulke getuigen,' zei Ringmar.

'Als ze eenmaal beginnen te praten wel,' zei Halders.

Ringmar veranderde van houding op de stoel en ging toen verzitten. Halders' armbewegingen waren besmettelijk. Straks zaten ze allemaal gymnastiekoefeningen te doen in de overlegkamer.

'Het kan iedereen zijn,' zei Ringmar.

'Dat is precies wat wij moeten uitsluiten, toch?' Halders strekte zijn armen weer naar achteren. Zijn gewrichten kraakten als droog hout dat wordt gebroken. 'Of net omgekeerd.'

'Jij hebt inderdaad gymnastiek nodig,' zei Bergenhem.

'Schoolgymnastiek,' zei Halders. 'Ik was altijd de beste.'

'Waarin?'

'Je bent te jong om dat te begrijpen, jongen.'

'Ik begrijp er niets meer van.'

De deur ging open. Aneta Djanali kwam de kamer in en sloot de deur achter zich.

'Ben je nu al terug?' zei Halders.

Zonder te antwoorden ging ze naast hem zitten. Ze pakte haar notitieboekje en keek op.

'Ik heb de foto's aan het personeel van Leonardsen en Talassi laten zien en ze zijn het er allemaal over eens dat het Ecco-schoenen zijn.'

'Zijn jullie maar in twee winkels geweest?' vroeg Halders.

'Nee, maar ik wilde jullie een beeld geven van hoe de situatie eruitziet.'

'Hoe ziet die eruit?'

'Hoeveel hebben ze er verkocht?' vulde Winter aan.

'Als we het over maat 44-45 hebben ...' las Aneta Djanali uit haar notitieboekje, 'zeven paar bij Leonardsen en tien bij Talassi. Dit jaar.'

'En vorig jaar?' vroeg Bergenhem.

'Deze schoen werd vorig jaar niet verkocht.'

'Waarom niet?'

'Ze dachten dat niemand hem nog zou kopen. Dat ze andere merken zouden kunnen aanbieden.'

'Dat het Ecco-tijdperk voorbij was,' zei Halders.

'Hoeveel klanten gebruikten een pinpas?' vroeg Winter.

'Allemaal, op twee na.'

'Die twee moeten we hebben,' zei Halders.

'Daar ben ik niet helemaal zeker van,' zei Ringmar.

'Zullen we erom wedden?' zei Halders.

'De schoenen die we op de video zagen, hebben misschien niets met de zaak te maken,' zei Ringmar.

'Zullen we daar ook om wedden?' zei Halders.

'We gaan aan de slag met wat we nu hebben,' zei Winter. 'Aan het werk.'

De telefoon was twee keer overgegaan. De tweede keer nam ze niet op.

Ze wachtte tot het licht werd en toen ging ze naar buiten, ze liep door de stad, door de parken. Er waren niet veel mensen buiten. Ze draaide zich om. Mijn god, ik moet hiermee ophouden. Ik kan niet achteruit gaan lopen.

Ze voelde een lichte misselijkheid opkomen, die niet wilde verdwijnen.

Waar moet ik heen?

Christer Börge zag er niet bang uit toen hij in de verhoorkamer zat. Hij ziet eruit alsof hij hier eerder is geweest, dacht Winter. Maar dat is niet zo.

De verhoorkamer had een klein raam dat het septemberlicht binnenliet. Er stond een microfoon op de met vilt beklede tafel. De microfoon leek op een microfoon in een studio. De kamer fungeerde ook als een studio.

‘Waarom moeten we hier zitten?’ vroeg Börge. Dat had hij niet eerder gevraagd. Hij had niet veel gezegd toen Winter hem had gebeld en gevraagd of hij naar het politiebureau wilde komen.

‘Het is hier rustig en stil,’ zei Winter.

Aanvankelijk had hij het verhoor niet willen doen. Hij was nog geen verhoorder. Dat vereiste ervaring. Maar Börge was geen verdachte. En Winter had hem vaker gesproken dan de anderen. Dat kon een voordeel zijn. Dat had Birgersson in elk geval tegen Winter gezegd voordat hij de verhoorkamer in ging.

Börge draaide zich om naar het licht van het raam. Plotseling leek het alsof hij het koud kreeg. Hij rolde zijn mouwen naar beneden en legde toen zijn handen op de tafel. In het zwakke licht van de kamer staken zijn handen heel wit af tegen het groene vilten oppervlak. Winter vond dat het eruitzag alsof de handen nooit aan zonlicht waren blootgesteld. Ze zagen eruit als wit plastic, of gips.

Na de formaliteiten maakte hij zich gereed voor de vragen. Börge keek naar het raam. Daar was alleen maar lucht te zien. De bomen reikten niet zo hoog. Winter schraapte zijn keel.

‘Gelooft u dat Ellen terugkomt?’

Börge draaide zijn gezicht naar hem.

‘Wat is dat voor vraag?’

‘Probeer hem te beantwoorden.’

‘Maakt het wat uit wat ik gelóóf?’

Geloof kan bergen verzetten, dacht Winter. Maar zo mag een politieman niet denken. Een dominee mag zo denken.

‘Soms is het belangrijk voor hoe je met de schok omgaat.’

‘Wat weet u daarvan?’

‘Wat was het laatste wat ze zei toen ze wegging?’ vroeg Winter.

‘Dat weet ik niet meer.’

‘Probeer het.’

‘Zou u nog weten wat uw vrouw zei als ze wegging om een tijdschrift te kopen?’

‘Denk na.’

‘Waarover?’

‘Over wat ik net vroeg. Wat Ellen zei toen ze wegging.’

‘Waarschijnlijk zei ze helemaal niets.’

‘Ging het meestal zo?’

‘Ik begrijp niet wat u bedoelt.’

Winter antwoordde niet.

‘Wilt u soms weten of ze iets ten afscheid zei, of zo?’

‘Ik probeer u alleen maar te helpen,’ zei Winter.

‘Míj te helpen?’

'Om het u te herinneren.'

'Maar als er niets te herinneren valt?'

Er is altijd iets, dacht Winter. Als je het je wilt herinneren. Jij wilt dat niet. En ik wil weten waarom.

'U zei eerder dat jullie ruzie hadden voordat ze wegging.'

Börge zei niets.

'Dat ze daarom wegging.'

'Dat heb ik helemaal niet gezegd.'

'Dat het niet de eerste keer was.'

'Wacht eens even,' zei Börge. 'Laten we rustig blijven.'

Winter bleef rustig. Börge was tot nu toe rustig gebleven. Zijn antwoorden hadden agressief kunnen lijken als je het geschreven verslag van het verhoor las, maar zijn houding was niet agressief. In die zin was een geschreven versie van een verhoor ontoereikend. De woorden vormden slechts een deel. Soms hadden de woorden weinig of geen betekenis. Alles zou op film moeten staan, dacht Winter. In de jaren negentig zullen alle verhoren op video worden opgenomen.

'Dreigde Ellen ooit dat ze u wilde verlaten?'

Börge schrok even. Zijn blik had het raam weer gezocht, maar hij was slechts halverwege gekomen.

Nu keek hij weer naar Winter.

'Nee. Waarom zou ze dat doen?'

'Zij wilde kinderen. U wilde geen kinderen. Zou dat geen reden kunnen zijn?'

'Nee.'

'U vindt dat geen reden voor een scheiding?'

'U begrijpt het niet,' zei Börge. 'Bent u zelf gescheiden?'

'Nee,' antwoordde Winter. Hij had zich voorgenomen om geen vragen te beantwoorden, omdat hij degene was die de vragen stelde. Als degene die werd verhoord vragen begon te stellen, had het verhoor een verkeerde wending genomen. Een verhoor was eenrichtingsverkeer, vermomd als gesprek. Een verhoorder mocht nooit iets geven. Nooit iets loslaten. Nooit iets zeggen wat hem ontmaskerde. Het was nemen, nooit geven. Luisteren. En tegelijkertijd ging het erom vertrouwen te scheppen. Luister naar het verhaal, had Birgersson gezegd. Alle mensen hebben een verhaal dat ze willen vertellen, dat uit hen wil komen en uiteindelijk kunnen ze het niet tegenhouden.

'Bent u getrouwd?' vroeg Börge.

'Hoe vaak zei Ellen dat ze kinderen wilde?' vroeg Winter.

'U bent dus niet getrouwd,' zei Börge. 'Dat zou u wel moeten doen. Misschien leert u iets.'

'Wat zou ik leren?' vroeg Winter.

'Tja ... hoe vrouwen zijn, bijvoorbeeld.' Börges blik gleed weer weg en bereikte het raam. 'Dat leer je.'

'Hoe zijn ze dan?'

'Daar moet u zelf achter komen.'

Winter had het idee dat Börge glimlachte.

'Ergens moet u toch zelf achter komen.'

'Bedoelt u dat alle vrouwen hetzelfde zijn?' vroeg Winter.

Börge antwoordde niet. Hij leek te kijken naar wat er achter het raam was, maar daar was niets.

Winter herhaalde zijn vraag.

'Ik weet het niet,' zei Börge.

Hij leek de tegenstelling in zijn woorden niet op te merken.

'Hoe was Ellen in vergelijking met andere vrouwen?' vroeg Winter.

'Ze hield van me,' zei Börge en hij keek Winter weer recht aan. 'Dat is het enige wat iets betekent, of niet soms?'

De lobby was verlaten, alsof het hotel al was gesloten. De jonge portier die Paula Ney had gevonden, stond achter de balie. Bergström, hij heette Bergström. Dat klonk als een Noord-Zweedse naam en hij had een Noord-Zweeds accent. Alle mensen uit het noorden hadden een naam met 'ström' in combinatie met iets anders uit de natuur. Het was ruig in die streek, het was er mooi. Ooit zou Winter naar het noorden gaan. Voorbij Stockholm. Hij wilde zijn kinderen laten zien wat echte sneeuw was. Elsa had in haar vijfjarige leven in totaal twee weken sneeuw gezien. Lilly had nog nooit sneeuw gezien. Dat zou er deze winter ook niet van komen. Maar er zouden meer winters volgen.

'We gaan over twee weken dicht,' zei Bergström.

'Dat is snel gegaan.'

Bergström haalde zijn schouders op.

'Het hotel lijkt nu al dicht,' zei Winter.

Bergström haalde zijn schouders weer op. Als hij het nog een keer deed, zou je bijna denken dat hij spastisch was.

'Hoe gaat het?' vroeg Winter.

De portier wilde zijn schouders weer ophalen, maar bedacht zich.

'Het gaat,' antwoordde hij, 'ik zou hier eigenlijk niet moeten zijn.'

'Waarom niet?'

'Ik ben met ziekteverlof. Maar zeg niets tegen de verzekering. Salko heeft griep en verder is er niemand meer.'

'Zijn er nog gasten?'

'Een paar verkopers. Maar die zijn aan het verkopen.'

Winter zag een zwakke glimlach bij de man. Die verdween even snel als hij was gekomen.

'Jullie kunnen de afzetlinten laten zitten tot we dichtgaan,' zei Bergström.
'Dat is aardig van je,' zei Winter.
'Zo was het niet bedoeld.'
'Ik ga naar boven,' zei Winter. Hij verliet de receptie en liep de trap op.
Hij klom over de afzetlinten en opende de deur.
Hij stond midden in de kamer en luisterde naar de geluiden van buiten. Ze waren zwak, maar toch duidelijk te horen door de dubbele ramen.
Had ze het touw zelf meegenomen?
Had de moordenaar het touw meegenomen?
Kenden ze elkaar?
Hij keek om zich heen. Kamer nummer 10. Alles hierbinnen was hem bekend, als in een cel. Een plek die je goed kent, maar waar je geen seconde van je leven wilt doorbrengen. Hij keek omhoog, naar de balk waar het touw omheen was geslagen. Dat had ze niet zelf gedaan.
Winter had haar niet zien hangen, Bergström had ervoor gezorgd dat hij dat niet hoefde te zien. Maar hij had het wel willen zien. Wat een vervloekte wens. Ik wens dat ik hier toen had gestaan en haar aan het touw had zien bungelen.
Had ik dan iets geleerd? Iets begrepen?
Hij voelde de bekende rilling in zijn nek en op zijn hoofd. Hij deed zijn ogen dicht en zag wat hij wilde zien en tegelijk niet wilde zien. Hij voelde ook de tocht van het raam, alsof iemand het opende terwijl hij hier stond. Alsof iemand hem gadesloeg.
Hij opende zijn ogen. Het raam was dicht. De kamer was dicht. Maar hij wist dat hij hier terug zou komen.
Hij herinnerde zich haar woorden stuk voor stuk: *ik hou van jullie en ik zal altijd van jullie blijven houden, wat er ook met me gebeurt, en jullie zullen altijd bij me zijn, waar ik ook heen ga, en als jullie boos op me zijn, wil ik jullie om vergeving vragen, en ik weet dat jullie me zullen vergeven, wat er ook met mij en met jullie gebeurt, en ik weet dat we elkaar weer zullen zien.*

Het gezicht van Elisabeth Ney was bleek en gesloten. Ze had haar ogen kort geleden geopend, maar ze zag er toch ... gesloten uit. Afgesloten. Ingesloten. Winter wist het niet. Hij zat op de stoel naast het bed. Er stond een vaas met rode bloemen op het nachtkastje. Hij zag geen kaartje.
'Ah, jij bent het,' zei ze.
'Ik duik overal op,' zei hij. 'Mijn excuses daarvoor.'
Ze deed haar ogen even dicht, alsof ze het excuus aanvaardde.
'Hoe gaat het?' vroeg hij.
Ze deed haar ogen weer dicht. Dat moest ja betekenen. Twee keer was nee.
'Ik weet niet wat ik hier doe,' zei ze na een poosje. 'Hoe ik hier terecht ben gekomen.'

'Je had rust nodig,' zei Winter.
'Ben ik ziek?'
'Heb je niet met een arts gesproken?'
'Ze zeggen dat ik rust nodig heb.'
Winter knikte.
'Maar jij mocht binnenkomen.'
Ze zei het op dezelfde lijzige toon als haar eerdere antwoorden. Ze klonk niet beschuldigend.
'Ik wilde kijken hoe het met je ging,' zei hij. 'En ik geef toe dat ik je ook een paar vragen wilde stellen.'
'Ik begrijp het. En ik wil echt helpen. Maar ik weet niet wat ik moet zeggen.' Ze bewoog haar hoofd op het kussen. 'Of wat ik me moet herinneren.'
Haar bruine haar leek wel zwart op het kussen. Het licht viel door de jaloezieën naar binnen en gaf haar kringen boven en onder haar ogen. Haar kin leek uit twee delen te bestaan. Haar ogen hadden iets waarvan Winter meende dat hij het eerder had gezien, bij iemand anders. Dat was een vrij normale waarneming. Overal waren mensen die geen familie van elkaar waren, maar toch op elkaar leken. Zo was het ook met Elisabeth Ney. Die ogen had hij bij iemand anders gezien. Hij wist niet bij wie, waar of wanneer. Iemand die hij op straat had gezien, in een winkel, in een café, in een park. Het kon overal zijn geweest, op elk willekeurig moment.
Haar ogen hadden iets groens.
'Het is mogelijk dat Paula tijdens het sporten een man ontmoette,' zei Winter.
'Sporten? Wat voor sporten?'
'In het fitnesscentrum. Wist je dat niet?'
'Eh ... jawel. Natuurlijk.'
Ze leek niet zeker van haar zaak. Maar dat hoefde niets te betekenen. Deze keer waren de woorden misschien wel de waarheid.
'Zei Paula daar nooit iets over?'
'Dat ze sportte?'
'Dat ze daar iemand ontmoette.'
'Ze had het er nooit over dat ze iemand ontmoette. Dat heb ik al eerder gezegd.'
Winter knikte.
'Ze zou het mij hebben verteld als het zo was.'
'Is er een reden waarom ze niets wilde vertellen?' vroeg Winter.
'Hoe bedoel je?'
'Misschien wilde ze wel vertellen dat ze een relatie had. Maar kon ze het niet.'
'Waarom zou ze dat niet kunnen doen?'
'Misschien durfde ze niet.'

'Waarom zou ze dat niet durven?'
'Dat weet ik niet.'
'Bedoel je dat ze met iemand omging die haar dwong daarover te zwijgen?'
'Dat weet ik ook niet. Het is gewoon een ... vraag.'
Elisabeth Ney had haar hoofd van het kussen getild. Winter zag de afdruk van haar hoofd in het kussen, als een schaduw.
'Ze zou het mij hebben verteld. Wat het ook was.'
Winter knikte.
'Denk je dat ze uit vrije wil naar dat hotel is meegegaan?' vroeg ze.
'Wat is uit vrije wil?'
'Bedoel je dat ze gedrogeerd was?'
'Op dit moment bedoel ik helemaal niets,' zei Winter.
Maar Paula was niet gedrogeerd geweest. Dat had de sectie uitgewezen. Misschien was ze verlamd geweest. Zo bang dat ze zich niet kon bewegen. Dat soort dingen kon een sectie niet aantonen.
'Maar als iemand haar het hotel in sleepte ... naar die kamer ... dan moet iemand anders dat toch hebben gezien?' Elisabeth Ney zat nu rechtop. Ze wilde uit bed stappen, haar voeten hingen al over de rand. Winter begreep dat ze eindelijk een beetje uit de shock begon te raken. De vragen begonnen te komen. 'Dat moet iemand toch hebben gezien?'
'Dat hopen wij ook,' zei Winter. 'We zoeken getuigen. We werken er de hele tijd aan.'
'Er werken toch mensen in dat hotel? Wat zeggen die?'
'Niemand heeft haar gezien,' zei Winter.
'En de schoonmaaksters? Die zien toch alles. Die komen toch in de kamers?'
'Niet in ... die kamer,' zei Winter. Hij beschouwde het als een persoonlijke nederlaag dat te moeten zeggen. 'Ze hebben daar die dag niet schoongemaakt.'
'Allemachtig.'
Winter zei niets.
'Als ze dat wel hadden gedaan, had Paula misschien nog geleefd!'
Winter probeerde te verdwijnen, een deel van de lucht te worden, zijn gezicht ondoorgrondelijk te maken. Elisabeth Ney had plotseling kleur gekregen. Ze zag er jonger uit. Winter kreeg weer dat vage gevoel van herkenning.
'En hoe kan iemand in een hotel inchecken zonder gezien te worden?' zei ze en ze ging naast het bed staan. Winter stak een hand uit om haar te helpen, maar die wuifde ze weg.
'Ze heeft niet ingecheckt,' antwoordde hij.
'Waarom zou ze dat niet doen? Waarom deed ze dat niet?' Het gezicht van

Elisabeth Ney was vlak bij het zijne. Haar hoofd begon naar voren te vallen. Met een schokkerige beweging probeerde ze het weer naar achteren te buigen. Winter moest denken aan de video-opnames van het centraal station. 'Waarom heeft niemand haar in de lobby gezien?'

'Daar proberen wij ook achter te komen. Maar we weten nog niet hoe het is gegaan.'

'Weten jullie überhaupt hoe iets is gegaan?'

'Niet veel.'

'Allemachtig.'

Ze wankelde en Winter stak een arm uit om haar te ondersteunen. Ze ging weer op de rand van het bed zitten. Haar nachtjapon was groot, als een tent. Je kon niet zien hoe groot of klein haar lichaam eronder was. Haar handen waren smal en pezig, ze leken van een kwetsbare houtsoort die aan wind en regen had blootgestaan.

'Haar hand!' barstte Elisabeth Ney uit. 'Waarom haar hand?!'

In de gang kwam Winter Mario Ney tegen.

Ney knikte toen ze elkaar passeerden, maar hij maakte geen aanstalten om te stoppen.

Winter bleef wel staan.

'Wat is er?' zei Ney midden in zijn pas.

'Ze is bezig uit de shock te raken,' zei Winter.

Ney mompelde iets wat Winter niet verstond.

'Wat zei je?'

'Is de shock hier afgenomen, zei ik.'

'Luister, ze moest worden opgenomen. Een poosje.'

'Ben jij soms arts?'

Winter zag de cafetaria aan het eind van de gang. Er waren maar een paar tafels en er stond een grote plant in het midden. Op dit moment zat er niemand.

'Kunnen we even gaan zitten?'

'Ik ben op weg naar mijn vrouw.'

'Een paar minuten maar.'

'Heb ik een keus?'

'Ja.'

Ney keek verbaasd. Hij volgde bijna automatisch toen Winter naar de cafetaria liep.

'Ze wacht op me,' zei Ney toen hij ging zitten.

'Wat kan ik je aanbieden?' zei Winter.

'Een glas rode wijn,' zei Ney.

'Ik weet niet of ze dat hier hebben,' zei Winter en hij keek naar de toonbank.

'Natuurlijk niet,' zei Ney. 'Wat had je gedacht?'
'We kunnen naar een café gaan,' zei Winter.
'Ik ga mijn vrouw bezoeken.'
'Ik bedoel daarna.'
'Goed,' zei Ney en hij stond op.
'Ik blijf hier wachten,' zei Winter.
Ney knikte en liep weg.
Winters mobieltje begon te rinkelen.
'Ja?'
'De portier van Hotel Revy heeft gebeld, hij wil je spreken.'
Het was Möllerström.
'Welke portier?' vroeg Winter.
'Richard Salko.'
'Wat wilde hij?'
'Dat wilde hij niet zeggen.'
'Heb je hem mijn mobiele nummer gegeven?'
'Nee. Nog niet. Ik heb hem gevraagd over drie minuten terug te bellen. Er zijn er nu twee verstreken.'
'Geef hem mijn nummer.'
Winter verbrak de verbinding en wachtte.
De telefoon begon in zijn hand te trillen. Hij had het belsignaal afgezet.
'Met Winter.'
'Hallo. Met Richard Salko.'
'Ja?'
'Er stond vandaag een kerel voor het hotel. Hij bleef daar een poosje staan.'
'Een kerel?'
'Een man. Een figuur. Ik zag hem door het raam. Hij keek naar boven en naar opzij en weer naar boven.'
'Jong? Oud?'
'Vrij jong. Dertig. Misschien een jonge veertiger. Ik weet het niet. Hij had een muts op. Ik kon zijn haar niet zien.'
'Heb je hem eerder gezien? Herkende je hem ergens van?'
'Ik geloof het niet. Maar ... hij bleef een poosje staan. Alsof hij daar gewoon wilde staan. Begrijp je? Alsof de plek iets voor hem betekende, of hoe ik het maar moet zeggen. Alsof hij hier eerder was geweest.'
'Ging hij naar binnen?'
'Nee. Niet voor zover ik heb gezien.'
'Zou hij naar binnen kunnen zijn gegaan?'
'Tja ... in dat geval heel kort. Ik moest iets doen in een andere kamer, maar ik ben maar een minuut of zo weg geweest.'
'Misschien was het een van jullie stamgasten,' zei Winter.

'Misschien. Maar ik heb hem nooit gezien als ik dienst had.'
'Een toerist?' zei Winter.
'Hij zag er niet uit als een toerist,' zei Salko.
'Hoe zien die eruit?'
'Dom.'
'Hoe gaat het met de lijst?' vroeg Winter.
'De lijst?'
'Ik wacht nog steeds op de lijst met alle werknemers van twintig jaar geleden tot nu.'
'Ik ook,' zei Salko.
'Wat is dat voor stomme opmerking?'
'Sorry, sorry. Maar het kost tijd. We hebben het over een lange periode. En een groot verloop.'
'Als we genoeg mensen hadden gehad, hadden we het zelf gedaan,' zei Winter.
'Ik weet wat je bedoelt,' zei Salko.
'O ja?'
'Ik zal mijn best doen. Blijven doen. Ik belde toch net, of niet soms?'

16

Toeristen, de stad wemelde van de toeristen, zelfs half september waren ze er nog; wijzend, vragend, spiedend, etend, drinkend, lachend, huilend. Winter had niets tegen toeristen. Hij wees hun graag de weg. Misschien zou de stad ten onder gaan zonder toeristen; weldra zou het de enige industrie zijn die er nog was. Het toerisme – en de misdaad. Georganiseerd, ongeorganiseerd. De heroïne had Göteborg eindelijk bereikt. Het was slechts een kwestie van tijd geweest, en nu, eind jaren tachtig, was die troep hier.

'Onze vrienden uit de verre landen nemen het mee,' zei Halders.

Ze zaten in een auto en reden langs de rivier. Waar je ook heen ging, je kwam altijd uit bij de rivier. In de herfstzon zag die er zwart en vet uit. Een veerboot gleed richting Vinga, op weg naar het verre Jutland. Het gevaar was groot dat de boot vol drugs zou terugkomen. Of de kans, als je het zo wilde zeggen. De ondernemers konden enorm veel verdienen.

Ze hadden over de drugs gepraat en het zwaardere geweld dat de drugs met zich meebrachten. Groot geld. Het vele geweld.

Halders reed over de Allén. Om hen heen was nog steeds het ouderwetse, veilige toneel te zien. Groepjes mensen die op het gras zaten te roken; de rook verspreidde zich samen met alle andere gassen in de lucht boven het kanaal. Maar de zoete, kruidige hasjlucht dreef boven op alle andere geuren en Winter kon die ruiken als hij in de late namiddag over de kanaalbruggen liep.

'Een septembermiddag op de Allén, je steekt je hasjpijp op en geniet van de zon,' zong Halders en hij tikte het ritme op het stuur.

'Een goed nummer,' zei Winter. 'Zelf geschreven?'

Halders draaide zijn hoofd om. 'Heb je nooit van de groep *Nationalteatern* gehoord?'

'O, die.'

'Je kent ze?'

'Natuurlijk.'

Halders glimlachte gemeen, maar zei niets. Hij stopte voor rood. Twee jongens in antieke kaftans keken op van hun bezigheden op het gras en vervolgens keken ze naar de politiewagen. Halders hief zijn hand en zwaaide. Hij zong verder en zei toen tegen Winter: 'Dat spul kan me niet veel schelen.' Hij knikte naar de kaftans die hun pijp aan hadden gekregen. Ze verdwenen in de nevel.

'Hm.'

'Maar dat andere. Dat is iets heel anders.'

Hij stopte voor het volgende rode verkeerslicht.

Er liep een man over het zebrapad. Hij had donker haar, scherpe trekken, een Balkanees uiterlijk, misschien Griekenland, Italië, ergens ten zuiden van Jutland.

'Misschien een koerier,' zei Halders met een knikje naar de man.

Winter zei niets.

'Zij gaan het overnemen,' zei Halders. 'Over een jaar of tien, vijftien, twintig wemelt de stad van koeriers en criminele bendes uit verre landen.' Hij draaide zich naar Winter toe. 'En weet je wat? Velen zullen hier in de stad geboren zijn!'

'Jij kent je toekomst, Fredrik.'

'Dat moet ook. Je moet in de toekomst kunnen kijken. Dat heet fantasie. Dat is het enige wat ons van de psychopaten onderscheidt.'

'Zitten jij en ik dan nog steeds zo, Fredrik?' zei Winter. 'In een auto van de staat op de Allén? Over twintig jaar?'

'Over twintig jaar? Dan is het ... 2007. Tja, waarom niet? Als we niet dood zijn, natuurlijk. Gesneuveld in een vuurgevecht met drugsdealers uit de noordelijke buitenwijken.'

'Zonet had je het over verre landen.'

'Dat is hetzelfde.'

Over twintig jaar. Winter kon misschien wel twintig jaar vooruitdenken, maar hij wilde het niet. De eenentwintigste eeuw was meer dan een ver land en een verre tijd. Die was als een planeet die nog door niemand was ontdekt. Als hij die zou bereiken, zou er onderweg veel zijn gebeurd, er zou veel water onder de Götaälvbrug hebben gestroomd.

Halders stopte voor het derde rode verkeerslicht.

Een man stak het zebrapad over. Deze zag er typisch Zweeds uit. Hij bewoog zich stijf en keek recht voor zich uit, alsof hij droomde.

'Die vent daar,' zei Halders. 'Die zou een wekker moeten kopen.'

'Hé, het is Börge,' zei Winter.

'Börge? Börge wie?'

'Börge, Christer Börge. Zijn vrouw is ongeveer een maand geleden verdwenen. Ellen Börge. Ik heb hem eergisteren op het bureau verhoord.'

'Waarom?'

Het licht stond nog steeds op rood. Börge was overgestoken en was nu op weg naar het Rosenlundsplein. Winter keek hem na. Börge bewoog zijn hoofd nog steeds niet. Hij liep snel, maar niet in een bepaalde richting. Dat idee had Winter. Börge had op dat moment geen richting.

'Waarom?' vroeg Halders nog een keer.

'Er is iets met die zaak waar ik mijn vinger niet op kan leggen,' zei Winter en hij draaide zich om naar Halders toen Börges jas achter de gele takken verdween.

'Zaak? Het is toch helemaal geen zaak?'

'Volgens mij wel. Ik denk dat er een misdrijf achter zit.'

'Denk je dat ze dood is?'

Winter spreidde zijn handen om aan te geven dat hij het niet wist.

Het licht sprong op groen en Halders trok op.

'Waarom denk je dat? Dat gevoel moet toch ergens vandaan komen?'

Winter probeerde Börge weer te ontdekken, maar die was inmiddels verdwenen.

'Door hem,' zei hij met een knikje naar de lege struiken.

'Denk je dat hij het heeft gedaan? Dat hij zijn vrouw heeft vermoord?'

'Ik weet het niet. Er is iets wat ik zou moeten begrijpen, maar wat ik niet begrijp.'

Halders lachte even.

'Misschien heeft het niets met hem te maken,' zei hij. 'Misschien ligt het aan jou, jongen.'

'Ik wou dat ik op jou leek, Fredrik.'

'Dat kan ik me voorstellen. Veel mensen willen dat.'

'Vrolijk en onbezorgd en onkundig.'

'Fantasie is beter dan kennis,' zei Halders.

'Dat is Einstein,' zei Winter. 'Dat is een citaat van Einstein.'

'Dat wist ik niet,' zei Halders met een glimlach. 'Zo zie je maar weer.'

'Ik wou dat ik op jou leek,' herhaalde Winter.

'Ik ben niet gevoelig voor vleierij.'

'Je bent een gelukkig mens, Fredrik.'

Halders stopte voor het vierde rode licht.

'Je hebt Börge dus voor een verhoor laten komen, Einstein? Wat vond Birgersson daarvan?'

'Hij had het zelf voorgesteld.'

'Wát zeg je?'

'Maar ik was er wel over begonnen.'

'Zo, je hebt je wel ingelikt bij de baas.'

'Heb jij nooit een verhoor mogen afnemen, Fredrik?'

'Birgersson is kennelijk behoorlijk geïnteresseerd,' mompelde Halders zonder Winters vraag te beantwoorden.

'Hij heeft waarschijnlijk ook zo zijn vermoedens,' zei Winter.

Halders zei niets. Ze reden nu op de Första Långgatan. Een tram op weg naar het westen floot en passeerde hen. Halders draaide het raam open. Winter voelde een koele wind. Het geluidsniveau nam toe. Uit de communicatieradio kwam gekraak, gemompel, gepraat, maar niet voor hen bedoeld.

'Ben je verder gekomen?' vroeg Halders toen hij rechts afsloeg naar de rivier en voor het vijfde rode licht stopte. Vrachtwagens van de veerboot uit West-Duitsland reden bulderend over de E45. 'Ging er een lichtje branden tijdens het verhoor met die lange jas?'

'Alleen dat hij van zijn vrouw hield.'

Het licht sprong op groen en Halders ging er plankgas vandoor richting het westen. Winter zag de veerboot onder de Älvsborgsbrug varen. Door het perspectief werd het beeld verwrongen. Het leek alsof de schoorstenen door de brugbogen heen zouden stoten.

'Zei hij dat? Tijdens het verhoor?' Halders draaide zijn hoofd naar Winter. 'Dat hij van haar hield?'

'Ja.'

'Dan is hij schuldig.'

'Het was de tweede keer dat hij dat zei,' zei Winter.

'Dan is hij dubbel schuldig.'

Het was stil in de cafetaria, een soort nederig gevoel. Een man in ziekenhuispyjama was naar beneden gesloft, omringd door zijn gezin. Ze spraken zachtjes en Winter kon geen woorden onderscheiden. Een paar jongeren kwamen binnen, ze gingen zitten maar bestelden niets. Ze keken met grote ogen om zich heen, alsof ze de verkeerde deur waren binnengestapt.

Mario Ney kwam na een halfuur terug. Winter had ondertussen wat aantekeningen doorgenomen. Ze hadden inmiddels alle gasten verhoord die zich ten tijde van Paula's dood in Hotel Revy bevonden. Het waren er niet veel, en ze konden allemaal van het onderzoek worden geschrapt. Sommige namen zouden in andere onderzoeken terechtkomen. Het hotel zou sluiten en niemand wist nog wat ervoor in de plaats zou komen. Wat Winter betrof mocht de hele troep worden gesloopt. Maar nog niet.

Ney ging voor hem zitten, slechts voor even, op het randje van de stoel. Winter had een andere afspraak met Ney kunnen maken, op een ander tijdstip, maar hij had iets bij de man gezien wat hem had doen besluiten nu met hem te praten. Het was een uitdrukking op Neys gezicht. Winter herkende die uitdrukking, maar op een andere manier dan bij Elisabeth. Een rusteloosheid veroorzaakt door kennis. Kennis die gedeeld moet worden.

'Waar gaan we heen?' vroeg Ney.

'Wil je nog steeds een glas wijn hebben?'

'Ja. Maar als jij ...' zei Ney, maar hij maakte de zin niet af.

'Voor een glas wijn ben ik altijd te porren,' zei Winter. 'Ik moet alleen mijn auto even wegbrengen.'

Het café lag in de buurt van Winters appartement. Hij had zijn auto in de parkeergarage gezet na Ney in een aangrenzende straat te hebben afgezet.

Ze bestelden een glas goede wijn. Een meisje van een jaar of twintig bediende hen. Zonder te vragen bracht ze hun ook een glas water. Winter herkende haar niet.

'Ik betaal,' zei Winter toen de vrouw hun tafeltje had verlaten.

'Je bedoelt de politie?'

'Nee, zo werkt het helaas niet.'

'Werk je vaak op deze manier?' vroeg Ney. 'Dan word je alcoholist.'

'Ik werk eraan,' zei Winter.

'Kijk maar uit. Het gaat sneller dan de meeste mensen denken.'

Winter knikte.

'Ik heb het bij mensen in mijn omgeving gezien,' zei Ney.

'Welke omgeving is dat?'

'Geen specifieke,' antwoordde Ney en hij liet zijn blik over de omgeving dwalen.

Het was rustig in het café. Een nieuw blauw uur. Winter herkende de barkeeper niet. De man had een blauw oog, en niet alleen omdat het schemeruur was. Hij had een pak slaag gekregen, maar waarschijnlijk niet hier. Zo'n gelegenheid was het niet.

'Sorry dat ik zo bruusk was,' zei Ney. 'Ik bedoel bij ons thuis.' Hij keek Winter aan. 'En dat zeg ik niet omdat je me een glas wijn aanbiedt.'

'Ik kan er twee aanbieden.'

'Begrijp je wat ik bedoel?' zei Ney.

'Ik begrijp je reactie. Die is normaal.'

'Is dat zo?'

'Als iets dergelijks je overkomt, is alles normaal,' zei Winter. 'En niets. Niets is nog normaal.'

Hij keek weer om zich heen. In de afgelopen vijf minuten was het donkerder geworden in de hoeken. De contouren begonnen op te lossen, alsof hij al een paar glazen ophad. Alles werd matter en dat zou zo blijven tot iemand op het slechte idee kwam lampen aan te doen. Maar tot dat moment konden ze van de schemering genieten. De wijnglazen stonden nog steeds op tafel. Alsof niemand het glas wil heffen, dacht Winter. Dat was niet de reden dat we hierheen gingen.

'Maar waarom?' zei Ney. 'Het valt niet te begrijpen. Waarom?'

'Die brief ...' zei Winter.

'Praat niet over die rotbrief,' zei Ney.

'Maar dat moeten we wel doen.'

'Ik wil het niet. Elisabeth wil het niet. Niemand wil het.'

Winter tilde zijn glas op en nam een slok zonder zich om de geuren van de wijn te bekommeren. Daardoor verloor de wijn zijn smaak. Ney nam een slok. Hij leek ook niets te ruiken. Ze hadden net zo goed wijn uit een pak kunnen drinken. Dat had Winter nog nooit gedaan. Wijn hoorde in glazen flessen. Wie wijn uit een pak dronk, kon de wijn ook uit een plastic bekertje drinken.

Ney zette zijn glas neer.

'Ik begrijp niet wat voor schuld ze voelt,' zei hij zonder Winter aan te kijken. 'Daar lijkt het toch op. Alsof ze om vergeving wil vragen. Ze vráágt om vergeving. Er was niets om vergeving voor te vragen. Helemaal niets.'

'Niets wat jullie ooit is overkomen? In jullie gezin?'

'Wat zou dat moeten zijn?' vroeg Ney.

'Iets waaraan ze dacht,' zei Winter. 'Wat ze niet kon loslaten. Iets wat jij je misschien helemaal niet herinnert.'

'Ik kan dit niet,' zei Ney en hij keek Winter nu recht aan. 'Ik kan me iets dergelijks niet herinneren. Het is er niet. Wat zou er zijn waardoor ... Paula zo'n brief schreef? In zo'n ... situatie. Mijn god.'

'Ze is op reis gegaan,' zei Winter. 'Een verre reis.'

'Dat is lang geleden.'

'Waarom ging ze op reis?'

'Ze was jong. Jonger. Mijn god. Ze was nog zo jong.'

Ney leek plotseling bang van zijn eigen woorden. Het was alsof hij erdoor werd aangevallen. Hij was teruggedeinsd, alsof hij werd geslagen. Het was alsof er iemand stond die Winter niet kon zien. Plotseling kwam er een koude tocht van de deur, misschien van de ramen. Neys ogen richtten zich naar binnen. Zijn gezicht sloot zich als een zware deur.

'Jullie hebben lange tijd niet geweten waar Paula was,' zei Winter.

'We wisten wel waar ze was,' zei Ney.

'O ja?'

'We wisten dat ze door Europa reisde.'

'Naar Italië? Reisde ze naar jouw geboortestreek?'

Ney antwoordde niet. Dat was antwoord genoeg.

'Naar Sicilië?'

'Daar is niets meer,' zei Ney. 'Er viel niets meer te zien voor haar.'

'Maar ze ging toch?'

'Het is er niet,' zei Ney. 'Er viel niets te vinden.'

'Vinden? Wat zocht ze dan?'

'Zocht ...'

Ney leek zelf naar woorden te zoeken. Hij zag eruit alsof zijn eigen achtergrond zo ver weg was dat hij zich die niet kon herinneren of verwoorden. Ik moet het voorzichtig aanpakken, dacht Winter. Als Paula naar Sicilië is gegaan, heeft het misschien niets met haar dood te maken. Waarom denk ik überhaupt dat dat wel zo is? Is het vanwege de zwijgzaamheid van haar vader? En die van haar moeder? Zij is ook zwijgzaam, op haar manier.

'Paula kende niet eens Italiaans,' zei Ney nu, alsof dat een afdoende reden was om niet naar Italië te gaan.

'Maar je vrouw zei dat Paula Italiaans sprak.'

'Een paar woorden maar,' antwoordde Ney.

De reis, dacht Winter opnieuw. Wat is er tijdens die reis gebeurd? Wat is er daarna gebeurd? Tien jaar later?

Wat is er in deze flat gebeurd? Winter liep van de ene kamer naar de andere. Paula had de afgelopen zeven jaar in deze flat gewoond en dat was een behoorlijke tijd. Wie waren hier geweest? Niet veel mensen. Paula en de eenzaamheid. Ze had haar ouders gehad. Haar familie. Haar werk. Een paar vrienden. Was dat een eenzaam leven? In dat geval was Winter ook eenzaam. Dat was wat hij had. Dat was genoeg voor hem. Dat was geen eenzaamheid.

Hij liep naar het raam. Daar lag Guldheden, de hoge flatgebouwen, de hellingen en de heuvels, de pleinen die modern waren maar toch tot een andere tijd hoorden. Pleinen uit de jaren vijftig zullen altijd modern blijven, had Ringmar een keer gezegd. De jaren vijftig en zestig. Een modernere tijd krijgen we nooit. Winter was in het voorjaar van 1980 twintig geworden. Voor hem waren de jaren zeventig modern geweest, om maar te zwijgen van wat hij van de jaren tachtig verwachtte. Hij zou jurist worden. Hij werd smeris. Toen hij dat was geworden, had hij net als nu, precies op dit moment, over Guldheden uit staan kijken, vanuit een andere hoek, vanaf een ander punt, maar het waren dezelfde flatgebouwen en dezelfde heuvels geweest.

Zijn eigen flat was spaarzaam gemeubileerd geweest, naakt, onaf, en dat was voor hem natuurlijk geweest. Hij was nog nergens mee klaar. Maar dit ... Paula's woning was nog steeds bekleed, gedrapeerd, en daaronder was niet veel wat over een leven verhaalde. Haar woning was spaarzaam gemeubileerd en naakt, net als die van Winter was geweest; toen ze doodging, was ze slechts twee jaar ouder geweest dan Winter destijds. Hij voelde een plotselinge wanhoop. Ja. Het gevoel kwam en ging heel snel. Geen modern tweede decennium in de eenentwintigste eeuw voor Paula, en van het eerste decennium was voor haar ook niets meer over. Niets in deze flat, of ergens anders, zou ooit af worden.

Hij zag een kleine bestelwagen tussen de hoge bakstenen flatgebouwen laveren. De auto stopte voor een brievenbus en een vrouw stapte uit. Paula had geen schuld gehad, ze had geen schuld gedragen. Een pen was in haar hand gestopt. De klootzak. Haar hand bestond niet. Die lag verborgen achter al het wit.

De vrouwelijke postbode leegde de brievenbus, legde de postzak in de gele auto, ging achter het stuur zitten, reed de rotonde op en verdween naar het noorden. Winter had haar witte handen aan het stuur zien draaien toen ze de rotonde opreed. Hij bleef bij het raam staan. De bladeren waren mooi. Ze waren voornamelijk geel, maar het was een andere kleur geel.

De stad voelde opeens groter dan ooit. Je kon je daar verstoppen. Je kon een daad begaan en je daarna verstoppen. Maar ik zal je pakken, klootzak.

Hij wist dat het gevaarlijk zou worden.

Het vliegtuig gleed in de gebruikelijke langzame landing met veel lawaai naar beneden. Winter stond op de oostelijke parkeerplaats en zag het vliegtuig als een reusachtige trekvogel op weg naar het noorden neerkomen. De verkeerde richting. Maar later vanavond zou het terugkeren. Over minder dan twee maanden zou hij aan boord zitten. Zíj zouden aan boord zitten.

Hij ging naar binnen en wachtte bij de aankomsthal. Mensen stonden in een halve cirkel voor de deuren. Hij meende een paar gezichten te herkennen, en dat was niet zo vreemd. Hij was een van de velen die familie aan de zonnekust had. Málaga was niet ver weg.

Lilly sliep in haar kinderwagen, die Elsa voorzichtig voor zich uit duwde.

'Papa! Papa!'

Elsa liet de kinderwagen los en Winter ving de wagen met zijn ene arm en Elsa met zijn andere. Ze kon hoog springen, hoger dan een paar weken geleden.

Ze gaf hem veel kusjes, hij had geen kans.

Met zijn andere hand pakte hij Angela bij haar middel en kuste haar op de mond.

'Welkom thuis.'

'Dag, Erik.'

'Hebben jullie een goede reis gehad?'

'Lilly kreeg oorpijn, maar dat ging weer over.'

'Ze heeft hartstikke veel geschreeuwd,' zei Elsa.

'Genoeg om tot morgen te slapen,' zei Angela.

Winter boog omlaag en gaf zijn jongste dochter een zoen. Ze werd niet wakker. Ze rook lekker, hij was die geur bijna vergeten.

Elsa en Lilly sliepen toen hij nog een fles opentrok en die meenam naar de woonkamer. Angela zat in de fauteuil bij het balkon. De deur stond op een kier en ze konden het verkeer horen, als een ver gebruis. Het gordijn bewoog even in de wind.

'Het is minder koud dan ik had gedacht,' zei Angela. 'En de stad ziet er groter uit. Dat is grappig.'

'Je vergeet dingen snel,' zei Winter.

'Hoe zacht het in Göteborg is?'

'Ja. Zacht en gevoelig.'

'Zoals jouw zaken.'

Hij nam een slokje wijn. Die was koel, smaakte naar de mineralen uit de Elzasser grond.

'Weten jullie al wat meer over de moord op die vrouw?'

'Paula.'

'Ja. Weten jullie al meer?'

'Ik weet niet of ik het weet,' antwoordde hij en hij vertelde over de laatste dagen.

'Mijn verlof is goedgekeurd,' zei hij daarna. 'Het hoofd van de Rijksrecherche had geen bezwaar.'

17

Ze lagen in bed en luisterden naar de geluiden van de nacht. Dat waren er niet veel. Geen sirenes, vrijwel geen motorgeluiden. Winter keek hoe laat het was, nog even en het uur van de wolf begon. Het was harder gaan waaien, de temperatuur was gedaald. Het tochtte vanaf het halfopen raam. Hij stapte uit bed en deed het raam dicht. De wind rukte aan de boomtakken op het Vasaplein. Zelfs in het donker kon hij de bladeren zien vallen. Hij keek of er iemand op het balkon aan de andere kant van het park stond te roken, maar hij zag geen gloed. Hij liep terug naar het bed en voelde de warmte van de houten vloer. Dat was een van de redenen om hier te blijven wonen. De kinderen konden op deze vloer spelen zonder het gevaar te lopen verkouden te worden. Vloerverwarming in een nieuwe vloer was niet hetzelfde, en deze kwaliteit houten vloeren bestond niet meer.

'Straks wordt het weer licht,' zei Angela.

'Dat duurt nog uren.'

'Ik geloof niet dat ik kan slapen.'

'Waarom niet?'

'Ik ben draaierig.'

'Wil je een glas water?'

'Graag.'

Hij stapte weer uit bed, liep door de gang en pakte een glas van de plank in de keuken. Hij hoorde bekende geluiden op de binnenplaats. De krantenbezorger. Binnen drie minuten zou de krant in de hal ploffen. Angela zou hem misschien gaan halen en meteen gaan lezen, plaatselijk nieuws zonder een dag vertraging.

Winter vermoedde dat er niet veel aandacht zou worden besteed aan de moord op Paula. Er gebeurde te weinig. In elk geval voor de journalisten. Tegelijkertijd begreep een aantal van hen dat hoe minder ze van de onderzoeksleiding te horen kregen, des te meer er te horen viel. In die zin was de stilte veelzeggend. Maar in deze zaak was de stilte op een andere manier sprekend. De stilte rondom Paula. Het was een stilte waar hij niets mee kon. Ze was ingehouden op een manier die hij nog nooit eerder had meegemaakt. Als een stilte die slechts een decor vormt. Waarvan je weet dat er iets enorms achter schuilgaat. Je kunt de stilte zien, haar aanraken, maar ze is niet werkelijk. Ze lijkt overal mee te maken te hebben, en alle details op zich lijken werkelijk, maar ze houden geen verband met elkaar. Het is alsof je de instructies voor een droom leest. Die bestaan niet. Die kunnen nooit bestaan.

Hij liep terug met het glas water.

'Dank je.'

'Waarom is iedereen zo stil?' zei hij en hij ging op de rand van het bed zitten.

'Hoe bedoel je? Hier?'

'Paula. Alle mensen rond Paula. Het is zo stil.'

'Je hebt toch met haar vader gesproken? Werd hij niet een beetje toeschietelijker?'

'Ik weet het eerlijk gezegd niet. Ik weet niet wat hij wou.'

'Je raakt beschadigd door je werk, Erik. Je denkt dat iedereen een verborgen agenda heeft.'

'Tja ...'

'Dat iedereen liegt. Of de waarheid probeert te verhullen.'

'Is dat niet hetzelfde?'

'Je begrijpt wat ik bedoel. En dan, als iemand probeert te zeggen hoe het is, of misschien alleen maar ... zijn hart wil luchten, dan geloof je dat ook niet.'

'De hoofdinspecteur als psychotherapeut.'

'Nu begin je het te begrijpen,' zei ze, en in het donker van de slaapkamer zag hij haar glimlach.

'Dat heb ik allang begrepen. Ik doe er zelfs mijn best voor.'

'Ik weet het, Erik. Maar probeer het ook wat vaker zo te zíén. Niet iedereen liegt.'

'Mensen liegen tot het tegendeel is bewezen,' zei hij.

'Is het niet andersom?'

'Zo was het vroeger.'

'Je hebt me ooit beloofd niet cynisch te worden.'

'Daar heb ik me aan gehouden.'

Ze hoorden een nieuw geluid in het uur van de wolf.

'Lilly,' zei Angela. 'Ze wordt tegenwoordig vroeg wakker.'

'Ik ga wel.'

Hij liep weer naar de hal en ging naar de kamer van de meisjes. Ze hadden Elsa gevraagd of ze een eigen kamer wilde hebben, maar ze wilde haar kamer met Lilly delen. Ze zei dat ze dat 'gaaf' vond. Lilly verhuisde naar Elsa's kamer. Ze stond al bijna in haar bedje toen Winter haar optilde en in haar oor fluisterde.

Voor het ochtendoverleg ging hij eerst naar Ringmars kamer. Ringmar had een grote stapel documenten voor zich liggen, die hij zat te lezen.

'Je ziet er vief uit,' zei Ringmar toen Winter was gaan zitten.

'De familie is gisteren thuisgekomen.'

'Aha. Afgelopen met het vrijgezellenleven.'

'Dat is alweer lang geleden,' zei Winter.

'Alles is lang geleden,' zei Ringmar en hij keek weer naar het document.

'Wat lees je?'

De telefoon op Ringmars bureau rinkelde voordat hij kon antwoorden.

'Ja?'

Winter hoorde alleen maar een stem, geen woorden. Ringmar knikte twee keer. Hij keek naar Winter en schudde zijn hoofd. Winter boog zich naar voren.

'Waar is hij nu?' zei Ringmar in de hoorn en hij wachtte op antwoord. 'Laten we hopen dat hij daar blijft.'

Winter zag een rimpel tussen Ringmars ogen dieper worden.

'Elisabeth Ney heeft het ziekenhuis verlaten, maar is niet thuisgekomen,' zei Ringmar terwijl hij de hoorn op de haak legde.

'Ik luister,' zei Winter en hij voelde hoe de huid boven zijn rechterslaap straktrok.

'Dat was Möllerström. Mario Ney belde hierheen en toen Möllerström hem met jou wilde doorverbinden, verdween hij.'

'Met mij? Wilde hij mij spreken?'

'Ja.'

'Waar was hij?'

'Dat heeft Möllerström, als de goede agent die hij is, meteen gevraagd. Ney is thuis. Hij had naar het ziekenhuis gebeld en te horen gekregen dat Elisabeth op eigen verzoek uit het ziekenhuis was ontslagen. Ze had niet gevraagd of iemand haar kon komen ophalen.'

'Daar hebben ze waarschijnlijk niet naar gevraagd,' zei Winter. 'Of ze dachten dat ze werd opgehaald.'

'Hoe dan ook, ze is niet thuisgekomen. Er is drie uur verstreken sinds ze uit het ziekenhuis is vertrokken. Ze heeft geen mobieltje.'

'Wanneer belde Ney naar het ziekenhuis?'

'Zonet, volgens Möllerström. En toen meteen hierheen. Möllerström probeerde hem weer te bereiken toen de verbinding werd verbroken, maar er werd thuis niet opgenomen.'

'Ze kan door de stad lopen,' zei Winter. 'In een café zitten. Winkelen. In de tram rondrijden.'

Ringmar knikte.

'Alles om niet weer naar huis te hoeven,' zei hij.

'Of ze is verward.'

'Ze kan verdwenen zijn,' zei Ringmar.
'Dat woord heeft meerdere betekenissen, Bertil.'
'We gaan naar Tynnered,' zei Ringmar.

'Is er geen toezicht?' zei Mario Ney al in het trappenhuis. Hij had de deur al opengedaan, hij moest bij het keukenraam hebben gestaan en hen hebben zien parkeren. Het echode op de trap toen hij sprak. Hij had zweet op zijn voorhoofd staan. 'Hoe kan ze zomaar worden ontslagen?'

'Mogen we binnenkomen, Mario?' zei Winter.

'Wat? Ja ...'

Ze liepen de hal in. Mario sloeg de deur met een klap dicht. Winter hoorde de echo in het trappenhuis. Het leek alsof het geluid beneden keerde en weer terugkwam als een verdoemde geest.

'Kunnen we in de kamer gaan zitten, Mario?'

'Gaan ... gaan zitten? We hebben toch zeker geen tijd om te gaan zitten?!'

'We laten onze collega's in de stad naar je vrouw zoeken,' zei Ringmar.

'In de stad? Maar wat als ze niet in de stad is?'

'Waar zou ze anders zijn?' vroeg Winter.

Ney antwoordde niet. Ze liepen de woonkamer in. Ney zakte neer in een fauteuil. Hij keek naar Winter.

'Ze is al meer dan drie uur weg,' zei hij na tien tellen.

'Wanneer heb je je vrouw voor het laatst gesproken?'

'Dat weet je toch? Dat was voordat ik met jou wijn ging drinken.'

Ringmar wierp een blik naar Winter.

'Waarom belde je naar het ziekenhuis?' vroeg Winter.

'Waarom ... ik bel elke dag. Wat is daar vreemd aan?'

'Niets. Maar je gaat toch bij haar op bezoek. Elke dag.'

'Ik belde eerst en ging er later heen, ja.'

'Wat zei ze tegen het personeel toen ze wegging?' vroeg Ringmar.

'Weten jullie dát zelfs niet?'

'We hebben er collega's heen gestuurd,' zei Winter. 'Maar wij wilden meteen naar jou toe.'

'Ze moet nog steeds verward zijn,' zei Ney. 'Anders zou ze nooit zoiets doen. Nooit.'

Eerst was het niet goed dat ze werd opgenomen, dacht Winter. Nu is het niet goed dat ze is ontslagen. Of hij heeft iets geleerd, of er is iets anders aan de hand.

'Heb je je vrouw eerder vandaag gesproken?' vroeg Winter.

'Nee.'

Winter keek naar Ringmar.

'Heeft iemand anders haar wel gesproken?' vroeg Ney.

Winter antwoordde niet.

Ney herhaalde zijn vraag.

'Dat weten we nog niet.'

Een uur later zouden ze het weten. Iemand, een mannenstem, had Elisabeth Ney gebeld, een verpleeghulp was naar de ziekenkamer gegaan, had Elisabeth gehaald en haar naar een telefoon naast de koffiekamer gebracht.

Een halfuur later was ze vertrokken. Niemand van de receptie beneden in het ziekenhuis kon zich herinneren dat ze haar door de glimmende deuren naar buiten hadden zien gaan. Net als in een hotel, dacht Winter. Onbekenden kwamen en gingen.

'Waarvandaan belde hij?'

Halders was een paar minuten na de anderen de kamer binnengekomen.

'Vanuit Gothia,' antwoordde Winter. 'Hotel Gothia.'

'Shit. We blijven dus bij het hotelthema.'

'Het gesprek kwam van een telefoon in de lobby,' zei Ringmar.

'Maar het was natuurlijk niemand van het personeel?' vroeg Halders.

'Voor zover wij weten niet,' zei Ringmar.

'Een slimme klootzak,' zei Halders, 'gewoon naar binnen gaan, doen alsof je neus bloedt, om een telefoon vragen en bellen.'

'Misschien logeert hij in het hotel,' zei Bergenhem.

'Niet waarschijnlijk,' zei Halders.

'Kun je dat zomaar doen? Gewoon een hoteltelefoon gebruiken?' vroeg Aneta Djanali. 'Is dat mogelijk?'

'Het bewijs is net geleverd,' zei Halders.

'En niemand heeft Elisabeth Ney in het hotel gezien?' vroeg Bergenhem.

Winter schudde zijn hoofd. Ze hadden mensen naar het hotel gestuurd. Niemand van het personeel had Elisabeth Ney herkend.

Nu zouden ze de gastenlijst doornemen. En proberen het personeel na te trekken. Dit kon enorme proporties aannemen, dat had hij al zo vaak meegemaakt. De zaken werden naar buiten toe wijder, maar tegelijkertijd krompen ze naar binnen toe. Het werd moeilijker om te zien wat belangrijk was en wat alleen maar lucht was, wind.

'Wat gaan we doen?' vroeg Halders. 'Gaan we Molina om een huiszoekingsbevel vragen zodat we alle hotelkamers kunnen openen?'

Officier van justitie, Molina, hoopte altijd iemand te kunnen vervolgen, maar hij was niet optimistisch. Hij was nooit optimistisch. Winter had zelden reden om hem blij te maken.

'Het wordt verdomme net als met de bagagekluizen,' zei Halders. 'Hoeveel kamers heeft het Gothia?'

'We komen er niet in,' zei Winter. 'Molina zal er nooit toestemming voor geven. En we hebben toch niet voldoende mensen.'

'We krijgen alleen toestemming voor een huiszoeking in een groot hotel als we zouden vermoeden dat Osama Bin Laden zich in een washok schuilhoudt,' zei Halders.

'Een bepaalde kamer zou nog kunnen,' zei Winter. 'Maar niet allemaal.'

'Ik weet nog dat we het bevel uit Molina moesten wringen toen het om die paar kamers in Hotel Revy ging,' zei Ringmar.

'Zou Elisabeth Ney echt in een kamer in Gothia Towers zitten?' zei Aneta Djanali. 'Is dat niet de laatste plek om te gaan zoeken, juist omdat hij daarvandaan belde?'

'Hij is slim,' zei Halders. 'Hij hanteert de strafschopmethode.'

'Wat is dat?' vroeg Bergenhem.

'De nemer van de strafschop weet dat de doelman weet dat hij meestal in de rechterhoek schiet, dus daarom schiet hij in de rechterhoek omdat hij erop rekent dat de doelman denkt dat hij in de linkerhoek zal schieten in plaats van in de rechter.'

'Maar als de doelman een stapje verder denkt?' zei Bergenhem.

'Dan heeft de nemer van de strafschop misschien nóg een stap verder gedacht,' antwoordde Halders en hij glimlachte.

'Waar komt de bal dan terecht?' vroeg Bergenhem.

'Niemand weet het,' zei Winter. 'Daarom blijven we naar Elisabeth Ney zoeken. Ook in Gothia Towers.'

'Waar is ze, verdomme?'

Ringmar liep heen en weer in de lobby. Door de brede ramen naar de hal erachter zag Winter grote mensenmassa's heen en weer bewegen. Velen hadden grote plastic tassen bij zich, waar hoogstwaarschijnlijk boeken in zaten aangezien er net een boekenbeurs aan de gang was.

'Hier is ze in elk geval niet,' zei hij in antwoord op Ringmars vraag.

Ze dachten niet langer dat ze in Hotel Gothia was.

'Misschien is ze alleen maar verward,' zei Ringmar. Hij bleef even staan en keek naar de mensen achter het glas. 'Misschien is ze daarbinnen.'

Winter schudde zijn hoofd.

'We zoeken naar een speld in een hooiberg,' zei Ringmar en hij draaide zich om naar Winter. 'Een verwarde speld. Ze kan overal in de stad ronddwalen.'

'Wat is het alternatief?' zei Winter.

'Dat willen we niet weten.'

'Is er een alternatief?'

'In dat geval is er meer aan de hand dan wij denken.'

'Kan dat ons helpen?'

'Niet noodzakelijkerwijs,' zei Ringmar.

'Wat is dat voor een cynische opmerking?'

Ringmar bestudeerde de mensen aan de andere kant van het glas zonder antwoord te geven. De gang was erg vol, de mensen konden zich maar langzaam voortbewegen. Honderden gezichten passeerden als een rivier. Sommige keken naar binnen, naar Ringmar en Winter.

'Een speld,' herhaalde Ringmar terwijl hij naar de hooiberg aan de andere kant keek. 'Birgitta en ik waren van plan hier zaterdag heen te gaan.' Hij knikte naar de mensenmassa achter het glas. 'Maar ik heb er nu geen zin meer in.'

Buiten heerste chaos. De beurs zou bijna sluiten en iedereen wilde tegelijk naar buiten. Het was ook heel druk geweest in de lobby van het hotel. Winter had ingezien hoe eenvoudig het was om vanaf een anonieme telefoon een anoniem gesprek te voeren.

'We kunnen net zo goed teruggaan,' zei Ringmar.

Ze waren met een surveillancewagen naar het hotel gebracht.

Ze reden over de Skånegatan naar het noorden, passeerden het Scandinavium-stadion, het Burgården-college, het Katrinelund-college, de kennistempel voor de mensen die de stad naar de heerlijke toekomst zouden leiden. De zuilen van het Ullevi-stadion leken vanuit dit perspectief smaller. Winter had er bijna twintig jaar lang vanuit een andere hoek naar gestaard.

'Mario kan overal zijn geweest,' zei Ringmar.

'Bedoel je dat hij zijn eigen vrouw kan hebben ontvoerd?'

'Ik weet het niet. Jij bent degene die samen met hem wijn proeft.'

'Waarom denk je dat, Bertil? Dat Mario Ney hierachter zou zitten?'

'Soms heb ik het gevoel dat hij achter veel meer kan zitten,' zei Ringmar.

'Ik geloof niet dat hij zo goed kan toneelspelen,' zei Winter.

'Toneelspelen? Hij kan een stapelgekke psychopaat zijn. Dan heb je geen acteertalent nodig.'

'Nee.'

'Misschien komt hij wel uit een gedegenereerde maffiafamilie van Sicilië.'

'Misschien komt hij wel van Mars,' zei Winter. 'We weten niet veel over zijn achtergrond.'

'Precies.'

'Maar het gaat om zijn eigen vrouw. En zijn eigen dochter.' Winter schudde zijn hoofd. 'Nee, Bertil.'

'Je moet de familie nooit uitsluiten,' zei Ringmar. 'Wijk je af van regel 1A?'

'Het is iemand anders,' zei Winter. 'Hij is het niet.'

18

Het werd later op de middag, het werd avond. Waar was Elisabeth Ney? Toen het donker werd, kon niemand de bladeren zien vallen, maar ze vielen wel. De kruinen van de bomen werden steeds kaler. Nog even en je kon erdoorheen kijken, naar de volgende straat, het volgende plein, het volgende flatgebouw. Was ze daar?

Ze deden wat ze konden, ze deden wat ze altijd in dit soort situaties deden en nog een beetje meer. Er was een vrouw verdwenen. Haar dochter was onlangs vermoord. Ze was diep geschokt, verward, vertwijfeld; niemand wist hoe het op dit moment met haar ging. Haar verdwijning hing in die zin samen met de moord. Hing die er ook op een andere manier mee samen?

'Zeg je dat ik hier iets mee te maken heb?!'

Mario Ney kwam overeind. Hij ging weer zitten. Winter noch Ringmar hoefde iets te doen. En het leek niet alsof Ney ging slaan. Misschien dat hij wegging.

'Heb ik dat beweerd?' vroeg Winter.

Ze zaten in Winters werkkamer. Hoewel het formeel gezien geen verhoor was, was het dat in feite wel.

'In zekere zin,' zei Ney.

'Ik ben eerlijk tegen je,' zei Winter. 'Als mensen verdwijnen, willen we weten wat hun familie op het tijdstip van de verdwijning deed. Waar iedereen was.'

'Kunnen jullie niet iets beters verzinnen?'

'Vaak is dat het beste,' zei Winter.

'Daar geloof ik geen klap van,' zei Ney. 'Daar geloof ik helemaal geen klap van.'

Winter zei niets. Ringmar zweeg. Gekletter tegen het raam, alsof een paar herfstbladeren naar binnen probeerden te komen, misschien zelfs hele takken.

'Hoe dan ook, jullie weten waar ik was,' zei Ney. 'Ik was thuis.'

'Heeft iemand je gezien?' vroeg Ringmar.

'Ik was alleen. God nog aan toe. Jullie weten dat ik nu alleen ben. Wat is dit? Hoe kunnen jullie dit soort vragen stellen?'

'Ik bedoel of je misschien een buurman bent tegengekomen,' zei Ringmar.

'Of iemand hebt gebeld,' zei Winter.

'Waar had ik naartoe moeten gaan? En wie had ik moeten bellen? Dat kunnen jullie toch nagaan? Als ik had gebeld?'

'Ja.'

'Ja, ja, ik begrijp het al,' zei Ney.

Toen het donker werd, had de hoop deze stad verlaten. Opeens zag Ney er nog vermoeider uit, alsof alles al voorbij was. Of alsof hij nog iets wilde zeggen. Winter vermoedde dat hij nog iets wilde vertellen. Daarom zaten ze hier ook. Winters intuïtie op dit punt was sterk. Hij vertrouwde erop. Ney wist iets wat hij niet wilde zeggen. Wat er ook was gebeurd, en nog gebeurde, dát wilde hij niet vertellen. Het geheim was als een diepe afgrond. Wat kon het zijn? Wat kon het verdomme zijn? Kon hij Ney zover krijgen dat hij het vertelde?

'Hoe zie jij zelf de verdwijning van Elisabeth?'

'Hoe ... hoe bedoel je?'

'Waarom is ze verdwenen?'

'Ze is verward, natuurlijk. Zoals ik al zei, ze had nooit uit het ziekenhuis ontslagen mogen worden.'

Winter knikte. Ney had ook gezegd dat ze nooit opgenomen had mogen worden.

'Daar gaat het om,' ging Ney verder.

Winter knikte weer.

'Je zegt niets, Winter. Je denkt toch niet serieus dat de verdwijning van Elisabeth te maken heeft met ... met de moord op Paula? Dat iemand ... iemand ...' Hij maakte zijn zin niet af. 'Dat bedoel je toch niet?'

Winter gaf niet meteen antwoord.

'Heb ík het gedaan?' Ney stond abrupt op. 'Zeg het me recht in mijn gezicht als jullie denken dat ik het heb gedaan!'

'Ga zitten,' zei Winter.

'ZEG HET ME DAN!' schreeuwde Ney.

Ringmar was gaan staan. Winter maakte een beweging met zijn arm, maar Ringmar bleef staan. Ney bewoog niet. Hij leek van slag, alsof hij op het punt stond iets te zien wat hij niet wilde zien. Lossen we het raadsel nu op, dacht Winter. Krijgen we nu een antwoord?

Ney ging zitten, of beter gezegd, hij plofte op de stoel neer.

Ringmar liep naar het raam en keek naar buiten. Daar is niets, dacht Winter. Daar is het alleen maar donker. Ringmar draaide zich om.

'Wil je ons nog iets zeggen, Mario?' vroeg hij.

Ney keek op. Hij leek Ringmar niet goed te zien nu die aan de andere kant van de kamer in het halfduister stond. Winters kamer lag altijd half in het duister. Net als de woonkamer van de familie Ney.

'Zeg het nu,' zei Ringmar.

Ney keek Winter aan, alsof hij hulp zocht. Alsof Winter de goede agent was en Ringmar de slechte. Maar Winter kon nu niet aardig zijn.

'Zeg het, Mario,' zei hij met een knikje. 'Zeg het gewoon.'

'Jullie zijn niet goed bij je hoofd,' zei Ney, maar zijn stem was heel langzaam, lijzig als het ware, alsof hij iets herhaalde waar hij net aan had gedacht maar niet in geloofde. Winter had dat als ondervrager wel vaker meegemaakt. Een gedachte was één ding, maar de woorden die die gedachte moesten overbrengen bevonden zich heel ergens anders, aan de andere kant van de hersenen, de kamer, de stad, de wereld.

Winter wachtte. Ney kon opstaan en weglopen, hij had er alle recht toe, ze waren niet van plan hem zes uur of het dubbele daarvan vast te houden. Maar Ney wachtte ook, alsof zijn gedachten hem weldra zouden vertellen wat hij moest doen.

Toen stond hij weer op.

'Nu wil ik naar huis.'

'Shit,' zei Ringmar. 'We hadden hem bijna.'

Ze zaten nog steeds te schemeren. Alles werd stiller als het licht zwak was. Misschien is dat het moment waarop je het beste kunt denken. Winter keek naar de langzame bewegingen van de bomen. Ik heb een trekje nodig in de frisse lucht. Ik ben niet van plan op te staan, nog niet.

'We hadden het bijna,' ging Ringmar verder.

'Wat hadden we bijna?'

'Een geheim.'

'Wat voor geheim?'

Ze volgden nogmaals hun methode, hun gewoonte: vragen, antwoorden, vragen, antwoorden, in een rap tempo, soms onregelmatig, soms op weg naar één plek.

'Over hem.'

'Alleen over hem?'

'Zijn gezin.'

'Zijn vrouw? Zijn dochter? Alle twee? Een van beiden?'

'Alle twee,' zei Ringmar. 'Het houdt verband met elkaar. Zij houden verband met elkaar.'

'Hoe?'

'In deze zaak?'

'Ja.'

'Meer dan dat ze moeder en dochter zijn?'

'Ja.'
'Dat weet ik nog niet. Om daarachter te komen, moeten we dieper in het verleden duiken.'
'In de achtergrond van dit gezin?'
'Ja.'
'Hebben we er niet genoeg aandacht aan besteed?'
'Nee.'
'Hoe dan?'
'Dat zal moeten blijken. Dat zullen we wel zien.'
'Heeft het met Mario's achtergrond te maken?' vroeg Winter.
'Misschien. Maar dat kan een doodlopend spoor zijn. Italië, Sicilië. Dat kan de verkeerde richting zijn.'
'Heeft het met Elisabeths achtergrond te maken?'
'Ja.'
'Waarom?'
'Ze draagt een geheim met zich mee.'
'Is zij de enige met dat geheim?'
'Nee.'
'Wie weet het verder nog?'
'Mario.'
'Dus het is zijn geheim?'
'Ja.'
'Maar het heeft met haar te maken?'
'Ja.'
'Heeft het met Paula te maken?'
'Nee.'
'Weet je dat zeker?'
'Nee.'
'En wat als het met Paula te maken heeft?'
'Ja, wat dan?'
'Gaat het over haar leven als volwassene?'
'Dat weet ik niet. We weten nog steeds onvoldoende over haar.'
'Hoe komen we meer te weten?'
'Dat weet je, Erik. Gewoon doorwerken.'
'En wat als het met Paula's jeugd te maken heeft?'
'Waarom zeg je dat?'
'Dat weet ik niet.'
'Iets in haar jeugd? Wat met de moord op haar te maken heeft, bedoel je?'
'Ja.'
'Heeft het met het gezin te maken?'
'Ja. Nee. Ja. Nee. Ja.'
'Het laatste was "ja".'

'Het heeft met het gezin te maken.'
'Alleen met het gezin? Of ook nog met iemand anders?'
'Ik zie niemand. Maar er kan wel iemand zijn.'
'Heeft het met Mario's jeugd te maken?'
'Nee.'
'Met Elisabeths jeugd?' herhaalde Ringmar.
'Ja.'
'Waarom?'
'Ik zie Elisabeth. Het gaat om haar. Dat is wat Mario ons heeft laten zien, zonder ook maar iets te zeggen.'
'Elisabeths jeugd?'
'Ja. Misschien.'
'We hebben niet naar haar jeugd gekeken.'
'Daar hebben we nog geen tijd voor gehad.'
'Hebben we er nu wel tijd voor? Energie?'
'Is het een goed plan?'
'Wat zou er in Elisabeths jeugd gebeurd kunnen zijn dat nu licht op de situatie werpt?'
'Schaduw. Het verleden werpt altijd een schaduw.'
'Moeten we hun woning nog een keer doorzoeken? Die echt doorzoeken?'
'Ik ben bang dat we daar niets zullen vinden.'
'Waar moeten we dan gaan zoeken?'
'Er is nog maar één plek over.'
'Paula's flat.'
'Ja.'
'Daar zijn we al twee keer geweest.'
'Dan gaan we nog een derde keer. Driemaal is scheepsrecht, zeggen ze.'
'Welke "ze"?'
'Ik.'
'Eerst een pauze.'

Vergeleken met Winters kamer leek de koffiekamer een felverlichte operatiezaal. Ze dronken automaatkoffie die te heet was. Winter liet de plastic beker staan. Dat was ook een gewoonte. Alles was een gewoonte, een noodzakelijke gewoonte. Op die manier was fantaseren ook een gewoonte, net als intuïtie. Denken was een gewoonte. Sommigen hadden het alleen nooit geleerd. Je moet leren denken. Het kon moeilijk zijn om slecht te denken, maar het was oneindig veel lastiger om goed te denken.
Ringmar nam een slok van het afgekoelde vergif en vertrok zijn mond.
'Laat het toch staan,' zei Winter.
'Dit wordt mijn dood,' zei Ringmar.

'Volgende week komt mijn cappuccinoapparaat,' zei Winter. 'Ik zet het op mijn kamer.'

'Serieus?'

'Misschien.'

Ringmar glimlachte en tilde de beker weer op. Vervolgens zette hij hem neer. Een collega van de afdeling City kwam binnen, drukte op een knop voor een kop koffie en knikte naar hen terwijl hij met het hete bekertje tussen zijn vingers balancerend weer naar de gang liep.

Buiten hoorden ze de wind. Die was in kracht toegenomen toen ze in Winters kamer zaten. Hij had het aan de bomen gezien, en hij zag het nu. De wind rukte aan de bomen voor de ingang van het politiebureau. De halfnaakte takken zwiepten heen en weer. Het waren net handen die langzaam vaarwel wuifden. Winter volgde de bewegingen. Ringmar ook. Hij draaide zich om naar Winter.

'Denk jij wat ik denk?'

'Waarschijnlijk wel.'

'Is dit symbolisch?'

Symbolisch. De witte hand. Wat was de symboliek? De hand zelf? Dat het een hand was? De kleur, de witte kleur? Het beeld?

'De witte hand,' zei Winter, maar het leek alsof hij tegen zichzelf sprak.

'Ik ben er vanmiddag naar gaan kijken,' zei Ringmar.

Winter knikte.

'Alsof ik deze keer iets meer te weten zou komen.'

'De witte kleur,' zei Winter.

'Ja?'

'Het kan om de kleur gaan.' Hij liet de bomen met zijn blik los en wendde zich tot Ringmar. 'De kleur. Wit. Waar staat dat voor?'

'Tja ... onschuld. Iets onschuldigs.'

'Hm.'

'Puurheid.'

'Ja.'

'Waar denk je aan, Erik?'

'Is het de kleur, Bertil? Moeten we ons daarop concentreren?'

'Hoever brengt ons dat?'

'Liefde,' zei Winter. 'Staat wit ook niet voor liefde?'

'Het hangt ervan af wat ermee wordt bedoeld,' zei Ringmar. 'In dit geval kan het overal voor staan.'

Winter knikte.

'Wit kan voor de dood staan,' zei Ringmar. 'Wit is ook de kleur van de dood. Op een begrafenis draag je een witte das.'

Winter veegde wat speeksel van Lilly's mond. Het meisje draaide zich om in haar slaap. Hij boog zich voorover en gaf haar een kus op haar wang. Haar huid was zacht, als een zomerwolk.

Elsa snurkte lichtjes. Winter draaide haar voorzichtig om en het snurken hield op. Maar hij wist dat het terug zou komen. De poliepen. Misschien moest ze geopereerd worden. Waarschijnlijk moest ze geopereerd worden.

Angela lag op de bank met haar voeten op de armleuning.

'Wil je een glas whisky?' vroeg hij.

'Vraag je dat omdat je er zelf een wilt?' vroeg ze.

'Ik? Waarom zou ik een whisky willen?'

Ze haalde haar voeten van de leuning en ging rechtop zitten. 'Je mag me wel een glas van die rode wijn van gisteren geven. Er zit nog een beetje in de fles.'

Hij liep naar de keuken en goot het restant van de wijn in een groot glas en schonk een bodempje Glenfarclas in een ander glas. Misschien dat hij straks nog een bodempje nam, maar meer niet.

Hij liep terug naar de kamer.

'Ben je morgen thuis voordat de kinderen slapen?' vroeg Angela terwijl ze het glas aanpakte.

'Het kwam door Bertil. We bleven maar vragen en antwoorden verzinnen.'

'Natuurlijk, geef hem maar de schuld.'

'Je weet hoe het soms gaat.'

'Twintig vragen en antwoorden?'

'Bleef het daar maar bij.'

'Siv heeft gebeld.'

'O?'

'Ze is vandaag in het appartement geweest. Er is een nieuw fornuis geplaatst.'

'Is alles goed gegaan?'

'Dat moeten we maar zien als we het gebruiken.' Ze hief haar glas. 'Maar het lijkt er wel op.'

Hij knikte. Het fornuis in Marbella, de keuken in Marbella. Nog ruim een maand. Hij pakte zijn glas en snoof de geuren van de whisky op: eik, rook, sherry. Hij nam een slok en dacht eraan dat hij in dat appartement zou zijn als Angela met haar baan begon. Hij wilde er nu al zijn. Nee. Jawel. Nee.

'Ik heb met Siv gesproken,' zei Angela.

'Ja, dat zei je.'

'Over december. Ze wil wel.'

'Wat?'

'Me helpen met de kinderen. Wanneer ik werk. Als jij hier nog aan het werk bent.'

'Ik zal daar zijn,' zei hij, 'bij jullie. Ik heb toestemming gekregen om verlof op te nemen, dat weet je toch?'
'Misschien wordt het uitgesteld.'
'Nee.'
'Ik ken je, Erik.'
Hij gaf geen antwoord.
'Beter dan jij jezelf kent,' ging ze verder.
'Zou je er alleen met de kinderen heen kunnen gaan?' vroeg hij na een tijdje. 'Als ik wat ... uitstel nodig heb?'
'Dat heb ik wel vaker gedaan, nietwaar?'

Möllerström verbond het gesprek door.
'Ze lijkt een beetje van slag,' zei hij.
Winter wachtte terwijl Möllerström haar doorschakelde.
'Hallo? Hallo?'
Het klonk als een roep.
'Met Winter.'
'Hallo ... met Nina Lorrinder.'
'Waarmee kan ik je helpen, Nina?'
'Ik ... ik denk dat ik hem heb gezien.'
'Wie?'
'De man die ... met wie Paula bij Friskis & Svettis heeft gepraat. Ik denk dat ik hem heb herkend.'
'Waar?'
'In de kerk.'
'Welke kerk? De Domkerk?'
'Ja. Ik ben er gisteravond tijdens het avondgebed naartoe geweest. Ik wilde ... ik wilde er alleen even zitten. Ik wilde denken ...'
Ze zweeg. Winter kon haar ademhaling horen. Het klonk alsof ze naar de telefoon was gehold.
'En?'
'Volgens mij was hij het. Hij zat schuin tegenover ... aan de andere kant van het pad.'
'Gisteravond? Was het gisteren?'
'Ja.'
'Waarom heb je niet meteen gebeld?'
Ze antwoordde niet.
Winter herhaalde de vraag.
'Ik weet het niet. Ik was er niet zeker genoeg van. Dat ben ik nu ook niet.'
'En toen?' vroeg Winter. 'Wat gebeurde er na het avondgebed?'
'Ik ben blijven zitten. Hij stond op en ging weg. Hij liep langs me heen. Toen ... toen ben ik ook weggegaan.'

'Heb je hem buiten ook gezien?'

'Nee.'

'Heb je hem weleens eerder in de kerk gezien?'

'Nee. Niet dat ik me herinner.'

'Hoe vaak ga je erheen? Naar de Domkerk?'

'Het is alweer een tijdje geleden. Ik had geen ... ik weet het niet. Na Paula's dood ... zij en ik ... we deden dat altijd samen.'

'Wil je er eens samen met mij naartoe gaan?' vroeg Winter.

Het was stil, het was mooi. Kerken waren Winter niet vreemd. Het was een mooie ruimte. Het licht was goed. De wereld buiten verdween. De ramen van de kerk lieten hun eigen versie van de stad binnen.

Het was het derde avondgebed. Hij luisterde, maar niet echt aandachtig. De eerste keer, vier dagen geleden, had het hem verbaasd dat er zoveel mensen waren. Misschien gingen er steeds meer mensen naar de kerk tegenwoordig, het afgelopen jaar.

Misschien was het alleen hier in de Domkerk, in het centrum, zo druk. Een alternatief voor winkelen in de Drottninggatan.

De man in het wit verderop zei iets wat Winter niet verstond.

De gemeente zong, stond op en zong. Winter keek naar de mensen. Nina Lorrinder stond naast hem met het psalmboek in haar hand. Ze zong niet.

Ze deed hetzelfde als hij en keek naar de anderen in de kerk. Er waren niet zoveel mensen dat iemand zich verborgen zou kunnen houden.

Het gezang hield op. Ze gingen zitten.

'Hij is er vanavond weer niet,' zei ze zachtjes.

Winter knikte. Het was een poging. Ze zouden hier vaker naartoe gaan, hijzelf niet misschien, en ze konden Nina Lorrinder er ook niet toe dwingen, dag na dag, gebed na gebed. Maar nog weleens vaker. Op een goede dag.

Toen was de dienst voorbij. De mensen gingen staan. Misschien kwam het daardoor ... doordat de mensen zich vooroverbogen om op te staan uit de banken ... Winter had zijn blik op de rijen schuin voor hem aan de overkant van het pad gericht, slechts 10 meter verderop, 12 misschien. Een man die een beetje apart had gezeten, ging staan en voordat hij zich omdraaide, aan de andere kant de bank uit liep en langs de achterste muur van de kerk naar de uitgang ging, zag Winter zijn profiel. Nu zag hij de rechterkant van het gezicht van de man, maar op grotere afstand.

Hij had hem eerder gezien, die man.

Het moest lang geleden zijn. Het was iemand van lang geleden. Wie is het? Wat was het ook alweer ... wat was er toen gebeurd?

Winter draaide zich om, maar de man was verdwenen achter een pilaar die Winter het zicht op de uitgang benam.

'Wat is er?' vroeg Nina Lorrinder.

'Ik meende iemand te herkennen.'

'O, ja? Wie?'

'Dat weet ik niet goed.'

Ik heb hem gesproken, dacht Winter terwijl ze opstonden. Ik heb met hem gesproken.

Ik heb hem verhoord.

Ja.

Dat was het.

Het is jaren geleden.

Buiten was niemand meer. Op de Västra Hamngatan losten de trams elkaar af.

'Ik breng je wel even thuis, Nina,' zei Winter.

Halders ging samen met Nina Lorrinder naar Friskis & Svettis, op de tijdstippen waarop Nina en Paula er het afgelopen jaar twee avonden in de week hadden gesport.

'En daarvoor?' had Halders gevraagd toen ze de trappen vanaf de Västra Hamngatan opliepen. 'Gingen jullie toen niet sporten?'

'Soms. Ik vaker dan Paula.'

'Hoe kwam dat?'

'Dat weet ik niet. Paula ging weleens joggen. Ik weet het echt niet.'

Binnen was het overal druk. De meeste mensen waren aan het bewegen of wilden dat gaan doen. Het rook er een beetje naar zweet, maar nog meer naar diverse lotions. Heel anders dan de worstelzaal uit mijn jeugd, dacht Halders. Daar rook het naar zweet, decennia van verzameld zweet. Hier leek het alsof de lichamen om hem heen voor het eerst transpiratievocht afscheidden maar dat niet echt wilden loslaten, alsof het gevaarlijk kon zijn te zweten. In de grote zaal achter het glas bewogen de mensen op allerlei manieren, voorzichtig, overdreven, verlegen, narcistisch, ergonomisch correct of verdomd slecht. Halders had op de plek van de knappe vent voor in de zaal kunnen staan om te laten zien hoe het moest. Niet nu, maar tien jaar geleden, toen hij op zijn best was.

Hij had al eens met het personeel gesproken. Ook samen met Nina Lorrinder. Ze hadden de man beschreven met wie Paula had gepraat. De beschrijving was vaag, op de grens van onzichtbaar, hoewel Nina Lorrinder de man in de Domkerk dacht te hebben gezien. Halders had Nina Lorrinder nog niet in contact gebracht met een compositietekenaar. Misschien had hij dat wel moeten doen, al was het ouderwets en leidde het zelden tot resultaat.

Geen van de medewerkers herinnerde zich Paula Ney. Nina Lorrinder herinnerden ze zich ook niet.

'We hebben het aardig druk hier,' zei een vrouw met een rode band om haar voorhoofd. Ze droeg een strak tricot pakje. Halders vermeed om naar haar grote borsten te kijken door zich op de hoofdband te concentreren. Het zou niet best zijn als ze dacht dat hij naar haar borsten gluurde. 'Het is niet makkelijk om je een gezicht te herinneren.'

Nee, dacht Halders. Hier ging het vooral om lichamen. Hij voelde zich hier niet op zijn gemak en in zo'n tricot geval zou dat gevoel nog sterker zijn geweest. Hij sportte niet genoeg.

'Hoe ziet iemand eruit die jullie niet vergeten?' vroeg Halders.

Ze keek hem glimlachend aan. Dat zei genoeg.

Toen ze naar de bar liepen, vroeg hij: 'Zou je hem herkennen als je hem nu zag?'

'Ik denk het wel,' antwoordde Nina Lorrinder.

'Zag hij er goed getraind uit?'

'Ik heb hem niet in sportkleren gezien. Als het al tijdens het sporten was.'

'Hoe bedoel je?'

'Misschien praatte ze niet tijdens een les met hem. Misschien was het ervoor, of erna.'

'Waar stonden ze?'

'Het was maar een paar keer.'

'Laat me maar zien wáár.'

'Eén keer in de bar. Dat heb ik je al gezegd.'

'En verder nog?'

'Hier. In de hal. Daar.' Ze wees naar de andere kant, waar een paar stoelen en een tafeltje stonden. De hal had verschillende in- en uitgangen. Halders kon zien dat ze in de zaal achter de ruit nog steeds aan het fitnessen waren. Voeten, armen, benen in de lucht, heen en weer, omhoog, omlaag. Handen. Als hij zijn best deed, kon hij de handen door de lucht zien fladderen en ... verder niets. Handen die in het felle licht wit werden. Hij raakte bijna verblind. Hij knipperde met zijn ogen, sloot ze even en deed ze weer open. Het was nog steeds moeilijk om goed te focussen. Hij vroeg zich af of Nina Lorrinder daar echt iemand had gezien of dat ze dat alleen maar dacht. Haar onzekerheid was groot geweest, in zekere zin onnodig groot. Er zou een scherpere herinnering moeten zijn. Maar misschien was het slechts een wens van hem: Paula kende iemand en het zou hen helpen haar moordenaar te vinden. Het zou Paula niet helpen. Zij had alle geluiden, kreunen, sprongen, armbewegingen en verblindende lichten achter zich gelaten.

Het kon ook zo zijn dat Nina Lorrinder wilde helpen omdat ze wilde helpen. Halders had dat al honderden keren meegemaakt. Iemand wilde helpen, maar er was niets waarmee hij kon helpen. Het leidde slechts tot desinformatie, het hield het onderzoek en de zoektocht op. Misschien moest hij niet hier zijn, maar in Paula's flat. Verder zoeken naar dat wat ze nog steeds niet hadden gevonden.

'Hoe vaak ben je bij Paula thuis geweest?' vroeg hij.

Ze stonden bij het armzalige tafeltje met de iele stoelen. Alles hier was gemaakt voor lichte lichamen. Misschien was het een aanmoediging. Jullie kunnen net zo worden als wij. Jullie komen hier als een vetzak binnen en gaan hier als een model weer weg. Wij zijn net zo geweest als jullie, jullie worden net zo als wij. De kreet schoot Halders plotseling te binnen. Die had hij op een kerkhof ergens in Zuid-Spanje gezien. Het was tijdens een van de eerste vakanties met Margareta geweest, toen ze nog geen kinderen hadden. Het was heel heet geweest, de huurauto had geen airco gehad. Hij had een tijdje naar de tekst staan kijken die boven de ingang van het kerkhof hing. Wij zijn net zo geweest als jullie, jullie worden net zo als wij. En op het kerkhof zelf tekenden de zwarte sarcofagen zich af tegen een onvoorstelbaar blauwe lucht. Er was een oude man langsgekomen, die zonder dat Halders erom had gevraagd, had uitgelegd wat de woorden betekenden. De man had een Amerikaans accent gehad. Dat had Halders niet verbaasd. De man had eruitgezien alsof hij zó uit een western was gestapt. Halders had onderweg naar Granada aan de woorden boven de ingang gedacht. Hij had ze dreigend gevonden.

'Bijna nooit,' zei Nina Lorrinder.

'Sorry?'

'Ik ben bijna nooit bij Paula thuis geweest. Dat vroeg je toch? Ik ben er zelden geweest.'

'Maar toen je er was. Hoe zag het eruit?'

'Hoe bedoel je?'

'Was het er gezellig? Leek ze het zelf een prettige plek te vinden?'

'Dat ... weet ik niet. Er stonden niet zoveel meubels.'

'Is dat nodig om het gezellig te maken?'

'Dat weet ik niet. Het is ook een kwestie van geld.'

'Maar ze kon het toch goed redden met haar inkomen?'

'Dat denk ik wel.'

'Praatte ze vaak over haar werk?'

'Nooit.'

'Nooit?'

'Nee. Ik praatte ook niet over mijn werk.'

'Nee, ik ook niet over het mijne,' zei Halders.

'Ik dacht dat politieagenten het thuis vaak over hun werk hadden,' zei Nina Lorrinder.

'Bij voorkeur niet. Maar we denken er wel aan. Jammer genoeg.'

'Hoezo is dat jammer?'

'Omdat je als je thuiskomt, je werk net zo van je af wilt laten vallen als je jas.'

'Laat jij je jas zomaar op de grond vallen?'

'Híj daar,' zei Halders zonder antwoord te geven. Hij knikte in de richting van een man die net uit een van de zalen was gekomen en nu op hen af liep. Hij zag eruit alsof hij er net een sessie op had zitten. Hij had iets bekends, hoewel Halders hem nog nooit had gezien. 'Hij zou het kunnen zijn.'

'Hij ís het,' zei Nina Lorrinder.

'De nacht heeft duizend ogen, elke stap wordt door ze gezien.' Halders zong zachtjes terwijl hij door de donkere stad reed. 'De nacht heeft duizend ogen, blijf liever hier misschien.'

'Waar is "hier"?' vroeg Winter.

Hij was gewend geraakt aan de vreemde omgang met Halders. Absurd was zelfs zacht uitgedrukt. Soms had hij het gevoel dat hij in een toneelstuk van Beckett zat. *Wachten op Godot*. Een eeuwige reis van nergens naar nergens. Plaatsen delict in het westen, plaatsen delict in het oosten. Soms vindplaatsen, erger dan plaatsen delict. Wat had het verdomme voor zin? Misschien kon je het inderdaad beter op een afstandje houden met een drastisch soort humor, zoals Halders deed. Een melodietje te midden van de chaos, onderweg van de ene afgrond naar de andere. Ja. De nacht had duizend facetogen, ze straalden en schitterden en knipperden. Neonschemering werd neondageraad, en soms had hij het gevoel dat hij al een hele maand wakker was als het daglicht kwam.

'"Hier" is in de auto,' zei Halders.

'Wat doen we dan als we er zijn?' vroeg Winter.

'We vragen om versterking,' zei Halders.

'Je maakt een grapje.'

'Uiteraard.'

Winter kende Halders nu een paar maanden. Ze vochten niet meer. Ze reisden samen door de nacht. Samen liepen ze vreemde, angstaanjagende trappen op, met getrokken wapen. Ze bloedden samen, en al was het altijd het bloed van iemand anders, dáár ontkwamen ze niet aan. Bloed maakte deel uit van hun dagelijks leven. Hij zag elke week bloed, sommige weken elke dag, sommige dagen elk uur. Wat had het verdomme voor zin? Dat hij de trappen opliep was de zin. Dat hij zijn wapen trok. Dat hij daar stond, daar wás. Maar bijna altijd was het voorbij. Als hij maar eerder was gekomen. Ze kwamen zelden op tijd.

'Is het hier?'

Halders draaide zijn hoofd opzij. Winter las zijn aantekeningen door en keek omhoog. Hij was niet op Hisingen geboren. Dit was ver voorbij het Vågmästareplein. Wie niet op het eiland was geboren, leerde hier nooit echt de weg. Telkens als hij hier kwam, leek het alsof het eiland zich had verplaatst. De windrichtingen klopten niet meer.

Halders was bij een flat met vijf verdiepingen gestopt. Er stonden nog zes of zeven soortgelijke gebouwen in een stekelige halve cirkel. Boven elke portiekdeur stond een cijfer en elke flat had drie portieken. Winter noemde het cijfer uit zijn notitieboekje. Halders startte de auto en reed langs de flatgebouwen. Ze leken zich over de auto te buigen. Dat waren de schaduwen. De schaduwen 's nachts waren anders dan de schaduwen overdag, ze waren kunstmatig en konden gevaarlijk zijn. Je vergiste je in het perspectief. Winter was 's nachts een keer de verkeerde kant uit gehold door zo'n valse schaduw en dat had kunnen eindigen in iets waar hij liever niet aan dacht.

Halders parkeerde even voorbij de portiekdeur, misschien uit het zicht van de ramen. Winter dacht er op dit moment niet aan. Hij keek omhoog. De ramen waren donker.

'Ik had liever gezien dat er licht brandde,' zei Halders.

'Ik had liever gehad dat dit achter de rug was,' zei Winter en hij pakte zijn Walther om het mechanisme te controleren.

'Ik mag jou wel, Winter,' zei Halders glimlachend. 'Jij kijkt vooruit.'

'Wat zei hij toen hij belde?'

'Een verdomd heftige ruzie. Verdomd veel verkeer.'

'Rustiger dan zo kan het niet zijn.'

'Dan ga je je zorgen maken, hè?'

'We moeten misschien toch om die versterking vragen waar je het net over had,' zei Winter.

'Die is er niet. Ben je er klaar voor?'

'Gaan we alle twee?'

'Eerst de een en dan de ander. Jij mag eerst.'

'Waarom ik?'

'Ik ben de enige van ons tweeën met ogen in zijn rug,' zei Halders.

Ze stapten uit, liepen terug langs de gevel en gingen naar binnen door de portiekdeur die kennelijk geen slot had of waarvan het slot kapot was. Het licht in het trappenhuis deden ze niet aan. Bij geen van de deuren waar ze onderweg naar boven langskwamen, hoorden ze iets. Winter had bij deze opgang nergens licht zien branden. Het was alsof dit deel van het flatgebouw was ontruimd. De vent die had gebeld, had daar niets over gezegd. Hij had het alleen gehad over een verdomd heftige ruzie en verdomd veel verkeer. Er was nu geen verkeer meer. De stilte in het trappenhuis was eng, van de ergste soort, alsof die op hen lag te wachten. Winter kende die stilte ondertussen. Die zou vroeg of laat gaan bulderen.

'De volgende,' zei Halders.

Winter knikte naar de grove muur. Het voorzichtige licht in het trappenhuis kwam van de straatlantaarns buiten, en het was een lange weg naar boven. Ze stonden naast de deur, ieder aan een kant. In het midden van de deur zat een spionnetje. Halders drukte op de bel. Het harde geluid werd versterkt door de duisternis en klonk schel, als van een ouderwets uurwerk, zonder melodie. Hiermee vergeleken was zelfs Halders gezang in de auto melodieus geweest. Hij drukte nog een keer op de bel. Weer die schelle, valse toon achter de deur. Het was het enige wat ze hoorden. Geen stemmen, geen voetstappen. Winter boog zich naar voren en tilde voorzichtig het metalen klepje van de brievenbus op. Het enige wat hij zag was duisternis. Na zo'n tien tellen zag hij de contouren van de mat achter de deur. Ergens in de flat was een zwak licht, waarschijnlijk van een raam. Het was hetzelfde waardeloze licht.

19

Winter keek op en knikte naar Halders.

Halders sloeg met zijn vuist tegen de deur.

'Politie! Doe de deur open.'

Winter luisterde of er geluiden uit de flat kwamen. Je hoorde altijd wel iets. Geen enkele stilte was volledig stom.

'Doe de deur open,' herhaalde Halders. Hij sloeg zachtjes met zijn vuist op het fineer van de deur. Dat klonk dun, hol. Nog een slag en Halders' vuist zou erdoorheen gaan. Ze stonden nog altijd in de duisternis van het trappenhuis. Nergens ging een deur open of deed iemand het licht aan om te kijken wat er in vredesnaam aan de hand was.

Ze hoorden geen enkel geluid in de woning. Wat ze wel hoorden was geruis, dat kon de wind zijn of het ventilatiesysteem in het gebouw.

Winter dacht aan de opgewonden stem door de telefoon: 'Er wordt geschreeuwd in de flat. Er is een vrouw die schreeuwt!'

Halders drukte zijn oor tegen de deur.

Winter voelde aan de deurkruk, duwde die omlaag.

Toen hij aan de deur trok, ging die open.

'Shit, hij zit niet op slot,' zei Halders.

'Doe voorzichtig.'

Halders knikte. Langzaam deed hij de deur open. Winter voelde het bloed in zijn aderen kloppen en was zich net zo bewust van het wapen in zijn hand. Dit was het moment. Het was nu. Dit kon je niet oefenen, niet echt. De duisternis in de flat kon van alles herbergen. Naar binnen gaan kon betekenen dat je afscheid nam van deze wereld. Dat voelde hij op dit moment. Hij had dat nog niet zo vaak ervaren.

'Ik doe het licht aan,' zei Halders. 'Bereid je voor.'

De hal werd plotseling licht, alsof er een explosie plaatsvond. Winter hield zijn linkerhand boven zijn ogen. Ze wachtten tien tellen en gingen toen naar binnen. Er lagen kleren op de vloer, voor buiten, voor binnen. Schoenen.

Langzaam liepen ze van de ene kamer naar de andere. Er was niemand.

Op de vloer in de keuken zaten rode vlekken. Er lagen kranten. Het rode was als verf over de kranten gestroomd. De kranten lagen er ter bescherming, alsof het rode inderdaad verf was. Winter kon een kop onderscheiden, maar die zei hem niets. Hij zag ook foto's.

'Wat is dit in 's hemelsnaam?' vroeg Halders.

Winter zei niets. Hij boog zich voorover. Hij zag de vlekken. Het had verf kunnen zijn. Het had een schilder kunnen zijn.

'Het is best veel,' zei Halders en hij wendde zich tot Winter. 'Ben je misselijk?'

'Nee.'

'Je ziet bleek, joh.'

'Wat is hier gebeurd?' vroeg Winter.

Halders draaide zich om. 'Wat het ook was, het is nu voorbij.'

'Er lag geen bloed op de trap,' zei Winter.

'Dat weten we toch nog niet? De technici zijn hier nog niet geweest.'

Waar moeten ze naar zoeken, dacht Winter. Wat voor misdrijf heeft hier plaatsgevonden? Als het al een misdrijf is.

'Iemand kan zich in zijn arm hebben gesneden toen hij de ham stond te snijden,' zei Halders. 'Of een paar kippen aan het slachten was. Wat denk jij?'

'Waar is het mes?'

'Hij heeft vergeten het weg te gooien,' zei Halders.

'Waar is hij dan?' vroeg Winter.

'Dat is hij vergeten,' zei Halders.

Winter reageerde niet op Halders' absurde opmerkingen.

'We moeten met de getuige gaan praten,' zei Halders.

'Die woont hier toch niet?' vroeg Winter.

'Aan de overkant.'

'Wat deed hij dan in dit trappenhuis?'

'Volgens de meldkamer zou hij op bezoek gaan bij een kennis die beneden woont. Maar die was kennelijk niet thuis. Onze getuige heeft hier verdomd veel herrie gehoord.'

Winter knikte. Nu hing hier verdomd veel stilte. Soms kwam hij ergens waar het net leek alsof er een schreeuw in de kamer was blijven hangen, maar dat was hier niet het geval. De mensen die hier waren geweest, hadden de schreeuwen meegenomen.

Halders keek weer om zich heen.

'Verdomd vreemd,' zei hij.

'We moeten maar met die vent gaan praten,' zei Winter.

'Ik vraag of ze nog een auto sturen,' zei Halders. 'Eerder kunnen wij niet weg.'

'Ik kijk nog even rond,' zei Winter.

Hij liep naar het trappenhuis en las nogmaals het naambordje op de deur. MARTINSSON. Geen voornaam. Hij wist absoluut niets over Martinsson, over hem, haar of hen. Daar was geen tijd voor geweest. Hij had geen idee wat hier was gebeurd. Het was verdomd vreemd, zoals Halders had gezegd. Zonder een slachtoffer wisten ze niets.

Hij liep de hal in en ging naar de dichtstbijzijnde kamer. Het tweepersoonsbed was niet opgemaakt. Het leek alsof er twee mensen in hadden gelegen, twee kussens met elk een kuil. Dat kon vanochtend zijn geweest, gisteren, eergisteren.

In de slaapkamer lag bloed. Hij zag het toen hij nog eens goed keek. Eerst leek het in het patroon van het kussen te zitten. Het was alsof het er met een soort berekening was terechtgekomen. Je moest minstens twee keer kijken.

Wat was hier gebeurd?

Hij liep terug naar de keuken.

Ze wachtten op de technici en liepen toen over het plein naar het flatgebouw aan de overkant. Winter hoorde in een bosje aan de noordkant van de flats een hond blaffen. Het leek op een bos voor kinderen. De bomen stonden dicht op elkaar, maar het waren er niet veel.

Het geblaf hield aan terwijl ze de portiek binnengingen. Winter kon het nog steeds horen toen ze de trap opliepen.

Ze belden weer bij een deur aan. Winter las het naambordje: METZER. Dat klonk Duits, misschien Frans of Italiaans. In deze wijk woonden aardig wat mensen uit andere landen, Zuid-Europeanen, Finnen. Met name de Finse kolonie was groot. Ze hielden grote feesten met veel brandewijn, maar de collega's van de ordepolitie hoefden er zelden naartoe. De Finnen zorgden zelf voor hun dronkaards, waarschijnlijk kon niemand ter wereld dat zo goed als zij, zij en de Russen. De Zweden waren minder vaardig als het hierom ging, hoewel het land midden in de brandewijngordel lag.

Winter bleef op de trap staan. De man die wellicht Metzer heette, deed open. Winter wist niet hoe degene heette die de politie had gebeld. Halders had dat gesprek aangenomen. Halders en Winter waren in de buurt geweest. Ze deden onderzoek naar een bende die ervan werd verdacht drugs te smokkelen. Het was geen probleem geweest een extra kilometer af te leggen. De bende was toch nergens te zien geweest.

'Metzer?' vroeg Halders.

Winter zag de man niet. Die stond nog in de hal. Het tochtte in het trappenhuis, de wind kwam van beneden, alsof iemand de portiekdeur had opengedaan en die openhield. Winter kon het geblaf weer horen, het kwam met de wind mee naar boven. Waarschijnlijk stond de portiekdeur echt open.

'Mogen we even binnenkomen?' vroeg Halders.

Winter hoorde alleen maar gemompel uit de hal. Hij kon het gezicht van de man nog steeds niet zien, alleen Halders' rug.

'Ik moet even iets controleren,' zei hij, terwijl hij de trap afliep.

'Ben je iets vergeten?' vroeg Halders en hij draaide zich om.

'Ga maar vast naar binnen,' antwoordde Winter. 'Ik kom zo.'

Beneden stond de portiekdeur inderdaad open. Hij kon zien dat iemand dat expres had gedaan, de ketting stond gespannen.

Voor de flat stond een jongen met een hond aan een strakke lijn. De jongen keek hem aan zonder iets te zeggen. De hond was opgehouden met blaffen, maar hij was niet stil. Hij trok aan de lijn om naar de bosjes te mogen, alsof daar een magneet was.

'Heb jij gezien wie de deur heeft opengezet?' vroeg Winter.

De jongen schudde zijn hoofd. Hij was een jaar of elf, misschien twaalf.

'Woon je hier?' vroeg Winter.

De jongen wees naar het flatgebouw waar ze zopas waren geweest. De technici waren nog bezig in de woning op de derde verdieping. Winter kon het licht achter de ramen zien, en een plotselinge schaduw toen een van de technici bewoog. Het duurt niet lang, hadden ze gezegd. Wat is dit voor janboel?

'Woon je daar?' vroeg Winter. 'In die flat?'

De jongen knikte.

'Kun je niet praten?'

De jongen schudde zijn hoofd. Hij had donker haar, dat in het licht van de straatlantaarns oplichtte. Opeens drong het tot Winter door. De jongen wist iets. Hij stond hier omdat hij iets wist. Hij had iets gezien.

Winter kon vanaf deze afstand ook zijn ogen zien. Ze leken van binnenuit te worden verlicht.

Winter voelde een lichte rilling over zijn rug lopen, als metaal trok die verder over zijn haar. De jongen kijkt me aan. Die ogen. De hond trekt aan de lijn. De jongen wijst weer. Waarnaar wijst hij? Hij knikt en wijst. Naar het bosje. Zijn hand trilt als de bladeren in de wind en is net zo dun. Nu blaft de hond. Die lijkt wel dol. Wat hebben ze gezien, de jongen en de hond? Het bosje. Hij wil dat ik daarheen ga. Hij kan het niet zeggen. Hij lijkt het wel te proberen.

'Wil je me iets laten zien?' vroeg Winter wijzend. 'Daar? In het bosje?'

De jongen knikte.

'Wat dan?'

De jongen antwoordde niet.

Winter keek om zich heen. Hij zag geen andere mensen op straat. De wind rukte aan alles wat hij te pakken kreeg. De takken zorgden voor schaduwen op de gevels. Het leek op een film die met dubbele snelheid werd afgespeeld. Het was 50 meter naar de bomen, misschien 60. Het was maar een klein bosje, als een oase in de betonwoestijn. De berken zwiepten als kale palmen heen en weer.

De ogen van de jongen waren groot en bang. Winter wilde hem zijn pistool niet laten zien. Hij hield zijn hand op de kolf in zijn zak. Hij keek naar de auto. Die was dichterbij dan het bosje.

'Ik haal even wat op,' zei hij en hij liep naar de auto, opende het rechterportier en pakte een zaklamp. Halders had de andere. De zaklamp was zwaarder dan het wapen. Winter hield het ding omhoog, zodat de jongen hem kon zien. Het was een geruststellend voorwerp. Een zaklamp die niet brandde had een kalmerend effect. Een zaklamp die wel brandde had dat effect ook, maar vooral voor degene die de lamp vasthield. Een pistool kon op dezelfde manier voor rust zorgen. Maar niet nu.

Terwijl ze door de speeltuin liepen, begon de hond weer te blaffen en aan de lijn te rukken. Hij zag eruit als een mengelmoes van allerlei rassen. Hij was op jacht, het was een natuurlijk instinct. Hij rook geuren in de wind die geen mens kon waarnemen.

Winter scheen met zijn lamp op de bomen en keek naar de jongen. De hond was nu stil, maar de lijn stond nog altijd strak. Het kostte de jongen moeite om te zorgen dat de hond aan de rand van het bosje bleef.

Winter liep met de lichtkegel op de grond gericht verder. Alles op de grond werd wit, bladeren, gras, zand, steen. Dat was wat hij zag. De jongen stond nog aan de rand van het bosje. Winter liep terug.

'Ik zie niets,' zei hij.

De jongen wees weer.

'Waar dan?' vroeg Winter. 'Waar is het dan?'

De jongen deed een paar passen naar voren en de hond leek door de lucht naar voren te vliegen toen hij een paar meter vrijheid kreeg. Toen de lijn strak kwam te staan, vloog de hond terug, alsof hij een flinke duw van een windstoot had gekregen.

De jongen knikte naar de grond. Winter scheen met zijn zaklamp op de bladeren, aarde, gras, zand, stenen. Sommige stenen vormden een vage halve cirkel. Waarschijnlijk de restanten van een vuurplek. Winter boog zich voorover. Op de stenen zaten donkere vlekken, maar dat kon vocht of mos zijn. Hij keek de jongen weer aan.

'Heb je hier iets gezien?' vroeg Winter.

De jongen antwoordde niet, maar bleef naar de grond staren.

'Er valt hier niets te zien,' zei Winter.

'Een ... een ... hand,' zei de jongen.

'Hè?' Winter zat nog steeds op zijn hurken. 'Wat zeg je?'

'Er lag een hand.'

Ze zaten aan de keukentafel. Er stond een vaas met bloemen waarvan Winter de naam niet kende. Bloemen, vogels, planten – daar was hij niet goed in. Bladeren, aarde, gras, zand, steen – dat was meer zijn terrein.

De jongen was elf. Hij heette Jonas. Hij leek het binnen net zo koud te hebben als buiten. Hij had een beker chocolademelk voor zijn neus staan. Zijn moeder zat naast hem. Ze leek jong, maar ze moest ouder zijn dan Winter, in elk geval in de dertig. Winter kon haar trekken in het gezicht van de jongen zien, niet allemaal, maar er zat geen vader aan tafel met wie hij ze kon vergelijken.

'We waren niet thuis,' zei de moeder. Ze heette Anne. Anne Sandler. Zowel haar voornaam als die van Jonas stond op het naambordje op de deur. Daar stond ook geen vader. Toen Metzer, de getuige, melding had gemaakt van de eventuele ruzie in de flat van het echtpaar Martinsson, waren Anne en Jonas niet thuis geweest.

'We waren in het zwembad.'

Winter knikte.

Jonas nam een slok van zijn chocolademelk. Winter had het aanbod van een beker chocolademelk afgeslagen, maar een kop koffie had hij wel gewild. De koffie was sterk en heet.

'Dit soort dingen verzint hij niet,' zei Anne Sandler met een knikje naar Jonas.

De jongen had niet veel gezegd sinds ze binnen waren. De hond was ook stil. Die had zijn taak volbracht.

'God nog aan toe,' zei Anne Sandler, terwijl ze naar haar zoon keek.

'Het was een hand,' zei hij.

Winter knikte naar de jongen. Hij leek het niet meer zo koud te hebben.

'Er zaten vingers aan.'

'Ik geloof je,' zei Winter.

'Vanaf hier,' zei Jonas, wijzend op zijn pols.

'God nog aan toe,' herhaalde Anne Sandler.

'Was het een grote hand?' vroeg Winter. 'Van een volwassene?'

'Ik weet het niet ... hij was vrij klein.' De jongen keek ter vergelijking naar zijn eigen hand. 'Maar het was nogal donker.'

'Kunnen we er nu niet over ophouden?' vroeg Anne Sandler en ze keek Winter aan. Haar ogen stonden smekend.

'Zo meteen,' zei hij, terwijl hij naar de jongen keek.

'Leek het een kinderhand?'

De jongen schudde zijn hoofd.

'De hand van een mevrouw? Een vrouwenhand?'

'Misschien,' zei Jonas.

Zijn moeder keek naar haar eigen handen, haalde ze van tafel, legde ze op haar schoot.

'Het was er donker,' ging Jonas verder.
'Maar je kon de hand wel zien?'
'Ja. Er staat een lantaarn. En Zack blafte nog meer dan anders.'
'Die hond doet niets dan blaffen,' zei Anne Sandler.
'Ik ben hem aan het opvoeden,' zei Jonas, terwijl hij zijn moeder aankeek.
'Daar is het te laat voor,' zei ze. 'Hij is te oud.' Ze keek Winter aan. Hij begreep dat het haar kalmeerde om over de hond te praten. 'Je kunt een oude hond niet leren om op te zitten en pootjes te geven.'
'Zack kan keurig opzitten en pootjes geven,' zei Jonas.
'Je kon de hand duidelijk zien?' vroeg Winter.
De jongen knikte, keek naar de hond die keurig op de keukenvloer zat en nam nog een slok van de chocolademelk. Toen keek hij op.
'Maar hij leek niet echt.'
'Hoe bedoel je, Jonas?'
'Hij was heel wit. Het was net plastic. Of gips.'
'Nu is het genoeg,' zei zijn moeder. Ze stond op en nam Winters halfvolle kopje mee naar de keuken. Hij hoorde hoe de koffie in de gootsteen belandde.

Ze reden terug over de Älvsborgsbrug. In het oosten schitterde het centrum van de stad alsof er feest was. In het westen verbreedde de rivier zich tot een zee. Het zwarte werd breder en groter. De temperatuur was de afgelopen uren gedaald. Misschien krijgen we sneeuw, dacht Winter. Sneeuw in oktober. Wit op de grond.
'Is dat joch geloofwaardig?' vroeg Halders.
Winter haalde zijn schouders op. 'Ik denk het wel.' Hij hield zich vast aan de armsteun toen Halders via het knooppunt in de richting van de Karl Johansgatan reed. 'Maar het kan van alles zijn geweest. Het licht was niet om over naar huis te schrijven.'
'Je hebt wel vlekken gezien?'
'Ja. Maar dat kan van alles zijn geweest.'
'Onze technische vrienden mogen het zeggen.'
Winter antwoordde niet. Hij zou binnenkort geen vrienden meer hebben bij de technische afdeling, als hij die al had gehad. Ze reden over de verkeersader langs de rivier. De dode kranen van de werf aan de overkant staken hoog in de lucht. Ze moesten je ergens aan doen denken, maar het zou niet lang meer duren of niemand wist nog waaraan. Het had te maken gehad met de stad. Nu waren al dat soort dingen weg, alles wat een stad haar gezicht gaf. Göteborg had tegenwoordig veel gezichten. Vele wendden zich af. Je kon ze niet zien.
'Wat waren onze vrienden blij,' zei Halders. 'Een nieuwe vindplaats, op nog geen 50 meter afstand.'

'Ja, ze straalden echt van vreugde.'

Het neonlicht werd sterker naarmate ze dichter bij het centrum kwamen. In Östra Nordstan had je alles. Halders stopte voor een rood verkeerslicht. Een gezelschap in feestkleding was onderweg naar de Lilla Bommen. Niemand wierp ook maar één blik op de twee jonge rechercheurs in de anonieme auto.

'Dan hoeven we alleen het echtpaar Martinsson maar op te sporen om te kijken of een van beiden een hand mist,' zei Halders.

'De vrouw welteverstaan,' zei Winter.

'De moeder en de jongen kenden hen niet, zei je toch?'

'Nee, nee. Dat is geen gezellige wijk met rijtjeshuizen, Fredrik. Zelfs de mensen die in dezelfde portiek wonen, kennen elkaar niet.'

'Maar ze zien elkaar toch wel?'

Winter haalde zijn schouders op. Dat was de tweede keer vanavond. Hij deed het niet graag. Hij moest ermee ophouden.

'Hoe zit het met jou?' zei hij. 'En met mij? Eerlijk gezegd kunnen de mensen bij mij in de buurt in Guldheden me niets schelen. Ik zou een derde ervan niet kunnen aanwijzen.'

'En je bent nog wel expert,' zei Halders.

Hij draaide de halve cirkel om het centraal station op. De rij taxi's voor de hoofdingang was lang. Winter kon de adem van de mensen zien. Het was echt koud geworden. Shit. Vervolgens werd het november, en december, januari, februari, maart, half april. Dat was de witte winter. Daarna zou de groene winter het overnemen. Zijn vader had het erover gehad dat hij dit deel van de wereld voorgoed wilde verlaten, en vervolgens had hij dat ook gedaan. Nog niet zo lang geleden. Hij had zijn geld meegenomen en was vergeten de belasting te betalen. Winter begreep dat zijn vader een leven in de zon wilde, maar dat andere begreep hij niet. Ze spraken niet meer met elkaar. Misschien dat dat ooit wel weer zou gebeuren, maar Winter betwijfelde het. Eerst wilde hij een verklaring hebben. Al zou dat niet voldoende zijn.

'Aan Metzer hadden we niet veel,' zei Halders. 'Hij maakte zich zorgen omdat het ernstig klonk, zei hij. En dat was alles.'

'Kende hij de familie Martinsson?'

'Nee.'

'Kennelijk kent niemand elkaar daar.'

'Het zij zo,' zei Halders.

'Wat doen we nu?' vroeg Winter.

'We wachten tot de Martinssons iets van zich laten horen,' zei Halders. 'Of tot ze gevonden worden. Misschien een van beiden.'

Winter gaf geen antwoord. Ze stonden voor het gebouw van de *Göteborgs-Posten* en wachtten voor een rood licht. Misschien zou hij morgen in de krant kunnen lezen wat er op Hisingen was gebeurd.

'En we moeten maar afwachten wat de jongens van de technische afdeling vinden,' ging Halders verder.

'Een van die jongens was een meisje,' zei Winter.

'Ach, het is maar een manier van zeggen,' zei Halders. 'Als een meid goed genoeg is, wordt ze een van de jongens.'

Hij parkeerde voor het politiebureau. Ze zouden een verslag schrijven en dan zat hun dag erop.

'Ga je straks mee wat drinken?' vroeg Halders.

'Vanavond niet.'

'Is er een dame die op je wacht?'

'Ja.'

'Pas maar op.'

'Waarvoor?'

'Dat je niet wordt gestrikt. Het kan verdomd snel gaan.'

'Maak je geen zorgen,' zei Winter.

'Is ze knap?'

'Dat gaat je niets aan, Fredrik.'

'Ik ben gewoon nieuwsgierig. Hoe heet ze?'

'Hasse.'

'Hasse? Toe nou zeg!'

'Ze is een van de jongens.'

'Ha ha. Toe nou, Erik. Hoe heet ze?'

'Dat gaat je ook niets aan.'

Angela deed een pas terug op de zebra. Misschien net op tijd.

'Zag je dat?!'

Winter gaf geen antwoord. Hij probeerde het kenteken te lezen, maar dat was te vies. Het was een S40, een nieuwer model. Hij had de bestuurder niet kunnen zien toen de auto hun met 65 of 70 voorbijreed.

'Hij reed door rood!' zei Angela.

De S40 sloeg rechts af en reed tegen het eenrichtingsverkeer in de Chalmersgatan op, in de richting van het wijkbureau Lorensberg. Winter pakte zijn mobieltje, belde rechtstreeks en legde het uit.

'Ja. Ja. Misschien is hij nu onderweg naar jou.'

Hij wachtte met de mobiel tegen zijn oor. Ze stonden nog steeds bij de zebra. Angela had twee passen terug gedaan.

'Ja? Oké. O? Ja, zo zie je maar. Dank je wel.' Hij stopte de telefoon terug. 'Ze hebben hem.'

'Net goed.'

'Een dief.'

'Zeiden ze dat?'

'Het was een bekende,' zei Winter.

'Konden ze dat zo snel zien?'
'We leven in een snelle tijd.' Het licht sprong weer op groen. Het verkeer stopte netjes. 'Zouden we nu naar de overkant durven?'
Ze liepen door het park naar het marktplein.
'Gaat de tijd niet altijd snel?' zei Angela na een tijdje.
'Hoe bedoel je?'
'Heb je niet altijd het gevoel dat de tijd te snel gaat? Dat je te snel leeft?'
'Wat is dat nou weer voor vraag?'
'Kun je geen antwoord geven?'
'Jawel ... dat kan ik wel.' Hij ging langzamer lopen. 'Dat heb ik ... misschien weleens zo gevoeld.'
'Met ons, bijvoorbeeld?'
'Nee, nee, nee.'
'We waren tenslotte nog maar vijf jaar bij elkaar toen we gingen samenwonen,' zei ze zonder hem aan te kijken. 'Dat ging hartstikke snel.'
Ze liepen op de brug over de rivier. Die was zwart in het nachtlicht. Je kon niet goed zien waar je liep. Hij pakte Angela's arm.
'Hebben we maar zo kort een latrelatie gehad?'
'Toen vloog de tijd pas echt.'
'Ik hou er wel van als je ironisch bent,' zei hij.
'Hoewel je vrij vaak bij mij in Kungshöjd was,' ging ze verder.
'Precies.'
'Je zei dat je liever daar was dan in Guldheden.'
'Ja. En toen kocht ik het appartement aan het Vasaplein en toen was het zo klaar als een klontje, toch?'
Angela's mobieltje begon te rinkelen.
'Ja? Ja? Ja. Ja. Nee. Ja. Nee. Ja. Ja. Ja. Inderdaad. Inderdaad. Natuurlijk. Ja. Ja. Ja.'
Ze verbrak de verbinding en stopte de telefoon in haar handtas.
'De oppas,' zei ze.
'Dat begreep ik al. Zijn er problemen?'
'Nee.'
Ze liepen over het plein naar het restaurant aan de oostzijde. Angela had gisteren een tafel gereserveerd. Die stond voor het raam. Binnen leek het buiten heel koud. Het rook er heerlijk. Winter bestelde een droge martini, Angela een kir royal. De martini was heel erg droog, er had maar een druppeltje Noilly Prat op het ijsblokje gezeten voordat dat in het glas belandde.
Ze toostten.
Winter keek naar buiten. Het leek wel winter. Hij kon zijn spiegelbeeld in het raam zien. Het was wazig. Hij zag het glas in zijn hand. Hij zag Angela.
'Weet je wat we vandaag vieren?' vroeg Angela en ze keek op van de menukaart.

'Natuurlijk.'
'Maar je zei niets toen ik de tafel reserveerde. En de oppas regelde.'
'Ben je me aan het testen, Angela?'
'Natuurlijk.'
'Geloof je me wel?'
'Nee.'
Hij haalde het doosje uit de binnenzak van zijn colbertje en gaf het aan haar. Het doosje was niet groot. Hij had het in zijn hand kunnen verstoppen.
'Geloof je me nu dan?'
'En je deed net of je van niets wist.'
'Goed, hè!'
'Dat je dat kunt!'
'Dat is mijn werk.'

20

Winters mobiel begon te rinkelen op het moment dat het voorgerecht werd geserveerd. Hij rook de geur van de gebakken verse kruiden, die als een borsteltje op het bord lagen. Hij zou er de zeekreeftjes mee bestrijken.

Met tegenzin nam hij op.

'Waar ben je, Erik?'

Het was Halders.

Winter vertelde waar hij was.

'Ik ben in de buurt,' zei Halders. 'De Västra Hamngatan.'

'Het fitnesscentrum?'

'Zo zou je het kunnen noemen.'

'Wat is er?'

'Ik heb hier het vriendje van Paula ontmoet. Of hoe je hem ook maar moet noemen. Zelf zag hij het heel anders.'

'Weet je het zeker? Dat hij het is?'

'Het gaat erom wat Nina Lorrinder denkt. Zij is er zeker van.'

'Wat zegt hij zelf?'

'Hij zegt niet veel. Hij vindt dit niet leuk.'

'Waar is hij nu?' vroeg Winter.

Hij zag Angela's vragende blik aan de andere kant van de tafel. Hij kon de geuren van het eten op het diepe, rechthoekige bord nog steeds ruiken. Maar niet lang meer. Nog een halve minuut en dan zou alles naar de knoppen zijn.

'Hij staat 2 meter bij me vandaan,' antwoordde Halders.

'Wil je hem meenemen naar het bureau?' vroeg Winter.

'Ik wil eerst nog wat vragen stellen,' zei Halders. 'Daarna moet ik maar zien. Ik denk niet dat hij de stad uit gaat.'

'Bel me over een uur.'

'Wat vindt Angela daarvan?'

'Bel maar gewoon.'

'Misschien bel ik je wel eerder,' zei Halders.

Het vriendje zag eruit als een jongen van dertig. Hij had nog haar. Halders wantrouwde mannen die nog haar hadden, allemaal, van zuipschuiten tot financieel experts. De meeste financieel experts waren trouwens zuipschuiten.

Het vriendje leek geen zuipschuit. Hij had een open gezicht. Het had iets onafs, sommige trekken waren nog niet getekend. Dat zou nog een paar jaar duren. Sommige mensen dronken om een bepaald gezicht te krijgen, vooral acteurs, die hadden een speciaal doel. Maar dat kostte ook tijd.

Halders wist niet zeker of hij zich dit gezicht zou herinneren als hij het maar een paar keer had gezien. Het leek bovendien op allerlei andere gezichten hier. Misschien kwam dat door de bewegingen, door het sporten. Het uiterlijk werd gestroomlijnd.

'Ik heb haar maar een paar keer gesproken,' zei het vriendje. 'Dat was alles.'

'Luister eens, Johan ...'

'Jonas.'

'Luister eens, Jonas. We proberen zo veel mogelijk over Paula te weten te komen.'

Ze zaten in de bar. Dat was Halders' keuze. Nadat hij de boel wat had verzet, was de afstand tot het volgende tafeltje groot genoeg.

'Ik wil jullie graag helpen,' zei Jonas.

'Wat doe je, Jonas?'

'Hè?'

'Wat voor werk doe je?'

'Eh ... op dit moment ben ik werkloos.'

'Hoe goed kende je Paula?'

Jonas leek in verwarring te zijn. Dat was de bedoeling. Niet alle vragen hoeven meteen een vervolg te krijgen. Jonas keek ergens naar, alsof de getuige die hem had aangewezen naar voren zou stappen om te zeggen dat het een vergissing was. Maar hij had de getuige niet ontmoet. Nina Lorrinder was ongezien vertrokken nadat ze hem had herkend.

'Ik heb toch al gezegd dat ik haar niet kende.'

'Je hebt alleen maar wat met Paula gepraat?'

'Ja.'

'Ken je iemand dan niet?'

'Tja ...'

'Hoe zijn jullie aan de praat geraakt?'

'Een beetje rustig, zeg.'

'Gaat het te snel voor je, Jonas? Heb je geen tijd om na te denken?'

'Hoezo, ik kan ...'

'Waar hadden jullie het over, Paula en jij?'

'Eigenlijk nergens over.'
'Is dat normaal?'
'Wat?'
'Dat je het nergens over hebt. Doe je dat anders ook altijd?'
Jonas keek om zich heen, alsof de andere gasten in de bar hem konden horen, of liever gezegd, alsof ze Halders konden horen. Die had zich over de tafel naar hem toe gebogen.
'Vind je dit niet leuk, Jonas? Wil je liever met me meekomen?'
'Hoe bedoel je?'
'Dat weet je wel.'
'Ik begrijp je ... toon niet. Ik heb niets gedaan.'
'Je hebt na Paula's dood geen contact met ons opgenomen.'
Jonas gaf geen antwoord.
'Heb je me gehoord?' vroeg Halders.
'Ja. Maar ... wat had ik kunnen doen? Of kunnen zeggen? Tegen jullie?'
'Ze is vermoord. Wist je dat?'
Jonas knikte en mompelde iets.
'Ik versta je niet,' zei Halders.
'Jawel. Ja. Ik ... ik heb het gelezen.'
'Waar?'
'Waar? Thuis.'
'In welke krant?'
'In de ... *Göteborgs-Posten*.' Hij keek om zich heen en richtte zich vervolgens weer tot Halders. 'Geloof ik.'
'Een vrouw die je kent wordt vermoord. Het was geen verkeersongeluk. Ze is vermoord, verdomme! Als je flink doorloopt, is het zo'n tien, vijftien minuten hiervandaan gebeurd. Misschien wel in dezelfde week dat jij haar had gesproken.' Halders boog zich nog dichter naar Jonas toe. 'Misschien wel op dezelfde dag.'
Jonas deinsde naar achteren. Halders zag de zweetdruppeltjes op zijn voorhoofd. Dat had van het sporten kunnen komen, ware het niet dat de man nog niet had gesport. Daar zou vanavond waarschijnlijk ook niets meer van komen.
'Hoe bedoel je?'
'Ik bedoel niets. Ik vraag je wat.'
'Ik heb haar die week niet gesproken.'
'Dus je houdt de weken wel in de gaten.'
'Ik heb het gelezen ...'
'Je hebt het gelezen, maar je hebt niet gereageerd?'
'Jawel, ik heb ...'
'Nee, Jonas, je hebt niet gereageerd. Je hebt geen contact met ons opgenomen.'

Jonas gaf geen antwoord.
'Dus, waar hadden Paula en jij het over?'

Het voorgerecht was weg, het hoofdgerecht stond op tafel. Tarbot, gesmolten boter, mierikswortel, supersimpel en even duur. Een grand cru uit Bergheim.

'Zit je te wachten op Halders' telefoontje?' vroeg Angela.
'Ja.'
'Probeer toch wat te eten.'
'Ik ben blij dat je het begrijpt,' zei Winter.
'Ik heb wel een paar vragen, maar daar wacht ik mee tot bij de koffie.'
'Als ik er dan nog ben.'
'Neem een stukje vis, Erik. Ziet die er niet mooi uit?'
Hij keek naar de vis. Een hele tarbot, het vel gedeeltelijk afgerold, daaronder het prachtige vlees, als een zijden laken onder een fluwelen sprei. Hij legde een flink stuk op zijn warme bord, deed er eerst mierikswortel op en vervolgens de schuimende boter. De gekookte aardappels waren hier lekker. In Zweedse restaurants kreeg je niet zo vaak lekkere aardappels. Aardappels waren het nationale voedsel, maar in restaurants waren ze niet lekker. Gek eigenlijk, dacht hij. In de Elzas is de zuurkool bijna altijd perfect. Hij nam een slokje wijn. Om van de wijn maar niet te spreken. Hij zette zijn glas weer neer. Hij kon het maar beter rustig aan doen. Elk moment kon er een telefoontje komen met slecht nieuws. Of goed. Dat gaat samen. Het slechtste nieuws is vaak het beste.
'Heb je al met Siv gesproken?' vroeg Angela.
'Ja ... gesproken heb ik haar wel. Denk je aan iets speciaals?'
'Gaat het beter met haar?'
'Ik wist niet dat het slechter met haar ging.'
Angela zei niets.
'Gaat het niet goed met haar?' vroeg Winter.
'Ze is weer duizelig geweest.'
'Waar komt dat door?'
'Dat weet ik niet, Erik. We hebben het er toch over gehad? Ze moet het rustig aan doen. En ze moet een keer goed worden onderzocht.'
'Wat moet worden onderzocht?'
Het lichaam, dacht hij in antwoord op zijn eigen vraag. Het omhulsel van je gedachten. Ja. Versterkt met bijna vijftig jaar alcohol en nicotine. Als ik goed mijn best doe, word ik de zoon van mijn moeder.
'We gaan er samen heen,' zei hij. 'Dat weet je.'
Angela schepte een beetje vis op. Ze keek hem alleen even kort aan.
'Denk aan dat plekje bij het oude voetbalveld,' zei Winter en hij schonk haar nog wat wijn in. 'Die twee tafels op het trottoir.'

'Zit je nu in Marbella?'

'Natuurlijk. Die gegrilde paprikasalade. De knoflookgarnalen. Dat waren geen gewone knoflookgarnalen.'

'Was dat waar we een keer na middernacht zijn beland? Was het dat tentje?'

'Ja.'

'Mm.'

'Ik bedoel maar. Zo kun je het samenvatten.' Hij glimlachte. 'De kok blies het vuur hoog op. Er lagen nog een paar zeebaarzen op ijs.'

'Deed de ober dat niet?'

'Ze deden het samen.'

'Het gezicht van de ober leek op dat van een schoorsteenveger toen hij met de vis kwam,' zei Angela.

Winters mobieltje begon te rinkelen.

'Ja?'

'We zijn op het bureau,' zei Halders. 'Misschien moet je zo langzaamaan ook maar hierheen komen.'

Ze stak de straat over zonder echt op het verkeer te letten. Opeens werd er vlakbij getoeterd, het leek haast in haar oor. Toch was het niet heel erg luid. Het was bijna alsof ze het harde geluid had verwacht.

Ze kwam een jonge vrouw tegen, die een kinderwagen voor zich uit duwde. Het leek makkelijk te gaan, alsof de wagen niets woog.

Ze passeerde de ingang en liep de hoek om.

De deur in de steeg was niet op slot, zoals hij had gezegd. Het was een oude, ijzeren deur. Ze kreeg hem maar met moeite open en hij viel met een zware klap achter haar dicht.

Ze liep de trappen op, het waren er vier. Langs de muren en het plafond weerklonk een fluitend geluid, alsof de sterke wind buiten met haar mee naar boven ging.

Ze zag de deuropening.

Ze zag binnen iets bewegen. Een gestalte werd zichtbaar.

'Ben jíj het?!' zei ze.

Ze hoorde hoe de deur achter haar dichtging. Het geluid van de wind hield abrupt op.

'Was jíj het?!' zei ze en ze wilde zich omdraaien. Toen voelde ze een hand in haar nek.

21

Ze beëindigden de maaltijd. Ze wilden toch geen toetje. Winter dronk zijn espresso op terwijl hij afrekende.

'Halders belt niet als het niet nodig is,' zei hij toen ze op het plein waren.

Angela knikte.

'Blijf je de hele nacht weg?' vroeg ze.

'Als dat zo is, is alles morgen misschien achter de rug.'

'Denk je dat die vent iets bekent?'

'Halders had hem niet meegenomen naar het bureau als er niet iets verdachts was.'

'Misschien was hij gewoon zenuwachtig.' Ze keek hem aan. 'Als Halders vragen stelt, wordt iedereen toch zenuwachtig?'

'Nu ga ik de vragen stellen,' zei Winter.

Halders had een auto gestuurd en ze reden via het Vasaplein.

'Ik hoop dat je een goede nacht hebt,' zei Angela toen ze uitstapte.

'Ik bel je over een uurtje,' zei hij.

'Bel op mijn mobiel,' zei ze. 'Elsa kan moeilijk de slaap weer vatten als ze wakker wordt.'

Ze zou het geluid afzetten. De kamer zou verlicht worden als hij belde. Ze zou iets lezen, misschien tropische geneeskunde. Nee. Marbella hoort nog niet bij de tropen, had ze zopas gezegd toen ze in het restaurant zaten. Dat duurt niet lang meer, had hij gezegd. Overal op aarde wordt het warmer, had hij gezegd en hij had naar de Scandinavische avond gekeken. Behalve hier, had hij eraan toegevoegd, hier bij ons. Weet je trouwens wat malaria betekent? Slechte lucht, had hij zelf geantwoord voordat zij haar mond kon openen. Dat wist toch iedereen.

De auto reed vanaf het Vasaplein in oostelijke richting over de Allén. Er is geen straat in deze stad waar ik vaker doorheen ben gereden.

De lichten van de stad flikkerden langs hem heen, licht en donker, zon en schaduw, dageraad en schemering. Daar hield hij in het zuiden het meest van: de dageraad en de schemering boven de Middellandse Zee. Boven Afrika.

'Oké,' zei de politie-inspecteur achter het stuur toen hij voor de hoofdingang remde.

'Bedankt,' zei Winter en hij stapte uit. De auto reed weg, keerde terug naar de oktobernacht. Vanaf zee was plotseling een mist komen opzetten. De auto was al in het grijs verdwenen voordat Winter binnen was. Hij ademde de vochtige lucht in. Die voelde niet lekker. Hij zou die later door sigarenrook vervangen.

In de verhoorkamer was de lucht lichter, alsof iemand een raam had opgezet naar een andere avond.

De jongen zat op de stoel. Zijn haar hing in zijn ogen alsof hij het naar voren had gekamd om zijn identiteit te verbergen. Maar die was bekend. Hij heette Jonas. De naam zei Winter niets, maar dat was met voornamen meestal zo. Hij herkende hem niet, de jongen, of liever gezegd, de man. Winter wist dat hij dertig was.

De vraag was wat hij hier deed.

'Ik ben Erik Winter,' stelde hij zichzelf voor. 'Ik ben hoofdinspecteur.'

De man knikte zonder zijn naam te zeggen.

Winter pakte het formulier dat op tafel lag en las de bovenste regels. De naam van de man was inderdaad Jonas. Hij had een vrij ongewone achternaam, die Winter ook niets zei. Toch las hij die nog een keer, samen met de voornaam. Er was toch iets bekends. Hij keek op en bestudeerde het gezicht van de man. Dat had niets bekends.

'Waarom ben ik hier?' vroeg Jonas Sandler.

'We willen gewoon wat vragen stellen.'

'Dat zei die andere agent ook. Nu zegt u hetzelfde. Maar ik begrijp nog steeds niet waarom ik hier zit.'

'Het is hier rustiger,' zei Winter.

'Jullie denken toch niet dat ik iets te maken heb ... met de moord op Paula?'

Winter gaf geen antwoord. Hij bekeek het gezicht van de man nog eens. Het was niet alleen de naam. Het was ook iets anders.

'Denken jullie dat echt?' herhaalde Jonas Sandler. 'Dan zijn jullie niet goed wijs.'

'Hebben wij elkaar eerder ontmoet?' vroeg Winter.

'Hè?'

'Hebben we elkaar eerder gesproken?'

'Wat bedoelt u?'

'Precies wat ik zeg.' Winter zocht de blik van de man. 'Ik herken u ergens van.'

'Denkt u dat ik een oude dief ben, of zo?'

'Nee.'

'Is dit een nieuwe verhoormethode?'

'Bent u eerder in aanraking geweest met de politie?' vroeg Winter. 'Vroeger. Toen u jonger was, misschien?' Hij legde het formulier weg. 'Als getuige, bijvoorbeeld?'

Toen zag hij het. Toen herinnerde hij het zich. Het gezicht van de jongen en zijn naam, de plek waar ze hadden gestaan. Allerlei beelden vlogen door zijn hoofd, klik, klik: de schemering, het bosje, de hond, de hand.

Hij is het. Het is die jongen.

'Nu u het zegt ...' zei Jonas Sandler en hij keek op. 'Toen ik een jaar of tien was, heb ik met een agent gesproken over iets ... over iets wat ik had gezien.'

'Dat was ik,' zei Winter.

'Dat is bijna twintig jaar geleden,' zei Jonas Sandler.

Winter knikte.

'Ik weet niet meer hoe u eruitzag,' zei de jongen, die nu een man was geworden. Winter herinnerde zich de jongen. Hij zou zijn gezicht nu kunnen beschrijven.

'Ik herinner me geen gezichten van volwassenen uit de tijd dat ik kind was.' De jongen maakte een handgebaar. 'Dan moet ik naar een foto kijken.'

'Dat is voor mij ook zo,' zei Winter.

'Maar hoe kon u zich mij dan herinneren?' vroeg Sandler. 'Is dat niet precies hetzelfde, maar dan omgekeerd?'

Pas op, Erik. Dit is een verhoor. Het mag niet afdwalen naar allerlei herinneringen.

'Ik was aan het werk,' zei hij. 'Dan kun je het ergens aan ophangen.' Hij stond op. 'We deden ergens onderzoek naar.'

'Dat weet ik nog,' zei Sandler. 'Maar wat was er gebeurd? Wat was er in die flat in onze portiek gebeurd?'

'Daar zijn we nooit achter gekomen,' antwoordde Winter.

'Was er niet ruzie geweest?'

'Daar zijn we ook nooit achter gekomen.'

'Ze zeiden dat er binnen bloed lag. In de flat.'

'Wie zei dat?' vroeg Winter.

'De buren.'

Winter knikte, zonder verder nog iets te zeggen. Dit was nu een gesprek, geen verhoor. Misschien was dat goed.

'Er was dus niets gebeurd?' vroeg Sandler.

'Niet voor zover wij weten.'

'En het bloed dan?' De jongen boog zich naar voren. Winter beschouwde hem als een jongen. 'Daar mag u geen antwoord op geven, hè?'

'Volgens de man die er woonde, was er een ongelukje gebeurd,' zei Winter.

'Dus jullie hebben hem gevonden? De man die het ongeluk had gehad?'
'Ja. Dezelfde avond nog.'
'En zijn vrouw dan? Ik weet nog dat hij een vrouw had.' De jongen maakte het handgebaar nog een keer, alsof hij iets wegwuifde. 'Ik herinner me niet hoe ze eruitzag, maar er was wel iemand.'
'We hebben haar ook gevonden.'
'Wat was het voor ongelukje?'
'In de keuken,' zei Winter. 'Meer zeg ik niet.'
'In de keuken,' herhaalde Sandler. 'Was er iemand overleden?'
'Nee.'
'Gelukkig.'
De jongen leek het tegen zichzelf te zeggen. Maar hij zou het moeten weten, hij woonde daar.
'We hebben de hand ook niet gevonden,' zei Winter.
De jongen veerde op.
'We hebben geen hand gevonden,' zei Winter weer.
'Nee,' zei de jongen kort, alsof het vanzelfsprekend was dat ze die niet hadden kunnen vinden.
'Had je die hand echt gezien?' vroeg Winter.
'Ja.'
'Misschien was het verbeelding. Of misschien had je iets anders gezien. Een tak.'
'Nee.'
'We hebben hem niet gevonden.'
'Ik heb hem echt gezien. Zack had hem gezien. Hij werd helemaal dol. Ik weet niet of u zich dat nog herinnert. Of u zich Zack herinnert. Mijn hond.'
'Die herinner ik me wel. Natuurlijk.'
Jonas Sandler zei niets meer. Ooit had hij alles gezegd wat hij over de hand wist die hij had gezien.
'Hoe gaat het met Zack?' vroeg Winter.
De jongen gaf geen antwoord.
Winter herhaalde zijn vraag.
'Hij is verdwenen,' antwoordde de jongen.
'Hoe ging dat?'
'Dat weet ik niet. Op een dag was hij weg.'
'Wat vervelend.'
'U hoeft niet beleefd te zijn.'
'Dat ben ik niet.'
'Zack was al oud.'
Winter knikte.
'Ik heb een hele tijd naar hem gezocht. Ik was toen nog klein. Maar ik heb hem nooit gevonden. Niemand kon hem vinden.' Jonas Sandler keek Win-

ter recht aan. 'Misschien was hij gewoon vergeten waar hij woonde.'
'Misschien.'
'Zaten er geen vlekken op die stenen in het bosje?' vroeg de jongen. 'Of wat het ook maar waren. Ik weet nog dat ik vlekken had gezien.'
'Daar kan ik niets over zeggen,' zei Winter.
'Dus er waren vlekken.'
'Waar woon je nu, Jonas?'
'Daar vlakbij.' Hij noemde een adres. 'Als je eenmaal op Hisingen woont, verlaat je het eiland niet meer.'
'Dat heb ik gehoord, ja.'
'Dat is vaak zo met eilandbewoners.'
'Dat heb ik ook gehoord.'
De jongen bewoog nu wat schokkerig. Hij praatte schokkerig, nerveus. Meer dan anders, vermoedde Winter.
'Maar niet iedereen weet dat het een eiland is. Het op twee na grootste eiland van Zweden, geloof ik.'
'Toch heb je allerlei bruggen en veerboten om er te komen,' zei Winter.
'Op het vasteland heb je ook bruggen.'
'Hoe gaat het met je moeder?' vroeg Winter.
'Goed.'
'Woont zij ook nog op Hisingen?'
'In dezelfde flat.'
Winter knikte.
'Het ziet er nog net zo uit als vroeger. Zelfs het bosje is er nog.'
'Heb je het ooit aan Paula laten zien?' vroeg Winter.
'O, gaat het allemaal daarover,' zei Jonas Sandler.
'Hoe bedoel je?'
'U vroeg alleen maar naar Zack en mijn moeder om hiernaar te kunnen vragen.'
Winter probeerde het gezicht van de jongen te duiden. Hij zag er niet paranoïde uit. Zijn woorden leken eerder een constatering.
'Ik wist niet dat jíj hier zat toen ik binnenkwam,' zei Winter.
'Daar geloof ik niets van,' zei Jonas Sandler.
'Heb je haar het bosje laten zien?' vroeg Winter weer.
'Waarom zou ik?' De jongen leek nu nog meer op een jongen. Het was alsof hij in de laatste paar minuten was veranderd. Zijn trekken waren vager geworden en tegelijk helderder.
Winter dacht aan het verhaal van de jongen, het verhaal van vroeger. Hij dacht aan Paula. Hij had geen verband gezien tussen Paula's hand en de hand waarover Jonas ruim achttien jaar geleden had verteld. Hij had er zelfs niet bij stilgestaan. Waarom ook? Hij had aan Ellen Börge gedacht. Dat was een concreter verband met het verleden. Nee, het was niet concreet. Hij

kon het goede woord niet vinden. Misschien bestond dat ook niet.
'Waarom zou ik?' herhaalde de jongen.

Winter rookte voor de entree. De mist was opgetrokken. Aan de overkant van de Skånegatan kon hij het silhouet van het Ullevi-stadion zien. De palen van de schijnwerpers verhieven zich net zo naar de hemel als de verlaten kranen aan de andere kant van de rivier. De kant van Hisingen.

Ik moet ernaartoe, dacht hij terwijl hij de rook uitblies in een lucht die helderder was geworden, net als het gezicht van de jongen binnen. Hij beschouwde hem nog steeds als jongen. Hij kon hem niet samen met een vrouw zien, niet op die manier. Misschien omdat er niets te zien viel. Ik moet ernaartoe. Hisingen. Ik weet niet waarom. Misschien weet ik dat als ik er ben.

Hij hoorde iemand naar buiten komen en draaide zich om.

'Wat zegt hij?' vroeg Halders.

'Herinner jij je de Martinssons nog?' vroeg Winter op zijn beurt.

'Nee. Wat is er? Wie zijn dat?'

'Een echtpaar Martinsson. Hun keuken op Hisingen. We zijn er achttien jaar geleden geweest. Een man had gemeld dat er ...'

'Ja, nu weet ik het weer,' onderbrak Halders hem. 'Hij had zich in zijn pols gesneden.'

'Zei hij.'

'Het was zijn bloed.'

'Niet helemaal,' zei Winter.

'Het was oud,' zei Halders.

'Hoe bedoel je, Fredrik?'

'Het kwam van een ander ongelukje in de keuken.'

'Maar wie was erbij betrokken?'

'Jezus, Erik, dat is een hele generatie geleden.'

'De nieuwe generatie zit hier. Die jongen. Jonas.'

'Ik kan je niet volgen.'

Winter vertelde het.

'Ik heb hem destijds nooit ontmoet,' zei Halders.

'Hij zit hier.'

'Hoe bedoel je, Erik?'

'Het is alsof de jongen die hij destijds was, nu hier is.'

'Ja, ja.'

'Begrijp je het?'

'Nee, maar je hoeft het niet uit te leggen.'

Winter glimlachte.

'Ik herinner me die hand natuurlijk wel,' zei Halders. 'Of liever gezegd, wat de jongen erover had verzonnen.'

'Denk je dat het een verzinsel was?'
'We konden toch niets vinden, Erik.'
'Net als nu,' zei Winter zachtjes.
'Hè? Wat zei je?'
'Net als nu,' herhaalde Winter. 'We weten nog altijd niet wat die hand betekent. Paula's hand.'
Halders zei niets. Hij leek de betonnen armen te bestuderen die de schijnwerpers boven de hemel van het Ullevi-stadion op hun plek hielden. Nog een paar avonden en ze zouden branden als de zon. Er moest nog één derby worden gespeeld.
Halders wendde zich tot Winter.
'Er bestaat zoiets als toeval, Erik.'
'Je bedoelt deze jongen? Hij is een wandelend toeval?'
'Ik weet niet wat hij is. Dat moet hij ons maar vertellen, vind je niet?'

Winter zag een vlies van transpiratie bij de haarlijn van de jongen. Dat kon niet meer van het sporten zijn. Het was niet bijzonder warm in de kamer. De lucht binnen was niet zo prettig. Er hing een apart luchtje dat je nergens anders tegenkwam. In deze kamer hadden veel mensen zitten zweten. Misschien hing er de geur van alles wat hier was gezegd, van alle woorden die hier waren uitgesproken. Van alle leugens, ontwijkende antwoorden, uitvluchten. Een bibliotheek van leugens? Waarom niet? Zonder boeken, met alleen de stank van gemene woorden.
Soms was de waarheid gesproken, als een licht dat plotseling uit het donker tevoorschijn was gekomen. Een schijnwerper. Daarna had iedereen weg kunnen gaan, naar zijn cel, naar zijn appartement, naar zijn huis in een buitenwijk. Naar zijn graf, dacht hij plotseling. De eigenlijke hoofdpersonen waren altijd aanwezig bij een verhoor. De doden. De slachtoffers. Als de zeldzame waarheid boven tafel kwam, kregen ze rust.
'Hoe heb je Paula ontmoet, Jonas?'
'Dat heb ik toch verteld?'
'Nee.'
'Heb je dat niet gevraagd?'
'Hoe hebben jullie elkaar ontmoet?' Winters stem was neutraal. 'Geef gewoon antwoord op de vraag.'
'Ontmoet ... we hebben een paar keer met elkaar gesproken. Een paar keer. Dat heb ik die ... andere agent ook verteld.' Jonas had een hele tijd het tafelblad bestudeerd en keek nu op. 'Ik heb hem alles verteld wat ik weet.'
'Hoe ging die ontmoeting?' vroeg Winter.
'Dat weet ik niet meer. Dat was vast in de bar. Misschien zaten we aan dezelfde tafel.' Hij keek om zich heen, alsof de verhoorkamer in de bar was veranderd en hij de tafel probeerde te vinden waar ze hadden gezeten. 'Zo

is het gegaan. Ik zat daar en ze kwam erbij zitten. Het was waarschijnlijk de enige vrije stoel.'

'Was ze alleen?'

'Ja … ik geloof dat er maar één stoel vrij was.'

'En wat gebeurde er toen?'

'Wat er gebeurde? Niets. We hebben vast iets gezegd, maar ik weet niet meer wat. Een beleefdheidsfrase. Ik weet het niet. En toen ben ik weggegaan. Of misschien ging zij weg.'

'Wanneer hebben jullie weer met elkaar afgesproken?'

'Ik heb al honderd keer gezegd dat we niet met elkaar hadden afgesproken. We kwamen elkaar daar gewoon tegen. Bij Friskis & Svettis. Dat is alles. Hoe vaak moet ik dat nog zeggen?'

Honderd keer, dacht Winter. Je moet het honderd keer zeggen, en dan nog eens honderd keer.

'Maar jullie leerden elkaar toch kennen?'

'We praatten alleen maar wat. Ongeveer net zoals de eerste keer.'

'Beleefdheidsfrasen?'

'Hè?'

'Waar hadden jullie het over?'

'Dat weet ik niet meer.'

'Hadden jullie het erover dat jullie een keer zouden afspreken? Ergens anders dan bij Friskis & Svettis?'

'Nee.'

'Nooit?'

'Nee.'

'Waarom niet?'

'Ik weet niet wat ik daarop moet zeggen.'

'Had je geen belangstelling?'

'Ik weet niet wat je bedoelt.'

Winter keek hem aan. De jongen leek hem niet te willen uitdagen. Hij zag er ook niet gestoord uit.

Hij wil tijd winnen. Hij moet nadenken. Maar waarover?

'Wilde je haar niet zonder sportkleren zien?' vroeg Winter. 'Of überhaupt zonder kleren.' Hij boog zich naar voren. 'Je weet verdomme best wat ik bedoel.'

'We … we zijn nooit zover gekomen.'

'Heb je haar weleens met anderen zien praten?'

Winter liet de teugels even vieren en hervatte zijn greep toen weer, maar nu iets losser. Hij kon zien dat de jongen ontspande, zijn lichaam leek losser te worden, nauwelijks merkbaar, maar het was wel wat zijn lichaamstaal aangaf. Soms was die honderd keer duidelijker dan de andere taal. Net als de stem. Die onthulde honderd keer meer dan de woorden zelf. Maar de stem van Jonas Sandler onthulde niet veel. Misschien alleen de waarheid, of delen daarvan.

'Anderen? Nee ... dat heb ik niet gezien.'

'Haar vriendin dan?'

'Die heb ik niet gezien.'

'Heb je haar nooit samen met haar vriendin gezien?'

'Nee, dat zeg ik toch. Ik heb haar nooit met iemand samen gezien.' Hij keek Winter weer aan. 'Maar er waren daar altijd veel mensen, dus je kunt niet echt zeggen dat iemand alleen was.'

'Heb je een vriendin, Jonas?'

'Hè ... nee.'

'Een vriend?'

'Wat is dat nou weer voor vraag?'

'Geef alsjeblieft gewoon antwoord.'

'Nee, ik heb geen vriend. Ik ben geen homo.'

'Woon je alleen?'

'Als ik geen vriendin heb, moet ik wel alleen wonen, nietwaar?'

'Je kunt een flat delen. Je halve woning verhuren. In de kost zijn. In een gemeenschap wonen.'

'Ik woon alleen,' zei Jonas Sandler. 'En jullie hebben het adres.' Hij trok zijn schouders op, alsof hij wilde laten blijken dat hij stijf was geworden van al het zitten. 'Ik wil nu naar huis. Wanneer mag ik naar huis?'

'Wat deed je op de avond dat Paula verdween?' vroeg Winter.

'Dat weet ik niet.'

'Waarom weet je dat niet?'

'Ik weet niet welke avond dat was.'

'Wat zeg je?'

Halders zat tegenover Winter aan zijn bureau. De bureaulamp verlichtte de onderste helft van zijn gezicht. Hij zag er niet aardig uit. Binnenkort was het Halloween, een nieuwe griezeltraditie in Scandinavië. Halders zou geen masker nodig hebben.

'We laten hem gaan.'

'Hm.'

'Maar we laten hem niet los.'

'Hij heeft dus geen alibi,' zei Halders.

'Er is iets en ik weet niet precies wat,' zei Winter.

'Wanneer is dat niet het geval?'

'Het heeft met toen te maken. Met het verleden.'

'Wanneer is dat niet zo?'

'Heb je nog nagedacht over die reis naar Hisingen? Achttien jaar geleden?'

'Nee. Waarom zou ik?'

'Ik heb die getuige nooit ontmoet,' zei Winter. 'De man die de ruzie meldde.'

'Daar had je ook niet veel aan gehad,' zei Halders. 'Hij was langs de deur gelopen, had de ruzie gehoord en ons gebeld. Hij kende het echtpaar Martinsson niet.'

'Bij wie in die portiek zou hij eigenlijk op bezoek gaan?'

'Dat weet ik niet meer,' zei Halders. 'Dat moet ik in het archief opzoeken. Ik weet niet eens of ik dat heb genoteerd.'

'Zou je dat willen checken?'

'Wanneer? Nu?'

'Ja.'

'Oké,' zei Halders en hij stond op. 'Vanwaar die haast?'

'Dat weet ik niet.'

Het verkeer op de Älvsborgsbrug nam af. In de diepte waren honderd keer honderd lichtjes te zien. De avondlucht boven het Kattegat en het Skagerrak was onbewolkt en diepblauw.

Metzer. Hij heette Anton Metzer. Hij was onderweg geweest naar een man in dezelfde portiek als het echtpaar Martinsson, maar hij was er die avond uiteindelijk niet geweest. Winter had de naam opgeschreven. Die zei hem niets. Hij had niet iedereen in die portiek verhoord. Na twaalf uur was er niets geweest waarover ze de mensen konden verhoren. Niemand had vragen gesteld over een hand die door een jongetje van tien en zijn hond was gezien.

Niemand had met Metzer gesproken na het bezoek van Halders diezelfde avond. Er viel nergens over te praten en dat was nu ook zo. Toch ervoer Winter een lichte opwinding, nee, dat niet … een voorgevoel. Een voorgevoel over het verleden. Kon je dat zo zeggen? Waarom ga ik daar nú heen?

Het verhoor met de jongen had hem iets verteld wat hij nog niet begreep, maar hij was wel zo verstandig er wat mee te doen. Hij ging er niet speciaal heen om met Jonas' moeder te praten, maar dat zou hij wel proberen.

Hij wilde dat merkwaardige bosje bekijken. Merkwaardig? Ja. Het was gek geweest daar te staan. De duidelijke stilte van de jongen. Angst. Ja. De tanden van de hond. De hond was ook merkwaardig stil geworden.

Winter zette zijn auto op de parkeerplaats bij de flatgebouwen. Dit kon overal in de stad zijn. Er waren honderd keer honderd van dit soort wijken. Hij herkende het hier omdat hij wist dat hij hier was geweest, maar dat was de enige reden. Hij liep over het plein. De speeltuin lag in de elektrische halve schaduw, een schijnsel dat eerder wit was dan zwart. Verderop was het bosje en nu herkende hij de plek echt, alsof hij hier gisteren nog was geweest.

Hij liep naar de weinige bomen toe en stak zijn zaklamp aan. Ergens hoorde hij opeens een hond blaffen. De grond werd wit toen hij er met zijn lamp op scheen. Hier hadden ze gestaan. Daar ergens had iets gelegen wat de jongen naar eigen zeggen had gezien.

Ze hadden niets gevonden.

Winter liet het licht een hele tijd op de grond schijnen, maar zag niets wat er niet thuishoorde. Alleen stenen, aarde, grind, dode bladeren. Een nieuwe herfst, een van de vele sinds de vorige keer.

Hij liep terug in de richting van de speeltuin. Het was alsof hij uit een echt bos kwam.

In de trapopgang voelde hij wind, net als de vorige keer. Hij herinnerde het zich. De wind bleef hangen, ook wanneer de portiekdeur beneden dichtsloeg, en wervelde als iets verdoemds van boven naar beneden.

Hij belde aan. Er stond METZER op het naambordje, geen voornaam. Hij belde nog een keer aan. Binnen klonk een schel geluid, een teken dat uit het verleden was blijven hangen. Winter had zijn komst niet aangekondigd. Metzer kon weg zijn.

De deur ging een klein eindje open.

'Meneer Metzer? Anton Metzer?'

Winter kon een paar ogen zien, een stukje voorhoofd. Donker haar.

'Ja?'

Winter stelde zich voor.

'Mag ik even binnenkomen?'

'Waarom?'

'Ik wil u een paar vragen stellen.'

'Waar gaat het over?'

'Mag ik binnenkomen?'

De deur werd opengedaan. De man deed een paar stappen naar achteren. Hij droeg een wit overhemd en een bruine broek, die van gabardine leek. De pantoffels aan zijn voeten zagen er comfortabel uit. De man had een oud gezicht. In de hal rook het naar eten, een laat avondmaal. Winter hoorde stemmen uit een kamer komen, een tv. Er stond een oude telefoon met een draaischijf op een tafeltje in de hal.

'Ja ... kom verder dan,' zei Metzer en hij gebaarde met zijn hand naar binnen.

Ze gingen naar de woonkamer. Op de tv was een discussieprogramma aan de gang. Mensen zaten op twee banken tegenover elkaar en Winter hoorde een opgewonden stem zeggen: 'Dat is het stomste wat ik ooit heb gehoord.' Hij zag dat het een vrouw met een dikke bos haar was. Er werd altijd veel stoms op de tv verkondigd, maar weinig mensen durfden dat op de buis zelf te zeggen. Voordat Winter een eventuele verdediging van dat stoms kon horen, zette Metzer de discussie uit door op een knop op het apparaat te drukken.

Winter legde uit waarvoor hij kwam.
'Dat is lang geleden,' zei Metzer.
Winter knikte.
'Ik herinner me u niet,' zei Metzer.
'U hebt met een collega van me gesproken.'
'Hm.'
'Kende u het echtpaar Martinsson?'
'Nee, nee. Ik heb ze nooit gesproken.'
'Maar u maakte zich zorgen toen u langs hun deur liep?'
'Ja.'
'Hoe klonk het?'
'Alsof iemand van het leven werd beroofd.'
'Hebt u zoiets weleens eerder gehoord?'
'Hier? Nee.'
'Hebt u ze naderhand gesproken? Een van hen?'
'Nee. Waarom zou ik?' Metzer ging verzitten. 'Bovendien zijn ze een paar weken later verhuisd, of misschien was het nog wel eerder.'
Winter knikte.
'Ik was gewoon ongerust. Daarom belde ik de politie.'
'Bij wie zou u die avond op bezoek gaan?' vroeg Winter.
'Bij een buurman die daar woont. Dat heb ik toch gezegd?'
'Ja.'
'Nou dan.'
Winter las de naam in zijn notitieboekje. Hij herinnerde het zich, maar gebruikte toch het boekje. Het leek alsof hij zijn huiswerk had gedaan, zich had voorbereid. Hij wilde niet dat het eruitzag alsof hij bij toeval over de brug aan was komen fladderen.
'Die was niet thuis, geloof ik?'
'Nee.'
'Maar u hebt die avond wel aangebeld? Bij hem?'
'Ja ... dat neem ik aan.'
'U weet het niet meer?'
'Nee ... dat staat vast in de getuigenverklaring, of hoe dat ook maar heet.'
'Daar staat dat u niet bij hem bent geweest.'
'Dan was dat zo.'
Metzer keek Winter aan. Vanaf zijn slaap liep er een lijn over zijn gezicht naar beneden. Het leek op een litteken van een sabel. Metzer. Misschien was hij van Duitse adel.
'Eigenlijk ... eigenlijk zou ik niet bij hém op bezoek gaan,' zei Metzer na een tijdje.
'Sorry?'
'Zijn naam stond wel op de deur, maar hij woonde daar niet.'

Winter knikte. Hij voelde iets op zijn schedeldak, een zwakke opwinding. Zo reageerde zijn lichaam altijd. Het gebeurde onaangekondigd.

Vertel het alsjeblieft, Anton.

'Er woonde een vrouw. De flat was onderverhuurd. En haar dochter. Ze hebben er niet zo lang gewoond.'

Winter knikte weer.

'Een maandje maar.'

Hij viel stil.

'Ja?' zei Winter.

'Ik praatte hierbuiten weleens met haar. En met het meisje. Ik ... hielp ze een beetje. Ze hadden hulp nodig. Er was niets tussen ons, tussen de moeder en mij. Zoiets was het niet. Daar was ik toen al te oud voor. Maar ik had medelijden met ze.'

'Waarom?'

'Dat weet ik niet. Ze waren ... de weg een beetje kwijt. Eenzaam.' Hij leek vaag te glimlachen. 'Misschien net als ik.'

'Dus u wilde die avond bij hen op bezoek gaan?'

'Ja.'

'Waarom hebt u dat toen niet verteld? Achttien jaar geleden?'

'Niemand vroeg ernaar.' Metzer streek over zijn kin. Die leek pas geschoren. 'En het was ook niet belangrijk. In zoiets was de politie toch niet geïnteresseerd?'

22

Winter stond weer op het plein. Hij hoorde weer een hond blaffen, achter het bosje. Het geluid dreef op de wind. Het cirkelde om de speeltuin alsof het vleugels had. Toen Winter langs de speeltuin liep, dacht hij aan de jongen. Hij moest daar vaak hebben gezeten. De schommels bewogen zachtjes heen en weer in de wind. Het was alsof er iemand op zat, een onzichtbaar kind.

Toen hij de trap opliep, had hij sterk het gevoel dat hij de komende uren iets belangrijks te weten zou komen. Iets belángrijks, iets wat hij zowel had vermoed toen hij op het plein stond als toen hij in Metzers flat zat, waar de geur had gehangen van eenzaamheid en stille wanhoop, als een dikke laag stof die over alles heen lag.

Hij belde aan. Het moest dezelfde deur zijn als toen. Niets leek hier te zijn veranderd, niets om hem heen leek nieuw. Niets was gerenoveerd, opgeknapt, bijgewerkt. Het geld was op geweest voor ze hier hadden kunnen beginnen. Dat soort geld was er niet voor de mensen die hier woonden. Er was helemaal geen geld.

Winter drukte op het knopje en hoorde het eenzame geluid van de bel.

De vrouw die opendeed, had een handdoek om haar haar gewikkeld. Hij herkende haar meteen.

Zij herkende hem ook.

'Waar gaat het over?' vroeg ze. En toen: 'Is er iets gebeurd?'

'Mag ik binnenkomen?' vroeg Winter.

'Is er iets met Jonas gebeurd?'

Het was alsof hij achttien jaar geleden in dit trappenhuis stond. Hij was even naar buiten gegaan. Toen hij terugkwam, was de jongen verdwenen.

'Herkent u me?' zei hij.

'Winter,' zei ze. 'Ik herinner me uw naam.'

'Ik herken u ook,' zei hij.

'Het is heel wat jaartjes geleden.' Ze keek over zijn schouder, alsof ze wilde controleren of hij alleen was. 'Heel wat jaartjes.'

'Mag ik verder komen?'

Ze deed een paar passen opzij om hem langs te laten. Hij stapte de hal in. Al die hallen waar ik in al die jaren ben binnengekomen. Ik had stofzuigers kunnen verkopen, of encyclopedieën. Mag ik even binnenkomen om iets te verkopen? Iets te stelen. Tijd te stelen.

Winter keek naar de speeltuin vanachter het raam, of misschien dat het een Frans balkon heette. Het glas reikte tot op de vloer.

'Wat is er gebeurd?' vroeg ze weer. Ze had de handdoek in de badkamer van haar hoofd gehaald, was teruggekomen en tegenover Winter gaan zitten. Haar haar was nog vochtig. Het glom in het licht in de kamer.

'Gaat het over Jonas?' ging ze verder.

'Waarom vraagt u dat?'

'Is dat zo gek?' Ze keek hem recht aan. 'Waarom zou u anders langskomen?'

'Er is niets met hem gebeurd,' zei Winter. 'Maar ik heb hem gesproken. Onlangs.'

'Waarom?'

Haar ogen waren ongerust, maar Winter kon niet bepalen waarom. Er konden meerdere redenen zijn, vooral natuurlijke.

'Hebt u gehoord over de moord op een vrouw die Paula Ney heet?' vroeg hij. Hij had haar kunnen vragen of ze de naam kende, alleen de naam, maar hij wilde haar reactie zien.

'Paula? Paula ... hoe? Een moord? Waarom zou ik daar iets over moeten weten?'

'Paula Ney. N-e-y.'

'Verschrikkelijk. Nee ... dat wist ik niet. Kan ik er wat over gelezen hebben? Heeft het in de krant gestaan?'

De *Göteborgs-Posten* lag op tafel. Winter zag dat hij was opengeslagen bij de tv-pagina's. Hij zag de tv in de hoek staan, rechts van het Franse balkon. Het was een ouder model, maar Winter kon niet bepalen hoe oud. Hij wist niet veel van tv-toestellen.

'Er is vrij veel over geschreven in de krant,' zei hij en hij knikte naar de tv. 'Het is ook op tv geweest.'

'Misschien dat ik er iets over heb gezien ...' Ze keek naar de krant en vervolgens naar de tv. 'Maar waarom komt u me dat vertellen?'

Op die vraag waren meerdere antwoorden. Het zou een lang verhaal worden.

In de afgelopen minuten was haar gezicht veranderd. Hij had gezegd dat er een vrouw was vermoord. En dat hij haar zoon onlangs had gesproken. Haar ogen waren een en al ongerustheid.

'Jonas heeft er toch niets mee te maken?' Ze boog zich naar voren. 'Toch?'

'Hij heeft de vrouw een paar keer ontmoet,' zei Winter.
'Grote god.'
'Hebt u haar ontmoet?'
Even leek het erop dat ze ja zou zeggen, alleen omdat het haar zoon misschien zou helpen, zonder dat ze wist hoe of waarom. Maar misschien was het net zo verstandig om nee te zeggen. Misschien was de waarheid nu beter.
'Nee,' antwoordde ze.
'Paula Ney,' zei Winter. 'Jonas heeft haar nooit genoemd?'
'Nee.'
'Weet u dat zeker?'
'Ja. Wat is dit? Wat heeft hij gedaan? Hij heeft toch niet ...'
Winter zei niets.
'Wordt hij ...' ze zocht het woord, '... verdacht?'
Winter vertelde over Friskis & Svettis. Hij vertelde stukken van Jonas' verhaal.
Ze leek zich te ontspannen.
'Ja, maar dan is dat zo.'
Winter hoorde weer een hond blaffen en hij draaide zijn hoofd om.
'U gelooft hem toch wel?' vroeg ze. 'Waarom zou u hem niet geloven?'
Winter wendde zich weer tot haar. Anne. Ze heette Anne. Het stond op de voordeur, Anne Sandler.
'Ik heb alleen maar met hem gepraat,' zei Winter. 'Dat is alles. We praten met heel veel mensen als we met een onderzoek bezig zijn. Dat is noodzakelijk. Jonas is een van de getuigen, een belangrijke getuige. Hij is een van de laatste mensen die haar heeft gesproken.'
Hij zag dat ze zich ontspande. De bezorgdheid gleed gedeeltelijk van haar gezicht. Hij had een trekje bij haar slapen gezien, een nerveuze beweging rond haar mond. Nu kroop de ongerustheid terug naar haar ogen. Daar leek die te blijven.
'Wanneer hebt u Jonas voor het laatst gezien?' vroeg hij luchtig.
'Wilt u een kopje koffie?' vroeg ze en ze stond op. 'Ik ben helemaal vergeten te vragen of u koffie wilt.'
'Graag,' zei Winter. 'Zeg me alleen even wanneer jullie elkaar voor het laatst hebben gezien.'

Dat was alweer een tijdje geleden. Ze had niet kunnen zeggen precies hóélang. Een maand of zo. Het was een hele tijd geleden. Ze kon Jonas geen alibi geven voor het moment waar Winter mee werkte. Hij noemde het woord 'alibi' niet. Misschien kwam dat later, een andere dag, week of maand.
Winter vroeg niet waarom ze haar zoon maar zo zelden zag of waarom Jonas niet bij haar langsging. Als het al zelden was. Wie was hij om daar een

oordeel over te vellen? Hoeveel jaren waren er verstreken tussen de voorlaatste en de laatste keer dat hij zijn vader had gezien? En toen was het te laat geweest. Hoe vaak had hij de afgelopen jaren zijn moeder gezien? Wel steeds vaker in elk geval. En de komende winter misschien wel te vaak.

Ze zaten nu in de keuken. Dat was op Winters voorstel. Ze hadden hier achttien jaar geleden ook gezeten. Jonas' stoel was nu leeg. Winter herinnerde zich welke stoel dat was. Soms werkte het geheugen op die manier.

Hij had nog een paar vragen.

'Er woonden hier kennelijk een vrouw en haar dochter op de derde verdieping?'

Ze draaide zich om met het bord bolletjes dat ze uit de magnetron had gehaald.

'Destijds,' ging Winter verder, 'toen ik hier voor het eerst was. Achttien jaar geleden.'

'Ja ...'

'Toch?'

'Ja ... ik geloof het wel ...'

'Hoe goed kende u ze?'

'Ze hebben er niet lang gewoond, hoogstens een maand, geloof ik. Misschien twee. Het was heel kort.'

'Maar u herinnert zich die vrouw en haar dochter wel?'

Anne Sandler knikte.

'Hoe komt dat?'

'Hoe bedoelt u?' vroeg ze.

Ze was bij het aanrecht blijven staan.

'Ze woonden er maar heel kort,' zei Winter.

'Ja ... we spraken elkaar bij de speeltuin. Of op het plein. Jonas zal wel met dat meisje hebben gespeeld. Ze waren ongeveer even oud.' Anne Sandler deed een stap in de richting van de tafel. 'Er woonden hier toen niet zoveel jonge kinderen. Er woonden vooral volwassenen.' Ze ging aan tafel zitten. 'En nu zijn de bewoners hier allemaal nog ouder. Of wij, moet ik misschien zeggen.'

'Hoe heetten ze?' vroeg Winter. 'Wat was hun achternaam?'

'Dat ... dat weet ik niet meer.'

'Was het een lastige naam om te onthouden?'

'Ik weet het echt niet. Is het niet makkelijker om een moeilijke naam te onthouden?'

'Wat was de voornaam van de vrouw?'

'Dat weet ik ook niet meer.' Ze schoof haar koffiekopje iets van zich af. 'Dat is gek. Dat zou ik toch nog moeten weten.'

'En het meisje?'

Anne Sandler leek na te denken.

'Ik geloof dat ze Eva heette,' zei ze na een tijdje. 'Ik weet het denk ik nog omdat Jonas die naam noemde.'
'Bent u weleens bij ze op bezoek geweest?'
'Nee.'
'Waarom niet?'
'Dat ... dat kwam er niet van. We hebben elkaar niet goed genoeg leren kennen.' Ze keek om zich heen. 'Ze zijn ook nooit hier geweest.' Opeens keek ze naar de lege stoel naast Winter, alsof die haar ook ergens aan deed denken. 'Het meisje is hier trouwens weleens geweest.'
'Woonde er ook een man?'
'Voor zover ik weet niet. Ik heb er nooit een man gezien. Ze had het ook nooit over een man.'
Winter zag aan haar dat ze het plotseling vervelend vond om erover te praten, alsof hij haar aan iets had herinnerd waar ze niet aan wilde denken, waar ze niets over wilde zeggen.
'Waarom vraagt u naar haar? Naar hen?' vroeg ze terwijl ze hem aankeek. 'Wat hebben zij met die ... moord te maken?'
'Het gaat om die avond,' zei Winter. 'Toen wij hier waren. Toen er ruzie was in de flat van de Martinssons.'
'Ik weet nog dat u daarnaar vroeg. Destijds. Ik heb volgens mij wel verteld wat ik over ze wist, het echtpaar Martinsson. Dat was niet veel, als ik het me goed herinner.'
Winter knikte.
'Maar wat hebben zij ermee te maken? Met die ruzie? Of met iets anders? De moeder en het meisje, bedoel ik.'
'Ik weet het niet,' zei Winter. 'Waarschijnlijk niets.'
'En wat hebben wij ermee te maken?' vroeg ze. 'Behalve dat Jonas kennelijk een paar woorden heeft gewisseld met de vrouw die ... is overleden?'
'Wat is er met ze gebeurd?' vroeg Winter, zonder de vraag van Anne Sandler te beantwoorden. 'Met de moeder en de dochter? Weet u dat? Waar zijn ze heen gegaan?'
'Dat weet ik niet. Op een dag waren ze gewoon weg.'
'Ze had het u van tevoren niet verteld? De moeder?'
'Nee.'
'En het meisje dan? Had zij ook niets tegen Jonas gezegd?'
'Nee. Ik heb het hem wel gevraagd, maar hij zei dat ze gewoon weg was.' Anne Sandler keek door het Franse balkon naar buiten. Ze zag wat Winter zag: een speeltuin die zwak werd verlicht door het elektrische licht, als een gele schaduw. Ze konden hiervandaan de schommels zien, en een soort klimrek. Daarachter stond een glijbaan.
'Hij was verdrietig dat ze zomaar was weggegaan zonder afscheid te nemen,' zei Anne Sandler.

Mario Ney belde Winters mobiele nummer op het moment dat Winter terugreed over de brug. Er was weinig verkeer. Het was na tienen. Winter zag een veerboot aankomen ter hoogte van de Älvsborgvesting. Het was een heldere avond.

'Weten jullie al wat meer?' vroeg Mario Ney. 'Heeft iemand Elisabeth gezien?'

'Nog niet,' zei Winter.

'Iemand moet haar hebben gezien.'

'Waar ben je, Mario?'

'Thuis. Ik zit naast de telefoon. Misschien belt ze. Of iemand anders. Jij, bijvoorbeeld. Jij belt, bijvoorbeeld. Je zei dat je me zou bellen.'

'Dat wilde ik vanavond ook doen. Straks.'

'Dat zeg je alleen maar.'

Vanuit zijn ooghoeken kon Winter de veerboot nog steeds zien. Een drijvende flat van tien verdiepingen, die in zijn eigen licht baadde. De veerboot die de haven in gleed, leek onderweg te zijn naar een feest. Van boven af leek de hele stad onderweg te zijn naar een feest.

'Wonen jullie daar al lang, Mario? In de flat in Tynnered?'

'Hè? Waarom vraag je dat?'

'Hoelang hebben jullie die woning al?' herhaalde Winter.

'Die wo... al best lang. Sinds Paula klein was. Hoezo?'

'Hoe klein?'

'Wat is dit? Waar wil je naartoe?'

'Hoe oud was ze toen jullie er kwamen wonen?'

Winter hoorde hoe Ney iets mompelde, alsof hij tegen zichzelf praatte.

Winter herhaalde zijn vraag.

'Vijf,' zei Ney. 'Ze was geloof ik vijf.'

Het laken lag op de derde plank van rechts. Maar om daarbij te kunnen, moest de schoonmaakster langs een andere plank lopen en vervolgens de muur volgen die met een boog naar rechts liep. In zekere zin zou je kunnen zeggen dat de voorraadkamer uit twee ruimtes bestond. Wie in de deuropening stond, kon de achterste ruimte niet zien.

De schoonmaakster had haar handen vol gehad met spullen die nu op de grond lagen, kriskras door elkaar, precies zoals ze ze had laten vallen. Ze had gegild. Het was op de trap te horen geweest en zelfs op de verdiepingen erboven en eronder.

Ze had zich de eerste minuut niet kunnen bewegen en alleen maar een gil kunnen slaken, één langgerekte, hoge gil.

Het lichaam van Elisabeth Ney lag op een bed van stralend witte lakens. Bijna alles in de voorraadkamer was stralend wit.

Winter probeerde alles tegelijk te zien.

Hij was de eerste die naar binnen ging.

Een van de directeuren van het hotel had de politie gebeld en drie collega's hadden bij de deur staan wachten toen Winter arriveerde. Ringmar was onderweg, samen met Aneta Djanali.

De schoonmaakster lag in een van de personeelskamers van het hotel bij te komen. Het was niet duidelijk of ze vannacht meer dan een paar woorden met Winter zou kunnen wisselen.

Ze had nog nooit zoiets gezien.

Winter liep voorzichtig om het lichaam heen. Het bed van lakens was 40 of 50 centimeter hoog.

Het was geen toeval. De moordenaar had het zo gearrangeerd. Wanneer? Terwijl Elisabeth Ney ... wachtte tot hij klaar was? Of al eerder? Had de moordenaar dit voorbereid omdat hij wist wat er ging gebeuren? Ja. Nee. Ja. Ja. Iemand die toegang had tot deze kamer. Dit hotel. Iemand met toegang tot hotels. Een oud hotel. Precies tussen Revy en Gothia Towers, wat een heel eind was. Niet luxueus en niet verlopen. Een hotel voor de gewone man. Een hotel voor iemand als Elisabeth Ney. Hoe was zij hier terechtgekomen? Hier, in de voorraadkamer? Ze had niet ingecheckt in het hotel, dat wist hij al, en zeker niet hier. Winter wachtte op de patholoog. De patholoog. Ga aan de slag. Vertel me of ze hier is overleden. Winter bestudeerde het lichaam. Hij dacht dat het hier was gebeurd. Hoe had het anders kunnen gaan? Hij stond op en liep terug door de merkwaardig gevormde ruimte. Twee agenten hielden de wacht in het trappenhuis. Winter vroeg of ze opzij wilden gaan zodat hij de deur aan de buitenkant kon zien. Er stond niets op, de deur was leeg, geen bordje, geen cijfers. Waarom hier, dacht hij.

'Waarom hier?' vroeg Ringmar. Aneta Djanali stond naast hem. Ze keek naar het dode lichaam van Elisabeth Ney en de ruimte om haar heen. Het was een toneel.

'Hij wilde dat wij het zo zagen,' zei ze. 'Zo moesten wij haar ... ontmoeten.'

Winter knikte.

'Hij moet het zorgvuldig hebben gepland.'

'De deur van de voorraadkamer zat niet op slot,' zei Winter.

'Waarom niet?' vroeg Ringmar.

'Dat is onhandig,' zei Winter. 'De schoonmaaksters moeten er aldoor in.'

'Hij moet hier toch zijn geweest,' zei Aneta Djanali terwijl ze weer rondkeek. 'Hij moet hier eerder zijn geweest. Misschien wel vaker.'

Winter knikte weer.

'Iemand moet hem hebben herkend.'

'Dat moeten we afwachten,' zei Winter.

'Of hij is zo bekend dat niemand hem herkent,' zei Aneta Djanali. 'Hij kon komen en gaan zoals het hem uitkwam.'
'Dat is een goed punt,' zei Winter.
'Misschien doet hij dat nog steeds,' zei Aneta Djanali.
'Werkt de moordenaar hier?' vroeg Ringmar.
Niemand zei iets.
Niemand dacht dat dat het geval was. Ze zouden iedereen die hier werkte verhoren, maar dat was de standaardprocedure. Misschien zouden ze andere antwoorden krijgen, misschien zouden een paar ervan hen helpen.
'Waarom hier?' herhaalde Ringmar, maar vooral voor zichzelf.
'Omdat dit een hotel is,' antwoordde Winter.
'Het is geen echte kamer,' zei Ringmar, 'en zeker niet kamer nummer 10.'
'Dat maakt hem niet langer uit,' zei Winter.
'Hoe bedoel je?'
'Dit is een ... een ander soort moord dan die op Paula.' Winter keek naar het lichaam. 'Hij lijkt er wel op, maar hij hoort er niet bij. Niet op die manier.' Hij keek op. 'Dit is gepland, maar niet zoals de moord op Paula. Dit is naderhand gebeurd. Misschien was het niet de bedoeling dat het zo zou gaan.'
'We weten niet eens of het dezelfde moordenaar is,' zei Ringmar.
'Bedoel je dat de moordenaar ... genoodzaakt was om Elisabeth Ney te vermoorden, hoewel hij dat niet had gepland?'
'We zullen zien,' zei Winter en hij bestudeerde het lichaam opnieuw. Het was een ongebruikelijke situatie: hij boog zich over het dode lichaam van iemand die hij eerder had ontmoet, die hij had gesproken, aan wie hij vragen had gesteld, naar wie hij had geluisterd. Een moordonderzoek als dit was op zich al ongebruikelijk. De meeste moordenaars waren meteen na de daad bekend. Soms zelfs voordat ze die begingen. Maar ook bij een onderzoeksmoord was het heel ongebruikelijk dat de rechercheur het slachtoffer al eens had ontmoet. Winter had het eerder meegemaakt, maar slechts één keer. Hij was toen van slag geweest, en dat was hij nu ook. Het gevoel belemmerde zijn gedachten niet. Misschien hielp het hem helder te denken. Zijn bloed stroomde sneller.

Winter liet Ringmar en Aneta Djanali op de vindplaats achter en liep naar het trappenhuis. De lucht daar voelde frisser, hoewel dat niet zo was. Hij kon niets verzinnen wat hier fris was. Alle witte kleuren deden hem aan ziekte en dood denken. In een ziekenhuis was alles wit. In een mortuarium. In een kerk. Wit was de kleur van de dood in alle nuances.
Zijn mobieltje ging over.
'Ik sta nu voor de deur,' zei Halders.
'Kom boven,' zei Winter.

Hij wachtte op de trap.

Toen Halders kwam, liep hij meteen de voorraadkamer in. De patholoog was even daarvoor gekomen. Het was een man die Winter nog niet eerder had ontmoet. Hij was jong, misschien tien jaar jonger dan Winter. Het leek alsof hij diep ademhaalde voordat hij de kamer in liep. Winter had hem kort gesproken.

Halders kwam naar buiten.

'Zullen we dan maar?'

Mario Ney zat in de flat te wachten. Winter had er een wagen van bureau Frölunda heen gestuurd.

Halders reed door de Tingstadstunnel. De stemmen op de radio veranderden van toon, alsof ze opeens een andere taal spraken. Winter had het nooit prettig gevonden om door tunnels te rijden. Hij was ooit in een van die ellenlange Zwitserse tunnels in een file beland en dat was niet leuk geweest. Een paar auto's voor hem was een claustrofobische vrouw doorgedraaid en via de autodaken naar het licht en de vrijheid gesprongen.

Toen ze de tunnel eenmaal uit waren, was Winter de eerste de beste parkeerplaats opgereden en uitgestapt. Met vaste grond onder zijn voeten had hij geprobeerd zo veel mogelijk lucht in te ademen, of die nou fris was of niet. Het was alsof hij van grote hoogte was afgedaald.

'Het lijkt nog niet zo lang geleden te zijn gebeurd,' zei Halders.

'We moeten afwachten wat de patholoog zegt.'

'Ik kende hem niet,' zei Halders.

'Ik ook niet.'

'Wat zei Mario Ney?'

'Ik heb het hem nog niet verteld.'

'Vroeg hij niet waarom je langs wilde komen?'

'Daar heb ik hem geen tijd voor gegeven,' antwoordde Winter.

'Ik denk niet dat het dezelfde moordenaar is,' zei Halders. 'Dat denk ik niet.'

Halders sloeg van de hoofdweg af. Een kilometer verderop zag Winter de grijze flatgebouwen van Västra Frölunda. Ze verhieven zich als blokken naar de lucht. Wat ze hier met de woningbouw hadden willen bereiken, was totaal de mist ingegaan. Vandaag was alles grijs. Grijs was ook een tint wit.

'En ook niet hetzelfde motief,' ging Halders verder. 'Of misschien ook wel.'

'Wat zijn de motieven?' vroeg Winter.

'Die bestaan misschien niet,' zei Halders. 'Behalve in het hoofd van de moordenaars.'

'Van de moordenaar,' zei Winter. 'Het is een en dezelfde persoon.'

Halders zette de auto in een van de vele lege vakken op de parkeerplaats bij de huurflats. Winter stapte uit. Het is nog niet zo lang geleden dat ik hier was. Ik had nooit gedacht dat ik hier met deze boodschap zou terugkomen.

'Kan hij gewelddadig worden?' vroeg Halders.

'Ik heb geen flauw idee, Fredrik.'

'Hij heeft ons al eens beschuldigd. Nu heeft hij daar nog meer reden toe.'

Winter knikte. Hij had besloten dat Elisabeth Ney zorg nodig had. Hij had haar niet onder bewaking gesteld. Hij had haar niet beschermd. Hij had wellicht niet goed genoeg nagedacht, niet ver genoeg vooruit. Hoe ver vooruit kun je denken? Tot de volgende moord? Hij liep over het plein. Ligt daar de grens? Of moet je verder denken? Ze kwamen langs de speeltuin. Die was groter dan de speeltuin op Hisingen. Er waren meer schommels. Hij dacht weer aan de jongen en het meisje. Ze hadden gezocht naar de mensen die een flat hadden gehuurd van een man wiens naam Winter niet herkende. Die huurder was al heel lang geleden verhuisd. De meeste mensen waren verhuisd, het gebied kende een grote doorstroming. Kon je het zo noemen? De meeste mensen trokken verder, maar Metzer was er blijven wonen, evenals de moeder van de jongen, Anne.

Een van de schommels bewoog in de wind toen ze erlangs liepen. Slechts één, alsof ook hier een onzichtbaar kind was gaan schommelen.

Paula heeft op die schommel gezeten, dacht Winter.

'De collega's zijn er al,' zei Halders.

Winter zag de surveillancewagen voor de portiekdeur.

'Ze hebben niet gebeld, dus er zijn geen problemen,' ging Halders verder. Winter keek omhoog. Hij zag de ramen van de flat waar de familie Ney woonde. Het waren er drie, hij herinnerde zich dat er drie ramen waren die uitkeken op de speeltuin en de parkeerplaats. Het gezin had uit drie mensen bestaan. Opeens zag hij een gezicht achter het middelste, donkere raam. Het gezicht was als een witte schaduw.

23

'Wat is er verdomme aan de hand?!' Mario Ney stond al in het trappenhuis toen Winter en Halders nog onderweg naar boven waren. Winter zag dat de twee agenten van bureau Frölunda hem als geüniformeerde lijfwachten flankeerden. 'Wat is er gebeurd?!'

'Zullen we naar binnen gaan?' vroeg Winter.

Ney draaide zich abrupt om, alsof hij wilde controleren waar de deur was, of hij wel voor zijn eigen woning stond.

'Het gaat om Elisabeth, hè! Er is haar iets overkomen. Waar is ze?'

'Mario ...'

Winter stak zijn hand uit, maar Ney stapte al over de drempel, alsof hij begreep dat hij binnen antwoord zou krijgen.

'Kunnen wij nu gaan?' vroeg een van de inspecteurs.

'Bedankt,' zei Winter.

'Wat zei hij toen jullie kwamen?' vroeg Halders.

'Niets.'

'Niets?'

'We zijn net pas naar boven gegaan. Hij deed open, staarde ons aan en ging weer naar binnen.'

'En toen kwamen jullie,' zei de ander. 'Maar hij was rustig.'

'Nu gedroeg hij zich heel anders,' zei Halders.

'Hij zag ons door het raam aankomen,' zei Winter. 'Hij herkende mij.'

'Dus jij hebt die reactie veroorzaakt?'

'Hij denkt waarschijnlijk dat mij van alles te verwijten valt.'

'Hij weet de helft nog niet,' zei Halders.

Winter gaf geen antwoord. Ze liepen de hal in. Hij kon de voetstappen van de collega's op de trap horen. Het leken net geüniformeerde olifanten. Als de buren het bezoek nog niet hadden opgemerkt, zouden ze dat nu wel doen.

Winter keek naar de rug van Mario Ney. De man stond bij het raam, alsof hij wachtte tot hij de geüniformeerde agenten beneden kon zien. Toen draaide hij zich om. Hij leek nu rustiger. Het was alsof hij het wist.

'Zullen we gaan zitten?' stelde Winter voor.
'Zeg maar gewoon wat je te zeggen hebt.'
'We hebben Elisabeth gevonden. Ze is dood.'
Eerst het goede nieuws, dacht Winter. We hebben haar gevonden. Dan het slechte. Aanvankelijk leek Ney niet te reageren. Hij leek nog steeds op een mededeling van Winter te wachten en keek van hem naar Halders en weer terug, alsof een van beiden iets zou zeggen.
'Mario ...'
'Hoe?'
Alleen dat. Hoe. Ney stond nog steeds bij het raam. Het was onmogelijk de uitdrukking op zijn gezicht te zien, want hij stond met zijn rug naar het licht. Winter kon zien dat de surveillancewagen bij de speeltuin startte, een U-bocht maakte op de parkeerplaats en langzaam de hoofdweg naar Frölunda op reed. Hij had graag in die auto gezeten. Dan had hij niet hoeven vertellen hoe. Hij kon dat nu niet doen, hij mocht dat niet doen.
'Waar?'
Twee vragen nu. De tweede vraag maakte het plotseling makkelijker de eerste te beantwoorden.
'Odin,' zei Winter. 'Hotel Odin. Ze ...'
'Wat deed ze daar?' onderbrak Ney hem. 'Waar is dat?'
'Aan de Kungsgatan. Maar ze ...'
'Alweer een hotel! Wat is er in godsnaam aan de hand?!'
Winter hoorde hoe Neys stem scherper werd. Hij kon het gezicht van de man nog steeds niet duidelijk zien. Toch was dat absoluut noodzakelijk.
'Ga zitten, Mario.'
'Ik ka...'
'Ga zitten!'
Het was alsof Ney het begreep. Hij liep vlug naar de dichtstbijzijnde stoel en ging zitten. Winter nam plaats op de bank ertegenover, naast Halders, die meteen was gaan zitten.
'We weten nog niet hoe,' zei Winter.
Ney sloeg zijn handen voor zijn gezicht. Hij boog zich voorover. Winter en Halders zagen de kale plek boven op zijn hoofd.
Ney haalde zijn handen weer weg en keek op.
'Maar ... dood?'
Winter knikte.
'Wat had ze ... gedaan? Wat heeft ze gedaan? Wat is er gebeurd? Hoe is ze gestorven?'
'Ze is vermoord,' zei Winter.
'Wanneer?'
'Sorry?' vroeg Halders.
'Wanneer is het gebeurd? Is het net gebeurd? Vandaag? Gisteren?' Ney

boog zich naar voren. Winter zag de gespannen huid in zijn gezicht, de rode ogen, de handen die bewogen. 'Wanneer is het gebeurd?'

'Dat weten we nog niet precies,' zei Winter.

'Dat weten jullie niet?' Ney kwam weer overeind. 'Wat weten jullie eigenlijk wel? Jullie weten verdomme niets!'

'Is er iets wat we zouden moeten weten?' vroeg Winter. 'Iets wat jij weet?'

'Wat?' Ney ging weer zitten, of liever gezegd, hij liet zich in de stoel vallen. 'Wat? Wat?'

Zijn ogen schoten heen en weer, van Winter naar Halders. Eerst zijn dochter en vervolgens zijn vrouw, dacht Winter. Hij heeft alle recht om te vragen hoe, waar en wat. Misschien heeft hij gelijk. Maar wij moeten ook vragen stellen.

'Je begrijpt dat we je moeten vragen wat je de afgelopen 24 uur hebt gedaan,' zei Winter.

'Wat? Ik? Wat maakt het uit wat ik heb gedaan?!'

Nu stond hij op.

'Die vraag moeten anderen beantwoorden. Toch?'

'Welke anderen?' vroeg Winter.

Mario Ney gaf geen antwoord. Hij leek nog steeds op een antwoord van Winter te wachten.

Halders reed terug door de tunnel. Het verkeer was drukker geworden, de koplampen verlichtten de wanden, die er in het donker beter uitzagen.

Mario Ney had alle hulp geweigerd. We sturen iemand met wie je kunt praten, had Winter gezegd. Als je hier wilt blijven.

'Ik wil alleen zijn,' had Ney gezegd.

Het was een moeilijke situatie. Ze konden hem zes uur vasthouden, misschien nog eens zes als hij mogelijk ergens van werd verdacht. Mogelijk. Een minimale verdenking. Was dat mogelijk? Winter dacht aan de bloedvlek aan de binnenkant van de knoop in het touw dat om Paula's nek had gezeten. De nek van de dochter. De druppel bloed was van haar. Ze hadden niets om die mee te vergelijken. Niemand. Winter hoopte dat de nieuwe analyses van het Gerechtelijk Laboratorium iets zouden opleveren. Een druppel speeksel op het touw dat om Elisabeths nek was gewikkeld. Ze zouden het weldra weten. En hij zou Mario beleefd om een DNA-monster vragen. Een eenvoudige test, een monster van DNA-materiaal uit de binnenkant van zijn wang, boven het tandvlees. Iets om mee te vergelijken.

Maar misschien had Mario iemand nodig met wie hij kon praten om hem tegen zichzelf te beschermen.

'Ik wil echt alleen zijn,' had hij herhaald.

'Is er niet iemand anders met wie je kunt praten?' had Halders gevraagd. 'Een vriend, een familielid?'

Ney had zijn hoofd geschud.

Halders reed de tunnel uit. De oktobermiddag veranderde langzaam in een oktoberavond. De straatlantaarns brandden al.

'Hij zou niet alleen moeten zijn,' zei Halders.

'Ik weet het.'

'Stuur je er iemand naartoe?'

'Laat me er even over nadenken.'

Halders draaide over de rotonde en reed naar de hoofdweg. De rivier werd zichtbaar. Een handelsschip gleed de haven binnen. Winter dacht mensen op het dek te zien, hoewel het ver weg was.

'Even is voorbij,' zei Halders.

'Er is iets met zijn reactie,' zei Winter.

'Was hij niet verdrietig genoeg?' Halders draaide zich naar Winter om. 'Of juist te veel?'

'Wat vond jij?'

'Ik heb te veel van dat soort reacties gezien,' zei Halders. 'Ik kan er pas wat van zeggen als ik hem weer heb gesproken.'

'Ja.'

'Verdriet komt op duizenden manieren tot uitdrukking. Reacties, vertraagde reacties. Shock. Dat weet je zelf ook.'

Winter knikte.

'Binnenkort belt hij om al zijn vragen te stellen,' zei Halders.

'Vragen hebben we genoeg,' zei Winter terwijl hij ging verzitten. Het dashboard had tegen zijn knie geschuurd. 'Een moeder en dochter die zijn vermoord.'

'Er is in elk geval een verband,' zei Halders.

'Is dat een soort galgenhumor?' vroeg Winter.

'Nee.'

Ze kwamen langs de Stena-terminal. De auto's stonden in lange rijen te wachten voor de veerboot. De uitlaatgassen stegen als wolken van de vrachtauto's op.

'We hebben geprobeerd Paula's verleden te zien,' zei Winter na een tijdje. 'En we zijn niet ver gekomen. Maar terugkijken op haar leven is niet genoeg.'

'Hoe bedoel je?'

'Haar moeder. Elisabeth. We moeten ook in haar verleden duiken.'

Halders mompelde iets wat Winter niet verstond.

'Wat zei je?'

'Nog even en we gaan in deze zaak achteruit in plaats van vooruit. In deze zaken.'

'Is dat voor het eerst?' vroeg Winter.

Halders antwoordde niet.

'Het verleden van die hele familie,' zei Winter. 'Er is iets waar we niet bij kunnen. Een groot geheim.'

Halders knikte.

'Een groot geheim,' herhaalde Winter.

'Misschien wel meer dan één,' zei Halders.

Winter hoefde de witte hand niet tevoorschijn te halen om die te bekijken. Hij zag hem sowieso wel. Het was voor hem anders dan voor Ringmar; naar Winter wuifde de hand niet. De hand was gesloten, gebald. Iets waar hij niet bij kon. Als het restant van een standbeeld.

Hij zat thuis met een glas whisky. Een standbeeld. Het restant van een standbeeld. Wat hebben we hier? We hebben een hand van een lichaam. Het is andersom. Wat zie je als je een antiek standbeeld ziet? Een lichaam, een torso. Geen hoofd. Geen handen. Nu was het andersom. Een hand. Geen torso. Dat klopte niet.

De middelvinger van Elisabeth Neys rechterhand was wit geschilderd. Haar rechtermiddelvinger. In de witte voorraadkamer had geen blik verf gestaan.

Alleen een witte vinger. Niet een hele hand.

Winter keek op zijn horloge. Er was nu iemand bij Ney. Maar misschien kwam hij de nacht niet door, moest hij naar de Spoedeisende Hulp. Wellicht naar dezelfde zaal.

Winter nam een slok van zijn Glenfarclas. Om hem heen rook het naar whisky. Het was een lekkere geur. Die stond voor het goede in de wereld. Zelfs voor het leven. Het woord 'whisky' kwam van het Gaelische *usquebaugh*. Levenswater. Op de vloer van de voorraadkamer waar ze Elisabeth Ney hadden gevonden, had nog vocht gelegen. De schoonmaakkamers werden ook schoongemaakt. De schoonmaakster was er kort voor de moord geweest. God, hij had moeten staan wachten. Met haar? Hoe kon de tijd zo goed kloppen? Winter keek weer op zijn horloge, bijna middernacht. De meisjes sliepen. Elsa was een uur geleden wakker geworden van haar eigen gesnurk. De poliepen. Binnenkort zou ze worden geopereerd, maar die gedachte duwde hij weg. Voor Angela was het makkelijker. Zij was arts en wist wat er allemaal mis kon gaan, maar ze zei er niets over, misschien dacht ze er niet eens aan. Dat moest iets dwangmatigs van artsen zijn; niemand overkomt iets, vooral niet wanneer het je eigen gezin betreft. Elsa zou oké zijn als ze in het vliegtuig naar Málaga zaten. Zou hij oké zijn? Zou hij erbij zijn?

'Zou je niet naar bed gaan, Erik?'

Hij keek op. De drank in het whiskyglas had een mooie kleur als de lichtkegel er dwars doorheen scheen.

'Kom erbij zitten,' antwoordde hij en hij schoof een eindje op.

Ze stond gapend bij de deur.
'Ik pak even een glas water.'
Hij hoorde de kraan in de keuken. Hij hoorde een auto op het Vasaplein en de hese protesten van een stel kauwen in de esdoorns. Zo meteen zou de laatste tram ratelend langsrijden en de mensen zouden tot rust komen.
Angela kwam met een glas in haar hand terug.
'Kom,' zei hij en hij spreidde zijn arm.
'Het ruikt hier naar een distilleerderij,' zei ze.
'Ja, lekker hè?'
'Moet je morgen niet werken?'
'Ik ben nu aan het werk.'
Ze kroop tegen hem aan. Winter zette het glas neer en trok haar nog dichter tegen zich aan.
'Heb je het koud?'
'Nu niet meer.'
'Je ruikt naar slaap,' zei hij.
'Hoe ruikt dat?'
'Onschuldig,' antwoordde hij.
'Ja, ik ben onschuldig.'
'Dat weet ik, Angela.'
'Onschuldig tot het tegendeel is bewezen.'
'Hier is geen bewijs nodig.'
'Hm.'
'En hier ook niet,' zei hij en hij maakte het bovenste knoopje van haar nachthemd los, en vervolgens de andere.

Hij droomde over twee kinderen die ieder op een schommel heen en weer bewogen, in perfecte symmetrie. Hij stond ernaast. Er was geen rek voor de schommels, ze vlogen vrij door de lucht; zwaartekracht leek niet te bestaan. Dit is een wetteloos land, dacht hij. De kinderen lachten. Hij zag hun gezichten niet. Ze lachten weer. Hij werd wakker. Hij verzette zich, hij wilde niet wakker worden. Vlak voordat hij bij de kinderen wegging, had een van hen iets tegen hem gezegd. Hij wilde terug om duidelijk te kunnen horen wat hij niet had verstaan. Nu herinnerde hij het zich niet.
Winter zette zijn voeten op de vloer. Het hout was zacht en warm. Angela bewoog achter hem in bed en mompelde iets. Misschien droomde ze. Hij liep naar de woonkamer en ging op de bank zitten. Het was donker en stil, het uur van de wolf. Morgen was het 1 november. Voor Scandinavië begon het uur van de wolf, dat tot volgend jaar zou duren. De barmhartige sneeuw waaide vaak aan deze stad voorbij, ging verder landinwaarts. Wat overbleef was de grijze winter. Daarin zou niets zich verborgen kunnen houden. Er was geen bedekking. Toch werd er veel verborgen gehouden.

Vrijwel alles. Hij zou niet veel meer slapen vannacht. Hij zou niet veel meer slapen voordat dit voorbij was. Wanneer is het voorbij, had Angela gevraagd vlak voordat ze in slaap viel. Maar het was geen vraag. Ze maakten plannen voor de nabije toekomst en ze zei niets omdat hij niets zei. Hij zei niet dat hij misschien later zou komen. Dat hij de winter, groen, wit, grijs, achter zich zou laten, maar dat hij later zou komen, omdat hij eerst iets moest doen. Iemand moest spreken.

Opeens begon Lilly te huilen. Nog een droom vannacht, een enge. Het was al een paar keer gebeurd. Hij vroeg zich af wat ze droomde. Wat was er eng in haar leven, of in haar droomleven? Wat bedreigde zo'n klein mensje? Wat mocht iemand die zo klein was bedreigen?

Hij stond op en liep snel naar haar kamer. Hij tilde haar op en voelde haar tranen tegen zijn wang.

'Stil maar, meisje.'

Ze werd stil en snotterde, en hij droeg haar naar de woonkamer. Ze woog niets, een gewichtloze dochter. Ze begon meteen te knikkebollen toen hij haar zachtjes heen en weer bewoog voor het grote raam, dat uitkeek op een stad die binnen afzienbare tijd zou ontwaken. Hij voelde haar hand tegen zijn hals. Die was ook gewichtloos, als een veertje.

De dromen wilden niet terugkomen. Winter stond weer op en probeerde zonder iemand wakker te maken naar de keuken te sluipen. Elsa bewoog in haar bed, maar sliep door.

Hij ging met een glas water aan tafel zitten. Hij had geen dorst. Misschien dat het water hem hielp de slaap te vatten. Het was lastiger geworden om te slapen.

De schaduw op de gevels aan de andere kant van de binnenplaats vormde een patroon dat van alles kon voorstellen. Eén figuur, twee figuren. Hij moest opeens aan Christer Börge denken. Een figuur die een kerk uit liep. Börge had zijn kant niet op gekeken, maar Winter had toch het gevoel gehad dat Börge wist dat hij er zat. De manier waarop hij zijn hoofd niet bewoog. Alsof hij alleen recht naar voren kon kijken.

Börge was niet zo erg veranderd dat hij iemand anders was geworden.

Winter had tijdens de bezoeken aan de kerk niet naast Nina Lorrinder gezeten. Maar de laatste keer had hij binnen wel een paar woorden met haar gewisseld. Hij vroeg zich nu af of Börge dat had gezien.

De zon hing laag boven de heuvels. In de verte zag hij het ziekenhuis. Dat wierp een grote schaduw, maar die reikte niet tot hier. De zon maakte de kamer waarin hij zich bevond heel licht. Er bestond een oude uitdrukking, in licht baden, maar hij had zich daar nooit een beeld bij kunnen vormen. Hoe baadden dingen precies in licht? Wat waren de dingen en wat was het licht?

In Paula's flat was vandaag alles licht, er was geen verschil. Toen hij midden in de kamer stond, realiseerde hij zich dat de zon, de drie of vier keer dat hij hier eerder was geweest, niet had geschenen. Zo'n herfst was het geweest.

Had Paula zich bedreigd gevoeld? Hield ze zich voor iemand verborgen? Wanneer begon die dreiging? Bestond die überhaupt? Hij had eraan moeten denken toen hij het kleine vogellijfje van zijn dochter tegen zich aan hield. Misschien had hij er al aan gedacht toen hij het lichaam van haar moeder op dezelfde manier had vastgehouden. Een langdurige dreiging. Nee. Een oude dreiging. Nee. Een recente? Nee. Een voortdurende? Nee. Ja. Nee. Ja. Haar eenzaamheid, Paula's eenzaamheid. Ze koos niet zelf. Winter keek om zich heen in de met een lijkkleed beklede woning. Nog even en het lijkkleed zou worden verwijderd en dan mocht iemand anders hier zijn leven leiden. *Zijn leven leiden.* Dat was een recht.

Hij liep naar het raam. Hij kon het huis zien waar hij als jonge man had gewoond. De hoofdinspecteur als jonge man. Het was hier winter en zomer en weer winter geweest, maar hij had destijds amper op weer en wind gelet. Voor dat soort dingen was in zijn leven geen tijd geweest. Het leven had hem in de richting van de nieuwe uitdagingen gestuwd die bij het beroep hoorden dat hij had gekozen. Dat was zijn leven. Misdaad. Het had lang geduurd voor hij een methode en een houding had gevonden. Zijn hele wereld bestond uit discipline, hij dacht als een dorsmachine, hij kreeg een promotie. Nee, hij dacht niet als een machine. Ja, hij kreeg een promotie. Wat dacht hij toen hij hoofdinspecteur werd? Zeiden ze niet dat hij de jongste in heel Zweden was? Zevenendertig. Had het hem iets kunnen schelen? Ja. Nee.

Hij draaide zich om en liep over het linoleum dat bedekt was met plastic.

Zijn mobieltje begon te rinkelen.

'Ja?'

'Zie jij iets wat ik niet heb gezien?' vroeg Halders.

'Er is nu meer licht,' antwoordde Winter.

'Verblindend,' zei Halders.

'Nee, integendeel. Maar ik weet niet waar ik naar moet zoeken, Fredrik. We hebben overal al gezocht.'

'Brieven,' zei Halders. 'Foto's.'

Woorden, beelden, dingen die iets vertelden over een leven, een verleden. Daar kwamen ze altijd weer op uit. Het vroeger, zoals Elsa vorige week zei. Het kind creëerde een concrete taal die duidelijk aangaf wat er werd bedoeld. Je had het nu en het vroeger, en in Winters wereld bestond dat tegelijkertijd, altijd.

Hij liep al pratend naar de keuken. Die was niet op dezelfde manier ingepakt als de twee andere kamers in de woning.

'Misschien hield ze een dagboek bij,' zei Halders.
'Als ze er een had, kan dat in haar koffer zitten,' zei Winter.
'Alles wat we nodig hebben, zit in die koffer,' zei Halders.
'En toch sta ik hier,' zei Winter. 'En jij hebt hier ook gestaan.'
'Kijk nog eens om je heen,' zei Halders.
Winter keek om zich heen. Het wit was witter dan ooit, er zat een nieuwe laag verf op, of meerdere nieuwe lagen. In het zonlicht was de keuken oogverblindend. Was de moordenaar hier geweest? Had hij aan die tafel gezeten? Het was dezelfde tafel. Alles in deze keuken was hetzelfde als voor de renovatie.
'Wie heeft met de schilders gesproken?' vroeg Winter.
'Sorry?'
'De schilders. Die hier bezig waren toen Paula werd vermoord. Wie heeft met ze gesproken?'
'Geen idee, Erik. Was het Bergenhem niet?'
'Kun je dat voor me uitzoeken?'
'Natuurlijk. Maar als hij iets te weten was gekomen, hadden wij dat ook geweten. Dat soort dingen ontgaat Bergenhem niet.'
Winter antwoordde niet. Eén straal zonlicht reikte verder dan de andere en scheen op een van de kastdeurtjes boven het fornuis. Het deurtje leek een stukje zon.
'Bedoel je dat zij iets hebben gezien wat wij zouden moeten weten?' ging Halders verder.
'Zij waren hier,' zei Winter. 'Ik weet niet hoeveel ze moesten weghalen voordat ze echt aan de slag konden. Maar ze waren hier eerder dan wij.'

Welke rustgevende dingen had je in deze wereld? Ze probeerde aan dingen te denken die een rustgevend effect hadden. Effect. Ze dacht nog een keer aan dat woord. Het was bijna alsof ze zich eraan kon vastklampen.
De telefoon was weer gegaan en ze had opgenomen en alleen wind op de lijn gehoord.
Ze had opgehangen en naar het toestel gestaard. Het was een ouder model, dat nog uit haar ouderlijk huis kwam.
Het was een rustgevend ding.
Maar niet nu. Het was alsof ze het niet wilde aanraken.
Alsof ze het beneden in de afvalcontainer wilde gooien.
Zou haar angst dan verdwijnen?
Maar ze zou niets naar de verschrikkelijke, zwarte afvalruimte brengen. Het was daar net een groeve. Het licht deed het er bijna nooit. Als ze een afvalzak door de stortkoker gooide, kon ze horen hoe diep de afvalruimte lag.
De regen kletterde tegen het raam. Dan hoef ik niet naar buiten, dacht ze.

Ik hoef er niet uit. Ik heb geen boodschappen nodig. Alles wat ik nodig heb, heb ik hier.

De telefoon begon weer te rinkelen.

Ze stak haar hand uit, maar nam niet op.

De telefoon rinkelde maar door.

Het geluid hield op.

Ze staarde naar de telefoon alsof het een vreemd ding was dat ze nog nooit eerder had gezien.

Toen begon hij weer te rinkelen.

Ze rukte de hoorn van de haak. 'Ik weet wie je bent!' schreeuwde ze.

24

De vergaderkamer was net zo licht als Paula's flat. De novemberzon hing boven het Ullevi-stadion alsof ze zich in het jaargetijde en de windrichting had vergist. Niemand had de jaloezieën naar beneden gedaan. Halders had zijn zonnebril opgezet.

Aneta Djanali haalde haar hand boven haar ogen weg, stond op en liep naar het raam. Ze liet de jaloezieën naar beneden zakken en haalde haar schouders op naar Winter, die nog bij het raam stond. Hij zag een vliegtuig door de vriendelijke nevelen naar het zuiden gaan. De mensen waren nog steeds zo verstandig om weg te gaan, hun hersenen waren nog niet aan hun schedel vastgevroren.

Dit zou niet zo blijven. De zon zou weer bij zinnen komen en ook naar het zuiden gaan.

Ringmar schraapte onopvallend zijn keel en Winter draaide zich om.

'Het staat jullie vrij wat te zeggen,' zei hij.

'Dank je,' zei Halders.

Zelfs Ringmar glimlachte. En Halders had gelijk. Het was een rare manier van zeggen. Hier moest iedereen kunnen zeggen wat hij dacht. In dit deel van de wereld was vrijelijk spreken een traditie. In het zuiden was dat anders.

'Gebruik je vrijheid dan,' zei Aneta Djanali en ze gaf Halders een por met haar elleboog.

'We hebben iemand die bezeten lijkt van hotels,' zei Halders.

'Of liever gezegd, van het vermoorden van mensen in hotels,' zei Bergenhem.

'Dat bedoelde ik ook,' zei Halders.

Bergenhem antwoordde niet.

'Kamer nummer 10,' zei Aneta Djanali.

'Wat?'

'Paula bevond zich in kamer nummer 10,' herhaalde Aneta Djanali, terwijl ze zich tot Halders wendde. 'En ... Börge ... Ellen Börge had ingecheckt in kamer nummer 10.'

Ze keek naar Winter, die nog altijd bij het raam stond. Dat deed hij meestal tijdens dit soort gesprekken. Het was goed om iets verder weg te staan, soms waren de woorden duidelijker als ze langer door de lucht vlogen, de gedachten misschien ook. Het was de bedoeling dat hun gedachten vlogen. Soms lukte dat.

'O ja, die,' zei Halders. 'Voor zover ik weet, is zij nog steeds verdwenen.'

'Speelt ze bij dit vooronderzoek nog steeds een rol op de achtergrond?' vroeg Bergenhem.

'Heeft ze ooit een rol gespeeld?' vroeg Halders. 'Erik? Denk je nog steeds aan haar?'

'De laatste tijd niet,' zei Winter.

'Het is toeval,' zei Halders.

Winter antwoordde niet.

'Voor ons is ze weg,' zei Halders.

'Dat geldt ook voor Elisabeth Ney,' zei Aneta Djanali.

'Wat betekent dat?' vroeg Halders.

'Dat weet ik niet precies. Maar we hebben het in eerste instantie toch over haar.'

'Jij noemde kamer nummer 10,' zei Halders.

'Jij noemde het woord "hotel",' zei Aneta Djanali.

'Hoe is hij er binnengekomen?' vroeg Winter en alle hoofden draaiden zijn kant op. 'De moordenaar van Elisabeth. Hij moet in het hotel zijn geweest. In Odin. Waarschijnlijk meerdere keren. Hoe is hij binnengekomen zonder dat iemand hem heeft gezien?'

'Misschien heeft iemand hem wel gezien,' zei Bergenhem. 'We hebben nog niet met iedereen gesproken.'

'Een vermomming,' zei Halders.

'Hoe?' vroeg Bergenhem.

Halders haalde zijn schouders op: 'Dat maakt niet uit. En het maakt niet uit wat iemand heeft gezien. Ze hebben hém in elk geval niet gezien.'

'Maar wel iemand,' zei Aneta Djanali. 'Soms is dat voldoende.'

'De lange jas?'

'In oktober past dat in elk geval beter dan in augustus,' zei Ringmar.

'Het is nu november,' zei Aneta Djanali.

'Het is ook niet duidelijk hoe zij naar binnen is gekomen,' zei Bergenhem.

'En in welke toestand ze zich toen bevond,' zei Halders.

'Ze is daar vermoord,' zei Ringmar. 'Dat weten we.'

'Hoe kon hij daar met haar afspreken?' vroeg Bergenhem. 'Waarom stemde ze ermee in hem daar te ontmoeten?'

'Misschien was dit niet wat ze in gedachten had,' zei Ringmar. 'Misschien droeg of duwde hij haar.'

'Dus hun rendez-vous vond plaats in het trappenhuis?' vroeg Halders en hij keek rond. 'Ja, dat heldert een boel op.'

'Jouw sarcastische opmerkingen helpen ons echt goed verder, Fredrik,' zei Aneta Djanali.

'Rendez-vous,' zei Winter. 'Weet je wat dat woord eigenlijk betekent, Fredrik?'

'Ja, hoezo … het betekent "ontmoeting". Een afgesproken ontmoeting.'

'Een afgesproken ontmoeting, ja,' zei Winter. 'Het woord wordt vaak gebruikt als het om minnaars gaat.'

Het werd een paar tellen stil om de tafel.

'Ze had met haar minnaar afgesproken?' vroeg Aneta Djanali.

'Dat is ook een mogelijkheid,' zei Ringmar.

'Ze was een heel etmaal verdwenen,' zei Halders. 'Waar zat ze toen? Als ze een minnaar had, zou ze toch al bij hem moeten zijn geweest? Misschien was ze dat ook wel. Wij konden haar niet vinden. Waarschijnlijk slenterde ze niet op straat. Ze moet ergens zijn geweest.'

'Misschien in die voorraadkamer,' zei Bergenhem.

'Zonder ontdekt te worden?' vroeg Halders.

Bergenhem haalde zijn schouders op.

'Nee,' zei Ringmar. 'We hebben de schema's van de schoonmaaksters gecontroleerd. Ze komen er vrij vaak. Minstens een paar keer per dag.'

'Tenzij iemand ze heeft gevraagd om weg te blijven,' zei Halders. Hij stak zijn hand op en wreef met zijn duim tegen zijn wijs- en middelvinger. 'Misschien onder het mom van een afspraakje.'

Winter knikte.

'We moeten toch nog verder praten met de twee mensen die die voorraadkamer gebruikten. Het trappenhuis was hun territorium. Misschien herinneren ze zich nu meer.'

'Over territorium gesproken,' zei Aneta Djanali. 'We hadden het zonet over hotels. Dus: waarom hotels?'

'Inderdaad,' zei Halders.

Iedereen keek plotseling naar Winter, alsof hij het antwoord had. Denken jullie dat ik hier niet aan heb gedacht, dacht hij. Het betekent iets.

'Het betekent iets,' zei hij.

'Je hoeft alleen maar te zeggen wat,' zei Halders.

'Geef me een paar dagen,' zei Winter.

'Je hebt een maand,' zei Ringmar.

Winters verlof was geen geheim. Halders was geleidelijk aan bij de leiding van het vooronderzoek betrokken. Dat zou zo blijven tot de officier van justitie het overnam. Maar dan moest er eerst een echte verdachte zijn. Winter wilde graag dat ze een echte verdachte hadden voordat hij in het vliegtuig zat. Hij wilde dit niet per mobiel vanuit Nueva Andalucía blijven leiden.

'Heeft een van de mensen die we hebben verhoord ooit in een hotel gewerkt?' vroeg Aneta Djanali. 'Ik bedoel niet deze hotels, maar hotels in het algemeen.'

'Niet dat we weten.'

'Misschien weten we niet genoeg.'

'De hoerenlopers en de sociaaldemocraten in Revy,' zei Halders, alsof die twee categorieën één pot nat waren. 'Zijn we echt klaar met ze?'

'Natuurlijk niet,' zei Ringmar.

'Maar je weet hoeveel tijd dat kost.'

Halders leek nog iets te willen zeggen, waarschijnlijk iets chagrijnigs en waarschijnlijk iets over politici, maar hij deed het niet.

'Het verband,' zei Bergenhem. 'We moeten het verband proberen te zien.'

'Er is een natuurlijk verband,' zei Halders.

'Ja?'

'De familie. We hebben te maken met twee moorden binnen één familie, of is dat niemand opgevallen?'

'En?' vroeg Bergenhem.

'Het hoofd van de familie,' zei Halders. 'Waar zoeken we onze dader altijd eerst?' Hij wendde zich tot Bergenhem. 'Herinner je je die les op de Politieacademie nog? Of had je die dag een kater en had je je ziek gemeld?'

Mario Ney zag er ziek uit in de kamer waar Winter hem al meerdere keren had ontmoet. Het leek alsof hij op het punt stond in te storten.

Ze hadden geprobeerd Neys eventuele alibi te controleren, maar het bestond niet. Dat hoefde niets te betekenen, misschien sprak het zelfs wel in zijn voordeel. Hij had in de afgelopen chaotische tijd geen contact met anderen gezocht. Hij had de voorkeur gegeven aan zijn eigen eenzaamheid, eerst samen met Elisabeth, later alleen in de flat hier. Winter had naar antwoorden gezocht in Neys gezicht, in zijn woorden, in zijn manier van bewegen. Hij leek verdrietig; verdrietig en vertwijfeld. Andere gevoelens zouden later komen. Hij kon suïcidaal worden, of was dat misschien al wel. De familie Ney kon van de aardbodem verdwijnen. Iemand wilde dat graag.

'Ik wil je wat dingen vragen,' zei Winter.

Ney keek naar buiten. Dat deed hij al sinds Winter de kamer was binnengekomen, waar het bedompt rook, een zoetige lucht die ook op zweet, angst en vertwijfeling kon duiden.

'Het leek alsof ze sliep,' zei Ney.

Zijn blik was nog altijd buiten op het niets gericht.

Nu draaide hij zijn hoofd om.

'Mijn kleine Elisabeth. Alsof ze sliep.'

Winter knikte. Hij had het goed gevonden dat Ney het lichaam van zijn vrouw zag. Dat was niet vanzelfsprekend. Ney had haar hals niet mogen zien, alleen haar gezicht.

Winter wilde niet dat Ney iets zou zien wat hij wellicht eerder had gezien.

Een kort moment leek Neys gezicht bijna vredig. Alsof hij de dood in de ogen had gezien en die had geaccepteerd. De dood van iemand anders, de gewelddadige dood van iemand anders.

'Ze was al een hele dag verdwenen voordat we ... haar vonden,' zei Winter. 'Ik moet het je nog een keer vragen, Mario.' Hij boog zich naar voren. 'Heb je enig idee waar ze in de tussentijd kan zijn geweest?'

'Ik heb ab-so-luut geen flauw idee,' zei Ney en hij benadrukte elke lettergreep. Het was als een nieuwe taal. Vervolgens gebeurde er iets met zijn ogen en hij zocht Winters blik. 'Waarom zou ik dat weten?'

'Dat weet ik niet, Mario. Maar ze is ergens geweest. Ergens binnen. Niemand heeft haar buiten gezien.'

'Alleen omdat niemand haar heeft gezien, wil dat nog niet zeggen dat ze aldoor binnen is geweest,' zei Ney.

'Is er een plek waar ze naartoe kan zijn gegaan?' vroeg Winter.

'Naartoe? Waarheen dan?' Hij spreidde zijn armen, een gebaar dat alles moest omvatten wat ze zagen. 'Ze woonde hier. Dit was haar thuis.'

'Waar kwam ze vandaan?' vroeg Winter. 'Waar stond haar ouderlijk huis?'

'Dat was in ... Halmstad.'

Halmstad. Een andere stad in zuidelijke richting, aan de kust, halverwege Malmö, Kopenhagen. Winter wist ongeveer hoe de mensen praatten die daarvandaan kwamen, enkele collega's kwamen uit dezelfde provincie, maar hij had dat dialect niet bij Elisabeth Ney gehoord.

'Maar ze is al op jonge leeftijd hier komen wonen,' ging Ney verder.

'Heb je haar ouders weleens ontmoet?'

'Ja. Maar zij leven niet meer.'

'Had ze broers of zussen?' vroeg Winter.

'Nee.'

Net als Paula, dacht Winter. Geen broers of zussen.

'Woont er nu nog familie in Halmstad?'

'Die heeft daar nooit gewoond,' zei Ney. 'Ze zijn er komen wonen toen Elisabeth nog vrij klein was, of misschien iets ouder. Ik geloof niet dat ze daar toen mensen kenden.'

'Maar ze maakten er toch wel vrienden?'

'Vast wel. Maar niemand die ik ken.'

'Elisabeth kende ze wel.'

'Bedoel je dat ze daarnaartoe is geweest? Naar Halmstad? En dat ze meteen weer is teruggekomen? Waarom zou ze?'

'Ik probeer alleen te achterhalen waar ze was,' zei Winter.

'Ik weet waar ze is,' zei Ney.

'Sorry?'
Maar Ney gaf geen antwoord. Hij keek weer naar buiten.
'Hoe bedoel je, Mario?'
'Ze is thuis,' zei Ney. Zijn blik was op de hemel gericht.
Buiten viel de schemering als de regen. Winter kon het bijna horen. Misschien was het ook het verkeer op de doorgaande weg. Het was spitsuur, iedereen wilde naar huis.

Onderweg naar huis kocht Halders knäckebröd, yoghurt, volle melk, appels en gerookte metworst bij de ICA-winkel op de hoek. Hij wist dat hij iets was vergeten, maar terwijl hij naar zijn huis vijf straten verderop reed, kon hij niet bedenken wat. En toen was het hoe dan ook te laat.
'Waar zijn de eieren?' vroeg Aneta Djanali toen hij alles uit de plastic zak had gehaald en op het aanrecht had gelegd.
'Ik wist dat ik iets was vergeten.'
'Ik heb Hannes en Magda beloofd dat ik vanavond pannenkoeken zou bakken,' zei Aneta Djanali. 'Dat lukt niet zonder eieren.'
'Heb je het weleens geprobeerd?'
'Daar trap ik niet in, Fredrik.'
'Ik ga al,' antwoordde hij.
Het was dus nooit te laat. En hij liep terug. Binnen een paar minuten ging de schemering over in de avond. De avond kwam voordat de dag voorbij was. Over een maand zouden de avond en de nacht het helemaal overnemen. Iedereen zou adventskaarsen branden, en tegelijk ook kerstkaarsen, een maand van tevoren. Magda had al gevraagd wat er op zijn verlanglijstje stond. Zij was altijd ruim op tijd. Hannes zou pas in de laatste week voor Kerstmis met zijn wensen komen. Halders zelf zou zijn eigen lijstje eind november aan de kinderen geven. Hij wist wat hij wilde hebben.
Het was lekker om te lopen. Halders sportte op zijn werk omdat het erbij hoorde, maar hij was er niet dol op. In een ver verleden was dat anders geweest. Nu was hij iets te zwaar, en daar was hij niet blij mee. Als deze winter eindelijk besloot op te rotten, zou hij zijn sportkleren aantrekken en gaan joggen. Misschien kon hij meedoen aan de halve marathon van Göteborg. En de hele wereld versteld doen staan.
Hij droeg het doosje eieren alsof het de laatste druppel water was.
Aneta Djanali bakte pannenkoeken alsof ze nooit anders had gedaan. Maar ze had bij Halders thuis nog nooit pannenkoeken gebakken. Hij vroeg zich af of dat iets betekende. Of ze had besloten te blijven, en niet alleen vannacht. Ze was nog steeds niet bij hem ingetrokken. Het huis was groot genoeg. Er was plek voor iedereen. Het was thuis.
'Is er nog bosbessenjam?' vroeg Hannes.
'Zowel bosbessen- als aardbeienjam.'

'Waar heb je geleerd zulke pannenkoeken te bakken?' vroeg Halders.
'Thuis, natuurlijk.'
'Aten jullie thuis pannenkoeken?'
'Waarom niet? We waren dol op pannenkoeken.'
'Jouw ouders kwamen uit Ouagadougou in Boven-Volta. Ik dacht dat pannenkoeken niet hun ding waren,' zei Halders.
'Hun ding?' vroeg Aneta Djanali met het pannenkoekmes in haar hand. 'Hun ding?'
'Het is toch ieders ding,' zei Magda. 'Pannenkoeken heb je overal. Wist je dat niet, papa?'
'Ik dacht vooral aan bosbessenjam.'
'Nietes,' zei Magda.
'Aardbeienjam dan.'

Het gordijn bewoog, maar nauwelijks zichtbaar. Dat kwam vast door de ventilatie, dacht hij. Links van het raam zat de luchttoevoer, of de luchtafvoer, afhankelijk van hoe je het zag.

Kamer nummer 10 zag er net zo uit als de vorige keer dat hij hier was. En de eerste keer, achttien jaar geleden. Zo voelde het tenminste. De tijd bewoog in beide richtingen, alsof hij zichzelf halverwege tegenkwam. Alsof Winter daar stond en tegelijk hier. Halverwege. Terug was net zover weg als vooruit. Het was even lastig om naar beide kanten te kijken. Of even makkelijk.

Hij liep naar het raam en keek naar de straat. Die was niet makkelijk te zien, de zwakke verlichting deed eerder aan de jaren vijftig denken dan aan een nieuwe eeuw. Als het al de jaren vijftig waren. Hij was toen nog niet geboren. Hij was in de jaren zestig geboren en dat was tot nu toe het allerbeste decennium ooit geweest als je de meeste mensen mocht geloven. Ellen Börge was ook in de jaren zestig geboren, een jaar na hem, in 1961. Hoe waren haar jaren zestig geweest? Winter draaide zich om. De kamer was grotendeels in duisternis gehuld, de enige verlichting bestond uit de jarenvijftiglampen buiten.

Paula Ney had hier in het donker gezeten, dat kon niet anders. Ze had gewacht. Geluisterd. Geleden. Die brief. Winter zette een paar passen in de duisternis, als wilde hij die testen, uitdagen misschien. De duisternis nu was dezelfde als toen, een getuige van wat er gebeurde. Er moesten meer brieven zijn. Uit andere tijden. Waarom heb ik geen andere brieven van Paula gelezen? Het eerste wat ik over haar te weten kwam, stond in een brief. Zij had die geschreven. Waar zijn haar brieven? Thuis? Nee. Niet thuis en niet ... thuis. Als je al kunt zeggen dat ze twee plekken had die haar thuis waren. Haar ouders hebben niets bewaard. Is dat niet raar? Hangt dat samen met de stilte? Met een geheim? Wat is het geheim, wat is het geheim van deze familie? Als ik dat weet, weet ik alles. Hij hoorde stemmen op de gang, misschien hoeren, hoerenlopers, sociaaldemocraten. Een vrouwenlach, een mannenlach. Geen kinderlach. Dit was de plek voor mensen die dat soort dingen achter zich hadden gelaten. Dat is er niet meer, weg is weg en het komt nooit meer terug. En nu zijn de laatste dagen voor Revy aangebroken. Het kind. Het kind Paula. Waarom denk ik aan het kind Paula? Komt dat door de schommels? De speeltuinen? De vrouw en het meisje in die ellendige huurflat op Hisingen? Waarom denk ik op dit moment aan hen? Er zijn zoveel andere dingen om over na te denken. Andere mensen die ooit kind waren. Zij die het nu zijn. Mijn kinderen, bijvoorbeeld. Verderop in de gang werd een deur dichtgesmeten. Het leven om hem heen ging gewoon door, hoe dat er ook uitzag. Op straat reed een auto langs, het schijnsel van de rode achterlichten bereikte zelfs kamer nummer 10. Binnen zag alles er opeens ouder uit, als in een film van vroeger. De jaren vijftig, zestig, zeventig, tachtig. De jaren tachtig. Wat was ik toen een groentje. Hier stond ik en ik wist niet beter dan dat ik hier stond. Ellen, dacht ik. Waar ben je, Ellen? Hoewel ik toen al wist dat ze weg was, vermoedelijk dood. Net zo dood als nu. Ik vraag me af hoe het tegenwoordig met haar man gaat. Christer. Hij gaat naar het avondgebed in de kerk. Hij was ook van mijn leeftijd. Iedereen was van mijn leeftijd, er is kennelijk maar één leeftijd. Paula was van mijn leeftijd toen ik onervaren was, en Ellen daarvoor, en Christer. En Jonas. En zijn moeder die keer dat de jongen een jongen was. Buiten kwam een lach langs klateren, als grind op een vloer, geen parels. Ze hadden in kamer nummer 10 naar geheimen gezocht, maar niets gevonden wat ze nog niet wisten. Er waren niet meer brieven in deze kamer. Wat er was, was voldoende. Hij had de brief gelezen voordat hij hiernaartoe was gegaan. De woorden bezaten een macabere kracht waar niet aan te ontkomen viel. Ze bevatten een mededeling die hij niet zag. Een geheim. Net als deze kamer; hij wist dat het een kamer was en wat zich hier bevond, maar hij zag niets echt duidelijk.

Winter deed de deur open en stapte de gang in. Daar was het lichter, al scheelde het niet veel. Het rode behang dempte het licht. Natuurlijk was het behang rood. Her en der was goud gebruikt. Alles was zoals het hoorde in Hotel Revy.

Hij liep de wenteltrap af. Ook die leek uit een ander tijdperk te komen, een belle époque.

De portier zag eruit als iemand uit een ander tijdperk, en tegelijk ook niet.

Het was dezelfde portier als achttien jaar geleden.

'Dus de kamer is weer vrij?' vroeg hij.

Winter knikte.

'In zekere zin is dat prettig,' zei de man. 'Alsof het hier weer een beetje normaal wordt.'

'Normaal?'
'Je begrijpt wel wat ik bedoel.'
'Ik geloof het niet.' Winter draaide zich om om weg te lopen. 'Binnenkort gaan jullie toch dicht.'
Er kwam een man met een koffer en een laptoptas door de draaideur. Hij leek rechtstreeks van de trein te komen, misschien was hij vanaf het centraal station komen lopen. Dat was niet ver. Hij had blosjes op zijn wangen. Waarschijnlijk was het kouder geworden toen de zon onderging. Het was nu winter. De man droeg een winterjas. Winter ook. De man meldde zich bij de receptie, vulde een formulier in en liep met zijn bagage de trap op. Hier had je geen piccolo.
'Een normale gast,' zei de portier.
'In wat voor opzicht?'
'Hij komt om te slapen en te werken.'
'Welke kamer heb je hem gegeven?'
'Niet nummer 10, als je dat dacht.'
'Heb je de lijst?'
De portier pakte een papier dat bij de kassa lag.
'Ik weet niet hoe volledig die is.'
Winter pakte het vel zonder te antwoorden aan en las het snel door.
'Het zijn er meer dan ik dacht,' zei hij.

Buiten op de trap begon zijn mobieltje te rinkelen. Toen hij het uit zijn zak haalde, verloor hij bijna zijn evenwicht. Het was kennelijk glad geworden terwijl hij binnen was. In de wind was het kouder.
'Het is dezelfde soort verf,' zei Torsten Öberg.
'Maar we hebben geen blik,' zei Winter.
'Hij wel.'
'Heb je verder niets gevonden in de kamer?'
'Verfsporen?'
'Ja. Willekeurig wat.'
'Het is hetzelfde soort touw, zoals je weet. We moeten maar zien wat ze in Linköping ontdekken.'
'Ik voel me niet bepaald optimistisch,' zei Winter.
'Nu weet je in elk geval hoe het met de verf zit.'
'Hij moet zelf een blik hebben meegebracht,' zei Winter.
'Dat staat niet vast.'
'Ik begrijp wat je bedoelt, Torsten.'
'Maar ik kan niet verklaren hoe het in zijn werk is gegaan. Dat laat ik graag aan jou over.'
'Dank je.'
'Hoewel het onwaarschijnlijk lijkt.'

Onwaarschijnlijk. Ja. Nee. Elisabeth Ney was misschien met een witte vinger naar haar rendez-vous gegaan. Er was wellicht een verklaring. Er waren altijd verklaringen, maar vaak waren ze niet relevant. Er was ook veel dat nooit te verklaren viel. Het meest onverklaarbare was bijna altijd een gevolg van menselijk handelen.

25

Winter zocht bescherming onder een luifel die al sinds de zomer boven het trottoir hing. Het ging harder regenen. Ringmar stak zijn hand uit en die leek door een waterkanon te worden getroffen.

'We zullen hier wel eventjes moeten blijven staan,' zei hij en hij schudde zijn hand droog.

'Ik kan me wel betere plekken voorstellen,' zei Winter.

'Niet zo ongeduldig,' zei Ringmar.

Winter lachte. Al sinds ze elkaar kenden, probeerde Bertil hem een beetje geduld bij te brengen. Was dat al twee jaar? Nee, drie. De tijd vloog voorbij.

Het was moeilijk alles bij te houden, het was moeilijk om je in te houden en geduld te oefenen. Hij keek naar de lucht. Die hield zich nu niet in. Het ging harder regenen en harder waaien. November maakte zich met de gebruikelijke arrogantie kenbaar. Hier ben ik. Nu neem ik het over. Als het je niet bevalt, vertrek je maar.

'Göteborg is niet voor doetjes,' zei Ringmar.

'Heb je ooit overwogen ergens anders te gaan wonen?' vroeg Winter.

'Maar een paar keer per dag.'

'Aan een zuidelijke zee, misschien?'

'Denk je aan Skåne?'

'Ja. Of Tahiti.'

'Wat zou ik daar moeten?'

'In een korte broek rondlopen,' zei Winter.

'Een korte broek staat mij niet. En het regent daar ook. Het kan er soms allerverschrikkelijkst regenen.'

'Ben je er weleens geweest?'

'Nee. Jij?'

'Alleen in mijn dromen.'

'Droom lekker door. Nee, nu moeten we verder.'

Alsof de natuur Ringmar had gehoord, barstte het wolkendek nu helemaal open en werd alle regen van het universum over de stad uitgegoten, of misschien alleen over de straat waar Winter en Ringmar stonden.

Ze waren onderweg naar een afspraak. Misschien was die belangrijk, misschien ook niet. Dat wist je pas achteraf. Dat leerde Winter als halfgroene assistent bij de recherche steeds meer. Achteraf wist je het. Misschien was het dan te laat, misschien ook niet. Maar de procedures waren noodzakelijk. Eerst de procedures, dan de gedachten. Hij begon langzaamaan ook te ontdekken dat hij tijdens de procedures kon denken. Dat hij überhaupt kon denken. Aanvankelijk had hij getwijfeld. Nu begon hij te begrijpen dat hij misschien niet verkeerd was terechtgekomen.

Het regende niet meer zo hard. Ze hoorden het eerder dan dat ze het zagen; het gekletter op de luifel werd zachter.

Ze hadden er vijf minuten gestaan.

Opeens besefte Winter waar ze waren.

Hij had het losgelaten. Een herinnering die was opgeruimd en geen centrale plaats meer innam.

Nu kwam ze terug.

Hij draaide zich om, naar de trap bij de deur. De tekst op het glas was er nog, het gegraveerde goud. Het hotel was sinds de vorige keer niet van naam veranderd. Hij kon het bordje HOTEL zien, dat aan een smeedijzeren balk op een meter van het gebouw hing. Het leek op een tor die langs de muur naar boven kroop. Hij keek langs de gevel omhoog. Op elke verdieping leken de ramen op zwarte gaten.

Drie jaar geleden, eveneens in de herfst. Hij was in die kamer geweest. Hij was niet met een huiszoekingsbevel gekomen, want dat had hij niet gekregen. Ellen hoe? Verdwenen, zegt u? Ze heeft een nacht in dit hotel gelogeerd? U wilt die kamer onderzoeken? Nee, dat niet. Ik wil alleen maar even kijken.

Dat ging niet.

Dus had hij de portier gevraagd of hij de kamer mocht zien als die vrij was. Dat was twee dagen nadat ze was verdwenen. Hij had in de kamer naar het verkeer op straat staan luisteren. Niemand had hier na Ellen Börge geslapen. Dichter bij haar dan dat was hij niet gekomen.

'We staan onder de luifel van Revy,' zei hij nu en hij draaide zich om naar Ringmar.

'Ja, en?'

'Ellen Börge, die verdwenen vrouw. Zij had hier ingecheckt, de nacht voordat ze voorgoed verdween. Weet je nog?'

'Nu je het zegt. Ik herinner me haar, niet het hotel. Maar jij kennelijk nog wel.'

Winter gaf geen antwoord. Hij had opeens zin om de trap op te lopen en te vragen of hij de kamer nog eens mocht zien als die vrij was. Maar het zou geen zin hebben. Hij zou die kamer nooit meer zien, nooit meer hoeven zien.

De jas bewoog, heen en weer. Het beeld was net zo slecht als altijd. De schoenen waren sinds de vorige keer niet veranderd.

Ze hadden niemand aan de schoenen kunnen koppelen. Wat een uitdrukking, dacht Aneta Djanali. Iemand aan zijn schoenen koppelen. Een Latijns-Amerikaanse martelmethode, of een Afrikaanse. Nee, er waren niet veel mensen in Afrika die schoenen hadden. Ze was teruggegaan naar de plek waar ze vandaan kwam; niet dat ze er was geboren, maar ze kwam toch uit Burkina Faso, zoals het land nu heette. Niet veel schoenen in de dorpen, meer schoenen in de hoofdstad. Ze kwam uit een dorp net buiten de hoofdstad. Overal had stof gelegen. Voeten raakten bedekt onder een laag die dikker en dikker kon worden en wellicht bescherming bood.

Halders zat naast haar.

Ze bestudeerden de vrouw nu, haar speciale manier van lopen. Een kreupelheid die geen kreupelheid was.

'Ze verbergt haar gezicht, maar ik weet niet goed waarom,' zei Halders.

'Hoe bedoel je?'

'Misschien verbergt ze het altijd wel,' zei Halders.

'Ga verder,' zei Aneta Djanali, terwijl ze de vrouw bestudeerde.

'Ze verbergt het niet voor de camera, als ze al weet dat die er zit. Ze ziet er gewoon zo uit. Zo ziet ze eruit,' zei hij met een knikje naar de monitor.

'Waarom?'

'Dat weet ik niet.'

'Ze doet dus niet mee aan een ... complot?'

'Een complot?'

'Je snapt me wel, Fredrik.'

'Ze doet wel ergens aan mee,' zei Halders. 'Ze vindt het oké om die stomme koffer af te geven, die ik heel graag zou willen openen.'

Aneta Djanali volgde de bewegingen van de vrouw voor de dertigste keer.

'Ze doet het voor Paula,' zei ze na een tijdje. 'Ze geeft die koffer af in opdracht van Paula.' Aneta Djanali wendde zich tot Halders. 'Paula was onderweg, en zij hielp haar met de koffer.'

Halders knikte.

'Paula was onderweg,' herhaalde Aneta Djanali.

'Twee vragen,' zei Halders. 'Waarheen? En waarom?'

'Nog een vraag,' zei Aneta Djanali met een knikje naar het scherm: 'Waarom heeft zij niets van zich laten horen?'

'En nog een,' zei Halders. 'Wie is zij?'

'En,' zei Aneta Djanali, 'waar is ze?'

'Hier in de stad,' zei Halders.

'Maar waarom heeft ze zich in vredesnaam niet gemeld?'

Halders bestudeerde haar bewegingen weer.

'Misschien is ze dood. Misschien is ze bang.'

Winter en Ringmar kwamen terug van hun afspraak. Maar die had niets opgeleverd. Degene met wie ze hadden afgesproken, was niet komen opdagen.

'Onbeschofte hufter,' zei Ringmar.

Winter lachte.

'Misschien viel er in Bergsjön geen auto te stelen,' zei hij. 'Dan kun je niet verlangen dat hij op tijd is.'

'Er valt altijd een auto te stelen,' zei Ringmar. 'Ze hebben de mijne ook een keer meegenomen. Heb ik je dat verteld?'

'Nee.'

'Van het parkeerterrein van de politie. Midden op de dag.'

'Je zou er bijna van onder de indruk raken,' zei Winter.

'Ik heb hem een week later onder de Götaälvbrug gevonden.'

'Is dat niet altijd zo? De benzine is altijd net onder de brug op.'

'Ze hadden de radio gejat.'

'Balen.'

'Dat viel wel mee. Er was toch nooit wat op.'

Winter glimlachte. Hij kon goed met Bertil overweg. Het was geen vader-zoonrelatie, maar het leek er wel op. Ze konden met elkaar praten, wat vaders en zonen wellicht niet altijd konden, en ze hadden een goede manier gevonden om te discussiëren. Het draaide om de gesprekken. Bijna altijd kwam er een opening tijdens een gesprek dat bij iets begon wat er weinig mee te maken had en zich langzaam naar iets toe bewoog. Stilte was nooit genoeg, uitsluitend denken was niet voldoende. Gesprekken. Luid en zacht. Jargon. Discussie. Ruzie. Gehuil. Geschreeuw. Gefluister. Geroep. Alles.

Het was opgehouden met regenen en achter de nevel scheen een bleek zonnetje als een zaklamp waarvan de batterij niet veel meer waard was. Ze liepen over het Gustaf Adolfplein. De dikke koning op zijn sokkel wees naar hen toen ze langskwamen. Hij was een krijger van niks. Een soldaat wees met zijn hele hand.

De wind joeg de achtergebleven bladeren over het plein, evenals een stuk krant en een stukje rood met geel cadeaupapier. Binnenkort zouden ze hier een kerstboom plaatsen. Dan zouden er overal stukjes cadeaupapier liggen. Alle zoete kinderen zouden hun deel krijgen en de stoute ook. In de huizen zouden kaarsen branden. Winter had de jaarlijkse uitnodiging om bij zijn ouders in Nueva Andalucía langs te komen ontvangen en hij zou die net als altijd afslaan. Lotta en de meiden zouden er wel heen gaan. Zijn zus had dat nodig, dan kon ze haar pas gescheiden tenen in de Middellandse Zee steken en proberen om alles een beetje te vergeten. Zelf zou hij werken. Dat was beter dan op kerstavond naar een versierde wijk als Guldheden te kijken, naar kerstliedjes op de radio te luisteren en met zichzelf te toosten. Er was toch niets op de radio. Hij had vrienden, maar de meeste hadden zelf een gezin en hij wilde niet storen. Je stoort niet, Erik. Verdorie. Hoe dan ook, ik werk.

'Zullen we koffie gaan drinken?'

Ringmar wees met zijn hele hand naar de Östra Hamngatan.

'Ja, waarom ook niet.'

Dat was ook iets wat hij had geleerd en wat hij had leren waarderen. Soms verlieten ze het politiebureau om in de cafés van de stad hun gesprekken te voeren. Soms gingen ze naar een bar als de werkdag er formeel gezien op zat. Onder de mensen zijn, onder gewone mensen, gaf een gevoel van werkelijkheid dat je in dit vak makkelijk kwijtraakte. Uiteindelijk was iedereen afwijkend, abnormaal, misdadig, gestoord. Dader. Slachtoffer. En niets ertussenin. Een hele dag rechercheur zijn, of een willekeurige andere agent, was bijna altijd een merkwaardige reis. Eigenlijk beangstigend. Niets voor gewone mensen.

Een kopje koffie met een koffiebroodje bood troost.

Ze staken de straat over en gingen het café binnen.

Voor de toonbank stond een lange rij.

'We gaan ergens anders heen,' zei Ringmar.

Net op dat moment kwam er een tafel vrij voor de grote ramen aan de straatkant. Door het glas kon Winter zien hoe de regen opnieuw met bakken uit de lucht kwam vallen. Het was aprilweer in november.

'We gaan daar zitten,' zei Winter. 'Ik ga wel in de rij staan. Wat wil je hebben?'

'Gewone koffie, geen melk, twee suikerklontjes, een tompoes en een glas water.'

'Verder niets?'

'Ga nou maar, voordat de rij nog langer wordt.'

Maar de rij was korter toen hij aankwam. Het was net alsof er een paar wachtenden in rook waren opgegaan. De rij bewoog langzaam. Toen hij aan de beurt was, bestelde hij wat hij wilde hebben. Het meisje achter de toonbank legde de tompoes van Bertil op een schoteltje en wendde zich toen weer tot hem: 'De prinsessengebakjes zijn net op.'

'Shit.'

'Sorry,' zei het meisje en Winter volgde haar blik naar het schoteltje met het laatste prinsessengebakje. Het stond op het blad dat voor hem lag. Winter keek op en ontmoette een paar groene ogen.

'Als je het zo erg vindt, dan mag jij hem,' zei de vrouw die voor hem in de rij stond. 'Ik had kennelijk de laatste.'

'Nee, nee.'

Hij meende een glimlachje om haar mondhoeken te zien spelen en voelde zich verrekte dom. Zij was verrekte mooi. Iets jonger dan hij, misschien vier, vijf jaar. Haar haar was bruin als goud.

'Het maakt mij niet zoveel uit welk gebakje ik neem,' ging ze verder. 'Voor hetzelfde geld had ik een ander besteld.'

Het meisje achter de toonbank volgde het gesprek belangstellend. Achter Winter stond een hele rij mensen te wachten, alleen vond hij dat op dit moment niet zo belangrijk. Maar hij moest wel een beslissing nemen en naar zijn plek gaan, zodat het normale leven bij deze toonbank verder kon gaan.

'Neem het nou maar,' zei de vrouw met de groene ogen. 'Ik heb er nog niet aan gezeten.'

'Maa... maar ik moet toch betalen?' Hij had het gevoel alsof hij half bewusteloos was. Hij zei kennelijk maar wat, vond alles best. 'Ik heb ...'

'Ik neem er wel zo een,' onderbrak ze hem en ze knikte naar de tompoes op Ringmars schoteltje.

Oké, oké, dacht Winter. Dat is waarschijnlijk de snelste manier om hier weg te komen.

Hij keek even naar het raam. Ringmar fronste zijn wenkbrauwen.

'Die is duurder,' zei het meisje achter de kassa. 'De tompoes is duurder.'

Ook zij leek het allemaal nogal grappig te vinden. Winter merkte dat hij een droge keel had. Hij overwoog om Bertils glas van het blad te pakken en het water in één teug op te drinken.

'Dan komt er nog twee vijftig bij.'

'Ik betaal het verschil,' zei Winter en hij pakte zijn portemonnee.

De vrouw draaide zich naar hem om, keek hem één of twee tellen onderzoekend aan en glimlachte toen weer. Hij voelde zich een nog grotere idioot. Aan dat gevoel was hij niet gewend. De laatste keer dat hij zich een nog grotere idioot had gevoeld, was toen hij Halders voor het eerst had ontmoet en door Birgersson was uitgefoeterd.

'Oké,' zei ze luchtig, alsof ze hem een kleine gunst verleende waar hij lang om had lopen zeuren.

Ze kreeg haar tompoes en liep met haar blad naar een tafel die verderop in het café vrij was gekomen.

Winter betaalde en liep al balancerend met het blad terug naar Ringmar.

'Wat was dat allemaal?'

'Vergeet het maar.'

'Hoe kan ik iets vergeten waar ik niets vanaf weet?'

Winter antwoordde niet. Hij keek langs de rij het café in, naar het ronde tafeltje waar zij zat. Nu glimlachte ze weer. Een bredere glimlach, leek het wel.

Als dit in een kroeg was gebeurd, had hij haar naam gevraagd.

'Leuke meid,' zei Ringmar. Hij nam een slokje koffie en vertrok zijn gezicht. 'Deze koffie is lauw.'

'Sorry, Bertil. Dat is mijn fout.' Hij stond op en pakte Ringmars kopje. 'Ik haal nieuwe.'

'Moet je hier niet betalen voor een tweede kopje?'

'Dat maakt niet uit.'

Hij liep linea recta langs de rij en zette de zes passen naar haar tafel. Ze zag hem aankomen en wachtte met het vorkje halverwege haar mond.

'Je bent toch niet van gedachten veranderd?' vroeg ze.

Weer dat glimlachje.

'Jawel,' zei hij. 'Ik heb net besloten je naam te vragen.'

'Hoezo?'

'Omdat ... omdat je aardig was. Dat komt tegenwoordig niet zo vaak voor.'

Ze lachte, kort en luid. Misschien dat hij glimlachte, hij wist het niet. Hij wist wel dat de mensen aan de twee tafels links en rechts van hen het schouwspel belangstellend volgden. Eerlijk gezegd kan me dat geen bal schelen. Dit is belangrijk. Ik weet niet precies waarom. Misschien ook wel trouwens.

'Hoe heet je?' vroeg hij.

'Angela,' antwoordde ze. 'Angela Hoffmann.'

'Waar is mijn koffie?' vroeg Ringmar toen Winter terugkwam bij hun tafeltje.

Winter liep de trap af. Het dunne vel papier zat in zijn binnenzak. De wind zocht zich een weg langs zijn nek en hij zette de kraag van zijn jas op.

Zijn mobieltje ging. Het display meldde 'afgeschermd nummer' en hij had wel zo'n vermoeden wie het was: 'Hoi, Angela.'

'Kun je vanavond om zeven uur thuis zijn, Erik?'

'Dat hoop ik wel, ja.'

'Lilly wil je iets laten zien. Bij voorkeur voor het slapengaan.'

'Wat is het?'

'Dat wil ze je zelf laten zien.'

Hij was om halfzes thuis. Lilly liet het hem meteen zien, in de hal.

Ze kon vier stapjes lopen.

Buiten was het donker en dat mocht wat hem betreft zo blijven. De nacht buiten. Hij had alles buiten altijd als nacht beschouwd, soms licht, meestal donker. Voor de nacht moest je oppassen. Die kon gevaarlijk zijn. Er zat geen liefde in de nacht. Niet zijn liefde. De hoogste. Hij had haar zijn liefde gegeven, zo'n lange tijd. Had zij die geaccepteerd? Gedurende alle tijd die was verstreken, had hij het niet geweten. Nu wist hij het. Zij wist het ook. Iedereen zou het moeten weten. Buiten hoorde hij stemmen. Hij stond op en liep naar het raam om naar buiten te kijken. Hij zag niets, maar hoorde de stemmen nog steeds. Rondom hoorde hij auto's; overal reed iedereen alle kanten op. Hij hoorde sirenes, maar die kwamen niet hierheen, dat wist hij. Nog niet. Nee, nooit. Hoe zou iemand het kunnen weten? Wie het wist, moest het begrijpen en niemand begreep het. Vooral hij niet. Hij. Hij begreep niets, wist niets. Hij vroeg alleen maar. Steeds weer. Alsof er nog altijd antwoorden waren.

Na de formaliteiten leunde Jonas Sandler achterover. Het was geen arrogant gebaar. Het was eerder alsof hij niet wist wat hij nu moest.

'Ik wil nog wat data met je bespreken, Jonas.'

'Bespreken?'

'Bespreken, ja.'

'O?'

Winter noemde de dagen. Avonden en nachten vielen er ook onder.

'Ik ben op verschillende plekken geweest,' zei de jongen. 'Die avond. Dat moet die avond zijn geweest.'

Hij noemde een tent.

Winter maakte een notitie.

'Ze moeten me daar herkennen.'

'Wanneer was je daar? Van hoe laat tot hoe laat?'

'Het was nogal laat, geloof ik. Vanaf een uur of twaalf, één misschien.'

'Vanaf een uur of één?'

'Zoiets.'

'Ga je vaak stappen? Naar clubs, kroegen?'

'Soms.'

'Is dat niet duur?'

'Dat hangt ervan af.'

'Waarvan?'

'Van waar je bent. Wat je neemt.'

'Wat je neemt?'

'Wat je drinkt. En zo. Je snapt toch wel wat ik bedoel?'

'Heb je het over drugs?'

'In de clubs heb je volop drugs, dat kan zelfs voor de politie geen geheim zijn.'

Opeens had zijn stem een scherpere klank gekregen. Het was alsof hij ouder was geworden.

'Je bent werkloos. Hoe kom je aan geld?'

'Ik neem niets,' zei de jongen. 'Daar wordt het goedkoper van.'

'Is het dan wel net zo leuk?'

'Wat?' vroeg Jonas Sandler en hij ging verzitten.

Daar trap ik niet in, dacht Winter en hij keek naar de cassetterecorder die voor hem op de lichte tafel stond.

'Als je geen geld hebt,' zei hij.

Jonas Sandler haalde zijn schouders op.

'Ik heb je moeder onlangs gesproken,' zei Winter.

Hij zag Jonas kort terugdeinzen, een nauwelijks merkbare beweging van zijn schouder, maar Winter was erop getraind zulke dingen toch te zien.

'O?'

'Heeft ze het je niet verteld?'

'Nee. Waarom zou ze?'

'Wanneer heb je haar voor het laatst gesproken, Jonas?'

De jongen haalde zijn schouders op.

'Probeer het je te herinneren.'

Hij leek na te denken. Misschien wist hij het.

'Het is vrij lang geleden.'

'Vraag je je niet af waarom ik bij haar langs ben gegaan?'

De jongen haalde zijn schouders weer op. Vlak voor Winters ogen veranderde hij en kreeg hij een terugval, als je het zo kon noemen. Hij werd opstandig.

Alsof zijn moeders schaduw over de kamer was gevallen.

'Toen je daar als kind woonde,' zei Winter, 'speelde je weleens met een meisje dat in dezelfde portiek woonde. Kun je me iets over haar vertellen?'

26

'Dat weet ik niet meer,' zei Jonas Sandler. Hij keek naar het tafelblad. 'Een meisje? Er waren daar zoveel kinderen.' Hij keek op.

'O ja?' vroeg Winter.

'Ja. Hoezo?'

'Volgens je moeder waren jullie de enige kinderen in die portiek.'

'Ja, en? Er waren massa's kinderen buiten. Zo herinner ik het me in elk geval.'

'Maar je herinnert je dat meisje niet? Of haar moeder?'

Jonas gaf geen antwoord. Hij leek na te denken. Winter wachtte tot hij iets zou zeggen. Misschien heeft de jongen iets te zeggen. Of te verbergen.

'Woonden ze in dezelfde portiek?' vroeg Jonas Sandler.

'Ja.'

'Wat is er met ze? Waarom vraag je naar ze?'

'Probeer het je nou gewoon te herinneren.'

'Wat moet ik me herinneren?'

'Doe eens volwassen, Jonas.'

'Hè?'

'Doe eens volwassen!'

Jonas Sandler veerde op. Zijn blik schoot van links naar rechts, naar alle hoeken van de verhoorkamer, alsof hij zo ver mogelijk bij Winter vandaan iets zocht waaraan hij zich kon vastklampen.

'Je hoeft niet te schreeuwen,' zei hij ten slotte.

Winter wachtte. De ventilatie ruiste als een zwerm vliegen onder het plafond. De jaloezieën in de kamer lieten zo weinig licht binnen dat het geen verschil maakte. Het daglicht stelde in deze tijd van het jaar niet veel meer voor. Een glimlachende weervrouw had gisteravond half en half sneeuw beloofd. 's Ochtends had Halders verteld dat hij een pantoffel naar de tv had gesmeten toen het wicht grijnzend haar profetie had gedaan.

'Hoe oud was ze?' vroeg Jonas Sandler.

'Van jouw leeftijd ongeveer. Tien.'

'Ze heeft er vast niet lang gewoond. Ik zou me haar moeten herinneren.'

Winter had over het verhoor nagedacht voordat hij de kamer was binnengegaan. Wat herinnerde hij zich zelf nog van toen hij tien was? Vrij veel. Hij had op straat gesliert, eerst in Kortedala en later in het westelijke deel van Göteborg, met een groep die uiteen was gevallen toen het volwassen leven begon, voor sommigen eerder, voor anderen later. Sommigen werden volwassen toen ze niet langer ruziemaakten met de meisjes en daarna kwam hun jeugd nooit meer terug. Die was voor altijd verdwenen. Winter had geprobeerd zijn jeugd zo lang mogelijk vast te houden. Toen hij gisteren en vanochtend over die tijd had nagedacht, had hij zich beelden en afzonderlijke gebeurtenissen herinnerd. Maar vrijwel geen enkele naam. Er zaten er nog een of twee in zijn geheugen, maar de andere jeugdvrienden waren hun naam kwijtgeraakt. Misschien waren het er niet zoveel. Ze waren ook hun gezicht kwijtgeraakt.

'Hoe lang woonde ze daar?' vroeg Jonas Sandler.

'Dat weten we niet precies.'

'Hoe heette ze?'

'Dat weten we ook niet.'

'Weten jullie zeker dat ze daar echt woonde?'

'Je moeder is er zeker van, Jonas.'

Hij antwoordde niet.

'Moeten we haar niet geloven?'

Jonas Sandler gaf ook op die vraag geen antwoord.

'Kan ze zich vergissen?' vroeg Winter.

'Ik weet niet wat ze zich herinnert en wat niet.' Jonas Sandler keek Winter nu recht aan. 'Hoe heette dat meisje?'

'Dat weten we ook niet.'

'Nee, nee.'

'Ik dacht dat jij me daarbij kon helpen.'

'Ik herinner me nooit namen.'

'Probeer je haar te herinneren. Als je hier straks weggaat, probeer je dan te herinneren of je met haar hebt gespeeld.'

'Maar waarom?'

'Probeer het gewoon, Jonas.'

Winter en Ringmar ontvluchtten vlak voor de lunch het bureau en gingen de stad in.

De tent aan de Östra Hamngatan was een stamcafé geworden. De tafel bij het raam was een stamtafel geworden. Soms gingen Winter en Angela erheen, eerst alleen, later met de kinderen. De tafel die achterin stond, was ergens in de afgelopen twintig jaar verplaatst. Het was een gedenkwaardige tafel en een gedenkwaardige plek.

'Ze moet zich ergens verborgen hebben gehouden,' zei Ringmar toen

Winter terugkwam met koffie en twee tompoezen.
'Hm.'
'Dat is lastiger dan veel mensen denken.'
'Of makkelijker.'
'Ze moet een flat hebben gehad,' zei Ringmar.
'Of een hotelkamer.'
'Niet in Göteborg.'
'Nee, daar lijkt het wel op,' zei Winter.
'Ze moet bij iemand thuis zijn geweest. Iemand die ze kende.'
'We hebben alle kennissen gecontroleerd. De weinige die ze had.'
'We moeten ze nog een keer controleren.'
Winter keek naar buiten. Plotseling kwamen de eerste sneeuwvlokken van het seizoen naar beneden vallen.
'Het sneeuwt,' zei hij.
'Maak je daar nu maar niet druk om. Jij gaat binnenkort toch naar de zon.'
Ringmar keek op zijn horloge.
'Je hebt nog drie weken.' Hij keek op. 'Daarna nemen we het écht van je over.'
Buiten ging het harder sneeuwen, de lucht werd dikker. Een vrouw boog zich over een wandelwagen. Het kind stak zijn handen uit naar de vlokken. Sneeuw was voor kinderen pas echte neerslag. Winter herinnerde zich de sneeuw uit zijn jeugd, vooral omdat die in het westen van Göteborg maar zo zelden viel. De zee was te warm en te groot.
'Hoe is het gesprek met de jongen gegaan?' vroeg Ringmar.
'Ik weet het niet.'
'Wat denk je?'
'Hij wil het zich niet herinneren.'
'Waarom niet?'
'Hij kende haar.'
Ringmar zei niets. Hij begreep wat Winter bedoelde.
'Hij kende Paula vroeger,' zei Winter. 'Hij wil niet dat we dat weten.'
'Dat doen we ook niet.'
'Shit, dat ik er nou niet achter kom wie ze waren! Waar ze heen zijn gegaan!'
'Hm.'
'En waar ze vandaan kwamen.'
Winter staarde naar zijn gebakje. Hij had het niet aangeroerd. Plotseling zag de rode frambozenjam er niet lekker uit. Hij schoof het schoteltje opzij.
'Dat wilden ze kennelijk,' zei Ringmar. 'De vrouw wilde het ongetwijfeld zo. Niemand mocht iets over ze weten.'
'Maar de mensen wisten wel van hun bestaan. Sandler wist iets, Jonas'

moeder. Metzer. Andere mensen moeten hen ook hebben gezien.'

'Ja ... ze konden natuurlijk niet dag en nacht binnen blijven,' zei Ringmar. 'Dat zou nog verdachter zijn geweest.'

Winter knikte.

'Het is nog vreemder dat we de persoon niet kunnen vinden die die flat onderverhuurde.'

'We weten in elk geval hoe hij heette.'

'Maar waar is hij?'

'En is het zijn echte naam?'

Ringmar stak zijn vorkje in de bovenste laag van het gebakje. Het werd een zootje.

'Waarom maken ze van die gebakjes die je niet netjes kunt eten?'

'Dan moet je iets anders nemen dan een tompoes.'

'Ik vind ze lekker.'

'Jonas speelde als kind met haar,' zei Winter. 'Dat denk ik. En hij herinnert zich haar.'

'En hij wil het ons niet vertellen,' zei Ringmar.

'Omdat hij haar als volwassene heeft ontmoet.'

'Wat hij ons ook niet wil vertellen.'

'Omdat hij haar vaker heeft ontmoet dan hij kwijt wil.'

'Waar hij over liegt.'

'Omdat hij ... haar heeft vermoord,' zei Winter.

'Oké.'

'Hij is te koud om dat niet te hebben gedaan.'

'Oké.'

'Geef me een tegenargument,' zei Winter. 'Dat kan toch niet zo moeilijk zijn.'

'Hij is een bang kind,' zei Ringmar.

'Ga door.'

'Hij heeft toevallig een meisje gesproken met wie het slecht is afgelopen. Dat is alles. Hij heeft nooit een klein meisje gekend dat onze Paula kan zijn, omdat ze nooit heeft bestaan.'

'Wie niet?'

'Dat mysterieuze meisje natuurlijk. Ze heeft in zijn ogen nooit bestaan. Misschien heeft ze er wel gewoond, maar dat weet hij niet meer. Het was maar zo kort. Het betekende niets.'

Omdat ze nooit heeft bestaan. Winter dacht aan Ringmars woorden, waar die naar verwezen, hoe je ze kon interpreteren. Ze had nooit bestaan. Niet zoals zij haar kenden. Ze was iemand anders. Dat was ze ook altijd geweest.

Ringmar had naar zijn gebakje zitten turen en keek nu op. Het vorkje hing nog boven de rest van de broze en tegelijk harde bovenkant. Hij keek om zich heen, alsof iemand had gehoord wat ze zeiden en nog steeds luisterde. Maar ze zaten ver bij alle andere gasten vandaan en relatief dicht bij de lawaaierige toonbank en de sissende koffiemachines erachter.

'Waarom heeft hij haar vermoord?' vroeg Ringmar. 'Ik zeg niet dat ik het met je eens ben. Ik vraag alleen maar.'

'Omdat hij ziek is,' zei Winter. 'Heb je dan een reden nodig?'

Winter en Ringmar verlieten het café. De zon brandde in hun ogen. Winter graaide naar een zonnebril die hij niet bij zich had. Die hoorde bij een ander jaargetijde, de groene winter.

'Hebben jullie telefoonnummers uitgewisseld?' vroeg Ringmar.

'Ik snap niet waar je het over hebt, Bertil.'

'Een vrouw versieren in een café. Midden op de dag. Tijdens je werk. Je wordt nog een legende op de afdeling, knul.'

'Zij was degene die ...' zei Winter, zonder zijn zin af te maken.

'Geef een ander maar de schuld.'

'Oké, ik heb haar nummer.'

'Hoe heet ze?'

'Angela.'

'Die naam hoor je niet vaak.' Ze liepen door het Brunnspark. Een dronkaard op een bankje salueerde met zijn fles naar de agenten in burger. 'Klinkt Engels.'

'Of Duits. Ze had een Duitse achternaam.'

'Was ze Duitse?'

'Ik weet niet meer dan jij, Bertil. Ze sprak in elk geval Zweeds. Het klonk alsof ze uit de stad kwam. Ze had een centrumdialect.'

'Hoe klinkt dat?'

'Niet zo als jouw Hisingen-gewauwel.'

'Ik ben trots op mijn achtergrond, knul.'

'Ik wou dat ik hetzelfde kon zeggen.'

'Wat kan het je schelen dat je vader er met zijn geld vandoor ging. Hij heeft in elk geval niemand vermoord ...'

'Daar loopt hij,' onderbrak Winter hem, en hij knikte naar de menigte die voor hen het winkelcentrum Nordstan binnenliep. Ringmar volgde zijn blik.

'Wie?'

'Börge. Christer Börge.' Winter knikte weer in de richting van de menigte, die bij een zebra stilstond. Er reed een akelig piepende tram langs. 'Ellen Börge. We hadden het net nog over haar, Bertil.'

'Je hebt gelijk,' zei Ringmar. 'Zij is nog steeds niet boven water, voor zover ik weet.'

'Nee, ze is nog steeds niet boven water.' Winter knikte nog een keer naar de menigte. 'Hij staat uiterst links. Met die blauwe muts.'

De man draaide zijn hoofd om, alsof hij hoorde dat ze het over hem hadden. Maar dat was onmogelijk, de afstand was te groot. Winter kon zien dat de ogen van de man even op hen rustten, zich verplaatsten, terugkeerden naar wat hij aanvankelijk had bekeken. Het was Christer Börge.

'Weet je het zeker?' vroeg Ringmar. 'Kun jij je zo goed gezichten herinneren? Ook als ze een muts op hebben?'

'Ik herinner me hem. In namen ben ik niet zo goed.'

'Maar je weet dat dat Börge is.'

'Ik herinner me hem,' herhaalde Winter.

'Arme stakker,' zei Ringmar en hij keek naar Börges muts. Het leek alsof hij hem had opgezet om aandacht te trekken.

Winter gaf geen antwoord. De mensen kwamen in beweging toen het licht op groen sprong en staken snel over. Christer Börge draaide zich niet om. De menigte verdween door de deuren van het enorme winkelcentrum, alsof ze een tunnel binnengingen.

'Ik geloof dat ik even bij hem langsga,' zei Winter.

'Waarom?'

'Omdat het een arme stakker is. Dat zei je zelf.'

'Je kunt die zaak niet loslaten, Erik.'

'Nee.'

'Wat bereik je door naar die arme man toe te gaan en de wond open te halen?'

'Dat weet ik niet. Maar ik heb het gevoel dat ik het moet doen.'

'Is dat je intuïtie?'

'Noem het wat je wilt.'

'Geloof je nog steeds dat hij iets met haar verdwijning te maken had?'

'Ik geloof niets. Dat is toch ons motto? Zoals Birgersson zegt: "Geloven doe je in de kerk."'

'Ik geloof dat we nu terug moeten gaan,' zei Ringmar.

'Ga jij maar,' zei Winter. 'Ik kom over een uurtje.'

Hij liep weg en stak de straat over toen het licht groen werd.

Er was een goede kans dat hij Börge opnieuw zou ontdekken, tenzij blauwe mutsen opeens in de mode waren geraakt. Maar Winter hoefde hem niet te ontdekken. Hij had zijn adres, als hij tenminste niet was verhuisd. Kennelijk woonde hij hoe dan ook nog steeds in de stad.

Waarom doe ik dit, dacht Winter.

Bij het warenhuis Åhléns zag hij de muts voor een van de etalages. Börge stond voor de speelgoedafdeling. Hij draaide zijn hoofd van links naar rechts, alsof hij alles goed bekeek. Over een paar weken zouden de etalages versierd zijn, dan kwam Kerstmis en vervolgens het nieuwe jaar en tegelijkertijd het nieuwe decennium, de jaren negentig.

Börge liep in hoog tempo naar de noordelijke uitgang.

Winter volgde hem op een meter of 30.

Bij de staatsslijterij ging Börge naar binnen. Winter wachtte buiten. Börge kwam met een plastic zak de winkel weer uit. Winter kon de contouren van een paar flessen zien. Börge liep verder in de richting van de uitgang en toen hij na de automatische schuifdeuren rechts afsloeg, was hij uit het zicht verdwenen.

Winter liep ook naar buiten. Hij zag Börge 50 meter verderop bij een zebra de hoofdweg oversteken. Hij moest snel hebben gelopen. Winter zag dat hij bij de bushalte ging staan, naast een handvol andere mensen. Geen van de anderen droeg een blauwe muts. De bus kwam er al aan. Börge stapte als laatste in en de bus reed weg. Winter zag Börge niet toen de bus langsreed. De zon werd weerspiegeld in de zwarte ruiten. Het leek net een vuurzee.

27

Misschien was het Börges gezicht dat hij in de achterruit van de bus zag, als een witte vlek op het vieze glas.

Winter liep verder in oostelijke richting, langs het centraal station, het gebouw van de *Göteborgs-Posten*, het oude Ullevi-stadion.

Hij haalde een auto uit de politiegarage en reed naar Börges adres. Een straat verderop was een vrije parkeerhaven.

Op het briefje in de portiek stond nog steeds Börges naam.

Winter keek om zich heen. Het zag er vrijwel net zo uit als vroeger. Niemand durfde iets met de patriciërshuizen in het centrum van Göteborg te doen. De straten hier werden door de gestoorde sociaaldemocraten met rust gelaten. De voorsteden mochten de klappen opvangen, evenals de kernen van de kleinere steden.

Hij ging de portiek in en liep de trap op. Börge woonde op de tweede verdieping. De trap was goed onderhouden en door de beschilderde ramen viel er licht in het trappenhuis. Het deed denken aan een kerk.

Drie jaar geleden. Drie jaar geleden was hij een paar keer deze trap op gelopen. Daarna: vier of vijf telefoongesprekken om te horen hoe het ging, misschien als een soort bevestiging. Soms had Börge hem gebeld. Hij had gedempt geklonken, alsof hij een zakdoek over de hoorn had gelegd.

Toen Winter zijn vinger uitstak naar de bel, realiseerde hij zich dat Börge misschien niet meer alleen woonde. Dat hij misschien toch had moeten bellen voordat hij kwam.

Maar dat wilde hij niet.

Hij belde aan en Börge deed bijna direct open, alsof hij achter de deur had staan wachten. Misschien had hij Winter de portiek binnen zien gaan, misschien had hij hem al bij de bus gezien, of in winkelcentrum Nordstan.

Börge keek niet verbaasd.

'O, bent u het.'

Het was vooral een constatering. Zijn stem klonk vermoeid, alsof hij ziek was. Hij was in de afgelopen drie jaar ouder geworden, op een normale manier. Een paar kraaienpootjes om zijn ogen. Maar die heb ik waarschijnlijk ook, dacht Winter. Ik zie mijn gezicht elke ochtend en veranderingen vallen me niet op.

'Mag ik binnenkomen?'

Börge maakte een uitnodigend gebaar, draaide zich om en liep door de hal terug.

'U moet wel uw schoenen uitdoen,' zei hij over zijn schouder. 'Ik heb net schoongemaakt.'

Winter wist niet of dat een grapje was, maar hij trok zijn Engelse handgemaakte schoenen uit en zette ze op het rekje onder de kapstok in de hal, waar nog andere paren stonden. Winter had niet eerder aan die schoenen gedacht, misschien hadden ze er niet gestaan. Het leken identieke paren. Het was een goed idee, misschien niet om altijd identieke paren te dragen, maar wel om regelmatig andere schoenen aan te trekken. In de winkel in Mayfair waar Winter zijn schoenen altijd kocht, was hem dat ingeprent. Hij ging er één keer per jaar heen en kreeg altijd hetzelfde advies. Hij had niet elke keer schoenen nodig. De schoenen die hij droeg, waren gemaakt om lang mee te gaan. Börges schoenen waren eenvoudiger, uiteraard, maar het was geen rommel.

Börge zat al toen Winter de woonkamer binnenstapte.

Er stond een fles rode wijn op tafel, met een halfvol glas. Toen ze in de hal stonden, had Winter de wijn in de adem van de man geroken.

Börge knikte naar de fles.

'Wilt u ook een glas? Het is best goede wijn.'

'Ik zie het.'

'Wilt u een glas?'

'Nee, dank u. Ik moet nog rijden.'

Börge glimlachte, een beetje zuur misschien: 'Dat is een goed excuus.'

De lettergrepen waren aan de lange kant, een teken dat hij aangeschoten was. Misschien een paar glazen op een lege maag. Winter kon aan het niveau in de fles zien dat Börge al een glas op had. Wellicht deed hij dit 's middags vaker.

'Ga zitten,' zei Börge.

Winter nam in de fauteuil tegenover hem plaats. Voor het raam vlogen een paar zwarte vogels heen en weer, alsof ze een thuis zochten. Winter hoorde hun gekrijs door het glas heen.

Börge hief zijn glas.

'Ja, het ziet eruit alsof iemand hier iets te vieren heeft.'

'Is dat zo?'

'Wat zou ik moeten vieren?' Hij zette het glas neer. 'Het is eerder een aangename manier om de dag door te komen.'

Winter knikte.

'Daar hebt u geen mening over?'

'Nee, waarom zou ik?'
'Tja … u bent bij de politie.'
'Het is nog niet zo erg dat we bij de mensen binnenstappen en hun flessen in beslag nemen.'
'Maar u bent hier wel binnengestapt,' zei Börge.
'Wilt u dat ik ga?' vroeg Winter.
'Nee, nee. Ik vind een beetje gezelschap wel aangenaam.'
Het was de tweede keer dat hij het woord 'aangenaam' gebruikte. Maar het voelde hier allerminst aangenaam. Plotseling voelde het koud, alsof alle warmte uit de radiatoren was verdwenen, het huis had verlaten en naar de vogels was gegaan die nog steeds heen en weer vlogen. Aan weerszijden van het raam staan kennelijk bomen, dacht Winter. Die zijn me niet opgevallen toen ik naar binnen ging.
'Hoe gaat het met u?'
Börge wilde net naar het wijnglas reiken, maar bevroor in zijn beweging.
'Wilt u dat echt weten?'
'Anders zou ik hier niet zijn.'
'Wat wilt u echt weten?'
'Ik begrijp u niet.'
'Dat doet u wel. Ik herinner me dat u mij ervan verdacht dat ik iets met Ellens verdwijning te maken had. Het zou niet gek zijn als u daar nu ook voor bent gekomen.'
'Maar dat is niet zo,' zei Winter.
'Ze ligt nog steeds niet in een van de kasten hier,' zei Börge. 'U mag het nog wel een keer controleren, als u wilt.'
'Ik heb u vandaag gezien,' zei Winter.
Börge antwoordde niet. Hij nam snel een slok wijn en zette het glas neer. Het voetje had een rode kring achtergelaten op het lichte hout van de salontafel. Börge leek de vlek niet te zien. Zijn bewegingen waren meer bombastisch geworden. De fles was amper halfvol.
'Ik heb u in de stad gezien. In Nordstan. Toevallig.' Winter boog zich naar voren. Hij kon de vage stalgeur van de wijn in de fles ruiken. Het was een relatief dure pessac. Als Börge wilde zuipen, deed hij dat kennelijk in stijl. 'Het was puur toeval.'
'Dacht u dat ik u niet had gezien?'
'Dat wist ik niet zeker. Ik heb niet geprobeerd me te verbergen.'
'Ik ook niet.' Börge tuurde naar de fles en keek toen op. 'Dacht u niet dat ik erop rekende dat u zou opduiken?'
'Daar leek het inderdaad op,' zei Winter. 'Toen u opendeed.'
'Drie jaar lang niets en vervolgens duikt meneer de rechercheur op.'
'Het was een ingeving,' zei Winter. 'Om hierheen te gaan.'
'Wat betekent dat woord? "Ingeving"?'

'Tja ... dat weet ik niet precies,' antwoordde Winter. 'Het is een ...'

'We zoeken het op,' zei Börge. Hij stond snel op en wiebelde heen en weer, waardoor hij zich met één hand aan de rugleuning moest vastgrijpen om zijn evenwicht niet te verliezen. Winter keek nogmaals naar de fles. Hij besefte dat het niet de eerste fles van vandaag hoefde te zijn. Börge leek relatief nuchter, maar misschien beschikte hij over de tolerantie van een professionele alcoholist.

Börge liep naar een brede boekenkast voor de muur naast het raam. Hij bestudeerde de ruggen en pakte toen een titel.

'De woordenlijst van de Zweedse Academie,' zei hij terwijl hij het dikke boek in Winters richting ophield. 'Onontbeerlijk.'

Hij begon erin te bladeren.

'In... inge... ving.' Hij keek op. 'Er staat geen uitleg bij.' Hij keek naar het boek en hield het voor het raam als wilde hij het voor het licht houden. 'Niet zó onontbeerlijk dus.' Hij wierp het met een grote boog dwars door de kamer. Het kwam achter Winter terecht.

Winter stond op en liep naar de boekenkast. Börge was blijven staan en leunde met één hand tegen de ruggen van de boeken. Hij staarde naar het boek, alsof hij wilde zien waar het was beland.

Een van de planken was voor de helft leeg. Er stonden drie ingelijste foto's vlak naast elkaar. Die hadden daar drie jaar geleden niet gestaan, niet dat Winter zich kon herinneren. Of misschien toch. Hij herkende twee foto's, die had hij gezien toen hij hier was. Op de ene glimlachte Ellen naar hem vanuit een stoel die overal kon staan. Het was een uitdrukkingsloze glimlach in een gezicht dat niets onthulde. Op de andere foto stonden Christer en Ellen samen onder een boom. Dat kon de boom hierbuiten zijn. Het was in een stad. De gebouwen kwamen Winter bekend voor. Misschien bevond hij zich nu in een daarvan.

Op de derde foto stond een glimlachende Ellen samen met een ander meisje. Ze waren een jaar of vijftien, misschien iets ouder.

'Wie is dat?' vroeg Winter en hij knikte naar de foto.

'Hè?' zei Börge en hij draaide zich om. Winter besefte dat de man meer aangeschoten was dan hij had gedacht. De fles op tafel was niet de eerste. Hij moest al wat gedronken hebben toen hij naar de staatsslijterij ging, tenzij hij in twintig minuten een hele fles soldaat had gemaakt, voordat Winter kwam. Dat was ook een mogelijkheid.

'Wie is het meisje dat naast Ellen op de foto staat?'

De meisjes leken in een prieel te staan. Rondom hen stonden dichte struiken. Ze hadden hun armen om elkaar heen geslagen, vier armen, vier handen. Het was zomer, ze droegen dunne kleren. Aan de rand van de foto zag Winter iets glimmen. Misschien was het een stukje lucht of water, een meer, een zee.

Börge richtte zijn blik op de foto. Hij wiebelde weer heen en weer, maar verloor zijn evenwicht niet.

'Dat is Ellens zus.'

'O?'

Börge richtte zijn blik nu op Winter. Hij kneep zijn ogen samen. Hij sprak nu nog langgerekter, met dikkere tong, maar niet lallend.

'Hebt u niet met haar gesproken toen Ellen ... verdween?'

'Nee, ik niet.'

'Nee, nee.'

'Maar een van mijn collega's heeft haar wel gesproken. Ik wist natuurlijk wel dat Ellen een zus had.' Winter keek weer naar het meisje. 'Ellen is niet naar haar toe gegaan. Een van onze mensen daar heeft haar gesproken. In Malmö was het, geloof ik. Ze woonde toen in Malmö.'

'Ik heb haar ... sindsdien nooit meer gezien,' zei Börge en hij knikte naar de foto.

'Waarom niet?'

'Volgens mij mag ze me niet.' Hij wendde zich weer tot Winter. 'Ik weet dat ze me niet mag.' Hij knikte, alsof hij zijn eigen woorden wilde bevestigen. 'Ze denkt dat het mijn fout is.'

'Toch hebt u een foto van haar in de boekenkast gezet.'

'Dat is niet vanwege haar,' zei Börge en hij wuifde bombastisch met één vinger naar de foto. 'Dat is vanwege Ellen, uiteraard!' Hij zette voorzichtig een stap naar voren. 'Ze ziet er blij uit op die foto, vindt u niet?'

Winter keek nog een keer naar de foto.

'Ik kwam hem een maand geleden toevallig tegen,' zei Börge. 'Ik was wat spullen aan het opruimen en toen lag die daar.'

'Hebt u nog meer gevonden?'

'Wat?'

'Nog meer foto's van Ellen? Of iets anders. Een herinnering.'

'Nee, nee. Niets.'

Winter bleef naar de gezichten van de meisjes kijken. Misschien was er een gelijkenis, maar hij vond het moeilijk die te zien. Mogelijk iets in hun ogen of hun haar. Hun lichaamshouding. Ze waren beiden lang en dun, en hun lichamen hadden iets hoekigs, wat na verloop van tijd zou verdwijnen.

'Het waren maar halfzussen, zoals u wellicht weet,' zei Börge.

Winter knikte.

'Ik heb haar nooit meer gezien,' mompelde Börge. 'Maar dat zei ik al, geloof ik.'

'Waar woont ze nu?' vroeg Winter.

'Geen idee.'

'Ik weet haar naam niet meer,' zei Winter.

'Eva,' zei Börge. 'Zo noemde ze zich in elk geval.'

'Hoe bedoelt u?'

'Ze gebruikte verschillende namen,' zei Börge.

'Waarom?'

'Hoe zou ik dat moeten weten?' Hij liet de kast los en zette een paar passen naar links, in de richting van de bank. Deze keer zou het misschien niet lukken. 'Dat moet u haar maar vragen als u haar spreekt.'

Het ochtendoverleg begon met een minuut stilte. Dat was niet om iets te herdenken, maar om zich te concentreren. Toen ging Halders' mobiele telefoon. Winter was net begonnen de zaak door te nemen.

'Hm?' Zo nam Halders altijd op. 'Ja? Ja, daar spreek je mee.'

Hij stond op, liep naar de gang en deed de deur achter zich dicht.

'Misschien is het iemand die vroeger in een van de hotels heeft gewerkt,' zei Winter.

'Is het ons gelukt de hele lijst door te nemen die je had gekregen?' vroeg Aneta Djanali.

'Nog niet,' zei Winter.

'En de lijst van Odin? Staan daar mensen op die we kennen?'

'Er zitten een paar kwajongens tussen,' zei Ringmar.

'Dat is toch altijd zo?'

'Het zijn er niet veel, maar een paar,' zei Ringmar. 'Een baantje in een hotel lijkt soms als een soort tussenstation te fungeren.'

'Hoezo?' vroeg Aneta Djanali.

'Tja ... in hotels stellen ze blijkbaar niet zoveel vragen. Aan het personeel. Ze zijn kennelijk niet zo nieuwsgierig.'

'Nee, dat hebben we gemerkt,' zei Bergenhem.

De deur werd met een ruk opengedaan.

Halders stapte binnen, zijn mobieltje nog in zijn hand.

'Dat was een van de schilders,' zei hij.

'Van Paula's flat?' vroeg Bergenhem.

'Nee, het was Van Gogh.'

'Wat zei hij?' vroeg Winter.

'Toen zij daar aankwamen, was papa Mario er.' Halders ging zitten. 'Dat is een paar keer voorgekomen.'

'En?'

Dat was Aneta Djanali.

'Tja ... misschien had hij een sleutel van zijn dochters flat. Ik weet niet eens of we hem dat hebben gevraagd. Maar toch.'

'Hoezo, "maar toch"?'

'Hij had een tas. Hij ging met een tas weg.'

'Een koffer?'

Dat was Ringmar.

'Nee, zoveel geluk hebben we niet. Het was een sporttas of zo.'
'Waarom?'
Dat was Bergenhem.
'De schilder heeft niet gevraagd of hij erin mocht kijken, Lars. Dus de inhoud blijft een mysterie.'
'Hij moest vast iets ophalen voor zijn dochter,' zei Djanali.
'Wanneer was dat?' vroeg Winter.
'Na haar verdwijning, de eerste avond,' antwoordde Halders. 'Toen hadden we de renovatie nog niet stopgezet.'
'Wat deed hij daar?' vroeg Bergenhem.
'Ik stel voor dat we het hemzelf vragen,' zei Halders.

'Ik wilde alleen maar kijken of ze thuis was,' zei Mario Ney.
'Je had ook kunnen bellen,' zei Winter.
'Misschien kon ze niet opnemen. Misschien was ze ziek. Ik wilde het gewoon even controleren.'
'De schilders waren er toch?'
'Dat wist ik niet. Ik wist niet dat die er nog waren.'
'Je bent er een paar keer geweest.'
'Ja, en? Paula wilde dat ik wat dingen ophaalde.'
'Wat voor dingen?'
'Kleren. Een rok, geloof ik. Een bloes.'
'Waarom deed ze dat niet zelf?'
'Ik ... ze vroeg het me. Weet ik veel. Ik heb het gewoon gedaan.'
'Wat heb je de tweede keer opgehaald?'
'De tweede keer?'
'Snap je de vraag niet, Mario?'
'Eh ... jawel. De tweede keer ... dat weet ik niet meer precies ... weer kleren, geloof ik ...'
'Maar toen was Paula al verdwenen. Wat had ze dan aan die kleren?'
'Ik moet ... ik weet het niet ... ik moet in de war zijn geweest.'
Hij keek Winter recht aan. Zijn blik was standvastig. Het leek alsof hij echt probeerde na te denken.
'Nee,' zei hij na een tijdje. 'Zo was het niet. Ik wilde er alleen heen om te zien of ik ... iets kon vinden wat me kon helpen. Wat ons kon helpen haar te vinden.'
'Wat had dat moeten zijn?'
'Dat weet ik niet. Wat dan ook. Iets wat ons kon helpen.'
'Kon je iets vinden?'
'Nee.'
'Helemaal niets?'
'Nee.'

'Zocht je naar iets speciaals?'
'Nee.'
'Wat zat er in de tas?'
'Die ik bij me had?'
'Ja.'
'Niets.'
'Van wie was die?'
'Van mij.'
'Niet van Paula?'
'Hij was van mij, zei ik toch.'
'Waar had je die voor nodig?'
'Voor als ik iets vond. Voor als ik iets mee wilde nemen.'
'Wat heb je meegenomen, Mario?'
'Ik zei toch dat ik niets heb meegenomen. Dat zei ik toch!'
'We hebben het een van de schilders gevraagd. Het leek alsof er iets in die tas zat.'
'Wat weet hij ervan? Wie was het trouwens? Hij kon dat helemaal niet zien. Hij stond op een ladder bij het plafond.'
'Zat de tas dicht?'
'Zelfs dat weet ik niet meer. Waarschijnlijk niet.'
'Waarom niet?'
'Hij gaat niet goed dicht. De rits is kapot.'
'Had je een kapotte tas bij je?'
'Ik had die gewoon meegenomen. Ik wist nauwelijks wat ik deed. Wat maakt het uit of een tas stuk is of niet? Wat maakt dat nu in godsnaam uit?'
'Waarom heb je ons niet verteld dat je toen een paar keer in Paula's flat bent geweest?'
'Waarom zou ik? Dat is toch helemaal niet van belang?'

'Is het van belang?' vroeg Birgersson.
Hij zat voor de verandering achter zijn bureau. In zijn mondhoek bungelde een tandenstoker. Dat was een slecht teken. Waarschijnlijk zou die binnen afzienbare tijd door een sigaret worden vervangen.
'Hij hield informatie achter,' zei Winter.
'Maar misschien is het wel zo gegaan,' zei Birgersson.
'Ik ben geneigd het met je eens te zijn,' zei Winter.
'Geneigd? Wat een grappig woord, eigenlijk. Weet je wat het precies betekent?'
'Nee, niet precies,' antwoordde Winter.
'We zoeken het op,' zei Birgersson en hij stond op.
'Moet dat?' vroeg Winter.
'Ik kan beter denken als ik resoluut antwoord op mijn vragen zoek,' ant-

woordde Birgersson en hij liep naar de smalle kast, waar een stuk of dertig boeken in stonden. Hij pakte er een.

'Eens kijken,' zei hij al bladerend.

'Dit is de tweede keer dat ik dit meemaak,' zei Winter.

Birgersson keek vragend op.

'Zo'n vijftien jaar geleden gebeurde bij Christer Börge precies hetzelfde.'

'Christer Börge? De mans wiens echtgenote was verdwenen?'

'Hij ging ook een woord opzoeken in de woordenlijst van de Zweedse Academie.'

'Kijk eens aan.'

'Merkwaardig,' zei Winter.

'Misschien komt het vaker voor dan je denkt,' zei Birgersson en hij bladerde verder.

'Ik vraag me af of hij nog leeft,' zei Winter.

28

'Er staat geen uitleg bij,' zei Birgersson. Hij sloeg het boek dicht, zette het terug in de kast, liep naar zijn stoel en ging weer zitten. Hij knikte naar Winter: 'Dat heb je soms.'

'Dat was toen ook zo,' zei Winter.

'Sorry?'

'Er was geen uitleg.'

'Waarvan?'

'Ik weet niet meer om welk woord het ging,' zei Winter. 'Laat me even denken.'

'Dat bedoelde ik niet.'

'Ik kan die zaak niet uit mijn hoofd zetten, Sture. Of hoe je de verdwijning van Ellen ook maar moet noemen.'

'Daar zul je de rest van je carrière mee moeten leven,' zei Birgersson.

Winter antwoordde niet.

'Je carrière,' herhaalde Birgersson. Hij pakte een nieuwe tandenstoker, stopte die in zijn mond en keek Winter over het bureau aan. 'De volgende herfst zit het er voor mij op.'

'Dat is een felicitatie waard,' zei Winter.

'Ja, vind je niet?'

Birgersson boog zich over de foto's die ze op het bureau hadden uitgespreid. Er lagen er nog een aantal op een werkblad aan de zijkant van de kamer.

Het waren foto's van moeder en dochter.

Birgersson had de twee gezichten naast elkaar gelegd. De foto's waren ongeveer vanuit dezelfde hoek genomen, met dezelfde belichting, vanaf dezelfde afstand. Er was eenzelfde stilte. In zekere zin waren het dezelfde gezichten.

Birgersson bestudeerde ze in stilte.

'Op wie lijkt ze het meest, Erik?' vroeg hij ten slotte en hij keek op. 'Haar vader of haar moeder?'

'Ik weet het niet, Sture.'

'Ik zie hier niet meteen een gelijkenis.'

'Waarom vraag je het?'

'Ik realiseerde me dat ik bijna geen foto's van dit gezin heb gezien.'

'Er zijn ook bijna geen foto's,' zei Winter.

'Wat moet hij met ... die witte trofeeën?' vroeg Birgersson en hij keek weer naar de foto's, naar andere foto's. 'Het is net alsof hij iets verzamelt. Hoewel het ... achterblijft.'

'Het heeft te maken met eigendomsrecht,' zei Winter.

'Had hij er recht op? Op de hand? De vinger?'

Winter knikte.

'Zie je het zo?'

'Hij meende dat hij recht had op alles wat van hen was,' zei Winter. 'Hij kon nemen wat hij wou. En achterlaten wat hij wou.' Winter knikte naar de foto's. 'Doen wat hij wou.'

'En de gipshand?'

'Een bevestiging,' zei Winter.

'Een bevestiging waarvan?'

'Van wat ik net zei.'

Nina Lorrinder belde Halders aan het begin van de middag. Halders keek op zijn horloge toen hij opnam; het was halfdrie en buiten werd het al donker. Over twee uur zou hij Hannes naar de bandytraining brengen. De jongen had het rustiger bandy verkozen boven het meer agressieve ijshockey. Halders had ijshockey gespeeld. Hannes lijkt op Margareta, had Halders gedacht toen Hannes had gezegd wat hij deze herfst wilde doen. Dat is goed.

'Met de afdeling Onderzoek. Met Halders.'

'Ja ... Hallo. Met Nina Lorrinder.'

'Hoi, Nina.'

'Eh ... er is iets ...'

Halders ging rechtop zitten en pakte een pen.

'Vertel maar, Nina.'

'Ik weet niet hoe ik het moet zeggen ... maar toen ik langs de flat kwam waar Paula woonde ... je weet, ik woon iets verderop. Ik was onderweg naar de tramhalte. En toen zag ik iemand in de struiken voor het flatgebouw staan. Aan de overkant van het plein. Er ligt ook een speeltuin.'

'Ik weet hoe het eruitziet, Nina. Wie zag je daar?'

'Ik weet niet of het iets betekent. Misschien is het stom dat ik erover bel. Maar ... het was die man. Het werd al donker, maar precies op die plek stond een straatlantaarn en hij draaide zijn hoofd om toen ik langsliep, en ik zag dat hij het was.'

'Hij? Wie?'

'De man die Paula bij Friskis & Svettis had ontmoet.'
'Weet je zeker dat hij het was?'
'Ja.'
'Wat deed hij?'
'Hij stond gewoon maar wat te staan. Het leek alsof hij naar boven keek. Naar de ramen.'
'En vervolgens draaide hij zijn hoofd om, zei je?'
'Ja. Dat was vast omdat hij me hoorde. Toen ik over het pad achter hem langskwam.'
'Zag hij je?'
'Ja ... misschien wel. Maar ik denk niet dat hij me herkende. Het was nogal donker ... en het motregende. Ik had een muts op.' Halders hoorde haar slikken. Dat kon je horen. 'En toen draaide hij zijn hoofd weer om.'
'Wanneer is dit gebeurd?' vroeg Halders.
'Eergisteren. Om een uur of halfvijf.'
'Waarom heb je niet meteen gebeld?'
'Ik ... ik weet het niet. In eerste instantie wist ik zeker dat hij het was. En toen ... ik weet het niet.'
'Was je bang?'
'Ja.'
'Waarvoor dan?'
'Dat hij me had gezien.' Halders hoorde haar ademhaling. 'Dat hij ... ik weet het niet ...'
'Reden temeer om me direct te bellen. Als je dacht dat hij bij je langs zou komen.'
'Ja ... ik weet het.'
'Heb je hem vaker gezien?'
'Nee ...'
'Je aarzelt, Nina.'
'Ik heb het gevoel ... ik weet het niet ... het is net alsof ik de laatste tijd word achtervolgd.'
'Achtervolgd?'
'Ja ...'
'Heb je iemand gezien?'
'Nee ...'
'Hoe bedoel je het dan?'
'Ik ... hoe zal ik het zeggen ... het is alsof iemand me volgt. Of me bespioneert. Me ziet. Is dat erg belachelijk? Misschien is het wel helemaal niet waar.'
'En je hebt niemand gezien?'
'Nee ... niet echt. Ik meen dat ik iemand voor het raam heb gezien. Iemand ... die buiten stond. Maar dat weet ik niet zeker. Er heeft ook

iemand gebeld die niets zei. Maar er was wel verbinding. En ik hoorde een ambulance, of een politieauto, ik hoorde het ... in de kamer, maar ook door de telefoon. Het leek hetzelfde geluid te zijn ... tegelijkertijd. En het was vlakbij.'

'Waarom heb je dat niet eerder verteld, Nina?'

Ze antwoordde niet.

'Nina?'

'Is het ... gevaarlijk? Voor mij?'

'Is er iemand naar wie je toe kunt gaan?' vroeg Halders. 'Een vriendin, een familielid? Iemand bij wie je langs kunt gaan?'

'Ik kan wel iemand ... bellen.'

'Doe dat maar.'

'Nu, bedoel je?'

'Ja.'

Halders hoorde de angst in haar stem. Hij wilde haar niet bang maken, maar hij nam haar angst serieus.

'Nina ... weet je zeker dat je hem niet ergens anders hebt gezien? De man die met Paula had gesproken?'

'Ik ... geloof van niet.'

'Niet in het centrum? Ook nergens anders?'

'Nee.'

'Bij Friskis & Svettis?'

'Daar kom ik niet meer. Niet sinds dat is gebeurd. Met Paula.'

'Wat gebeurde er toen je langs hem heen was gelopen? Toen je hem zag?'

'Niets ...'

'Draaide je je om? Bleef hij staan?'

'Ik heb me iets verderop omgedraaid. Maar toen zag ik niets. De struiken stonden ervoor.'

'En toen heb je de tram genomen?'

'Ja.'

'En je hebt hem nog nooit eerder bij jou in de wijk gezien? In de buurt van Paula's woning?'

'Nee.'

'Oké, Nina. Goed dat je belde.'

'Wat ... gebeurt er nu?' vroeg ze.

'We gaan even met hem praten,' antwoordde Halders.

Niemand deed open toen ze bij Jonas Sandler aanbelden. Niemand had de telefoon opgenomen die daarbinnen ergens stond. Niemand nam Jonas' mobieltje op. Halders probeerde het nog een keer.

Er zat een handgeschreven briefje op de deur: *Geen reclame.*

'Geen Jonas,' zei Halders.

'Hij is vast aan de wandel,' zei Winter.

'Dat lijkt zijn hobby te zijn,' zei Halders en hij stopte zijn mobieltje in de binnenzak van zijn leren jas. 'Hij wandelt en staat af en toe stil.'

'Het is vervelend dat mensen werkloos zijn,' zei Winter en hij belde weer aan. 'Je kunt ze niet op hun werk bereiken als ze niet thuis zijn.'

Halders lachte.

'Een zaak voor de sociaaldemocraten,' zei hij.

'We moeten het maar via het hoofd van de landelijke politiediensten spelen,' zei Winter en hij draaide zich om en keek naar de trap.

'Is dat ook geen sociaaldemocraat?' vroeg Halders.

'Hou je niet van sociaaldemocraten, Fredrik?'

'Als ik er echt een leerde kennen, zou ik hem of haar misschien wel aardig kunnen vinden. Er schijnen ook vrouwelijke sociaaldemocraten te zijn. En vriendelijke.'

'Ik ben sociaaldemocraat,' zei Winter terwijl hij naar beneden liep.

'Je maakt een grapje.'

'Ja.'

'Wat ben je dan?'

'Feminist.'

'Je maakt een grapje.'

'Nee.'

'Ik ben ook feminist,' zei Halders.

'Dat weet ik, Fredrik.'

'Het is echt waar. Het is geen grapje.'

'Je hebt geprobeerd het te verbergen, maar mij hou je niet voor de gek,' zei Winter.

'Niemand kan jou toch voor de gek houden?' zei Halders.

Ze stonden voor de portiekdeur. Die viel piepend achter hen in het slot. Het geluid deed Halders aan een sociaaldemocratische politicus denken die een besluit moest nemen dat niet per se bevorderlijk was voor zijn eigen carrière.

'Jonas,' antwoordde Winter. 'Die heeft me misschien wel voor de gek gehouden.'

'We wachten tot vanavond,' zei Ringmar.

Winter knikte.

'Misschien zwerft hij ergens op straat,' ging Ringmar verder. 'Nu alarm slaan … tja …'

'Ondertussen kan hij al heel ver weg zijn,' zei Halders.

'In dat geval is hij onze man,' zei Ringmar.

'Niet per se,' zei Winter.

Anne Sandler nam haar telefoon niet op. De eerste keer dat Winter haar belde, was toen ze voor Jonas' flat stonden. Hij was blijven bellen. Ze had geen antwoordapparaat.

Winter kwam langs de schommels op de lege speeltuin. Hij had er nog nooit kinderen gezien. Het was alsof die tijd voor altijd voorbij was. De enige kinderen die hij kende die op die schommels hadden gezeten, waren Jonas en het meisje. Maar ook dat stond niet vast. Anne Sandler had zich wellicht vergist. Misschien had dat gezin hier nooit gewoond, of in elk geval niet in dezelfde portiek. Hoe zou Jonas zich een meisje kunnen herinneren uit een maand in een verre jeugd? Voor sommige mensen was hun jeugd ver weg. Voor velen had die zelfs nooit bestaan. Winter had in zijn werk veel mensen ontmoet die de jeugd misten die ze nooit hadden gehad, die daarnaar op zoek waren, wanhopig op zoek.

Dat kon verschrikkelijke consequenties hebben.

Had Jonas een jeugd gehad? Winter wist het niet. Hij had Jonas als kind ontmoet, maar wist er verder niets van. Had Paula een jeugd gehad? Dat wist hij evenmin. Gisteren had hij gedacht: het gaat om een jeugd of om iets wat een jeugd geweest had kunnen zijn. Paula's jeugd. De jeugd van iemand anders. Die van meerdere mensen. Van Ellen. Of van Elisabeth, Mario. Die van Ellen, had hij weer gedacht. Het laat me niet los. Het-laat-me-niet-los. Waarom laat ze me niet met rust?

De schommels bewogen weer in de wind. De onzichtbare kinderen. Het was alsof de wind door de tijd schommelde, en de tijd was dezelfde. Niets was nieuw of oud. Alles was aanwezig.

Er deed niemand open toen hij aanbelde. Dat had hij ook niet verwacht. Toch ben ik hierheen gegaan. Het is net een magneet. Komt het door de schommels? Het bosje? Het is het bosje.

Winter liep het flatgebouw uit en ging naar het groepje bomen en struiken. Er viel niets te zien. Het was als een kamer met muren zonder deuren. De schemering viel alweer, dat gebeurde aldoor in deze tijd van het jaar; de schemering viel en bleef als een zwart licht hangen. Gek eigenlijk, dat onzichtbare licht.

Hij deed een paar passen in de richting van de bomen. Hij hoorde een geluid, als van een dier. Zat er een hond tussen de bomen te graven? Het klonk alsof er iemand in de aarde groef of wroette. Hij herkende het geluid. Winter duwde een paar struiken opzij en deed twee passen naar voren. Hij zag een beweging achter de grote boom. Hij zag nog een beweging, een hand, een arm. Hij hoorde het geluid van iemand die in de aarde wroette. Nu hoorde hij een snik.

Jonas draaide zich om toen Winter vanachter de boom tevoorschijn kwam.

De jongen zat op zijn knieën en groef met zijn handen in de aarde. Dat moest heel zwaar zijn. De grond was al bevroren. De herfstbladeren lagen er als een taaie huid overheen.

Hij bleef doorgaan.

'Jonas?' zei Winter en hij liep nog een pas naar voren.

De jongen antwoordde niet. In zijn gezicht was niets te zien dat Winter niet deed denken aan de eerste keer dat hij hem had ontmoet. Het was een intense ervaring voor Winter geweest. De jongen snufte, ademde luid, wroette en wroette. Winter zag bloed op zijn knokkels. Het was nog altijd licht genoeg om de rode kleur te kunnen zien. Nu de nacht in aantocht was, kropen alle andere kleuren om hem heen de grond in.

'Jonas!'

De jongen keek weer op, maar bleef doorgaan met graven, met krabben aan de aardkorst. Winter liep de laatste passen naar hem toe en legde zijn hand op zijn schouder. Het was alsof hij een steen beetpakte. De jongen bleef zijn armen en spieren bewegen. Hij was net een machine.

'Jonas, rustig maar.'

Winter voelde de beweging langzaam afnemen, ook dat ging mechanisch. Het gesnuf hield niet op.

'Jonas.'

De jongen keek hem aan. Zijn blik was een en al angst. Winter wist dat het niet om hem ging. Jonas was niet bang geweest om ontdekt te worden. Hij leek daar nu overheen te zijn. Hij had iets gezocht en geprobeerd het hier te vinden. Hij had naar zijn jeugd gegraven, naar iets in zijn jeugd wat hem nooit met rust had gelaten. Het hoefde niet de aardkorst te zijn. Dat was alleen de bovenste laag.

'Paula,' zei de jongen en hij keek weer naar beneden. 'Ze is hier.'

29

De jongen stak zijn handen omhoog, alsof hij er iets mee wilde bewijzen. Winter zag geen bewijs, nog niet. Wel zag hij de grote opwinding van de jongen, alsof hij in duizend stukjes uit elkaar zou barsten.

'Jonas,' zei Winter en hij reikte hem een hand.

'Paula!' zei de jongen. 'Ik heb haar gezien!'

'Waar heb je haar gezien, Jonas?'

'Hier!' zei hij en hij wuifde met zijn armen naar de grond. 'Ze was hier!'

'Wanneer heb je haar gezien?'

'Ze was hier!' herhaalde de jongen.

'Wanneer heb je haar gezien, Jonas?'

'Jij hebt haar ook gezien!' zei de jongen. 'Jij was hier ook!'

'Dat was lang geleden, Jonas.'

'Nee!'

De opwinding van de jongen werd nog groter, alsof hij elk moment zijn bewustzijn of zijn verstand kon verliezen. Misschien was dat laatste al gebeurd. Er was de afgelopen dagen of uren iets gebeurd. De jongen was uit zijn lethargie gerukt. Dat was het woord dat bij Winter bovenkwam. Opeens zag hij Christer Börge voor zich, met de woordenlijst in zijn hand, voor de boekenkast in die verschrikkelijke woonkamer waar de tijd had stilgestaan. Lethargie. Dat betekende droomachtige toestand, dat had Winter zelf ooit opgezocht. Op dit moment had Jonas' handelen niets lethargisch. Misschien bevond hij zich in een nachtmerrie, maar niet in een droom.

En de tijd was in het bosje van zijn jeugd bevroren.

En de jongen was daarnaar teruggekeerd.

'Paula!'

Winter ging op zijn knieën zitten. Hij probeerde een hand op de schouder van de jongen te leggen, maar Jonas wrong zich los. Hij was opgehouden met graven. Er was slechts een ondiepe kuil ontstaan, als een schaal tussen de bladeren. Zijn handen waren kapot, ruw, alsof er een patroon op was aangebracht. Het licht was nu weg. De schrammen op zijn handen waren zwart. Winter dacht aan de zwarte stenen die hij hier achttien jaar geleden had gezien. Die waren er nu niet meer, of misschien had Jonas ze weggegooid. Hij dacht aan de hand die alleen Jonas had gezien. Die was er ook niet. De witte hand waarover de jongen met grote, bange ogen had verteld. Misschien zag hij die wel altijd, of die nu weg was of niet. En Paula was hier evenmin. Maar de jongen was nu net zo overtuigd als destijds. Wat wist hij? Wat had hij gedaan? Wat was hem aangedaan? Wat zat hier in de zwarte aarde? De jongen was gaan huilen, een stil geluid. Opeens hoorde Winter het verre geruis van het verkeer op dit eiland, het op twee na grootste van het land. Nu leek het eiland heel klein, alsof het alleen uit dit bosje bestond. Boven hun hoofden krijste een vogel. De jongen schrok. Hij keek Winter aan alsof hij hem nu herkende. Het was alsof hij uit zijn nachtmerrie ontwaakte. Hij keek naar de grond, alsof die ook deel had uitgemaakt van een droom, maar hem nu vreemd was. Het was geen spel, geen rol. Hij herhaalde haar naam niet. Winter wel.

'Het meisje met wie je hier speelde, was Paula, hè?'

Jonas Sandler was rustig toen hij in Winters kamer zat. Dat was op dit moment een betere plek dan de koude verhoorkamer die aan de nachtmerrie deed denken. Winter was bang dat Jonas daar weer in zou verdwijnen. Dan zou hij hem niet kunnen bereiken.

Het licht boven Winters bureau was warm. Jonas leek zich eraan te warmen. Winter voelde de ijzige kou die hij tussen de bomen had gevoeld zelf ook wegtrekken. Hij was rechtstreeks hierheen gegaan, met Jonas als een zwijgende passagier. Jonas' handen waren net onder het bureau te zien. Hij had ze op zijn schoot gelegd. Over de knokkels zat een gaasverband. Het leek alsof hij witte handschoenen droeg.

'Vertel me over Paula,' zei Winter.

Jonas probeerde iets te zeggen, maar er kwamen geen woorden. Het was als een zwakke wind. Hij deed een nieuwe poging.

'Er ... valt niets te vertellen.'

'Jullie speelden samen.'

Jonas knikte vaag.

'Speelde je met Paula toen jullie klein waren?'

'J... ja.'

'Weet je het zeker?'

'Ja.'

'Hoe kun je daar zeker van zijn?'

'Ik begrijp niet wat je bedoelt,' zei Jonas en hij keek Winter aan. De jongen zat voorovergebogen op zijn stoel en zijn hoofd was vlak bij Winters bureau.

'Hoe kun je daar nu zo zeker van zijn? Je hebt ons eerder verteld dat je haar niet kende.'

'Ik ... kende haar wel.'
'Waarom heb je dat niet eerder verteld, Jonas?'
Hij antwoordde niet.
Winter herhaalde de vraag.
'Ik weet het niet.'
'Dat weet je wel, Jonas.'
De jongen keek weer op.
'Je bent ergens bang voor,' ging Winter verder. 'Waar ben je bang voor?'
'Nergens voor.'
'Voor wie ben je bang?'
Jonas antwoordde niet.
'Heeft iemand je bedreigd?'
'Nee.'
'Wie heeft je bedreigd, Jonas?'
'Niemand.'
'Bedreigde Paula je?'
'Hè?'
Jonas hief nu zijn hoofd op.
'Voelde je je bedreigd door haar?'
'Nee ... nee. Waarom zou ik?'
'Voelde je je bedreigd toen je haar weer zag, Jonas? Als volwassene? Wist ze iets over je?'
'Nee ... nee. Wat zou ze moeten weten?'
'Waarom ben je erheen gegaan? Naar dat bosje?'
'Dat ... dat weet ik ook niet. Het is alsof ... ik weet niet waarom.' Hij zocht Winters blik. 'Het is net als dat andere. We hebben daar ... gespeeld.'
'Hadden jullie het daarover als jullie elkaar zagen?'
'Ja ... soms.'
'Wat zeiden jullie dan?'
'Niets bijzonders. We ... herinnerden het ons gewoon.'
'Hoe hebben jullie elkaar ontmoet, Jonas?'
'Dat weten jullie toch? In het fitnesscentrum.'
'Hoe ging dat?'
'Wat? Hoe ging wat?'
'Herkende je haar?'
'Ja.'
'Gewoon zomaar?'
'Ja. Ze ... was nog net zo.'
'Hoe bedoel je? Nog net zo?'
'Ze zag er nog net zo uit als toen.'
'Na achttien jaar?'
'Is dat lang?' vroeg Jonas.

'Herkende ze jou?' vroeg Winter.
'Nee ... eerst niet.'
'Wanneer herkende ze jou?'
'Ik begrijp niet wat je bedoelt.'
'Herkende ze jou op een bepaald moment ook?'
'Ja.'
'Was ze net zo zeker als jij?'
'Ja.'
'Waar ontmoetten jullie elkaar de tweede keer?'
'Hè?'
'Waar ontmoetten jullie elkaar de tweede keer?'
'Daar. In het fitnesscentrum. Friskis & Svettis.'
'Ik bedoel buiten Friskis & Svettis.'
'We hebben elkaar nooit ... ergens anders ontmoet.'
'Dat geloof ik niet, Jonas.'
'Het is waar.' De jongen zat nu rechtop. Zijn lichaamsfuncties leken langzaamaan weer wakker te worden. 'Echt. Het is waar.'
'Jullie zijn nooit in de stad iets gaan drinken? In een kroeg?'
'Nee.'
'Waarom niet?'
'Ze wilde niet.'
'Heb je het wel gevraagd?'
'Ja.'
'Heb je haar bij jou thuis uitgenodigd?'
'Ja.'
'Wat zei ze?'
'Ze zei nee.'
'Waarom?'
'Dat ... dat weet ik niet.'
'Heb je het haar gevraagd?'
'Hè?'
'Waarom ze nee zei?'
'Nee ... ja ... ze wilde niet. Ik wilde niet zeuren.'
'Maar je wist waar ze woonde?'
'Ja ...'
'Ben je daar weleens geweest?'
'Ik ... ik begrijp het niet. Ik heb toch gezegd dat ze me nooit heeft uitgenodigd.'
'Je bent bij haar flat gesignaleerd,' zei Winter.
Jonas antwoordde niet.
'Ben je daar geweest?' vroeg Winter.
'Ja.'

'Wanneer?'
'Onlangs ... een paar keer.'
'Wat deed je daar?'
'Nie... niets. Ik stond er alleen maar.'
'Waarom?'
'Ik ... ik weet het niet.' De jongen keek Winter weer aan. 'Dat weet ik ook niet.' Hij richtte zijn blik op iets anders, misschien op iets voor het raam. 'Ik miste haar. Ik had haar weer ontmoet en toen was ze weg.' Hij keek Winter weer aan. 'Ze was weg.'
'Waarom was ze weg, Jonas?'
'Ik begrijp niet wat je bedoelt.'
'Heb je erover nagedacht waarom ze weg is?'
'Ja ... gedacht ... ik weet het niet.'
'Ze is vermoord, Jonas. Ze was niet zomaar weg. Wie zou haar kunnen hebben vermoord?'
'Dat weet ik niet.' Winter zag dat Jonas' onderlip begon te trillen, een spasme. Hij had dat ook in het bosje waargenomen, naast alle andere bewegingen van de jongen. 'God, ik weet het niet.'
'Ken je Paula's ouders, Jonas?'
'Haar ouders? Nee.'
'Je kende haar moeder wel.'
'Nee ...'
'Je kende haar moeder niet? Ze woonden toch in dezelfde flat?'
'Paula zei ... dat dat haar moeder niet was.' Hij keek Winter over het bureau recht aan. 'Niet haar echte moeder.'

'Dus hij zegt dat Paula daar als kind woonde,' zei Ringmar. 'En wat dan nog? Dat hoeft niets te betekenen.'
'O, nee?' Winter liep door de kamer heen en weer, wat ongebruikelijk was. 'Dat kan van alles betekenen.'
Ringmar zat buiten de lichtkegel op Winters bureau. Jonas had er een kwartier geleden gezeten. Nu zat de jongen in een onderzoekskamer een verdieping lager. Hij was weer jongen geworden en gaan trillen, zijn lippen waren in het warme licht opeens blauw geworden en zijn ogen waren gaan flikkeren als een vlam. Winter had een arts gebeld. Er zou ook een psycholoog komen. Daarna moesten ze maar zien. Misschien een officier van justitie. Misschien een dominee.
'Voor hem betekent het op dit moment alles,' zei Winter. 'Het neemt zijn hele leven in beslag.'
'Misschien is hij gek.'
'Nee.'
'Waarom niet?'

'De druk is groot,' zei Winter. 'Hij staat onder grote druk. Dat is iets anders.'

'Zoiets kan ertoe leiden dat je gek wordt,' zei Ringmar.

Winter gaf geen antwoord.

'Als hij haar heeft vermoord, dan ontdekken we dat,' zei Ringmar. 'Misschien vandaag al.'

Winter bleef midden in de kamer staan en keek door het raam. Het was niet langer dag, dat was het al heel lang niet geweest.

'En Elisabeth Ney? De moeder? Heeft hij haar ook vermoord?'

'Volgens Jonas is het haar moeder niet,' zei Ringmar.

'Moeten we dat geloven?'

'Waarom zou hij het anders zeggen? Waarom zou Paula hem dat hebben verteld?'

'Als ze dat al heeft gedaan.'

'Hm.'

'Misschien heeft ze het gewoon verzonnen,' ging Ringmar verder. 'Kinderen zeggen dat soort dingen.'

'Volwassenen ook.'

'Zoals Jonas,' zei Ringmar.

'Hm.'

'Misschien is het zijn fantasie,' zei Ringmar. 'Er is nooit een Paula geweest toen hij klein was. Dat heeft hij later bedacht, toen hij haar ontmoette. Nee, toen ze dood was. Een fantasie over haar.'

Winter zei niets. Hij dacht aan het gezicht van de jongen toen hij hem voor het eerst ontmoette. De jongen en zijn hond. Hoe heette die ook alweer? Zack. Die naam herinnerde hij zich. Zack. Dat was een goede naam.

'Hij schijnt niet helemaal te weten wat hij wel en niet ziet,' zei Ringmar.

'Dat weet ik niet,' zei Winter. 'Zo simpel is het niet.'

'Wie heeft gezegd dat het simpel is?'

'Hij heeft iets gezien in dat bosje,' zei Winter.

'Je bedoelt twintig jaar geleden?'

'Achttien.'

'Die hand? Bedoel je die?'

'Op dit moment niet. Ik heb het over wat hij nu heeft gezien. Vandaag.'

'Zei hij dat Paula daar was?'

'Ja. Maar was hij daarom daar? Zocht hij Paula?'

'Misschien zocht hij zichzelf,' zei Ringmar. 'En dat meen ik serieus.'

'Of de hand die hij als kind zag?'

'In elk geval niet die van Paula. Dat hebben we uit de pers weten te houden.'

'En dat betekent?'

'Dat maar heel weinig mensen ervan op de hoogte zijn,' zei Ringmar. 'En slechts één persoon buiten onze afdeling.'

Winters mobieltje begon te rinkelen.

Hij antwoordde, luisterde, knikte, verbrak de verbinding en stopte de telefoon terug.

'Het is zover,' zei hij en hij reikte naar zijn jas.

Een surveillancewagen was naar het bosje gedirigeerd nadat Winter had gebeld. Dat had hij al in de duisternis tussen de bomen gedaan. Hij had gewacht tot de auto er was voordat hij met Jonas naast hem naar het politiebureau was gereden.

Winter en Ringmar kwamen een minuut na de collega's van de technische afdeling aan.

Een van hen was een veteraan.

'Onvoorstelbaar,' zei hij toen Winter uitstapte en naar hen toe liep. 'Dezelfde plek, hetzelfde bosje.'

'Je hebt een goed geheugen, Lars.'

'Soms is dat een last.'

'De geschiedenis herhaalt zich altijd,' zei Winter.

'In dat geval vinden we nu ook niets.'

'In dat geval bied ik mijn verontschuldigingen aan,' zei Winter.

'Dat heb je vorige keer niet gedaan.'

'Zullen we dan maar?' zei Winter en hij liep naar de bekende bomen en struiken. Nog even en het is alsof ik hier zelf ben opgegroeid. Die schommels zijn van mij. Het enige wat er niet meer is, is de draaimolen. De eerste keer dat hij hier was, had er een draaimolen midden in de speeltuin gestaan. Die was nu weg, om veiligheidsredenen. Kinderen konden zich eraan bezeren, rondgetrokken worden terwijl hun sjaal vastzat; ze konden struikelen en onder het ding terechtkomen.

De schommels bewogen in de eeuwige wind. Die waaide hier kennelijk steeds vanuit dezelfde richting en blies vanuit het noordwesten tussen de flatgebouwen door, die zich over de speeltuin bogen en hun schaduw op het bosje wierpen.

Ze stonden er nu middenin.

De twee technici begonnen schijnwerpers te monteren. Vanavond zouden ze verder niet veel doen. Zich een beeld vormen van de plek. Een tent opzetten. Morgenvroeg terugkomen. Dat was de procedure. In de duisternis zouden ze meer kunnen vernietigen dan dat ze vonden. In de aarde graven was een gevoelige archeologische klus. Soms hadden Torsten Öberg en zijn technici op de vindplek zelfs samengewerkt met archeologen van de universiteit. Rechercheurs en archeologen deden hetzelfde soort werk: graven naar het verleden. Graven naar de dood. En Winter kon naast de kuil staan en onderdeel zijn van het geheel. Hij was zelf misdaadarcheoloog. Hij groef op zijn eigen manier.

Lars Östensson testte een van de schijnwerpers, waardoor de kleine plek in een zee van wit licht baadde en er naakter uitzag dan ooit. Ziet het er hier zo uit, dacht Winter.

'Waar is het?' vroeg de veteraan.

Winter wees naar de kom in de bladeren. In het sterke licht zag hij dat die dieper was dan hij had gedacht. Jonas moest hier langer hebben gezeten dan hij had vermoed. Of hij was sterker dan hij had geweten.

'Waar zoeken we naar?'

'Dat weet ik niet,' antwoordde Winter.

'De vorige keer was het een hand die een kind had gezien.'

'Weet je dat nog?'

'Hoe zou ik dat kunnen vergeten? Na de moord op dat meisje. Toen herinnerde ik het me weer.'

Östensson had de gipshand in ontvangst genomen. Die zou hij nooit vergeten.

'Zoeken we naar iets groots of iets kleins?' vroeg hij.

Winter spreidde zijn armen. Het was ook een beweging naar de plek op de grond. Zoek. Vind. Het kan alles of niets zijn.

'Ik kan niet tot morgen wachten,' zei hij.

'We doen nu meer kwaad dan goed, Erik. Dat weet je.'

'Ik wil de hond hier hebben.'

De politie van Göteborg had een speurhond. Hij werd de lijkhond genoemd. Dat was geen fraaie naam. De hond heette Roy. Hij was erop getraind de moleculen in de lijklucht te ruiken.

Nu stond hij in de speeltuin. Zijn tong was tussen zijn scherpe tanden zichtbaar en zijn ogen lichtten op in het licht van de schijnwerpers. Of van de maan. Die scheen helder vannacht, sterker dan Winter ooit had gezien.

De schijnwerpers verlichtten het bosje en de zwarte aarde waar het op stond. Die werd in dit schijnsel nog zwarter, alsof er al een diep gat was. Winter dacht aan de keer dat hij hier jaren geleden met een zaklamp had gestaan. Het witte gezicht van de jongen naast hem. De luide ademhaling van de hond en het geblaf dat plotseling sterker was geëxplodeerd dan welke schijnwerper dan ook.

De hondengeleider heette Bergurson en hij kwam uit IJsland. Hij had met Roy gesproken in een taal die oeroud klonk.

Ze waren nu op weg naar het bosje. De hond zag eruit als een wolf. Winter kon de ademhaling zien van de mannen die eromheen stonden.

Bergurson en Roy waren als schimmen zichtbaar tussen de bomen. Winter liep achter hen aan.

De plek leek nu minder fel verlicht, alsof er een wolk voor de schijnwerper was geschoven. Winter zag de hond. Hij zag hem voor het eerst aan het werk. Hij hoorde hem.

Er leek een hele tijd te verstrijken.

Winter sloot zijn ogen. Hij was niet moe. Het was alsof hij nooit meer moe zou worden.

'Er zit hier iets in de grond,' zei Bergurson.

Ze werkten zich door de bovenste laag heen – bladeren die tot een broze kap waren verstijfd. De dageraad was met een mild schijnsel gekomen. Vier technici waren onder leiding van Östensson in het bosje aan het werk. Winter was er ook. De technici hadden het stuk grond in ruiten verdeeld. Ze zouden sectie voor sectie door de lagen heen werken met hun spaden die op gewoon tuingereedschap leken. Ze zouden alle aarde zeven, alle aarde opvangen. Ze zouden dat wat Roy had geroken, voorzichtig naderen. Het kon lang duren en het kon kort duren.

'Het is bijna alsof ik deze aarde herken,' zei Östensson en hij schepte een laag weg. Zijn naaste collega heette Arnberg, een jongere vent. Hij stond op en stelde een van de schijnwerpers bij. Het ochtendgloren leek nog half nacht. 'Hoe diep moeten we gaan?' mompelde Östensson voor zich uit.

Winter liep het bosje uit. Hij ging langs de speeltuin naar de portiek waar Anne Sandler woonde en belde aan. Hij wist dat het tevergeefs zou zijn. De ramen waren zwart geweest. Ze was waarschijnlijk nog op het politiebureau, bij haar zoon. Hij belde desondanks aan. Er deed niemand anders open, en nergens ging een andere deur open.

Hij liep weer naar beneden. Zijn mobieltje ging over toen hij buiten stond.

'Ja?'

'Mario Ney heeft honderd jaar geleden bij Hotel Odin gewerkt,' hoorde hij Halders zeggen. Zijn stem klonk metaalachtig en dun, alsof de ontvangst maar tot de helft ging omdat de ochtend er nog maar voor de helft was.

'Heeft hij dat bevestigd?' vroeg Winter.

'Nee, verdomme. Hij weet niets.'

'Waar is hij?'

'Dat weet ik niet. Moet ik Molina bellen om te vragen wat hij er nu van vindt?'

De officier van justitie had tot nu toe geen reden gezien om Mario Ney van zijn vrijheid te beroven. Winter had ook geen duidelijke redenen gehad, en Halders evenmin. Het gesprek met Molina behoorde tot de standaardprocedure.

'Wie heeft het bevestigd?' vroeg Winter.

'Een oude vrouw, ze was het hoofd van de huishouding. Ik geloof dat het zo heet. Ze herkende hem.'

'Zijn naam?'

'Nee, zijn foto. Bergenhem heeft haar gesproken. Ik heb Bergenhem geprezen.'

'Ze herkende een foto van honderd jaar geleden?'

'Neys kop heeft de jaren goed doorstaan,' zei Halders.

'Wat deed hij daar? In dat hotel?'

'Hij was wat zij het "manusje-van-alles" noemde.'

Winter liep verder naar het bosje terwijl hij met Halders sprak.

'Laten we dit uitzoeken als ik terug ben,' zei hij.

'Hoe gaat het bij jullie?' vroeg Halders.

'Tot nu toe niets gevonden.'

'Het schijnt niet zo goed te gaan met die knul,' zei Halders. 'Zijn moeder is nu bij hem.'

'Ja, dat weet ik. Ze is niet hier.'

'Graven jullie diep?'

Winter gaf geen antwoord. Ringmar was het bosje uit gekomen. Hij gebaarde met zijn hand naar Winter. Er was iets met Ringmars ogen aan de hand.

30

Een vogel krijste, het was hetzelfde gekrijs als altijd. Winter keek omhoog en zag de vogel hoog in de lucht, een zwart silhouet tegen het grijs. Die vogel moest al achttien jaar boven het bosje cirkelen.

Ringmar stond aan de rand te wachten. De merkwaardige uitdrukking op zijn gezicht was er nog steeds. Winter wist wat dat betekende. Ringmar wist dat hij het wist.

Winter liep zonder iets te zeggen achter zijn oudere collega aan. Er was een takje in Ringmars haar blijven steken. Het leek bijna een sieraad.

Veteraan Östensson keek op uit de kuil toen ze bij de open plek aankwamen. Winter zag niets wat hij nog niet eerder had gezien.

'We hebben op je gewacht,' zei Östensson en hij keek naar de kuil.

Winter knikte.

Patholoog-anatoom Pia Eriksson Fröberg stak ter begroeting haar hand op. Ze stond naast de kuil klaar.

'Er ligt iemand in deze aarde,' zei Östensson.

Hij reikte naar voren en maakte met zijn hand een cirkel over een deel van de opgraving. Dat was het woord dat door Winter heen schoot. Opgraving. En aarde. Iemand ligt in de aarde. Geen gewijde aarde.

'Ik kan hier een hand voelen,' zei Östensson en hij hield zijn eigen hand zo'n 10 centimeter boven de grond.

'Laten we kijken wat het is,' zei Winter. Hij voelde zich rustig, bijna kil, maar hij had het niet koud. Dit was een ander soort kou. Het was een bevestiging. Iets wat hij aldoor al had geweten. Wat de jongen had geweten. Maar het ging om meer dan dit lichaam, dit bosje. Achttien jaar geleden had hier niets gelegen. Wat de jongen destijds had gezien, had een andere oorzaak. Misschien wist hij niet welke. Misschien zouden ze het nooit weten.

De technici zochten zich voorzichtig schrapend een weg omlaag in het ruitpatroon.

Östensson hoefde niet diep te graven.

De hand werd zichtbaar.

'Dit duurt wel even,' zei Östensson.

Winter knikte. Opeens werd hij rusteloos, alsof hij óf zelf moest gaan graven, óf weg moest gaan.

Hij liep het bosje uit en stak een Corps op. De nevel begon op te trekken en het vocht leek met de nevel in de richting van de boomkruinen te verdwijnen. Nu leek het op laaghangende bewolking. Winter nam een trek en blies uit. Hij zag hoe de rook met de wolken omhoogdreef. Plotseling hoorde hij stemmen, lichte, luide stemmen, en even later kwamen aan de overkant van de speeltuin twee kinderen aanhollen. Ze sprongen ieder op een schommel en spartelende benen begonnen te schommelen.

Die aanblik deed hem goed. Het waren de eerste kinderen die hij hier zag. Op de een of andere manier werd hij er heel blij van, precies op dat moment. Hij had het gevoel dat hij opeens als een gek zou gaan lachen en voelde de tranen in zijn ogen prikken. Dat kon van de rook komen. Hij haalde de sigaar bij zijn gezicht weg en veegde met zijn mouw over zijn ogen. De kinderen keken misschien zijn kant op, hij kon het niet goed zien. Een paar tellen lang was het mistig om hem heen.

Hij had het gevoel dat hij moest huilen.

Nu kon hij beter zien.

De kinderen waren er nog. De vogel ook.

Hij maakte zijn sigaar uit en liep terug het bosje in.

Er was al meer te zien. Meer van de hand. De technici leken nu sneller te werken.

Winter zag een arm.

Een schouder.

'Een vrouw,' zei Östensson met zachte, vaste stem. 'Hier komt het hoofd.'

Ze lag niet diep. Het lichaam was zorgvuldig bedekt met bladeren. De herfst had ook een bijdrage geleverd. Maar Winter kon niet weten hoe lang ze hier al lag. Op dit moment kon niemand dat zeggen.

Het hoofd werd zichtbaar. Winter zag het haar, de wang, een deel van de kin. Een profiel. Het was een akelig gezicht.

'Ze kan hier niet lang hebben gelegen,' hoorde hij Östenssons rustige, zachte stem zeggen. Het was alsof die iedereen kalmeerde die bij het graf stond of hurkte. Maar dit was geen graf. Dit was allesbehalve een graf. Ze noemden het een graf, maar dat was vakjargon. Gewoonte.

Winter ging op zijn hurken zitten om het gezicht beter te kunnen bekijken. Het haar bedekte het voorhoofd en een deel van de linkerwang. In het licht van de schijnwerpers was het haar wit, misschien was het blond geweest toen ze leefde. Winter was geen expert, niet zoals Östensson en de collega's van de technische afdeling, maar hij kon wel ongeveer zien hoelang iemand dood was. Daar had hij ervaring mee. De vrouw was nog geen stof geworden – *stof zijt gij en tot stof zult gij wederkeren*. Winter boog zich verder naar voren. Hij zat bijna oog in oog met haar. Haar ogen waren niet open en niet dicht. Het onderste deel van haar gezicht lag in de schaduw van een boom, een struik, willekeurig wat. Winter kon toch haar mond, kin en hals zien. Hij huiverde, alsof de wind vanaf zee opeens het bosje was binnengedrongen. Diverse gedachten verdrongen zich in zijn hoofd. Een daarvan zei: dit is ook een bevestiging.

'Het is Ellen Börge,' zei hij.

Hij had haar dus gevonden. Hoe had hij haar kunnen herkennen? Haar gezicht. Ellens gezicht. Er was bijna een generatie verstreken sinds ze was verdwenen en Winter voor het eerst een foto van haar gezicht had bestudeerd. Het had zich in zijn gedachten vastgezet. Hij was in de loop van de jaren een paar keer naar de foto's teruggekeerd. En Ellens gezicht was als het ware door de tijd bevroren, door de tijd en door de aarde. Haar trekken waren door de dood gladgestreken en haar gezicht leek jonger. Dat was niet ongebruikelijk. De dood kon een effectieve facelift veroorzaken. Winter had technici er grapjes over horen maken. Maar hij was nu niet in de stemming voor grapjes. Hij stond voor Ellen. Maar ze lag niet langer in de aarde. Het licht hier was anders, nog steeds elektrisch, maar blauwer, kouder. Ze leek nog altijd jong en in dit licht leek haar gezicht nog naakter. De middelste teen van haar rechtervoet ontbrak. Hij wist niet wanneer ze die was kwijtgeraakt. Een ongeluk, had Christer Börge gezegd. Winter had net gelezen dat hij dat had gezegd. Hij had Christer Börge nog niet gesproken. Binnenkort. Hij hoorde iemand binnenkomen en draaide zijn hoofd om. Het was Halders. Hij liep naar de tafel, ging naast Winter staan en bestudeerde de vrouw.

'Ik heb de video nog eens bekeken,' zei hij ten slotte zonder de vrouw met zijn ogen los te laten. Hij keek alleen naar haar gezicht.

'En?'

'De vrouw in het centraal station ziet er iets ouder uit,' ging Halders verder, 'maar een zonnebril kan niet alles verbergen.' Hij knikte vaag naar het gezicht voor hen. 'Niet als we kunnen vergelijken.'

Winter knikte.

'Je lijkt niet verbaasd.'

Winter antwoordde niet. Hij sloot zijn ogen en keek in gedachten naar een foto.

'Je hebt de zaak Ellen Börge nooit losgelaten,' zei Halders. 'En terecht.'

'Dat had ik wel,' zei Winter.

'In dat geval heeft de zaak jou niet losgelaten,' zei Halders. 'Of ons.'

'Ik heb die zaak te vroeg losgelaten,' zei Winter.

'Erik ...'

'Ik zag het niet helder genoeg.' Hij draaide zich om naar Halders. 'Ik luisterde niet naar wat de mensen zeiden.'

'Hou op, Erik.'

'Je hebt het zelf gezegd, Fredrik,' onderbrak Winter hem. 'Er is hier iets wat we niet zien, maar wat er wel is.' Hij liet Ellens gezicht met zijn ogen los. 'Of wat er was.'

'Waar denk je aan?'

Winter keek op zijn horloge. Het was nog steeds geen middernacht.

'Ik ga naar Börge,' zei hij.

'Nu?'

Winter antwoordde niet.

'Moet je niet eerst bellen?'

'Voor hem maakt het niet uit, toch? Zou hij niet willen weten wat er met Ellen is gebeurd?'

Halders keek weer naar Ellens gezicht.

'Misschien weet hij het wel.'

Winter knikte.

'Ga je er daarom heen?'

'Dat weet ik nog niet.'

Winter liep bij die verdomde stalen tafel weg. Hij had hier vaker gestaan. Het was het ergste onderdeel van zijn werk. Het was erger dan foto's.

'Wat doen we met Mario?' vroeg Halders.

'Waar is hij nu?'

'Thuis.' Halders deed een stap bij de tafel vandaan. 'We hebben niet aangebeld, maar Frölunda houdt hem onopvallend in de gaten.' Hij liep door de ruimte. 'Er brandt licht in de woning. Ze kunnen hem zien rondlopen. Ik heb ze tien minuten geleden gesproken.'

'We wachten af,' zei Winter. 'Ik ga eerst naar Börge.'

'Wil je gezelschap?'

'Moet je niet naar je gezin?' vroeg Winter.

'En jij dan?'

'Börges appartement ligt op loopafstand van het mijne,' zei Winter.

'Ja, daar wordt alles anders van.'

Winter kon een glimlach niet onderdrukken.

'Je mag best mee, Fredrik.'

'Ik zou niet alleen zijn gegaan,' zei Halders.

Ze stonden in de gang. Het koude licht hier was hetzelfde als binnen, alsof je de aanblik van de dood niet te vroeg mocht loslaten.

'De ontknoping nadert,' zei Halders. 'We moeten voorzichtig zijn.'

Winter kreeg nog een telefoontje voordat ze vertrokken.

'Hoi, met Pia.'

'Ja?'

'Ze heeft zware verwondingen aan haar polsen en enkels,' zei Pia Erikson Fröberg.

'Wat betekent dat?'
'Ze is op de een of andere manier lange tijd vastgebonden geweest.'
'Grote goden.'
'Een dun touw.'
Winter zei niets.
'En ze was verschrikkelijk uitgemergeld,' zei Pia Eriksson Fröberg.

Ze reden door de duisternis. De nacht buiten was leeg en in nevelen gehuld. De straatverlichting had geen kracht. Het was alsof de zee de stad had overgenomen. De weinige auto's die op straat waren, reden als schepen de mist in en uit. Winter stopte voor een rood licht en liet drie mannen van een jaar of veertig oversteken. Ze droegen mooie kleren, hun jassen hingen open en het witte overhemd van een van de mannen hing over zijn broek. Plotseling stopten ze midden op de zebra en maakten obscene gebaren naar Winter en Halders. De mannen lachten terwijl het licht op groen sprong. Ze bleven staan.

'Het was misschien anders geweest als we een surveillancewagen hadden gehad,' zei Halders.

Winter kroop langzaam naar de mannen toe. Zijn Mercedes was de enige auto op de hele Allén.

'Rij toch over ze heen,' zei Halders. 'Ik beloof dat ik mijn ogen sluit. Ik heb niets gezien.'

'Een andere keer,' zei Winter en hij wierp het stuur om naar het park en passeerde de mannen en de oversteek op twee wielen.

Halders draaide zich om.

'Die zijn zich een ongeluk geschrokken,' zei hij lachend. 'Hopelijk worden ze door een jeugdbende overvallen voordat de nacht voorbij is.'

Winter sloeg links af.

Ze kwamen langs het Vasaplein.

'Er brandt licht bij jou thuis,' zei Halders en hij keek schuin omhoog naar de ramen.

'Lilly kan lopen,' zei Winter.

'Nu al?' vroeg Halders.

'Ze kan er maar niet mee stoppen,' zei Winter en hij sloeg de Vasagatan in. 'Zoiets leuks heeft ze nog nooit meegemaakt.'

Winter parkeerde voor het trottoir bij Börges huis.

Zijn mobieltje ging over.

'Ja?'

'Hoi, Winter. Met Östensson.'

'Wat is er, Lars?'

'We zijn nog een tijdje verdergegaan met graven.'

'Ja?'

'Een halve meter dieper lag het skelet van een hond.'
Winter gaf geen antwoord.
'Ben je er nog, Winter?'
'Ja.'
'Een kleine hond. Hij ligt er al tientallen jaren, gok ik.'
'Ik heb wel zo'n vermoeden hoe hij heet,' zei Winter.
'Hoe kun jij dat nou weten?'
'We hebben het er nog wel over, Lars,' zei Winter en hij verbrak de verbinding.
'Wat was dat?' vroeg Halders.
Winter schudde alleen zijn hoofd.
Halders keek langs de gevel omhoog.
'Op welke verdieping woont Börge?'
'De tweede,' zei Winter en hij zette de motor uit en opende het portier.
'Er brandt bij een paar ramen op de tweede verdieping licht. Direct boven de portiek.'
'Daar woont Börge,' zei Winter en hij stapte uit.
Halders stapte aan de andere kant uit.
'Misschien worden we verwacht,' zei Winter.
Halders keek weer omhoog. De gevel was ongelijkmatig van stucwerk en ornamenten.
'Er staat iemand voor het raam,' zei Halders.

Ze kwam niemand tegen toen ze in hoog tempo naar de tramhalte liep. Hier liep vrijwel nooit iemand en nog minder vaak als het donker was. Het was sneller donker geworden dan ze had gedacht. Zo ging dat in november. Alles ging veel sneller dan je had gedacht. Plotseling was het Kerstmis. Dan was het overal lichter. Boven dit pad hing een rij lampen, als een sterrenbeeld zonder einde.
Niemand had iets gezegd toen ze de telefoon had opgenomen. Er was ook geen ademhaling geweest voor zover ze kon horen. Maar ze had niet lang geluisterd.
Ze wist dat ze nu weg wilde. Dat was het allerbelangrijkste.

31

De schaduwen dansten door het trappenhuis. Het zwakke licht kwam van een bron die ze niet konden zien, als een afgelegen zon. Ze liepen de versleten, glimmende trap op. Het was net als in het pand waar Winter woonde. Honderden jaren van voetstappen op de trap.

'Ik ga alleen naar binnen,' zei Winter.

Halders knikte.

'Ik wacht een verdieping lager.'

Winter belde aan. Misschien herkende hij de deur. Die was van massief hout met gestileerde panelen. Hij hoorde het geluid van de bel echoën in de woning, gedempt door de deur. Het was een oud geluid, honderden jaren oud. Winter wachtte. Hij belde nog een keer aan. Op hetzelfde moment hoorde hij voetstappen. Hij keek op zijn horloge. Het was nu na middernacht.

'Wie is daar?'

De stem klonk zwak, alsof hij alle kracht had verloren terwijl hij door de deur drong. Winter herkende hem niet.

'Erik Winter,' antwoordde hij. 'Hoofdinspecteur Erik Winter. We hebben elkaar eerder ontmoet.'

'Wat wil je?'

De stem klonk nu duidelijker, alsof hij dichterbij was gekomen. Winter hoorde Halders achter zich op de trap. Hij keek naar beneden, zag Halders zijn wenkbrauwen fronsen. Hij wendde zich weer tot de deur.

'Zou je open willen doen, Christer?'

Hij hoorde hoe de sloten langzaam in beweging kwamen en vervolgens klikten. Toen de deur op een kier werd gezet, hoorde hij gerammel. Hij kon de deurketting zien. Hij herinnerde zich die niet van de vorige keer. Dat was vijftien jaar geleden. Het gezicht binnen was voor het merendeel een schaduw. Er viel niets in te herkennen.

'Winter, ben jij het?'

'Sorry, dat het zo laat is. Mag ik binnenkomen?'

'Waar gaat het om? Wat wil je?'

'Mag ik binnenkomen?' herhaalde Winter.

De deur werd met zo'n kracht opengegooid dat Winter snel een stap naar achteren moest doen. Het zwakke licht in het trappenhuis scheen op de gestalte in de deuropening en nu herkende Winter Börge. Het was hetzelfde gezicht, vijftien jaar later. In de Domkerk had hij alleen het profiel gezien, maar het was hetzelfde gezicht. Toch wist hij niet zeker of hij de man op straat zou hebben herkend, in een andere context. Maar nu wel. Zou hij Ellen hebben herkend? Toen ze leefde? Hij hoefde er niet over na te denken. Het was een van de weinige dingen waar hij niet over na hoefde te denken.

'Kom verder,' zei Börge.

Winter stapte de hal in. Hij hoorde zachte muziek, een klassiek stuk. Hij herinnerde zich niet dat Börge ooit eerder muziek aan had gehad.

Winter begon zijn schoenen uit te trekken.

'Dat hoeft niet,' zei Börge, die verderop in de hal op hem wachtte. De hal was lang, als een zaal waarvan de muren te dicht bij elkaar waren beland.

Er stonden geen schoenen in het rekje. De twee planken waren helemaal leeg.

Er waren überhaupt geen schoenen in de hal.

Winter herinnerde zich opeens de drie paren die hij had zien staan toen hij hier de vorige keer was. Waren dat niet identieke paren geweest? In elk geval twee ervan. God nog aan toe. Hij draaide zijn hoofd om en zag Börges rug. De man liep de grote kamer in. De schoenen. Hij had de schoenen hier vijftien jaar geleden zien staan. De schoenen. Het merk. Rustig nou, Erik. Maar nu stond hier niets. Liep Börge op blote voeten door de novemberstraten? Stonden zijn schoenen in een kast? Kan ik het mis hebben? Ja. Nee. Ja. Ecco Free was een veelvoorkomend merk. Maar waar waren Börges schoenen nu?

Plotseling draaide Börge zich om, alsof Winter hem had aangesproken. Winter zag dat hij op sokken liep.

'Jullie hebben haar gevonden.'

Winter zat op Börges bank. Het was dezelfde bank. De lucht leek dik, alsof die ook nog van vroeger was. Winters gedachten volgden elkaar snel op. Börge was niet gaan zitten. Hij stond achter een stoel, alsof hij elk moment kon wegrennen. Nee. Dat was alleen maar een van Winters gedachten.

'Ik geloof je niet,' zei Börge.

Winter zei niets. Hij had verteld waarom hij was gekomen. Maar hij had niet het hele verhaal gedaan. Dat kon hoe dan ook niet, het was niet afgelopen, nog niet.

'Na alle jaren,' zei Börge. 'Dat is niet mogelijk.'

'Ik ben meteen hierheen gekomen,' zei Winter.

'Het is niet mogelijk,' herhaalde Börge.
Hij rekte zich uit, trok zijn schouders op en zakte toen weer in elkaar. Achter Börges rug kon Winter door het raam de vochtige nachtlucht zien. Het was alsof zich buiten een muur had opgetrokken, dwars over de straat. Een muur.
'Waarom is het niet mogelijk?' vroeg Winter.
'Hè? Hè?'
Börge keek hem recht aan, alsof hij nu pas doorhad dat Winter er was. Dat hij deze nacht met zijn boodschap was gekomen.
'Je zei dat het niet mogelijk was, Christer.'
'Het is niet mogelijk,' herhaalde Börge voor de derde keer.
'Wat is niet mogelijk?'
'Hoe kun je iemand hebben gezien ... die verdwenen is?' antwoordde Börge. 'Dat is niet ... logisch.'
Winter stond op.
'Denk je dat ik heb gelogen?' vroeg Börge.
Winter gaf geen antwoord.
'Denk je dat ik ...' zei Börge en hij stapte bij de fauteuil vandaan en zette nog een pas in Winters richting.
'Wat denk je dat ik denk?' vroeg Winter.
Börge antwoordde niet. Zijn blik schoot heen en weer tussen Winter en de boekenkast, die nog altijd op de plek stond waar Winter zich die herinnerde. Daar had Börge gestaan, met de woordenlijst in zijn hand. Winter was ernaartoe gelopen. Liep ik ernaartoe? Ja. Er stond een foto, samen met twee andere. Die ene had ik nog niet eerder gezien, of die had er nog niet eerder gestaan. Börge was dronken geweest, of flink aangeschoten. Dat herinner ik me. Hij is nu niet dronken. Hij ziet er niet uit als een dronkaard. Misschien was het de laatste keer. Misschien wist hij dat ik eraan kwam. Hij had me vanuit de bus gezien, maar had dat niet gezegd. Misschien heeft hij me nu ook gezien, vannacht, toen we uitstapten. Hij heeft Fredrik gezien. Fredrik heeft Börge nooit ontmoet. Ik herinner me dat Ellen op die foto met haar zus glimlachte. Ze waren een jaar of vijftien, dat weet ik ook nog. Ik vroeg Börge wie het andere meisje was en hij antwoordde dat het haar zus was. Hoe heette zij ook alweer? Dat weet ik niet meer. Iets met een E. Ze leken niet echt op elkaar, de meisjes. Misschien iets in hun ogen, of hun haar. Maar die dingen konden veranderen. Het waren halfzussen. Börge zei dat hij haar na de verdwijning van Ellen niet meer had gezien. Waarom herinner ik me niet hoe ze heette? Börge ziet er nu verdomd moe uit, maar dat kan ook door het licht hier komen. Het is niet beter dan in het trappenhuis. Hij kan zijn blik niet stilhouden. De naam. Börge zei dat ze verschillende namen gebruikte, dat weet ik nog. Eva. Ze heette Eva. Heet Eva. Börge had die foto een maand tevoren gevonden, zei hij. Hij had wat spul-

len opgeruimd en toen lag die daar, zei hij. Dat herinner ik me woordelijk. Maar de schoenen herinner ik me niet.

Winter keek naar de boekenkast. De drie foto's stonden er nog, waarschijnlijk op dezelfde plank. Waarschijnlijk zouden het dezelfde foto's blijken te zijn als hij het ging controleren.

Hij liep de paar passen naar de kast. Börges blik volgde zijn passen, maar hij zei niets.

De foto die hij zocht, stond er nog. Het was dezelfde foto. De meisjes leken in een prieel te staan. Rondom stonden dichte struiken. Ze hadden hun armen om elkaar heen geslagen, vier armen, vier handen. Het was zomer, ze droegen dunne kleren. Aan de rand van de foto zag Winter iets glimmen. Misschien was het een stukje lucht of water, een meer, een zee.

Winter bleef naar de gezichten van de meisjes kijken.

Er was een gelijkenis. Een gelijkenis tussen nu en toen.

Jezus!

Hij had het toen niet gezien. Hoe had dat ook gekund? Hij had het toen niet geweten. Maar nu wel. Hij zag iets wat iets betekende.

Wat alles betekende.

Het meisje naast Ellen was Elisabeth Ney.

Het waren zussen.

'Grote goden,' zei Ringmar. 'Zussen.'

'Dat zijn de woorden van Börge,' zei Winter.

'Maar jij herkende haar.'

'Ik herkende Elisabeth,' zei Winter. 'Zij was het. Ze is niet veel veranderd. Of hoe je het ook maar moet zeggen.'

De telefoon op tafel begon te rinkelen. Winter nam op, luisterde, hing op.

'Dat was Möllerström. Hij heeft een tante in Halland te pakken gekregen. Ellens zus heette Elisabeth. Onder andere.'

'Onder andere?'

'Ze noemde zich ook Eva. Dat was de naam die Börge noemde.'

'Heeft iemand ooit met haar gesproken?' vroeg Ringmar. 'Destijds, toen Ellen verdween.'

'Dat weet ik niet zeker,' zei Winter.

'We hebben ons vooral op Christer Börge gericht,' zei Ringmar. 'Maar misschien niet zoveel als we hadden moeten doen.'

'Misschien rekenden we erop dat iemand zich zou melden als de verdwenen zus weer boven water was,' zei Winter. 'Zo gaat dat in een normale wereld.'

'Hm.'

'Ik wist nog steeds niet dat niets in deze wereld normaal is.'

'Over welke wereld heb je het?'

'De wereld waar jij en ik in leven, Bertil.'

'Dan wist ik het ook niet,' zei Ringmar.

Winter dacht na. Wat had hij de dagen en weken na Ellens verdwijning gedaan? Hij had gebeld ...

'Verdomme, we hebben met haar gesproken!' Winter vloog van het bureau. 'We wisten dat er een zus was. Een van de collega's heeft haar toen gesproken. Het moet ergens in de stukken staan.'

'Ze bevestigde waarschijnlijk alleen dat ze Ellen niet had gezien,' zei Ringmar.

Winter antwoordde niet.

'Het kan niet iets sensationeels zijn geweest.'

'Maar die zus was Elisabeth Ney,' zei Winter. 'Elisabeth Ney!'

Ringmar knikte.

'Help me hier eens bij,' zei Winter.

'Hoe moet ik je helpen, Erik?'

'Wat is het verband? Is er een verband?'

'Jij bent ongetwijfeld degene van ons die daar het meest over heeft nagedacht,' zei Ringmar.

'Geef me gewoon de verbanden,' herhaalde Winter.

'Ellen en Elisabeth zijn zussen. Waren zussen. Paula is Elisabeths dochter. Was Elisabeths dochter.'

'Ga door,' zei Winter.

'Ellen is achttien jaar geleden verdwenen. Voor zover wij weten heeft niemand haar sindsdien gezien. Een paar maanden geleden bracht ze een koffer naar het centraal station en zette die in een kluis. We weten niet zeker dat zij het was, maar we denken van wel.' Ringmar keek op. 'En vervolgens is ze niet langer verdwenen. We vinden haar lichaam.'

Winter knikte.

'Dan hebben we Elisabeths lichaam al gevonden.' Ringmar pauzeerde even. 'En daarvóór hebben we Paula's lichaam gevonden.'

'Drie lichamen,' zei Winter.

'Drie moorden,' zei Winter.

'En drie mannen,' zei Winter.

Ringmar antwoordde niet. Hij wist de namen van de mannen over wie Winter het had: Mario Ney. Christer Börge. Jonas Sandler.

'We moeten weer met Jonas gaan praten,' zei Winter. 'En zijn moeder.' Hij stond op. 'We zullen ze iets laten zien.'

Anne Sandler stond op van de brits toen Winter en Ringmar de kamer binnenkwamen. Jonas lag met zijn gezicht naar de muur. Hij had niet bewogen toen ze de deur openden. Anne Sandler deed een pas in hun richting.

'Hoe gaat het met hem?' vroeg Winter.

'Ik geloof dat hij slaapt,' zei ze. 'Hij lijkt volledig uitgeput.'

Winter keek naar Jonas' achterhoofd. Het lag voor de helft onder een deken. De jongen bewoog niet.

Anne Sandler volgde zijn blik.

'Was het echt nodig hem hierheen te brengen?' vroeg ze.

De woorden hadden beschuldigend kunnen klinken, maar Winter hoorde een andere toon in haar stem.

'We hebben hem onder observatie,' zei hij.

'Wat voor observatie?'

'Medisch, natuurlijk.'

'Dan had u hem toch naar een ziekenhuis kunnen brengen?' vroeg ze.

'Ik zou graag willen dat u meekwam naar een andere kamer,' zei Winter. 'Bertil blijft hier bij Jonas.'

Ze volgde hem zonder iets te zeggen naar de gang. Buiten richtte ze zich tot hem.

'Jullie denken toch niet dat Jonas iets te maken had ... met dat verschrikkelijke?' vroeg ze.

Winter gaf geen antwoord. Hij gebaarde naar het eind van de gang. Daar lag zijn kamer.

Eenmaal daar gekomen, herhaalde ze haar vraag. Ze leek op iemand die een wereld heeft betreden waar alles vreemd is en die nu begrijpt dat het geen droom is.

'Neem plaats,' zei Winter en hij gebaarde naar de stoel voor het bureau.

'Jonas kan niets ... slechts hebben gedaan,' zei ze en ze ging met een plof zitten.

'Wat deed hij daar eigenlijk?' vroeg Winter. 'Hij kon het niet uitleggen. Hij kon er niet over spreken.'

Hij was zelf ook gaan zitten.

'Hij verkeert in shock,' zei ze. 'Hij is van slag. Wie zou dat niet zijn?' Haar ogen werden groter. 'Een ... lichaam ... een lijk in het bosje. In ons bosje!'

'Ik heb Jonas daar aangetroffen,' zei Winter. 'Dat was voordat we het lichaam vonden.'

Ze antwoordde niet.

'Dat roept vragen op,' zei Winter.

'Ik weet het niet,' zei ze na een paar tellen. 'Hij weet het ook niet. Het gaat niet goed met hem.'

Winter opende de envelop die op het bureau lag. Hij pakte er een foto uit en hield die haar voor.

'Herkent u deze vrouw?'

'Wie is het?'

'Zeg gewoon of u haar herkent.' Hij hield de foto nog dichter bij haar.

'Alstublieft. Pak hem aan.'

Anne Sandler pakte de foto aan en hield die voor haar neus. Winter stelde het licht van de bureaulamp bij.

Anne Sandler keek op.

'Is zij het?'

'Sorry?'

'Is dit de vrouw in ... het bosje?'

'Herkent u haar?'

Winter zag dat haar ogen nog groter werden. Het leek alsof de huid zich over haar gezicht spande.

'Het heeft geen haast,' zei Winter.

'Nee,' zei ze na een tijdje en ze legde de foto neer. 'Ik herken haar niet. Wie is het?'

Winter gaf geen antwoord. Hij pakte een andere foto en gaf die aan Anne Sandler zonder hem eerst voor haar omhoog te houden.

'Hebt u deze vrouw weleens eerder gezien?'

Het kon een vraag zijn die niets betekende.

'Ja,' zei Anne vrijwel meteen. Ze keek op. 'Dat is ze. Ze is hier jonger. Maar ze is het wel.'

'Wie?'

'De vrouw die bij ons in de portiek woonde. De moeder van het meisje.'

'Hoe weet u dat zo zeker?'

Ze keek weer naar de foto.

'Dat weet ik niet. Ik herken haar gewoon.' Ze keek op. 'Ik weet het niet. Ik herken haar.'

'Dat is Ellen,' zei Winter. 'Ellen Börge.'

Hij had besloten dat hij Anne Sandler zou vertellen hoe ze heette. Dat kon een vergissing zijn, maar hij had zijn keus gemaakt. Met de foto was het net zo.

'Heet ze zo? Ellen?'

'Ja.'

'Ze heette toen niet zo ... ze had een andere naam ...'

'Eva?'

'Ja!'

'Ze heette Eva toen u haar ontmoette?'

'Ja. Ze heette Eva.'

'Hebt u haar ergens anders op een foto gezien?'

'Nee. Waar had dat moeten zijn?'

Winter antwoordde niet.

'Nee, ik heb haar niet eerder op een foto gezien.'

Winter knikte.

'Dus dit is de moeder van het meisje.' Anne Sandler keek op. Haar huid leek heel dun in het licht van de bureaulamp, alsof alle bloed uit haar gezicht was gestroomd.

Haar ogen weerspiegelden haar plotselinge gedachte: 'Is zij het? Is zij degene die … die …?'

Winter antwoordde niet.

'Waar is zij dan? Als zij het niet is? En waar is haar dochter?'

'Als het haar dochter is,' zei Winter.

'Hoe bedoelt u?'

'De dochter zei dat ze niet haar echte moeder was.'

'Ik begrijp er niets van. Wie heeft dat gezegd?'

'Uw zoon,' zei Winter.

32

Mario Ney stond meteen op toen Winter de verhoorkamer binnenkwam. Zijn gezicht was witter dan krijt. De wallen onder zijn ogen leken van roet. Hij probeerde iets te zeggen, maar Winter hoorde geen geluid. De woorden die in Neys keel waren blijven steken, deden hem opeens hevig hoesten, waarna hij naar adem snakte. Misschien waren het grote woorden, belangrijke woorden.

Neys hoestbui ging even snel over als die was gekomen. Hij leunde op het tafelblad en keek Winter met betraande ogen aan.

'Waar ... waarom ben ik hier?' vroeg hij ten slotte. 'Wat is er gebeurd?'

'Hoe gaat het met je?' vroeg Winter.

'Wat ... wat is er gebeurd?'

Ney veegde zijn mond af. Winter zag het zweet op zijn voorhoofd glimmen.

'Ik zie aan je dat er wat is gebeurd.'

'Wil je een glas water?' vroeg Winter.

Ney schudde zijn hoofd. Hij deed een pas bij de stoel vandaan en leek zijn evenwicht te verliezen. Voordat Winter bij hem was, had hij het tafelblad vastgegrepen en zijn evenwicht hervonden, net zoals hij zopas zijn stem had hervonden.

'Hebben jullie hem gevonden?' vroeg Ney en hij keek Winter aan. Er stonden nog altijd tranen van de hoestbui in zijn ogen. 'Ben ik daarom hier?' Hij keek opeens rond, alsof hij zich er eindelijk van bewust was dat hij ergens was. 'Ben ik daarom hier?'

'Ga zitten, Mario.'

'Ik sta hier goed,' zei hij wiebelend. 'Zeg maar gewoon wat er is gebeurd.'

'Ga zitten,' herhaalde Winter.

Ney draaide zijn hoofd om, keek eerst naar de stoel en toen naar Winter. Hij liep de weinige passen naar de stoel en ging zitten. De poten schraapten over de vloer. Winter associeerde het even met schoonmaken, grind op een vloer, een zwabber, een stofzuiger. Een schoonmaker, een schoonmaakster, een kamer, een hotel.

Winter ging tegenover Ney zitten. De poten van zijn stoel schuurden net zo. Het hoofd van de regiorecherche had het schoonmaakbudget voor de verhoorkamers verlaagd. Hij kon beter overweg met verlof dan met schoonmaken.

'Vertel eens over je baan bij Hotel Odin,' zei Winter.

'Hè?'

Ney veerde op, alsof hij een nieuwe hoestaanval zou krijgen. Maar zijn stem deed het nu wel: 'Wat is daarmee?'

'Vertel eens over die baan,' herhaalde Winter.

'Hoe weten jullie dat?'

'Hoe weten wij wat?'

'Dat ik daar heb gewerkt. Dat is al jaren geleden.'

'Vertel erover,' herhaalde Winter weer.

'Ja ... hoezo ... het is al lang geleden ...'

'Wat deed je daar?'

'Van alles en nog wat. Ik snap niet wat dat hiermee te maken heeft.'

'Begrijp je dat niet?'

Ney antwoordde niet.

'Begrijp je niet waarom ik dat vraag, Mario?'

Ney staarde naar het tafelblad. Hij leek totaal verstijfd.

'Mario?'

Mario keek op.

'Je ... je denkt aan Elisabeth,' zei hij. 'Maar ik ... ik zweer dat ik er niet aan heb gedacht ... dat ik daar ooit heb gewerkt. Ik heb er ook niet lang gewerkt. Ik zweer dat ik het ... niet met elkaar in verband heb gebracht.'

Zweer er maar op los, dacht Winter. Dat zijn grote woorden. Maar zweren doe je in de kerk. Nee, daar geloof je. Of je doet het alle twee. Zweren op je geloof. De kerk biedt die mogelijkheid.

'Herinner je je wat je in het hotel deed, Mario?'

'Hoezo, "deed"? Wanneer?'

Winter antwoordde niet. Ney leek zich bewuster te worden van wat hij zei. Zijn ogen werden alerter, alsof de gedachten erachter zich sneller bewogen.

'Ik bedoel wanneer in de periode dat ik daar werkte,' zei hij. 'Jaren geleden dus.' Hij wuifde met zijn hand. 'Dat bedoelde ik.'

'En wanneer was dat?'

'Dat weet ik niet meer.' Hij leek zich te ontspannen, zijn ogen leken iets rustiger te worden. 'Ik was toen nog jong, het is twintig, vijfentwintig jaar geleden ...'

'Toen je al wat met Elisabeth had?' zei Winter.

'Ja ... mijn god ... je denkt toch niet dat ik ...'

Winter zei niets.

'Ben ik daarom hier? Omdat jullie denken ... dat ik mijn eigen vrouw heb vermoord?' Er kwam weer leven in zijn ogen, in zijn gedachten. Zijn woorden kwamen ook sneller, zonder pauzes, zonder de hoorbare drie puntjes in en achter de zinnen. 'Hoe kun je zoiets denken? Mijn eigen vrouw?! Hoe zou iemand zoiets kunnen doen?'

'Heb je dat gedaan, Mario? Heb jij haar omgebracht?'

Ney antwoordde niet. Hij staarde Winter nu aan, alsof hij zijn woorden met zijn ogen wilden benadrukken.

'Heb jij haar omgebracht, Mario?'

'NEE!'

Winter was opgestaan en naar de deur gelopen. Hij had om water gevraagd. Vervolgens was hij teruggegaan en had de opnameapparatuur op de tafel bijgesteld. Hij had ervoor gekozen deze keer geen videocamera te gebruiken. Hij dacht dat die tijdens het verhoor te veel zou afleiden. Had hij verwachtingen van het verhoor? Ja. Nee. Ja. Nee. Geen bekentenis. Misschien iets anders. Een soort waarheid. Een deel ervan. Het was nog niet te laat. Het water was gekomen. Ney had het gulzig opgedronken en had vervolgens het lege glas op tafel gezet.

'Wil je nog wat?' vroeg Winter.

Ney schudde zijn hoofd.

'Wie is Ellen Börge?' vroeg Winter.

Ney keek langzaam op. Winter kon het antwoord in zijn ogen zien. Maar hij zag ook iets wat hij niet kon duiden.

'Waarom heb je het niet eerder verteld?' vroeg Winter.

'Wat had ik moeten vertellen?' antwoordde Ney.

'Dat Elisabeth een zus had. Dat Ellen haar zus was.'

'Ik ... begrijp je niet. Waarom zou ik dat hebben verteld? Wat maakt het uit? Wat maakt het voor Elisabeth uit? Dat heeft hier toch niets mee te maken?'

Hij noemt Paula niet, dacht Winter. Hij zegt haar naam niet. Waarom niet?

'Als het niet uitmaakt, dan begrijp ik niet waarom je het niet hebt verteld,' zei Winter. 'Jij niet en Elisabeth evenmin.'

Ney stak een arm omhoog alsof hij wilde zeggen: ik weet het niet, we hebben er nooit aan gedacht, ik begreep het niet.

'Je hebt ook niets verteld over de periode dat Ellen en Paula samen in een flat op Hisingen woonden,' zei Winter.

Ney schrok zichtbaar. Winters woorden leken hem letterlijk te raken. Misschien had hij gedacht dat het ergste achter de rug was. Dat Winter niet wist wat hij wist. Of dat hij zou gissen, zoals nu. Maar het was niet puur giswerk. Het was iets anders. Ervaring. Intuïtie. Fantasie. Wellicht ook nog iets anders. Geluk misschien. Of pech. We moeten maar zien.

'Waarom woonden Ellen en Paula bij elkaar?' vroeg Winter.

Ney antwoordde niet. Hij leek Winters woorden te accepteren, ze zonder weerstand binnen te laten.

'Waarom woonden ze in een flat die jij huurde, Mario?'

Ney schrok opnieuw zichtbaar.

Winter had weer geluk gehad.

'Waarom huurde je die flat, Mario?'

'Het was maar voor een korte periode,' zei Ney.

De woorden waren kort en direct, een donkere toon. Maar ze gaven wel antwoord op de vraag.

'Je hebt er zelf nooit gewoond, hè?'

'Nee.'

'Waarom woonden zij er?'

'Het was maar voor een korte periode,' herhaalde Ney, alsof hij was vergeten dat hij dat net had gezegd.

'Waarom?'

Ney gaf geen antwoord. Winter kon zijn ogen niet zien. Het zweet op Neys voorhoofd was teruggekeerd. In het kille licht leek zijn grijzende haar net staalwol. Zijn ogen waren elders. Als ze terugkomen, vertelt hij misschien alles, dacht Winter.

'Waarom, Mario?'

'Ellen wilde wat tijd met Paula doorbrengen.' Ney keek op. Winter zag dat iets in Ney ontzettend pijn deed. Dat hoefde niet te betekenen dat hij sympathie verdiende. Of empathie. 'Gewoon wat tijd.'

'Maar waarom?'

'Omdat ... Paula Ellens dochter was.'

Winter voelde dat hij terugdeinsde.

Misschien dat het Ney was ontgaan. Hij leek niets meer te zien. Zijn ogen waren open, maar hij zag niets. Ze leken op de muur achter Winter gefixeerd, of op een plek of tijd ver voorbij de muren en deuren van het lelijke bakstenen paleis. Alle stilte waar Winter op was gestuit. Hier lag de bron. Misschien stroomden er nog meer verborgen stiltes uit, nog meer leugens. Een nog grotere duisternis.

'Was Paula Ellens dochter?' vroeg Winter langzaam.

Ney knikte traag, bijna na elk woord dat Winter zei.

'Waarom woonde ze niet bij haar ouders?'

Ney hield op met knikken. Winter zag hem weer opschrikken. Ouders.

'Christer en Ellen,' zei Winter. 'Christer Börge.'

Ney keek Winter aan. Winter zag het antwoord in de zwarte ogen.

'Paula was jouw dochter.'

Ney knikte traag, op dezelfde manier als voorheen.

'Ja. Paula was van mij.'
'Jij ... en Elisabeth hebben haar geadopteerd.'
Ney knikte weer.
'Waarom?'
'Ellen was ... zwak. Ze was ziek. Ze kon het niet aan.'
'Ellen is op een bepaald moment verdwenen,' zei Winter. 'Ze was weg. Ze is verdwenen geweest.'
Ney antwoordde niet.
'Wanneer heb je Ellen voor het eerst gezien, Mario?'
'Lang geleden. In het hotel. Toen ik in het hotel werkte.'
'Odin?'
'Ja.'
'Werkte zij daar ook?'
'Ja.'
'Woonde je toen met Elisabeth samen?'
'Nee.'
'Kende je Elisabeth toen al?'
Ney antwoordde niet.
Winter herhaalde de vraag.
'Ja, een beetje.'
'Waren jullie samen? Waren jullie een stel?'
'Ja.'
'Waarom is het tussen jou en Ellen niets geworden?'
'Ze ... wilde niet,' zei Mario. 'Ze kon het niet opbrengen.'
'Ze had ook iemand anders, hè?'
'Ja.'
'Christer Börge.'
'Ja.'
'Waarom ging ze niet bij hem weg?'
'Dat ... deed ze toch.'
'Veel later pas. Lang nadat Paula was geboren.'
Ney knikte.
'Hoe goed kende je Christer Börge?'
'Niet ... helemaal niet.'
'Heb je hem nooit ontmoet?'
'Jawel.'
'Waar?'
'In het hotel.'
'Odin?'
'Ja, daar ook.'
'Hoe bedoel je dat, Mario?'
'Je vraagt naar een hotel. Welk hotel bedoel je?'

'Heb je hem ook in andere hotels ontmoet?'
'Ja?'
'Werkte hij in Revy?'
'Ik moest er een paar keer wat dingen ophalen en toen was hij er ook. Ze hadden sommige dingen kennelijk gezamenlijk, Odin en Revy.'
'Waarom was Börge daar?'
'Waarom, waarom? Ik neem aan dat hij daar werkte.'
'Als wat?'
'Ik geloof dat hij een soort portier was. Ik weet het niet precies.'
'Waarom heb je dat niet eerder verteld?'
'Niemand heeft het me gevraagd. En waarom zou ik er iets over zeggen?' Hij keek Winter aan. 'Ik herinnerde het me niet eens voordat jij erover begon.'
'En je hebt hem dus ook in dat andere hotel gezien?'
'Odin? Maar kort. Een paar weken.'
'Werkte Christer Börge daar ook?'
'Ja.'
'Als wat?'
'Dat ... weet ik ook niet meer precies. Portier. Ik weet het niet.'
Dat kan wachten, dacht Winter. Maar iets anders niet.
'Waarom vertelden jullie niet dat Paula geadopteerd was?' vroeg Winter. 'Waarom hebben jullie dat nooit verteld?'
'Het leek niet ... noodzakelijk,' zei Ney. Zijn stem was alle kracht weer kwijt. 'Het ... betekende toen niets. Het enige wat iets betekende was dat ze ... weg was. Dat ze dood was. Daar kon niemand iets aan veranderen.' Hij keek op. 'We konden het niet opbrengen.'
'Maar we hebben niets over een adoptie kunnen vinden,' zei Winter. 'Er zijn geen gegevens van. Geen documenten. Geen papieren.'
'Er ... zijn geen papieren,' zei Ney.
'Sorry?'
'Er zijn geen documenten,' zei Ney.
'Waarom zijn er geen documenten?' vroeg Winter.
'Wij ... zij ... wisselden van identiteit.' Ney keek op. Zijn ogen stonden nu helderder, alsof de onthulling van de levensleugen het vlies ervoor weghaalde. Hij zou over de levensleugen gaan vertellen. Misschien was dat het eind van het hele verhaal.
'Elisabeth werd ... Ellen. Officieel. In elk geval voor de ... autoriteiten. Alsof zij Paula ter wereld had gebracht. En ik werd Paula's vader. Wat ik ook ... was.'
'En Christer Börge? Wat werd hij?'
'Hij wist het niet.'
'HIJ WIST HET NIET?'

Winter had zijn stem luider verheven dan hij had gedacht.
'Ellen ging bij hem weg,' zei Ney. 'Die maanden. Maar het was een lange periode. Ruim een jaar. En ze baarde het kind …'
'En ging weer terug?'
Ney knikte.
'En ze heeft Börge nooit iets verteld?'
'Nee.'
'Maar ze bleef bij hem?'
'Ja …'
'Tot ze voorgoed bij hem wegging?'
'Ja …'
'Dat is niet mogelijk,' zei Winter. 'Dat kan niet mogelijk zijn.'
'Maar zo is het wel,' zei Ney.
'Waarom verdween Ellen?'
'Ze wilde aan hem … ontsnappen,' zei Ney. 'Ze was bang voor hem.'
'Waarom verhuisde ze niet gewoon? Waarom ging ze niet bij hem weg? Officieel?'
'Ze was … bang,' herhaalde Ney.
'Waar ging ze naartoe?'
'Allerlei plaatsen.'
'Waar?'
'Italië.'
'Italië?'
'Mijn vroegere … thuis. Sicilië. In de buurt van Caltanisetta. Dat ligt in de bergen. Ten zuiden van Palermo.'
Het klonk logisch. Daarom waren ze zo gesloten geweest over Mario's achtergrond. Sicilië. Iedereen kon zich tijdenlang schuilhouden in een Siciliaans bergdorp.
'Wist Paula het?'
'Wat?' vroeg Ney.
'Over Ellen? Dat Ellen haar moeder was?'
'Nee …'
Winter wachtte op een vervolg. Hij zag in Neys ogen dat er een vervolg zou komen.
'Aanvankelijk niet. Later pas.' Ney boog zich plotseling naar voren, alsof de pijn in zijn borst groter was geworden. 'We … hebben het haar later verteld.'
'Hoe reageerde ze?'
Ney antwoordde niet.
'Toen ze haar lange reis maakte, ging ze toen naar Ellen? Naar haar moeder? Wist ze dat ze onderweg was naar haar moeder?'
Ney knikte.

'En daarna hielden ze contact?'
'Wanneer dat kon.'
'Waarom zou dat niet kunnen?'
'Ze waren alle twee ... bang.'
'Bang? Voor wie?'
'Dat weet ik niet.'
'Ik denk dat je het wel weet, Mario.'
'Nee.' Hij keek op. 'Ik begreep het niet.'
'Begrijp je het nu?'
'Ja.'
'Voor wie waren ze bang?'
'Christer Börge,' zei Ney.
'Wist hij van hun bestaan af? Wist hij van Paula? Wist hij waar Ellen was?'
'Dat weet ik echt niet,' zei Ney.
'Hebben ze jou niets verteld?'
'Nee.'
'Waren ze misschien bang voor jou?'
'Nee.'
'Ze probeerden weg te vluchten voor jou, Mario.'
'Nee,' zei hij en hij keek Winter weer recht aan. Winter kon niet bepalen wat hij in Neys ogen zag. Het was onmogelijk. Het was moeilijker dan ooit tevoren.
'Wanneer heb je Ellen voor het laatst gezien?' vroeg Winter.
'Een paar jaar geleden.'
'Waar was dat?'
'Thuis.'
'Waar is thuis?'
'Op Sicilië.'
'Waarom woonden Ellen en Paula samen toen het meisje elf was?'
Ney leek te schrikken van de abrupte wending die het verhoor nam. Maar het kon ook zijn dat hij net op dat moment een beweging maakte.
'Dat wilde Ellen. Ze wilde een tijdje met het meisje ... alleen zijn.'
'Vertelde ze haar toen dat ze haar moeder was?'
'Nee. Niet dat ik weet. Voor Paula was Ellen destijds een vriendin van de familie.'
Winter dacht na. Volgens Jonas had de elfjarige Paula gezegd dat Ellen niet haar echte moeder was. Zo kon ze het hebben gezegd. Ellen was niet haar echte moeder omdat Elisabeth haar echte moeder was. Zo zag haar wereld, haar leven eruit. Daarin bestonden toen nog geen levensleugens.
Toch kon Winter de stilte niet begrijpen. Hij kon die evenmin accepteren. Zulke diepe geheimen was hij in zijn werk bijna nog nooit tegengekomen. En een groot deel van zijn werk betrof de geheimen van andere mensen.

Hun geheimen voor hem. Voor elkaar. Dat ging diep.

Er zat nog iets anders achter. Iets waarover Ney niet had willen praten.

Ellen had alles in de steek gelaten. Was gewoon weggegaan. Zo leek het in elk geval. Jaren geleden was ze ondergronds gegaan. Grote goden. Toen Winter dat dacht, begreep hij pas wat hij precies had gedacht.

'Waarom liet Ellen alles in de steek?' vroeg hij.

'Dat heb ik nooit goed begrepen,' zei Ney. 'Dat moet je haar zelf vragen.'

33

De novemberlucht huilde alsof er geen enkele hoop meer was voor de wereld. De wind rukte aan de ramen alsof die het politiebureau wilde binnendringen. De oktoberstormen waren een maand te laat gekomen. Winter voelde de wind door de ruit heen, alsof die dwars door het glas drong.

'De Älvsborgsbrug is afgesloten voor alle verkeer,' zei Ringmar achter hem.

'Als je een beetje verstand heb, ga je daar nu sowieso niet over,' zei Halders.

Winter draaide zich om.

'Pas maar op bij het raam,' zei Halders. 'Straks begeeft het glas het.'

'Dan zitten we midden in een rampenfilm,' zei Bergenhem.

'Misschien zijn wij de sterren,' zei Halders. 'De hoofdrolspelers.'

'Er kan maar één hoofdrol zijn,' zei Bergenhem.

'Die is dan voor mij,' zei Halders.

Winter liep naar de rechthoekige tafel en ging aan de korte kant zitten. Hij kon de koude wind hier helemaal voelen. Die had het ventilatiesysteem overgenomen. Ringmars das bewoog; de knoop hing bijna helemaal los. Winter droeg geen das. De laatste tijd was die in zijn hals gaan schuren. Hij kreeg geen lucht. Misschien zou hij nooit meer een das dragen.

Ringmar schraapte zijn keel. Dat was niet alleen omdat hij wat wilde zeggen en de discussie wilde hervatten. De heftige weersomslag had de eerste verkoudheid van de herfst gebracht. Hij hoopte dat het de enige zou zijn.

'Wat doen we hiermee?' vroeg hij.

'De man lijkt niet echt betrouwbaar,' zei Halders.

Ze hadden het een halfuur over Mario Ney gehad. Over alles wat hij aan Winter had onthuld. Als 'onthullen' het juiste woord was.

'Als hij een motief heeft, weet hij dat goed te verbergen,' zei Bergenhem.

'Is dat niet altijd het geval?' vroeg Aneta Djanali.

'Is dat niet wat een moordenaar na een misdrijf wil?' vroeg Halders. 'Het motief verbergen?'

'Het motief en de misdaad zelf,' zei Bergenhem.

'Als er een motief is,' zei Winter.
'Hij is dus gestoord?' vroeg Halders.
'Het gaat niet goed met hem,' zei Winter met een droog glimlachje. 'En dat is al een hele tijd zo.'
'Het gaat verrekt veel beter met hem dan met zijn dochter en zijn vrouwen,' zei Halders.
'Noem je ze zo, "zijn vrouwen"?' vroeg Aneta Djanali.
'Ik weet niet hoe ik ze moet noemen,' zei Halders.
'Eén ding kunnen we in elk geval constateren,' zei Ringmar. 'Je kunt het systeem nog steeds bedonderen.'
'Er wonen te veel mensen in dit land,' zei Halders.
'Daar meen je niets van,' zei Aneta Djanali.
'Ik zei het puur vanuit het oogpunt van toezicht,' zei Halders.
'Bedoel je dat Big Brother zijn greep verliest?' vroeg Bergenhem.
'Het is bijna een generatie geleden dat Paula werd geboren,' zei Winter. 'Sindsdien is er wel het een en ander veranderd bij de Zweedse overheid.'
'Wie het systeem wil bedonderen, kan dat altijd doen,' zei Ringmar. 'Het sociale systeem, het economische.'
'Als het verhaal van die vent waar is, ja,' zei Halders. 'Maar het aantal mensen dat het kan verifiëren, wordt steeds kleiner.'
'Dus wat doen we?' vroeg Aneta Djanali.
'We verhoren hem nog een keer, uiteraard,' zei Halders. 'We houden hem nog eens zes uur hier. Hij kan verdacht worden van een misdrijf, nietwaar? Hij heeft hoe dan ook geen alibi. Hij maakt deel uit van de familie. Alleen dat al. En het sprookje dat hij Erik heeft verteld, maakt hem in mijn ogen nog verdachter.'
Het werd stil in de kamer. Winter hoorde de wind aan de ramen rukken. Over twee weken zou zijn vliegtuig naar Málaga vertrekken. Hij zou daar in zitten, wat er ook gebeurde. Halders bereidde zich erop voor zijn taak over te nemen. Je had mobieltjes en zo. Maar Winter zou niet helemáál in dat vliegtuig zitten en dus zou het verkeerd zijn om te vertrekken. Hij zou niet daar zijn. Het zou een halfhartige wandeling in de zon worden. Nee. Jawel. Nee. De kinderen zouden daar zijn, en Angela. Zijn gezin. De wereld zou gewoon doordraaien, enzovoort. Er zou hoop zijn. Hij zou zijn kinderen om zich heen hebben. Er zou een zee zijn, een horizon, een zonsondergang, een dageraad en een avondschemering. En alles ertussenin.
Dat was voor hem voldoende.
Zijn mobieltje begon te rinkelen. Iedereen was in gedachten verzonken geweest en leek op te veren toen het geluid door de kamer sneed. Het overstemde het gebulder van de natuur buiten.
Hij luisterde, stelde een paar vragen en verbrak de verbinding.
'Ze is opgehangen,' zei hij. 'Ellen.'

'Wanneer?'
Dat was Ringmar.
'Hoogstens twee weken geleden,' zei Winter.
'Ze is goed bewaard gebleven,' zei Halders. 'Het was goede aarde.'
'We weten nog steeds niet wanneer het is gebeurd,' zei Ringmar.
'En hoe hij haar daarheen heeft gebracht,' zei Halders.
'Terwijl niemand het zag,' zei Ringmar.
'Wat is het laatste nieuws van het buurtonderzoek?' vroeg Ringmar en hij wendde zich tot Bergenhem.
'Niemand heeft iets gezien. Van de mensen met wie we tot nu toe hebben gesproken. Ze hebben ook niets gehoord.'
'Hoeveel mensen waren er niet thuis?'
'Het laatste wat ik van de jongens heb gehoord, is zes adressen.'
'En wanneer was dat?' vroeg Winter.
'Twee uur geleden.'
'Regel een lijst van de onbereikbaren,' zei hij.
Bergenhem knikte.
De onbereikbaren. Dat klonk als de titel van een film, dacht Bergenhem. Een thriller. Een rampenfilm.
'Ik ga weer met Jonas praten,' zei Winter en hij stond op.
'Is hij nog hier?' vroeg Halders.
'Ja,' antwoordde Ringmar. 'Dat wilde hij graag.'
'Waarom?'
'Hij zei dat hij bang was.'

Jonas zat op de brits. Het leek alsof hij had geprobeerd die op te maken. Een van de twee kussens lag op de grond. Winter kon ook in dit deel van het gebouw de wind buiten horen. Door het streperige glas zag hij het oude Ullevi-stadion. Er werd vanmiddag niet gevoetbald. Het gras was merkwaardig groen, alsof het met een heel brede kwast was geschilderd. Hij kon helemaal tot aan de overkant van de rivier kijken, tot het grote eiland. Hisingen was in zwarte wolken gehuld. Buiten was er alleen maar duisternis. Achter de duisternis ging de zon onder, maar dat kon niemand zien. Dat was alleen iets wat je hoopte, je hoopte dat de zon er nog steeds was.
'Hoe gaat het met je, Jonas?'
De jongen gaf geen antwoord. Zijn gezicht was niet langer dat van een man en waarschijnlijk zou het dat ook nooit meer worden. Er was te veel gebeurd in het verleden.
'Vertel,' zei Winter.
De jongen keek op.
'Wat moet ik vertellen?'

'Het bosje. Waarom ging je erheen?'
'Ik heb toch gezegd dat ik dat niet weet.'
'Wat dacht je toen je erheen ging?'
'Niets.'
'Waarom ging je in die tram zitten?'
'Ik ... weet het niet.'
'Voor wie ben je bang, Jonas?'
Jonas antwoordde niet. Het was alsof hij opeens niets meer hoorde.
'Vertel, Jonas.'
'Ik ... dat doe ik toch?'
'Heb je met iemand gesproken voordat je naar het bosje ging?'
'Hoe bedoel je?'
'Heb je met iemand gesproken voordat je van huis vertrok?'
'Nee.'
'Met je moeder? Je zou daar toch heen? Naar haar?'
'Nee. Niet naar haar. Ik ben daar niet geweest.'
'Zou je later naar haar toe gaan?'
'Later? Hoezo, later?'
'Als je in het bosje was geweest.'
'Nee. Nee. Ik dacht nergens aan.'
'Je dacht aan Paula,' zei Winter.
'Ja. Paula. Ja.'
'Waarom dacht je dat zij daar lag?'
De jongen antwoordde niet. Winter zag dat hij overwoog wat hij zou vertellen. Maar hij had aldoor gezegd dat hij het had geweten. Iets had hem daarheen getrokken. Of iemand. Het had hem niet losgelaten.
'Het was net als met die ... hand die ik ooit heb gezien,' zei Jonas en hij keek weer op. Hij zocht Winters blik niet. Hij keek naar het raam achter Winter, de storm, de winden, de regen. De vrijheid wellicht. Nee. Die leek hij hierbinnen te zoeken. Dat, of bescherming.
'Ik dacht echt dat ze daar was,' ging de jongen verder. 'Dat Paula daar was.' Hij streek over zijn ogen. 'Ik kan het niet uitleggen.'
'Er was wel iemand,' zei Winter.
'Hè?' Jonas zocht Winters blik nu wel. 'Wat zeg je?'
'Er lag iemand onder de grond, Jonas. Wist je dat?'
'Hè? Ik begrijp niet ...'
'Wist je dat er iemand in dat graf lag, Jonas? Toen jij erheen ging?'
'Graf? Was het een graf?'
'Er lag een vrouw begraven, Jonas. Waar jij was gaan graven. Een paar decimeter onder de grond.'
'Pau... Paula? Was het Paula?'
'Nee, het was Paula niet,' antwoordde Winter.

'Wie dan?'
Winter antwoordde niet.
'Wie was het?' vroeg de jongen weer.
'Haar moeder.'

Winter en Ringmar zaten in Winters kamer. Winter voelde een lichte hoofdpijn die wellicht erger zou worden. Hij had een ibuprofen ingenomen en wachtte nu op het effect.
Ringmar snoot luidruchtig zijn neus.
'Ik hoop dat het niet besmettelijk is.'
'Daar is het te laat voor,' zei Ringmar.
Winter voelde de wind door het raam dat op een kier naar het park openstond. Dat was het eerste wat hij had gedaan toen ze de kamer waren binnengekomen.
'De jongen moet iemand in dat bosje hebben gezien,' zei Ringmar. 'Of bij dat bosje.'
'Waarom zegt hij dat dan niet?'
'We hebben het hem niet vaak genoeg gevraagd,' zei Ringmar.
'Ga gerust je gang,' zei Winter.
'Ik geloof niet dat dat nu helpt, Erik.'
'Waarom niet?'
'Hij is in een soort shock.'
'Dat ben ik zelf ook bijna,' zei Winter.
'Hoe gaat het eigenlijk met die lijst van Revy?' vroeg Ringmar en hij pakte het papier dat op Winters bureau lag.
'Tja, de naam Christer Börge staat er in elk geval niet op.'
'Hoe heet hij, jouw portier? Saldo? Salko? Hoe het ook zij, hij zei toch dat de lijst niet compleet was?'
Winter antwoordde niet.
'En wij hebben Börge er niet naar gevraagd, hè?' vroeg Ringmar. 'Of hij daar heeft gewerkt?'
'Jawel,' zei Winter. 'Dat herinner ik me. Niet of hij daar heeft gewerkt, maar toen ik hem in verband met Ellens verdwijning sprak, zei hij dat hij nog nooit van die tent had gehoord, van Revy dus.'
'Nee, nee,' zei Ringmar.
'Waarom zegt iemand zoiets?' vroeg Winter.
'Hij wilde waarschijnlijk niet dat wij het wisten.'
'Maar dat konden we controleren.'
'Dat hebben we ook gedaan,' zei Ringmar en hij wapperde met de lijst die hij nog altijd in zijn hand hield. 'Alleen heeft dat niet geholpen.'
'Shit nog aan toe,' zei Winter. Hij stond op en liep naar het raam om dat dicht te doen.

'Heb je onlangs nog met die portier gesproken?' vroeg Ringmar. 'Hoe heet hij?'

'Salko, Richard Salko. Nee, die heb ik niet gesproken. Hij neemt thuis niet op.'

'En in het hotel?'

'Het hotel is dicht. Voorgoed, godzijdank.'

Op Winters bureau rinkelde de telefoon schel. Ringmar stak zijn hand uit en pakte de hoorn. Winter stond nog bij het raam.

'Ja? Ja, hoi. Nee, je spreekt met Bertil. O? Nee, maar. Hm. Hm. O, shit. Ja. Ja. Oké. Dag.'

In de zwarte spiegeling van het beeldscherm zag Winter Ringmar de hoorn op de haak gooien.

'Dat was Öberg,' zei Ringmar.

'O? En?' Winter voelde de tocht van het raam. Het was net of het wagenwijd openstond. 'Wat zei hij?'

'Ze hebben wat speeksel op het touw gevonden,' zei Ringmar. 'Het touw waarmee Ellen Börge is opgehangen.'

'En?'

'Het is van een vrouw.'

'Van een vrouw?'

'Van Elisabeth Ney.'

'Van Elisabeth Ney?' herhaalde Winter. Hij voelde de bekende huivering in zijn achterhoofd. 'Van Elisabeth Ney?'

'Ja. Het is het enige wat ze hebben gevonden.'

'Maar ...'

'Als ze niet uit de dood is herrezen om haar daad uit te voeren, moet ze eerder in contact zijn geweest met dat touw,' zei Ringmar.

Drie touwen, dacht Winter. Identieke touwen, blauw, verkreukeld. Goed moordtuig. Niets bleef eraan vastzitten. Behalve de sporen van Elisabeth Ney.

Winter had de touwen naast elkaar gelegd, maar dat had vooral als een symbolische handeling gevoeld. Hij begreep de symboliek niet en de handeling evenmin.

'Ik denk niet dat het de bedoeling was dat er sporen op dat touw zaten,' zei Ringmar.

'Vooral niet van de familie Ney,' zei Winter.

Mario Ney keek op toen Winter de kamer binnen kwam. Ney stond langzaam op. Plotseling zag hij er kleiner uit dan voorheen, korter. Dat kwam door zijn schouders. Normaal had hij een rechte rug, maar nu niet meer. Hij stond gebogen, alsof hij erge pijn in zijn buik had.

Misschien is hij er klaar voor, dacht Winter.

'Wat is er gebeurd?' vroeg Ney.
'Waarom vraag je dat, Mario?'
'Je ziet eruit alsof er iets is gebeurd.'
'Hoe ziet iemand er dan uit?'
'Zoals jij op dit moment.'
'Ga zitten,' zei Winter en hij trof de voorbereidingen voor het verhoor.

'Ik heb niets meer te zeggen,' zei Ney toen ze al een tijdje bezig waren.
'Je hebt nog niets verteld,' zei Winter.
'Ik heb alles gezegd wat ik weet.'
'Vertel over de flat op Hisingen.'
'Daar heb ik niets meer over te zeggen.'
'Waarom huurde je die?'
'Dat heb ik verteld. Moet ik alles herhalen?'
'Woonde je er zelf?'
'Nooit.'
'Woonde je ergens in de buurt?'
'Waarom zou ik?'
Winter zei niets. Ney wachtte niet op een antwoord. Hij leek iets in de verte te bestuderen, buiten de muren.
Plotseling keek hij Winter recht aan.
'Terwijl wij hierbinnen zitten, loopt er buiten een moordenaar rond,' zei hij.

34

Halders streek met een hand over zijn hoofd. Dat leek pas geschoren te zijn. Winter zag de plafondverlichting glimmen op Halders' schedel, alsof hij die had gepolijst.

'Wat zegt Molina?' vroeg Halders.

'Hij vroeg me of er echt sprake was van een ernstige verdenking,' antwoordde Winter.

'En is dat zo?'

'Ik kan meestal wel het een en ander uit de verhoren afleiden, maar Ney blijft een raadsel,' zei Winter.

'Dat betekent misschien iets,' zei Halders.

'Het spoor van zijn vrouw op het touw zou voldoende reden moeten zijn voor een inverzekeringstelling,' zei Bergenhem. Hij was vlak na de anderen de kamer binnengekomen.

'Molina stelt hem niet in verzekering,' zei Winter. 'We moeten met iets beters komen.'

'Zoals?'

Winter gaf geen antwoord.

'Voor zover we weten is Mario Ney nooit in de buurt van dat touw geweest. Geen van de touwen,' zei Ringmar.

'Waar is hij dan wel bij in de buurt geweest?' vroeg Aneta Djanali.

Winter wendde zich tot haar.

'Wat zei je?'

Ze herhaalde haar vraag.

'Hij is in de buurt geweest van Paula's flat,' zei Winter.

'Heeft hij nog altijd een sleutel?' vroeg Halders.

Ringmar knikte.

'Is hij in de buurt van Hotel Revy geweest?' vroeg Halders.

'Heb je al met de portier gesproken, Erik?' vroeg Ringmar.

Winter leek niet te luisteren.

'Erik? Hoor je me?'

'Eh … wat?'

'Heb je al met de portier gesproken? Salko? Bij Revy?'
'Nee. Ik heb hem nog altijd niet te pakken gekregen.'
'Is Ney in de buurt van die wijk op Hisingen geweest?' vroeg Aneta Djanali.
'Zijn we klaar met het buurtonderzoek?' vroeg Halders.
'Er is nog maar één adres waar we geen beet hebben gehad,' zei Ringmar en hij pakte het papiertje dat op de vergadertafel lag.
'En van wie is dat?' vroeg Halders.
'Metzer. Anton Metzer.'

De horizon boven de zee was rood en grijs. Het was een mengeling van kleuren die je alleen in november zag. Winter zag de lucht boven de horizon, een indicatie van wat erachter lag, als een blauwe rook. Weldra zou hij zien wat zich daarboven verborg, in een land ver naar het zuiden. Op dit moment voelde dat onwerkelijk, als een ander leven.
Halders zigzagde tussen de flatgebouwen door en parkeerde voor de portiek.
De afzetlinten wapperden in de wind die rond het bosje danste. Er waren geen mensen op het plein, in de speeltuin speelden geen kinderen. Er stond een straffe wind, alsof de flats op een strand stonden.
Winter belde aan. Het geluid danste binnen net zo rond als de wind buiten, maar dan met een stommer geluid. Winter drukte nog een keer op het knopje.
'Hij is al een hele tijd weg,' zei Halders.
Winter deed met twee vingers de brievenbus open.
Hij kon slechts een deel van de mat zien. Er lag een hele stapel kranten op. Hij kon witte en bruine enveloppen zien. Halders zag ze ook.
'Hij heeft de post niet gemeld dat hij wegging,' zei hij.
'Misschien had hij daar niet de gelegenheid toe,' zei Winter.
'Denk je wat ik denk dat jij denkt?' vroeg Halders.
'Zit er aan het eind van de straat niet een kantoor van de verhuurder?' vroeg Winter.

De huismeester deed Metzers deur open zonder dat Winter een officier van justitie hoefde te bellen. De hele buurt was van slag door de vondst in het bosje. De vondst. Winter had Jonas Sandler nog steeds niet naar het skelet van de hond in het graf gevraagd. Hij had het de jongen niet verteld. Hij wilde wachten, maar wist eigenlijk niet precies waarom. Misschien wist de jongen meer.
De huismeester deed een pas opzij. Hij was in de dertig, droeg een schoon uniform en had een onschuldig gezicht. We laten hem dat nog een tijdje houden, dacht Winter. Hij bedankte de man en wachtte tot die met

tegenzin de trap afliep en uit het zicht verdween.

Halders tuurde de duisternis van de flat in. Er was een zwak licht aan het eind van de hal. Ze waren hier alle twee eerder geweest, los van elkaar. Voor Halders was het lang geleden. Winter had die keer buiten gestaan. Halders was naar binnen gegaan. Winter had Metzer toen niet gezien, dat kwam pas veel later. Het leek gisteren. Metzer had een speciaal uiterlijk. Toen hij tegenover Winter op zijn bank had gezeten, had Winter de lijn in zijn gezicht gezien, of liever gezegd, het litteken dat van zijn slaap over zijn wang liep. Het leek op een litteken van een sabel. Metzer was wellicht van Duitse adel, had Winter gedacht.

Ik maakte me zorgen, had Metzer tegen Winter gezegd. Daarom belde ik de politie.

Maar deze keer had hij de politie niet gebeld.

Ze waren voorzichtig door de hal naar de woonkamer gelopen. Daar kwam het licht vandaan. Ze hadden hun wapen in de aanslag.

Ze hadden de geur al in de gang geroken. Die was niet sterk, maar sterk genoeg.

Het licht van buiten scheen over het lichaam, dat uitgestrekt op de bank lag. Ze zagen nergens bloed. In een ander verband hadden ze naar iemand kunnen staan kijken die sliep.

Winter hoorde binnen een klok tikken. Bij zijn vorige bezoek had hij die niet gehoord. Maar nu was die niet meer nodig.

Metzer kon in zijn slaap zijn overleden. Hij kon aan een plotselinge ziekte zijn overleden.

Hij kon door toedoen van iemand anders zijn gestorven.

Halders had zich al over het lichaam gebogen. Hij hield een zakdoek voor zijn mond.

'Het is geen fraai gezicht,' zei hij met een stem die uit een tunnel leek te komen.

'Herken je hem?' vroeg Winter.

'Nee, maar het is flink wat jaartjes geleden.' Halders keek op. 'En dit helpt natuurlijk niet.'

'Het is Metzer,' zei Winter.

'Ja, jij bent hier pas nog geweest.'

'Je kunt het litteken nog zien,' zei Winter.

'Je bedoelt de sporen op zijn hals? Die zien er in mijn ogen nogal verdacht uit.'

'Nee, ik bedoel het litteken.'

'Sorry?'

'Het litteken,' herhaalde Winter en hij wees naar Metzers litteken, dat als een witte streep van zijn slaap naar zijn hals liep. In de dood was het scherper afgetekend dan bij leven.

'Hij had geen litteken,' zei Halders. 'Hij had geen litteken toen ik hier was.'

Halders bekeek het lichaam nog een keer, bestudeerde het gezicht. Hij ging dichterbij staan, deed snel een pas naar achteren, keek met een onthutst gezicht op.

'Dit is verdomme Metzer helemaal niet,' zei hij.

'Wat zeg je, Fredrik?'

'Ik zeg alleen dat dit niet de Metzer is met wie ik heb gesproken.'

Het was een andere patholoog-anatoom. Winter had hem nog nooit ontmoet. Hij was ouder dan Pia Eriksson Fröberg, veel ouder. Hij leek van dezelfde leeftijd als Metzer, maar zijn gezicht had een natuurlijker kleur. Hij heette Sverker Berlinger en was waarschijnlijk een gepensioneerde oude rot in het vak die ze hadden opgetrommeld, dacht Winter. Hij ziet eruit alsof hij wel het een en ander gewend is.

'Het lijkt erop dat hij is gewurgd,' zei Berlinger en hij schudde lichtjes zijn hoofd.

Hij had met vaste hand gewerkt. Toen hij de kamer was binnen gekomen en het lichaam had gezien, had hij luid gezucht alsof hij wilde zeggen dat hij dit eigenlijk al heel lang niet meer deed.

'Wanneer?' vroeg Winter.

Berlinger haalde zijn schouders op.

'Twee weken geleden?' vroeg Winter. 'Drie?'

Berlinger keek om zich heen, alsof hij de wekker zocht die niemand meer kon horen. Winter zag het ding wel; boven op een ladekast waar Torsten Öberg op zijn hurken voor zat.

'Het is hier warm,' zei Berlinger. 'Het zou kunnen.'

'Wanneer?' herhaalde Winter. 'Vorige week?'

'Nee, dat denk ik niet.'

'Dan is het twee weken geleden,' zei Winter.

'Ja, dat zal het wel zijn.'

Sverker Berlinger boog zich weer over het lichaam en bestudeerde Anton Metzers gezicht.

'Kijk aan, een mensuurlitteken.'

'O ja, zo heet het,' zei Winter.

'Ken je de term?' vroeg Berlinger en hij keek op.

'Ik kon er niet op komen. Maar het verschijnsel ken ik wel.'

Berlinger keek weer naar Metzers gezicht.

'Dit litteken gaat iets te ver en is iets te grof om er echt trots op te kunnen zijn,' zei hij.

'Je kijkt alsof je er zelf wel een zou willen hebben,' zei Winter.

'Ik kom helaas niet uit de juiste familie,' zei Berlinger en hij glimlachte vaag. '"Mensuur" betekent trouwens ook "de afgemeten afstand tussen duellisten".'

Winter hoorde geen Duits accent. Hij vroeg niet waar Berlinger vandaan kwam.

'Kan hij dat litteken op een andere manier hebben gekregen?' vroeg hij.

'Natuurlijk,' zei Berlinger.

'Hoe oud is het?'

'Ouder dan twee weken,' zei Berlinger.

Winter wachtte tot het grapje was weggeëbd.

'Ouder dan vijftig jaar,' zei Berlinger.

'Geen touw in de flat,' zei Öberg.

'Nee, ik heb ook niets gezien,' zei Winter.

'Maar er kan wel een soortgelijk touw zijn gebruikt,' zei Öberg.

'Kan dat zo zijn of is dat zo?' vroeg Halders.

'Het kan zo zijn,' antwoordde Öberg. 'Ik kan er op dit moment in elk geval niet meer over zeggen. Als het een nylon touw is, is het vrijwel onmogelijk om te bepalen dat het een nylon touw is, als jullie begrijpen wat ik bedoel.'

'Geen witte verf,' zei Winter.

'In elk geval niet op het lichaam.'

'Er zat ook geen verf op het lichaam van Ellen Börge,' zei Winter. 'Alleen afschuwelijke sporen.'

Hij keek naar buiten, alsof hij de afstand tussen deze flat en het bosje wilde schatten. Hij kon de bomen nog net zien. Vanaf de zee was een zwarte wolk aan komen drijven en hij kon de regen al op het raam horen.

'Heeft het met die plek te maken?' vroeg Halders.

'Ik weet niet waar het mee te maken heeft,' zei Winter. 'Ik weet niet eens of het ergens mee te maken heeft.'

'We weten wel dat we vier moorden hebben,' zei Halders. 'En zoals ik het zie, hebben ze met elkaar te maken.'

'Ook die op Metzer?'

'Hij is geen vreemde in dit gezelschap,' zei Halders. 'Behalve voor mij.'

'Je hebt kennelijk met iemand anders gesproken,' zei Winter.

'We zochten hem op als getuige,' zei Halders. 'Hij had zelf alarm geslagen.'

Winter zei niets. Torsten Öberg was bij de bank aan de slag gegaan.

'Wat is dat voor een moordmachine die hier aan het werk is?' zei Halders.

Winter gaf geen antwoord.

'Was hij niet degene die alarm sloeg?' vroeg Halders. 'Metzer. Over die vermeende ruzie.'

'Misschien,' zei Winter. 'Maar hij was niet degene die opendeed toen jij aanbelde.'

'Waar was híj verdomme dan?'
'Dat is op dit moment een lastige vraag, Fredrik.'
'Oké, oké. Degene die opendoet is niet Metzer, maar hij vindt het kennelijk wel zo makkelijk om zich als hem voor te doen.'
'Hm.'
'Ben je het niet met me eens?'
'Jawel.'
'Waarom is het makkelijker voor hem om zich als Metzer voor te doen?'
'Omdat het moeilijker is om iemand anders te zijn,' zei Winter.
'Waarom is dat moeilijker?' vroeg Halders.
'Omdat hij niet wil dat iemand weet wie hij eigenlijk is.'
'En wie is hij dan eigenlijk?'
'Mario Ney,' zei Winter.
'Ik weet het niet, Erik. Het is jaren geleden, en de man die opendeed had een baard.' Halders spreidde zijn armen. 'Dit kost me ongetwijfeld mijn carrière, of wat daar van over is. Maar ik kan niet zeggen dat de man die achttien jaar geleden in die stomme deuropening stond, Ney was.' Halders keek Winter aan. 'Misschien was hij het wel, maar ik weet het niet. Geef me wat tijd om erover na te denken en het me te herinneren. Misschien komt het als ik weer weet wat we zeiden. Hoe het gesprek ging. Je weet wel.'
Winter knikte.
'Kan het Börge zijn geweest?' vroeg hij.
'Ik heb de man alleen maar vluchtig gezien,' zei Halders.
'Börge,' herhaalde Winter.
'Hij komt in dit verhaal steeds weer terug,' zei Halders.
'Ney huurde de flat aan de overkant,' zei Winter.
'Dat heeft hij al bevestigd,' zei Winter.
'Hij heeft niet bevestigd dat hij hier was, in Metzers woning.'
'Dan wordt het tijd dat we hem vragen dat te doen,' zei Halders. 'Wat zei Molina trouwens?'
'Hij kon onder deze omstandigheden geen nee zeggen. Maar het is niet genoeg voor een voorlopige hechtenis.' Winter zag dat Öberg en zijn experts overal druk aan het werk waren. 'We hebben technische bewijzen nodig.'
'Of domweg een bekentenis,' zei Halders.
Winter keek op zijn horloge.
'Ik wil dat jij er tijdens het verhoor bij bent, Fredrik.'

'Ik ben daar nooit geweest,' zei Ney. 'Waar had ik moeten zijn, zei je?'
'De flat ligt er precies tegenover,' zei Winter.
'Nooit geweest.'
'Hoe vaak was je in je eigen flat?'

'Nooit.'
'Je huurde hem toch?'
'Niet voor mezelf.'
Halders zat naast Winter. Hij zei niets. Als Ney hem achttien jaar geleden had ontmoet, liet hij dat niet blijken. Misschien is hij het wel, dacht Halders. Maar het kan net zo goed iemand anders zijn geweest. Ik herken hem niet. Misschien komt dat doordat hij het niet is.
'Waar was jij dan?' vroeg Winter.
'Ik begrijp de vraag niet.'
'Waar woonde jij destijds?'
'Thuis, natuurlijk.'
'En waar was thuis?'
'In onze flat. In Tynnered.'
'Woonde je alleen?'
'Ik woonde samen met Elisabeth, natuurlijk. En met Paula.'
'Paula woonde toch bij haar moeder?'
'Alleen toen. Dat was maar voor een korte periode.'
'We hebben niets gevonden wat jouw vaderschap bewijst,' zei Winter.
Ney antwoordde niet.
'Je staat nergens geregistreerd,' ging Winter verder.
'Paula is van mij,' antwoordde Ney.
'Wat bedoel je daarmee?'
'Alleen dat ze van mij was.'
'Dus je kon willekeurig wat met haar doen?'
'Wat zeg je?'
'Dacht je dat je willekeurig wat met haar kon doen, Mario?'
'Jullie snappen er geen snars van,' zei Ney.
'Wat snappen we niet?' vroeg Winter.
'Kijk om je heen.'
'Wat moeten we dan zien?'
Ney antwoordde niet.
'Moeten we blijven kijken naar de redenen waarom je niet kunt vertellen wat je op de desbetreffende tijdstippen deed?'
Ney zei niets. Hij leek zijn blik buiten op de lucht te hebben gericht, op de ruimte. Het leek alsof hij daar af en toe heen ging, terugkeerde en weer verdween. Alsof zijn gevoelens kwamen en gingen. Wat voor gevoelens waren dat? Wat voor herinneringen had hij? Wat had hij gedaan?
Nu keerde hij terug, richtte zijn blik op Winter.
'Ik wil naar huis,' zei hij.

Elsa beklom hem alsof hij een boom met een grote kruin was. Hij stak zijn armen uit als waren het takken. Ze was onderweg naar zijn rechterschouder.

'Pas maar op dat je niet duizelig wordt,' zei hij.
'Ik word nooit duizelig!' riep ze alsof ze, het tegen iedereen op de grond had.
'Wacht maar af!' zei hij en hij ging op zijn tenen staan. Lilly had zich vastgeklemd aan zijn rechterbeen en hij voelde dat ze haar evenwicht dreigde te verliezen. Ze krijste al een hele tijd. Ze wilde ook klimmen.
'Wat zijn jullie toch aan het doen?!' riep Angela vanuit de woonkamer. 'Hoor je Lilly niet schreeuwen, Erik?'
'Ik heb maar twee takken,' riep hij terug. Elsa was nu onderweg naar zijn andere schouder. Het schuurde in zijn nek. Lilly hield een tel lang haar adem in.
'Wat?'
'IK HEB MAAR TWEE TAKKEN.'
Angela kwam in de deuropening staan. Na twee tellen lang stil te zijn geweest, zette Lilly het weer op een krijsen. Je kon het kilometers ver horen. Winter tilde zijn been op en zij bleef hangen.
'Ik heb je altijd al wat houterig gevonden,' zei Angela.
Winter probeerde op één been te springen. Elsa klemde zich vast aan zijn nek. Lilly schreeuwde weer, maar nu van vreugde. Hij sprong nog een keer. Het gewicht om zijn nek was als een molensteen. Zijn rechterknie dreigde in het slot te schieten. Zijn schouders deden zeer. Ik ben niet echt jong meer. Hij liet zijn been zakken en probeerde zich van Lilly te bevrijden. Hij boog zich voorover tot Elsa met haar voeten bij de grond kwam. Hij stond in een rare houding. Elsa liet niet los.
'Pas maar op met je rug,' zei Angela.
'Help me,' zei hij. 'Alsjeblieft.'

De storm was naar het zuiden getrokken. Maar toch had hij nog het gevoel dat hij heel klein was onder de hemel. Zo voelde hij zich wel vaker na echt noodweer. Wanneer de winden bulderden, moest iedereen buigen.
'Hoe gaat het met je rug?' Angela keek hem met een klein glimlachje aan. Hij probeerde zich net zo naar achteren te strekken als hij zich eerder naar voren had gestrekt. 'Voorzichtig, joh.'
'Ik begrijp dit niet,' zei hij.
'Misschien moet je gaan sporten, Erik.'
'Ik zit bij de politie,' antwoordde hij. 'Sporten is verplicht.'
'Wanneer heb je het dan voor het laatst gedaan?'
'Ik sport wel.'
'Wat is dat nou voor antwoord?' vroeg ze.
'Wil je een glaasje wijn?' antwoordde hij.

Elsa was midden in het verhaaltje over de gemeenste heks van de hele wereld in slaap gevallen. Winter verzon het al vertellend, maar slaagde er nooit in de heks gemeen genoeg te maken.

'Ze is te lief!' had Elsa geroepen. Het was niet de eerste keer dat ze de heks te lief vond.

'Maar de heks heeft het jongetje opgegeten,' had Winter gezegd.

'Ze had het meisje ook moeten opeten!'

Hij reikte naar de wijnfles. Angela zat tegenover hem aan de keukentafel. Ze had een paar zeekreeften gegratineerd. Winter rook de kruiden, de knoflook en de boter.

'Elsa neemt geen genoegen met halve maatregelen,' zei hij. 'Nu moest de heks alle gevangenen oppeuzelen.' Hij schonk hun glazen vol. 'Allemaal kinderen natuurlijk.'

'Vergeet niet dat jij degene bent die het vertelt,' zei Angela en ze gaf hem een halve kreeft.

'Wat betekent dat, als ik het vragen mag?'

'Het zijn jouw verhaaltjes.'

'Nee, nee, ze zijn van haar.' Hij hief zijn glas. 'Proost.'

Zij hief het hare. Ze dronken.

'Ik mag nooit verhaaltjes vertellen van haar,' zei Angela en ze zette haar glas neer. 'Ze zegt dat niemand gemeen is als ik een verhaaltje probeer te vertellen.'

'Wees maar blij, Angela.'

'Wat moet ik dan van jou vinden, Erik?'

'Ik wil alleen maar aardig zijn,' glimlachte hij. 'Ik doe gewoon wat zij wil.'

'Schenk mij dan nog een beetje wijn in.'

'Het zijn maar verhaaltjes, Angela.' Hij schonk haar glas weer vol. Het was vrijdag. Hij trok de ovenschaal met de kreeften naar zich toe. 'Het is allemaal fantasie.'

35

Hij kon niet slapen en dat had hij ook niet verwacht. Maar je moest toch een poging wagen. Niemand kon het lang volhouden zonder slaap. Dit werk leidde tot slapeloosheid, maar daar hadden wel meer mensen last van. Lichamelijk werk in combinatie met denkwerk was beter geweest, dan kon de fysieke uitputting tot slaap leiden. Maar lichamelijk werk was niet ongevaarlijk. Bomen konden op je hoofd belanden. Steigers konden omvallen. Tractoren konden kantelen.

Winter ging rechtop in zijn bed zitten. Angela snurkte zachtjes, alsof ze hem wilde uittesten. Het gesnurk van Elsa was op wonderbaarlijke manier gestopt, alsof ze de medische wetenschap een poets wilde bakken. Er was geen operatie meer nodig. Winter had gemeend dat de keel-, neus- en oorarts teleurgesteld had gekeken, maar dat was vast verbeelding geweest.

Hij had teleurstelling in Mario Neys ogen gezien toen hij hem had uitgelegd dat hij niet naar huis kon. Uitgelegd. Hij had het gewoon gezegd.

Halders had buiten de verhoorkamer zijn hoofd geschud.

'We weten te weinig over deze vent,' had hij gezegd.

Winter had op zijn horloge gekeken.

'En volgende week vertrek jij naar de zon,' had Halders gezegd, terwijl hij Winters blik naar de wijzerplaat volgde.

'Daar keek ik niet naar.'

'Waar dan wel naar?'

'Ik wilde weten hoe laat het is.'

Halders had gelachen. Het had wat wonderlijk geklonken in de gang met de bakstenen muren, alsof die zich ergens anders had bevonden, op een lichtere plek.

Ze waren Ringmar boven op de afdeling tegengekomen.

'Jonas is een halfuur geleden weggegaan.'

Winter had geknikt.

'Zijn moeder zag er niet vrolijk uit.'

'En hijzelf?'

'Schuldig,' had Ringmar gezegd.
'Waaraan?'
Ringmar had zijn schouders opgehaald.
'Ik ga naar huis,' had Winter gezegd.

Het whiskyglas glom in de maneschijn. Het was het enige licht binnen, een straal die verder reikte dan de straatverlichting op het Vasaplein. Het was een heldere nacht. Winter dacht aan Mario Ney toen hij de sterren zag. Naar die ruimte leek Ney te hebben verlangd. Er waren meer sterren dan Winter ooit had gezien. Ze bedekten de hele hemel vanaf de zuidelijke scherenkust tot aan Angered.

Hij pakte zijn glas. De kleur van de whisky was nu niet zichtbaar, maar hij wist dat het amber was. De nacht had geen kleuren, als je zwart niet meetelde. En wit. Winter zag hoe het witte licht de duisternis van de kamer doorsneed. Het witte. Hij dacht aan de witte hand. Hij dacht aan de kleur wit als symbool. Hij dacht aan het blik waar de verf in had gezeten. Hij dacht aan een muur die wit geschilderd was. Waarom was de hand van Paula Ney wit geweest? Waarom was de vinger van Elisabeth Ney wit geverfd? Paula's witte hand. Dat betekende iets. Het was een mededeling. Witte verf. Het verfblik. Een witte muur. Wit geverfd. Net geverfd. Waar kwam dat verfblik vandaan? Dat wisten ze niet. Hadden ze het de ... schilders gevraagd? De schilders in Paula's flat. De muren daar. Half af. Bijna af. Niet af. Wat is het dat we niet zien, had Halders gezegd. Winter had het zelf ook gedacht. Denk nu na. Denk.

Een witte flat die half af is.

Denk!

Niets bijzonders aan een muur die eruitziet alsof hij is afgebroken en weer opgebouwd.

Maar.

Een mededeling.

De muur is een mededeling.

Achter de muur. De witte muur.

Een paar slordige streken verf.

Ooit zal het af zijn.

Het witte wordt af.

Hij zette het glas op tafel. Zonder het te merken had hij het de afgelopen minuut vastgehouden en pas toen zijn hand begon te trillen, realiseerde hij zich dat. Hij had nog altijd geen slok genomen.

Hij stond op, liep terug naar de slaapkamer en pakte zijn kleren van de stoel.

'Wat is er, Erik?'

Angela bewoog in het bed. Het maanlicht viel ook in de slaapkamer naar

binnen. Het beddengoed was heel wit. Het leek wel een schilderij.
'Ik moet even iets checken,' zei hij.
'Nu?' Ze ging rechtop zitten. 'Hoe laat is het?'
'Ik ben gauw terug,' zei hij.

Ze had haar koffer gepakt en toen alles er weer uit gehaald.
Waar ben ik bang voor?
De koffer lag op de vloer met de klep open, als een uitgestoken tong. Er zat rode voering aan de binnenkant. Toen ze er met haar hand tegenaan was gekomen, had het net fluweel geleken.
Ze wist niet eens meer wat ze in de koffer had gestopt. Ze had kleren uit de ladekast gepakt zonder te kijken wat het was, alsof ze op reis ging zonder te weten waarheen.
Ze had een vriendin gebeld die tegen middernacht thuis zou zijn. Ik kan wat eerder thuiskomen als je dat wilt. Tegen twaalven is er nooit zoveel te doen. Nee, nee, had ze gezegd.
De telefoon ging opnieuw.
Het klonk als een schreeuw.
Het was lang geleden, het leek lang geleden. De telefoon had niet meer gerinkeld nadat ze met de lange politieagent had gesproken, de man zonder haar. Naderhand had ze zich dom gevoeld. Maar de telefoon rinkelde niet meer, alsof de beller wist dat ze het aan de politie had verteld. Het was eng.
Ze besloot op te nemen.
'Hallo?'
'Ik ben toch wat vroeger thuis.'
'Ik ...'
'Ben je onderweg?'
'Ik ... weet het niet.'
'Wat is er met je? Natuurlijk kom je.'
'Hoe laat is het?'
'Dat maakt niet uit. Nu doe je je koffer dicht en kom je hierheen.'
'Hoe ... wist je dat die openstond?'
'Je klinkt echt bang!'
Ze antwoordde niet.
'Bel een taxi.'
'Dat is zo duur.'
'Je gaat toch niet met de tram?'
'Ik heb daar ... nog niet over nagedacht.'
'Als ik een auto had, kwam ik je ophalen.'
'Je hebt niet eens een rijbewijs.'
Ze hoorde haar vriendin lachen. Dat voelde goed. Misschien moest ze er

inderdaad even uit. Het zou fijn zijn om met iemand te praten. Als ze zich dingen inbeeldde, zou ze het dan begrijpen.

'Ik kom eraan,' zei ze.

Na tien minuten begreep ze dat het lastig zou worden om een taxi te pakken te krijgen. Ze kwam er maar niet door. Wat gek. Ze nam bijna nooit een taxi, maar ze dacht te weten dat je tegenwoordig geen uren meer hoefde te wachten. Ik zou een ander bedrijf moeten bellen dan Taxi Göteborg, maar dat wil ik niet. Ik durf het niet. Ik ben vast bevooroordeeld, maar zij zijn de enigen die ik vertrouw.

Ze keek op haar horloge. Ze kende de dienstregeling uit haar hoofd. Ze had nog tien minuten om de laatste tram naar de stad te halen.

Ze nam een besluit. Haar koffer was gepakt.

In het trappenhuis rook het naar herfst, vocht.

Buiten was het nat, maar het regende niet. De luchtvochtigheid moest honderd procent zijn.

Ze liep half hollend naar de halte. Ze kon hem zien. Opeens hoorde ze het geratel van de tram die aan de andere kant de heuvel op reed. Dat betekende dat ze hem misschien niet haalde. Nu begon ze echt te hollen.

Ze verloor bijna haar evenwicht toen ze de schaduw voorover op het asfalt zag vallen.

Winters gedachten gingen sneller dan de lift naar de garage.

Waarom had Jonas precies op die plek zitten graven? Hij groef naar Paula. Was zij een symbool? Een symbool waarvoor? Zijn jeugd? Zijn verloren jeugd? Liefde? Of dacht hij echt dat Paula daar lag? Wist hij dat zijn hond daar lag? Nee. Ja. Nee. Had hij Börge daar gezien? Had hij hem zien graven in het bosje van zijn jeugd, het bosje van zijn volwassenheid?

Winter drukte op de afstandsbediening en zijn auto knipperde naar hem.

Hij toetste het nummer van Anne Sandler in.

Ze nam op toen de telefoon drie keer was overgegaan. Hij zei wie hij was en vroeg naar Jonas.

'Ik weet niet waar hij op dit moment is,' zei ze.

Haar stem klonk ver weg, gedempt. Dat was niet alleen omdat hij vanuit de onderwereld belde.

'Ik wilde u nog bellen,' zei ze.

'O?'

Hij opende het portier. Het werd licht in de auto. Hij rook de bekende geur van leer. Die verdween nooit en gaf een veilig gevoel.

'Ik denk dat ik iemand van vroeger heb gezien,' zei ze. 'Onlangs.'

'Wie was het?'

'Dat weet ik niet. Ik herkende zijn gezicht. Iemand ... die hier vroeger heeft gewoond. Toen Jonas klein was. Alhoewel, heeft gewoond .... Ik heb hem een paar keer hier gezien.'

'Die u zich nu nog herinnert?'

'Ja ... gek, hè?' Winter meende dat hij haar gezicht voor zich zag. Haar verwarring. 'Misschien heb ik me vergist.'

'Waarom wilde u me dit vertellen?'

'Dat weet ik niet ... ik heb het Jonas verteld. Dat ik hem hier had gezien, die man. Onlangs. Ik ... ik weet niet waarom ik het vertelde.'

Soms zegt het onderbewuste niet waarom we iets vertellen, dacht Winter. Niet meteen. Soms komt dat later.

'Wat zei Jonas?'

'Hij zei niets ...'

Winter wachtte op het vervolg.

'... maar ik merkte dat het hem raakte.'

'Het raakte hem? Hoe bedoelt u dat?'

'Dat weet ik niet. Het raakte hem. Ik heb geprobeerd het hem te vragen, maar hij zei niets. Toch leek hij erop te reageren dat ik die man had gezien.'

Winter zei niets.

'En kort daarna ... trof u hem in dat bosje aan.'

Winter reed in zuidelijke richting over de Aschebergsgatan, langs het Vasaziekenhuis waar hij een zomer lang op een afdeling voor langdurige verpleging had gewerkt. Het was in een periode in zijn leven geweest waarin hij had gedacht dat hij nooit oud zou worden.

Hij kwam langs de technische universiteit, Chalmers, sloeg op de rotonde bij het Wavrinskyplein links af, kwam langs de Guldhedsschool, sloeg rechts af op de rotonde bij het Doktor Friesplein en reed via de trambaan naar ...

Over het pad door het bos kwam een vrouw aangehold.

Haar haar fladderde in de wind.

Ze holde met zwaaiende armen.

Misschien zag ze hem, misschien niet.

Winter was abrupt gestopt, midden op de trambaan.

Opeens hoorde hij geratel en hij zag dat de heuvel links fel werd opgelicht. Het licht veranderde in de lampen van een tram die de heuvel op kwam, naar hem toe. In de lichtbundel verscheen de vrouw, die nog altijd holde, in zijn richting. Winter zag de halte en bedacht dat de tram verdomme toch moest stoppen! Er was daar een halte. Maar de tram reed verder. Er stond niemand bij de halte te wachten. Niemand wilde uitstappen. Winter hoorde het verschrikkelijke getoeter van de tram, het geratel, de waarschuwingssignalen.

De vrouw was maar een paar passen van hem verwijderd. Hij draaide zijn stuur naar rechts, liet de koppeling los, drukte het gaspedaal in en liet de Mercedes van de trambaan vliegen als een jager van een vliegdekschip.

36

Haar ogen waren zo groot als het oppervlak van de maan boven hen. Ze staarde hem door de voorruit aan, maar haar blik was leeg en tegelijk een en al angst.

Ze lag over de motorkap en ademde alsof het voor het laatst was.

Winter stapte snel uit, liep de paar passen naar de motorkap en probeerde haar op te tillen. Ze dreigde op de straat te glijden. Ze leek een ton te wegen, zoveel als een tram.

De tram was 50 meter verderop op de heuvel met piepende remmen gestopt. Winter zag alle lampjes verward knipperen tegen de gevel van de Guldhedsschool.

Hij hield haar in zijn armen. Ze was nu niet zo zwaar meer. Ze zette zich schrap tegen het asfalt en haar benen leken haar te dragen, zij het met moeite.

'Kom,' zei hij en terwijl hij haar half droeg en half ondersteunde, liepen ze om de motorkap heen naar de passagierskant van de auto. Hij opende het portier, hielp haar te gaan zitten, sloot het portier en liep om de auto heen om zelf op de bestuurdersstoel plaats te nemen. De tram stond nog altijd stil. Misschien communiceerde de bestuurder via de radio met de politie.

'Gaat het, Nina?'

Ze probeerde iets te zeggen, maar was ondertussen verschrikkelijk gaan trillen. Hij stak zijn rechterarm uit en trok haar tegen zich aan om haar tot bedaren te brengen. Na een halve minuut lukte dat ook. Ondertussen zag hij de tram langzaam wegrijden. Die moest zijn dienstregeling volgen.

'Wat is er gebeurd, Nina?'

Ze tilde haar hoofd op en keek naar buiten, naar het verdwijnende licht van de tram. Winter liet haar los.

'Wat is er gebeurd?'

'Hij ... hij ging dwars voor me staan. Op het pad.'

'Wie?'

Ze antwoordde niet. Het leek alsof ze weer begon te beven. Winter tilde zijn arm op, maar ze maakte een afwerend gebaar.

'De man … die me aldoor achtervolgt,' zei ze.
'Wie is het, Nina?'
'Ik geloof dat … hij het is.'
'Hij? Bedoel je Jonas?'
Eerst leek ze de naam niet te herkennen. Ze keek weer door het raam, alsof ze wilde zien of hij er nog was.
'Jonas? Jonas Sandler? De kennis van Paula?'
Ze knikte.
'Was het Jonas?' vroeg Winter.
'Ik denk het wel,' zei ze.
'Zei hij iets?'
Ze schudde haar hoofd.
'Deed hij iets?'
'Ik … ik heb het op een lopen gezet. Opeens stond hij voor me en ik … ik ben weggehold.'
'Waarom denk je dat het Jonas was?'
'Ik zag … hij leek op hem.'
'Hoe dan?'
'Zijn lengte … ik weet het niet. Hij leek op hem.'
Winter keek naar buiten. Er was niemand tussen de bomen tevoorschijn gekomen. Dat had hij ook niet verwacht. Maar misschien was hij er nog wel. Als hij snel handelde, kon hij hem misschien oppakken.
Plotseling hoorde hij uit noordelijke richting sirenes komen. Hij herkende het geluid. Het was geen ambulance. Nu zag hij de blauwe zwaailichten ook, onderweg naar het dalletje waar de tram eerder had gestaan. Ze verlichtten de gevel van de school tien keer beter dan de tram.
De sirene verstomde toen de surveillancewagen naast Winters Mercedes stopte. De zwaailichten bleven branden. Nina Lorrinder staarde naar al het blauw en wit alsof het een nieuw gevaar betekende. De schaduwen op haar gezicht kwamen en gingen.
Winter zag een van de geüniformeerde agenten uitstappen en iets in zijn radio zeggen. De andere geüniformeerde agent stapte ook uit. Winter kon hun gezichten niet herkennen in het nerveuze licht. Maar hij zag dat het twee mannen waren, wellicht van Lorensberg.
Hij deed zijn portier open en stapte uit.
'Kalm aan!' riep de agent die vlak bij hem stond.
'Ik ben het, Erik Winter,' riep Winter. 'Winter, van de recherche.'
Hij deed een pas bij de auto vandaan.
'Blijf staan!' schreeuwde de andere agent. Het leek alsof hij zijn SigSauer pakte.
Grote goden, dacht Winter. Ook dat nog.
Hij keek vlug naar Nina Lorrinder, maar zij zat godzijdank stil. De colle-

ga ginds kon zijn wapen trekken. Een plotselinge beweging hier en Winter zou midden in een nieuwe moord belanden.

Hij zag het wapen in de verte glimmen.

'Doe je wapen weg, stomme idioot!' schreeuwde Winter. 'Ik ben hoofdinspecteur Erik Winter en ik ben in functie. Wie zijn jullie, verdomme?'

Hij zag dat de agent die vlakbij stond, zich naar de ander wendde.

'Ik geloof dat hij het inderdaad is,' zei hij. 'Ik herken de Mercedes.' Hij keerde zich weer tot Winter. 'Ben jij dat, Winter?'

'Mag ik naar voren stappen?' vroeg Winter.

'Handen omhoog!' schreeuwde de agent met het wapen. Winter kon het wapen niet langer zien.

'Nee, nee,' zei de agent die vlakbij was. 'Het is Winter van de recherche.'

Winter begon te lopen.

'We kregen een melding binnen van de tram,' zei de agent. 'De bestuurder dacht dat iemand hem bewust probeerde aan te rijden.' Hij glimlachte, of in elk geval leek het zo. 'We dachten dat iemand er misschien tussenuit wilde knijpen na de aanrijding.'

'Welke aanrijding?'

De agent haalde zijn schouders op. Winter pakte zijn legitimatie en hield die hoog boven zijn hoofd. Hij passeerde de eerste agent en liep om de auto heen naar de andere. Hij constateerde dat die zijn SigSauer weer had opgeborgen en gaf hem een lichte tik tegen zijn solar plexus. Winter wist dat de solar plexus een opeenhoping van zenuwcellen in de onderbuik is die gevoelig is voor slagen tegen het middenrif. Je kunt van een tik zelfs tijdelijk verlamd raken. Dat was zijn doel geweest.

De agent stond gebogen voor hem, alsof hij een diepe buiging maakte.

'Wilde je ons neerschieten?'

'Rustig maar, Winter,' zei de collega.

Winter keek op.

'Wat zei je?'

'"Rustig maar", zei ik.'

'Rustig? Wie moet hier rustig zijn?' Winter keek naar de agent die nog steeds gebogen stond. Hij probeerde overeind te komen en wilde tegelijk wegsluipen, zichzelf in veiligheid brengen.

Winter wees naar de Mercedes.

'In mijn auto zit een vrouw die zonet in het bos is overvallen. Degene die haar heeft overvallen, bevond zich daar. Het kan zelfs een moordenaar zijn die zich tot nu toe schuldig heeft gemaakt aan vier moorden. Die ik de hele herfst heb geprobeerd te vinden en die ik vannacht wellicht had kunnen oppakken als jullie niet waren gekomen. Ik betwijfel ten zeerste of hij er nu nog is.'

'Hoe hadden we dat verdomme moeten weten, Winter?' zei de oudere agent.

'Ik zou bovendien iets uitzoeken,' zei Winter. 'Ik had haast.'

De agent schudde zijn hoofd. Dat kon van alles betekenen. Bijvoorbeeld dat hij en zijn collega best correct hadden gehandeld. Dat ze het zekere voor het onzekere hadden genomen. Dat Winter zou moeten weten dat agenten tegenwoordig hun wapen sneller trokken dan vroeger. Dat het gevaarlijker was dan vroeger.

'Wil je dat we het bos in gaan om de dader te zoeken?' vroeg de agent.

Winter keek naar zijn auto. Het silhouet van Nina Lorrinder tekende zich nu scherp af tegen de autoruit, alsof het uit stijf karton was uitgesneden.

'Ja. Maar eerst moeten we voor die vrouw zorgen. Jullie moeten haar wegbrengen, waarheen ze ook maar wil.'

Hij stond aan het begin van het pad en keek naar de achterlichten van de surveillancewagen toen die naar het Wavrinskyplein reed.

Nina Lorrinder kon verder niets vertellen.

Ze was eindelijk onderweg naar haar vriendin. Ze wilde nergens anders heen.

Er was een patrouillewagen onderweg hierheen, maar Winter betwijfelde of ze iets of iemand zouden vinden. Hij had de jongste agent gevraagd hoe het met hem ging. Die had geantwoord dat het uitstekend ging. Als je me wilt rapporteren, doe je dat maar gerust, had Winter gezegd. Ik dacht dat je mij wilde rapporteren, had de agent gezegd. Kom eens langs als ik terug ben van mijn verlof, had Winter gezegd. Na 1 juni.

Hij liep terug naar zijn auto. Er was verder geen kip te bekennen geweest sinds hij langs de trambaan was gekomen en het drama was begonnen. Alsof ze alleen op een bühne hadden gestaan. Maar de voorstelling was voorbij en het was hier nu net zo verlaten als eerst.

Winter ging in zijn auto zitten, toetste een nummer in op zijn mobieltje en wachtte.

Hij luisterde het hele bandje van het antwoordapparaat af: 'Jonas, dit is Erik Winter. Ik wil dat je meteen belt als je dit hoort. Voor het geval dat je mijn nummer bent vergeten, noem ik het nog even.'

Hij noemde de cijfers. Hij zei ook hoe laat het was. Het uur van de wolf was bijna aangebroken.

'Ik wil ook dat je je direct bij het dichtstbijzijnde politiebureau aangeeft. Of bij het hoofdbureau. Ik hoop dat je hoort wat ik zeg. Ik hoop dat je me begrijpt, Jonas. Ik wil je helpen. Ik weet wat er vannacht in Guldheden is gebeurd. Je kunt blijven waar je bent en het politiebureau bellen. Of mij. Het is nu voorbij, Jonas.'

Of dat laatste waar was, wist hij niet, maar het klonk goed. Het klonk alsof hij alles wist.

Winter zette de auto in zijn achteruit en reed van de trambaan af.

Hij schakelde naar de één en scheurde weg. Nu zette hij zijn rit naar zijn oorspronkelijke doel voort.

Hij moest in een van de vijf flatgebouwen zijn die gelijktijdig en op dezelfde manier waren gebouwd. Het was het tweede van links en lag in de schaduw, waar de straatverlichting niet kwam. Het was het donkerste pand. De maan leek het ook niet te kunnen bereiken.

Winter had in het smalle vak geparkeerd en was het smalle plein overgestoken. Hier waren geen schommels, hier waren überhaupt geen speeltoestellen. Mogelijk had je die wel aan de andere kant. Hij had hier geen speeltuin gezien. Misschien woonden hier geen kinderen meer.

Hij deed de deur open met de sleutel die ze sinds de moord hadden gebruikt.

De hal was eerst donker, maar algauw waren zijn ogen gewend. Het rook er nog steeds naar verf en behanglijm. Het was een onschadelijke lucht, alsof hij niemand kwaad kon doen. De geur stond voor toekomst, of in elk geval voor verandering. Hij bleef lang hangen. Winter had zijn appartement in etappes geschilderd en de geuren waren net een kalender. Herinneringen hingen samen met geuren.

Hij liep langzaam de hele flat door en deed alle aanwezige lampen aan.

Het elektrische licht had een vals gevoel van dag kunnen geven, maar voor Winter versterkte het slechts de nacht.

Hij was niet moe.

Hij voelde opwinding, of een eerste gewaarwording daarvan. Misschien betekende dat iets.

Hij stond in Paula's slaapkamer. De grijze muur achter het bed leek net een vakwerkpatroon van witte strepen, geschilderd met een kwast. Er zaten resten plamuur op. Ze waren niet klaar met het grondverven. Winter vroeg zich af welk patroon het behang had gehad dat nooit op de muur was gekomen. Opeens wilde hij het weten.

37

Winter liep de slaapkamer uit en ging via de hal naar de woonkamer. Drie van de vier muren waren wit geschilderd. De kleur prikte in zijn ogen door het felle elektrische licht. Drie muren waren vlak. Op de vloer lag nog altijd een groot stuk plastic, grijs als een zee.

Hij betastte de muur. Die was glad als zand. Het was alsof hij een huid voelde, een naakte huid. Hij trok zijn hand terug. Het plastic kraakte toen hij erop stapte. Het was stil. Het was altijd stil in Paula's flat.

Hij keek weer naar de muren, draaide langzaam rond. Hij keek naar het plastic. Naar de haldeur. Naar het raam, dat net een gat naar de nacht was. En naar de hal, die dezelfde voorbehandeling had gehad als de slaapkamer.

Winter liep terug naar de slaapkamer. Het bed stond een halve meter van de muur. De schilders hadden het waarschijnlijk opzijgezet. Winter bestudeerde de muren op dezelfde manier als in de andere kamer. De heen en weer gaande streken grondverf. Het ongelijkmatige oppervlak. Je kon de onregelmatigheden zien, maar het waren er zoveel dat ze samen een soort patroon vormden dat van de vloer tot aan het plafond liep.

Hij liep terug naar de deur en begon systematisch de korte muur tussen de deur en het raam te betasten.

Hij ging verder met de lange muur, kwam langs het raam, ging aan de andere kant verder. De ongelijkmatigheden gleden als steentjes op een strand langs zijn handen. Niet zover hiervandaan was zo'n strand. Dat was van hem. Er was een soortgelijk strand in de buurt van Marbella. Over een week zou hij het als het zijne beschouwen.

De regen kletterde opeens tegen het raam. Toen hij het flatgebouw was binnengegaan, had het geleken alsof het zwarte wolkendek brak en er een heldere lucht kwam, maar nu waren de wolken terug.

Hij liet de muur los en rook aan zijn handen. Een geur van olie, oplosmiddel en terpentine. Je kon er beneveld van raken. Winter liet zijn handen zakken en liep om het bed heen, voelde aan de muur erachter, van rechts naar links. Hier leek de voorbehandeling bijzonder nauwkeurig te zijn gedaan, of ongewoon slordig. Soms was het moeilijk het verschil te zien.

Het licht van de hoge plafondlamp bood geen hulp.

Ter hoogte van het hoofdeinde voelde hij iets op een meter vanaf de vloer. Zijn handen bewogen alsof hij een schilderij betastte. Ja. Onder de kruiselingse verflaag zat iets. Een vierkant. Vijf bij vijf, misschien. Hij tastte met zijn vingers het gelijkzijdige oppervlak af. Hij drukte er voorzichtig op en het gaf een paar millimeter mee.

Hij keek rond of er iets was waarmee hij kon snijden. Hij dacht aan zijn sleutels, maar die waren te grof.

In de keukenla vond hij een smal mesje. Hij pakte een paar handschoenen uit de zak van zijn colbertje en trok ze aan.

Eenmaal terug in de slaapkamer maakte hij schuin achter de rechterbovenhoek van het vierkant voorzichtig een inkeping. Hij zag een stukje plastic en trok voorzichtig aan het hoekje dat tevoorschijn kwam. Het kwam mee. Hij kon nog meer plastic zien en iets wits wat erachter lag. Een beschermlaag. Winter sneed het vierkant langzaam aan twee zijden los en kon het voorwerp eruit trekken.

Het was een plat pakje waar plastic omheen zat, hetzelfde plastic als op de vloer. Dat alles erin moest beschermen. Winter wikkelde het plastic voorzichtig van het pakje af. Het zat er in meerdere lagen omheen en bleek een foto en twee dunne velletjes papier te bevatten. Hij kon er een tekst op zien staan. Met de hand geschreven. Een blauwe ballpoint, een vervaagde tekst. Het leek een brief. Hij keek naar de zwart-witfoto. Twee kinderen die ieder op een schommel zaten. De schommel stond in een speeltuin die hij herkende. De kinderen keken elkaar aan. Ze leken te lachen. Het waren een jongen en een meisje. Winter herkende het halve profiel van de jongen. Ongeveer 15 meter achter de schommels lag het bosje. De takken hingen recht naar beneden, alsof de wind was gaan liggen op de dag dat de foto was genomen. Er stond een man halverwege het bosje en de speeltuin. Hij keek naar de kinderen. De foto was scherp en de afstand was klein genoeg om zijn gezicht te kunnen herkennen. Christer Börge. Winter zag de foto trillen. Het was alsof de takken in de bomen hadden bewogen. Hij zag het gezicht van Christer Börge, het was het enige wat hij op dit moment zag. Börge keek alsof er geen camera was, geen fotograaf. Wie had deze foto gemaakt, dacht Winter. Anton Metzer? Hij merkte nu dat hij de twee velletjes papier ook in zijn linkerhand hield. Hij begon de tekst op het bovenste vel snel te lezen. Hij las verder, het ging vlug. Het waren tien regels. Hij herkende het handschrift. Winter had de regels al eens eerder gelezen. Ook het papier begon te trillen, net als de foto tien tellen geleden. Hij pakte het papier met zijn andere hand beet, alsof dat zou helpen. Hij las de tekst op het andere vel. Die was iets langer, misschien vijftien regels. Hij telde ze niet. Voordat hij uitgelezen was, merkte hij dat zijn ogen vol tranen stonden.

De regen viel alsof de wereld binnenkort een zee zonder land zou zijn. Toen Winter het portier had geopend en weer achter zich had dichtgedaan, was hij zo doorweekt alsof hij van het flatgebouw naar de parkeerplaats was gezwommen. Met de mouw van zijn jas veegde hij zijn gezicht af. Hij proefde zout op zijn lippen. Het was niet alleen maar water.

De regen spoelde over de voorruit alsof er een brandkraan openstond. Hij sloot drie tellen zijn ogen, deed ze toen open, probeerde dat wat in zijn ogen zat weg te knipperen, startte de auto.

Zijn mobiele telefoon ging over toen hij naar het Linnéplein reed. Er was geen verkeer op straat. Het Sahlgrenska-ziekenhuis leek verduisterd, alsof tijdens de wolkbreuk de stroom was uitgevallen. Een nieuwe storm had zich aangediend, samen met de nieuwe dag. Technisch gezien was het een nieuwe dag.

Zijn mobieltje. Hij kreeg het niet uit zijn stomme jaszak. Zijn natte vingers slipten op de rits van zijn binnenzak. Waarom had hij die dichtgedaan? Het moest zijn gebeurd toen hij even buiten bewustzijn was geweest. Toen hij was weggegaan uit de flat. Hij herinnerde zich niet hoe. Of hij de trap had genomen. Nu piepte zijn mobieltje in zijn jaszak. Iemand had in elk geval een bericht achtergelaten. Hij sloeg af bij het cultureel centrum Konstepidemin, parkeerde voor het Psychologisch Instituut, kreeg eindelijk de rits open en keek wat er op het display stond.

Hij belde zijn voicemail: 'U hebt één nieuw bericht ontvangen ...' enzovoort. Hij wist wanneer het was ontvangen.

Hij hoorde een stem die vanuit een enorm gebulder leek te komen: 'Winter?! Spreek ik met Winter? Als je dit hoort, bel me dan alsjeblieft.'

Een pauze. Winter hoorde het gebulder op de achtergrond, of liever gezegd, op de voorgrond. Het moest de regen zijn. Die leek tegen iets hards te slaan, als een voorhamer op een aambeeld.

'Winter! Ik heb ...'

Op dat moment was de verbinding verbroken. Dat moest door het noodweer komen. Een zendmast die was uitgevallen. Maar hij had de stem herkend.

Het was Richard Salko, de portier van Hotel Revy.

Salko had Winter een lijst gegeven met alle werknemers. De naam van Christer Börge stond er niet op. Dat kon van alles betekenen. Winter had nog geen tijd gehad alle werknemers uit het verleden te controleren.

Salko had geklonken alsof hij van slag was.

Winter kon hem niet bellen. Salko's nummer was afgeschermd geweest. Maar Winter had wel het privénummer van Salko in het adressenboekje van zijn mobiel staan. Hij drukte wat toetsen in totdat het op het display verscheen, hij wachtte, luisterde naar de eenzame signalen aan de andere kant en gaf het toen op. Hij gooide de telefoon op de stoel naast zich en reed door rood op de Övre Husargatan. Er was toch geen kip op straat. De verkeerslichten hadden het in de storm kennelijk begeven.

Zijn mobieltje ging over toen hij de Vasagatan in reed. Op de leren bekleding lichtte het display op alsof de telefoon vlam had gevat. Winter greep hem zonder de straat met zijn ogen los te laten.

'Ja?'

'Erik. Waar ben je? Wat is er aan de hand?'

'Ik ben op de Vasagatan,' zei hij.

'Mooi.'

'Ik moet nog één ding checken.'

'In de Vasagatan?'

'Ja.'

'Wat dan?'

'Christer Börge. Ik ben onderweg naar zijn huis.'

'Nu? Kan dat niet een paar uur wachten?'

'Nee.'

'Doe geen domme dingen,' zei Angela. 'En vooral niet in je eentje.'

'Ik doe geen domme dingen,' antwoordde hij.

Misschien was het dom om Börges deur open te breken. Maar niemand deed open toen hij aanbelde. Hij had hem genoeg tijd gegeven. Hij kon de bel vaag door de deur heen horen. De storm buiten verzwolg alle geluiden.

Langzaam duwde hij de deur open. Er lag geen post op de mat. Geen kranten. Het was nog te vroeg voor de krant van vandaag, maar Winter betwijfelde of de krantenjongens vanochtend naar buiten durfden.

Hij liep zonder licht aan te doen door de hal. Hij voelde zijn pistool tegen zijn heup. De hal werd zwak verlicht door de straatverlichting, maar de lantaarns zwiepten in de wind zo heftig heen en weer dat het licht in een cirkel door de woning draaide en hij er niets aan had. Het was net een disco uit de jaren zeventig. De bomen voor het raam leken te dansen.

Ook nu stonden er geen schoenen in de hal.

Winter was in Börges hal en woonkamer geweest, maar verder nergens. Hij had hier met een huiszoekingsbevel willen komen, maar omdat hij al binnen was, had hij niet langer toestemming nodig.

Het licht in de woonkamer was voldoende om naar de vitrinekast te kunnen lopen en te kunnen zien dat de drie foto's weg waren.

Hij draaide zich om.

Er was een gesloten deur aan de andere kant van de kamer.

Winter trok zijn wapen, controleerde het, liep dwars door de kamer, langs de witte bank, ging dicht tegen de muur naast de deur staan, duwde de deurkruk naar beneden, opende de deur met de loop van zijn pistool. Hij wachtte een paar tellen en wierp snel een blik in de kamer. Hij zag een bed, een tafel, een stoel, een muur. Hij trok zijn hoofd terug, wachtte en keek opnieuw. Als er iemand in die kamer was geweest, had hij dat nu geweten. Er was niemand. Achter het bed stond een smalle deur op een kier. Hij zag iets glimmends op de vloer. Hij tastte naar het lichtknopje en vond het. Het licht was zwakker dan hij had verwacht.

Op de vloer stonden schoenen. Het leken er honderden. Als een grijze optocht van lemmingen, een stoet ratten. Winter voelde zich opeens een beetje misselijk, alsof hij zijn evenwicht dreigde te verliezen. Hij had jaren geleden enkele van die verdomde schoenen gezien. Ze waren onverslijtbaar. Ergens in de massa zouden ze er desondanks een paar vinden dat overeenkwam met de afdruk op de vloer van het centraal station.

Hij trok de deur naar de inloopkast dicht, liep naar de hal, zag dat die een bocht maakte. Hij volgde de bocht en zag de deur aan het eind van de merkwaardig gevormde hal. Die deed hem denken aan de gang in Revy. De deur deed denken aan Revy. Alles deed hem nu aan Revy denken. Winter liep langzaam door de gang. Hij had niet meer licht nodig dan er vanuit de woning achter hem kwam.

Met witte verf was het nummer 10 op de deur geschilderd. Er zat wat ruimte tussen de beide cijfers, alsof ze niet echt bij elkaar hoorden.

De deur zat op slot. Hij duwde er met zijn schouder tegen, maar dat hielp niet. Hij nam een aanloopje en schopte met zijn hiel tegen het slot. De deur vloog open en Winter probeerde te voorkomen dat hij erachteraan vloog, terwijl hij tegelijk zijn pistool voor zich uit hield.

Binnen heerste slechts duisternis. De kamer had geen ramen. Hij kon contouren zien, maar dat was alles. Deze kamer was waarschijnlijk net zo groot als de slaapkamer. Wie bouwde een kamer zonder ramen? Had Börge hem zelf gebouwd?

Hij deed een pas naar binnen en de stank werd nog sterker dan toen hij de deur had opengetrapt. De misselijkheid welde onaangekondigd op. Hij wendde zich af en ademde zwaar. Het zweet stond op zijn voorhoofd. Jezusmina.

Hij dwong zichzelf rechtop te staan, tastte naar het lichtknopje, knipperde toen er ergens vandaan opeens een explosie van licht kwam. Hij knipperde nog een keer, keek, knipperde, keek.

De touwen hingen aan keurige ogen aan de dichtstbijzijnde muur. Ze glommen met dezelfde staalgrijsblauwe kleur als de schoenen in de inloopkast.

Op het werkblad eronder stonden allerlei voorwerpen. Ze waren allemaal wit. Het blad zelf leek van staal. De voorwerpen werden erin weerspiegeld, alsof ze in een plas water stonden. Het waren allemaal delen van een mensenlichaam. Armen, benen, hoofden, een torso in miniatuur. Het leek op de reconstructie van een Griekse tempel drieduizend jaar na het bezoek van de vandalen. Niets was meer heel. Winter zag merkwaardige houten en metalen gietvormen die uit het hoofd leken te zijn gemaakt, zonder zichtbare instructies. Maar het resultaat leek echt. Hij had het eerder gezien. Nu was hij in de werkplaats.

Maar gips ruikt niet. Dit leken lichaamsdelen, alleen was er geen lichamelijke afscheiding, geen stank. Winter had de indruk dat de geur minder was geworden in de paar minuten dat hij hier stond, maar nog altijd leek het alsof hij in een kamer stond die met ammoniak was bespoten.

Hij deed een pas naar voren, toen een opzij.

De metalen ogen aan de muur glommen dof als het stalen werkblad en de touwen. Ook de muur leek van gips. Er hingen nog restanten van touw in de grote ogen. De uiteinden waren rafelig, alsof iemand had geprobeerd ze los te kauwen.

Op de vloer zat een grote vlek. Die breidde zich als een diepe schaduw uit en leek nog altijd vochtig.

Hier hield hij haar gevangen, dacht Winter. Ellen. Ze was uiteindelijk thuisgekomen.

Hij voelde hoe de misselijkheid weer kwam opzetten, net als de storm.

38

Winter stond op het trottoir en probeerde zo veel mogelijk lucht in te ademen. Het regende niet zo hard meer, maar de storm rukte aan de linden alsof hij zich ergens voor probeerde te wreken. Misschien was het een orkaan. Winter hief zijn gezicht op om zo veel mogelijk water binnen te krijgen. De smaak in zijn mond na het braken zopas was nog altijd verstikkend sterk. Hij had nog steeds het gevoel dat zijn middenrif in brand stond.

Rechts van de grote vlek in de kamer had Winter Paula's koffer zien staan. Hij had hem niet geopend.

Zijn mobiele telefoon rinkelde toen hij nog steeds met zijn hoofd naar de zwarte lucht stond. Hij verwonderde zich erover dat hij hem ondanks het gebulder van de wind hoorde.

'JA?' schreeuwde hij in de microfoon terwijl hij in de portiek bescherming zocht.

Hij hoorde een stem, maar geen woorden.

'IK KAN JE NIET HOREN,' schreeuwde hij.

Plotseling hoorde hij wel geluid, midden in een zin. De lijn werd duidelijk, alsof die in een van de ogen van de storm was beland.

'Zeg het nog eens.'

'Het was niet om haar bang te maken!'

'Jonas!'

Hij kreeg geen antwoord.

'Waar ben je?'

'Ik ben ...'

De woorden verdwenen weer in de nacht. Of in de ochtend. De ochtend naderde nu snel. Misschien zou het vandaag ook licht worden.

'Luister goed, Jonas! Kun je me horen?'

Winter hoorde wat gemompel, maar wist niet of Jonas hem hoorde. Het was alsof twee mensen via dezelfde telefoonlijn tegen zichzelf aan het praten waren.

Plotseling hoorde hij Jonas' stem weer, luid en duidelijk: 'Ik wilde haar voor hem waarschuwen! Voor Börge. Ik heb dat al eerder geprobeerd.

Maar ik durfde niet.'

'Ik sta voor zijn huis,' zei Winter. 'Ik ben binnen geweest.'

De storm voerde het gesprek weer met zich mee. Winter meende de naam Börge weer te horen, maar hij wist het niet zeker. Jonas' stem werd zwakker, alsof de persoon aan de andere kant van de lijn nu door de storm werd opgetild en meegevoerd. Winter voelde de storm aan zijn kleren rukken. Een paar tellen lang leek het alsof hij zijn evenwicht zou verliezen.

'Jonas?' riep hij. 'JONAS?'

Geen antwoord nu.

Wat moest hij zeggen? Kon de jongen hem horen? Begreep hij dat hij in gevaar was? Zou hij hem vragen te blijven waar hij was? Maar Winter wist niet waar de jongen was. Het had geklonken alsof hij ergens buiten was. Dat was gevaarlijk. Maar het kon ook gevaarlijk voor hem zijn om binnenshuis te zijn. Nu piepte de telefoon in Winters oor. De verbinding was definitief verbroken. Winter staarde naar zijn auto. Die weerstond de wind nog steeds. Hij draaide zich om en zag de zwarte ramen van Börges appartement. Misschien zag hij het licht in de achterste kamer, maar alleen omdat hij wist dat het nog brandde. Hij dacht aan het gesprek met Jonas. Het was afgebroken, net als het gesprek met Richard Salko. Salko had hem nooit gebeld als het niet belangrijk was geweest, van levensbelang. Winter begreep dat. Hij had de telefoon nog steeds in zijn hand en toetste Salko's privénummer in. Ook nu nam er niemand op.

Er was één plek waar Salko kon zijn. Het was de enige plek die Winter op dit moment kon verzinnen. De plek waar alles was begonnen.

Hotel Revy leek in de wind te wankelen, maar dat was slechts een schimmenspel in het noodweer. De smalle straten in de wijk eromheen leken te zijn verdwenen. Maar ze waren er wel, Winter had over een daarvan gereden tot twee omgevallen bomen hem de weg hadden versperd. In deze stad waren meer bomen dan iemand ook maar had kunnen denken. Het centrum leek een jungle, een plotselinge noordse wildernis. Dat kon niet de bedoeling zijn.

Hij stond op de trap van het gesloten, duistere hotel. Het bord hing er nog, in de storm leek het nog meer op een enorme spin die langs de muur omhoogkroop. De vroege ochtendschemering gaf de lucht achter de gebarsten gevel een zwarte en dofrode kleur die uit het niets leek te ontstaan. Winter kon het raam zien dat bij kamer nummer 10 hoorde. Hij liep de trap op en drukte de grove messing deurkruk omlaag. De deur ging zonder een geluid open. Winter scheen op het slot met de zaklamp die hij uit het dashboardkastje in de Mercedes had meegenomen. Het slot leek niet geforceerd. Maar het messing was net zo stokoud als de rest van het hotel, en het gladde oppervlak kon net zo goed uit tienduizend krasjes bestaan.

In de lobby was het kil en guur. Het voelde er kouder dan voorheen. Toen de verwarming was uitgezet, moest de kou zijn binnengekropen, alsof die eindelijk haar kans schoon had gezien.

Bij elke stap kraakte de trap. De dikke wanden sloten de geluiden van de storm grotendeels buiten.

'Hallo?' riep hij. 'HALLO?'

Hij bleef op de een na bovenste trede staan luisteren.

Hij hoorde niets, alsof de stilte het nu voorgoed had overgenomen, net als de kou.

'Salko? Ben je hier?'

Hij stond boven in de hal en liet de zaklamp in alle hoeken schijnen die hij kon bereiken.

De gang naar kamer nummer 10 lag rechts van hem. Winter draaide zijn hoofd om en zag de deur aan het eind. Hij scheen die kant op, maar het licht reikte niet ver genoeg.

Toen hij dichterbij kwam, zag hij dat de deur half openstond. Het licht van buiten leek in de kamer heen en weer te zwaaien, net als het schijnsel van zijn zaklamp zo-even. Van links naar rechts. Hij deed nog een paar passen.

Hij zag het lichaam in het flakkerende schijnsel heen en weer zwaaien.

Hij zag een rug, een hals. Het touw. Dat was nu zwart, maar hij wist welke kleur het in het daglicht had. Het lichaam draaide zich langzaam naar hem toe. Winter was twee passen van de kamer verwijderd. Plotseling hoorde hij een mobieltje rinkelen; het moest het zijne zijn. Hij voelde de vibraties in zijn borst, maar dat kon ook zijn hart zijn.

Hij stapte over de drempel en zag de schaduw van de slag voordat die hem in zijn nek trof.

Aneta Djanali hoorde het gerinkel diep in een droom die ze zou vergeten zodra ze wakker werd.

Ze werd wakker en reikte over Fredrik heen naar de telefoon. Fredrik sliep zoals altijd als een onschuldig kind. Normaal gesproken was er meer voor nodig dan een telefoon om hem wakker te krijgen. Overal in de kamer was het zwart, het was nacht. Ze klungelde even met de hoorn.

'Ja, hallo? Met Aneta.'

'Sorry, dat ik zo laat bel … of vroeg … met Angela. Angela Hoffmann. Erik Winters vrien…'

'Angela,' onderbrak Aneta Djanali haar. Ze had de diepe ongerustheid in Angela's stem gehoord. 'Wat is er aan de hand?'

'Ik … ik weet het niet. Erik is vannacht weggegaan. Hij zou alleen iets controleren, zei hij. En later heb ik hem gebeld. En … en vervolgens heeft hij niets meer van zich laten horen.'

'Wanneer heb je hem voor het laatst gesproken?'

'Een uur geleden ongeveer. Misschien wat korter geleden. Ik heb hem zonet geprobeerd te bellen, maar hij neemt niet op.'

'Waar was hij toen je belde?' vroeg Aneta Djanali.

'De Vasagatan. Dat is hier vlakbij. Ik maak me zo'n zorgen. Ik wist niet wat ik ...'

'Wat ging hij doen?' onderbrak Aneta Djanali haar.

Ze hoorde hoe Fredrik achter haar in bed ging zitten.

'Wat zou hij daar doen?' herhaalde ze.

Fredrik boog zich naar voren om mee te kunnen luisteren.

'Hij zei dat hij op weg was naar die ... die Börge,' zei Angela. 'Christer Börge.'

'Ik ga erheen,' zei Fredrik Halders en hij vloog uit bed. 'Ik stuur er mensen heen.' Hij reikte naar zijn mobieltje op het nachtkastje.

'Wat een stomme idioot,' mompelde hij toen hij zijn broek aantrok.

Er schuurde iets tegen Winters wang, maar hij hoopte dat het bij de droom hoorde. Ik wil niet wakker worden uit deze droom, dacht hij.

Hij werd wel wakker. Hij wist niet wat hij had gedroomd en misschien was hij al wakker geweest.

Hij lag voorovergebogen op zijn zij. Hij probeerde zijn armen te bewegen, maar die waren achter zijn rug vastgebonden. Zijn voeten waren ook stevig vastgebonden.

Hij voelde een verschrikkelijke pijn in zijn nek en hoorde nu dat hij ademde alsof zijn luchtpijp was afgerukt.

Over de vloer naderden een paar voeten. Dat was zijn perspectief, de vloer. Twee schoenen stopten vlak bij zijn gezicht. Winter herkende het merk.

Zijn gezicht werd opgetild. Het was moeilijk te focussen.

'Je bent uiteindelijk toch gekomen,' zei Christer Börge.

Winter kon Börges gezicht op een afstand van slechts een paar centimeter zien. Het was een gezicht dat hij nooit was vergeten en dat hij zich zijn hele leven zou blijven herinneren. Misschien zou hij het blijven zien zo lang hij leefde. Het was wellicht het laatste wat hij zou zien. Ja. Nee. Ja. Het hing ervan af wat Christer Börge te zeggen had. Hoeveel tijd hij ervoor zou nemen. De auto staat hier twee straten vandaan. Nog even en iedereen is hier.

'Ik heb niet veel te zeggen,' zei Börge met een glimlach. 'Ik hou niet zo van verklaringen.'

Winter opende zijn mond en probeerde zijn gedachten te formuleren, maar er kwam geen geluid. Hij kon het gesuis door zijn keel horen, maar dat geluid was er al geweest voordat hij zijn mond opendeed.

'Ik geloof dat je stem een opdonder heeft gehad,' zei Börge en hij ging staan. Hij greep Winters kraag beet en begon hem overeind te trekken, tegen de muur aan. Winter had het gevoel alsof zijn keel er werd afgerukt, opnieuw.

Zijn nek leunde in een merkwaardige hoek tegen de muur. De pezen begonnen al pijn te doen.

'Maar ik kan je wel zeggen dat ik het niet leuk vond dat ze bij me wegging,' zei Börge.

Hij stond nog steeds op dezelfde plek.

'Helemaal niet leuk.' Börge leek zich naar voren te buigen. 'Ik zag haar, weet je. Ik heb haar op zich wel vaker gezien, maar nu bedoel ik die keer op het station.' Börge maakte een gebaar met zijn hand, alsof hij in de richting van het station wees. Dat was niet zo ver weg. Niets is ver weg als je hier bent, dacht Winter. Als je je hand uitsteekt, kun je bijna alles aanraken. Maar hij kon zijn hand niet bewegen.

'Ze zou het meisje met haar reis helpen,' ging Börge verder. 'Ze zouden alle twee op reis gaan.' Hij knikte twee keer. 'Ze zou weer weggaan.' Hij knikte nog eens. 'Maar nu was het daar te laat voor. Ik kon het niet toestaan. Deze keer niet. Niet voorgoed.'

Börge ging op zijn hurken zitten, maar hij was nog altijd een paar meter van Winter vandaan.

'Ja, jij hebt haar ook gezien. Of sporen van haar, om het zo maar te zeggen. Ik neem aan dat je bij mij thuis bent geweest.' Hij glimlachte weer. Het was een glimlach die Winter tijdens zijn carrière een enkele keer had gezien. 'Ze ... tja, ze kreeg spijt. En dat werd ook tijd.' Börge maakte een gebaar met zijn arm, een soort cirkelbeweging. 'En nu hebben ze ons allemaal verlaten. Zo zie je maar weer. Je kunt het wraak noemen, wat dan ook. Het was fout van haar. Het is fout iets fout te doen. Ze loog. Ze deed nog veel ergere dingen.' Zijn ogen werden opeens klein.

'Ze logen allemaal! En wie dacht er aan mij? Hè? Wie van hen allen dacht aan mij?' Börge veranderde van houding, maar bleef op zijn hurken zitten. 'Ze verdienden het niet dat ze mochten blijven liegen. Ik wilde dat ze om vergeving vroegen voor wat ze mij hadden aangedaan. En uiteindelijk deden ze dat ook. Ze vroegen me allemaal om vergeving. Misschien raakten ze toen hun schuld kwijt. De witte verf hielp hen daar mogelijk ook bij. Zoals die jou ook hierheen bracht.' Hij ging weer verzitten. 'Hoewel dat me niets meer kan schelen en jou op dit moment ook niet, denk ik.'

Hij glimlachte weer. Winter probeerde zijn hoofd te bewegen, maar het zat vast op de plek waar Börge het heen had geduwd. Het was alsof zijn nek dreigde te knappen, alsof hij gewurgd werd.

Ze vroegen jou niet om vergeving, dacht hij. Paula vroeg jou niet om vergeving, klootzak. Ze vroeg om een soort hoop die jij haar niet kon geven.

Ze wilde dat alle leugens verdwenen.

'Je gaat met ze mee, Erik Winter. Jij vertrekt ook, net als zij. Noem het ... logica. Het wordt een enkeltje deze keer.'

Börge kwam weer overeind en deed een paar passen in Winters richting. 'Zit je niet lekker? Moet ik je helpen?' Hij boog zich over Winter heen en probeerde Winters bovenlichaam overeind te trekken, terwijl hij zijn hoofd opzijduwde. 'Is dit beter?'

Ik moet iets zeggen, dacht Winter. Ik moet proberen iets te zeggen.

Hij zag Salko's hangende gestalte. Die bewoog nu niet meer. Börge moest hem in beweging hebben gezet voordat Winter de kamer binnen kwam.

Börge volgde zijn blik.

'Je denkt aan die oude piccolo?' Hij keek weer naar Winter. 'Daar valt niets over te denken. Hij werd gewoon bang. Hij wist het een en ander en hij heeft het jou kennelijk niet verteld. Dat had hij misschien wel moeten doen. Wellicht heeft hij het ook wel geprobeerd, wat weet ik ervan? Maar hij wilde mij ontmoeten, en dit was de beste plek, nietwaar? Hier is het stil en rustig.' Börge draaide zijn hoofd weer om en keek nu naar Salko. 'Hij wilde geld, maar ik had geen zin om hem dat te geven. Hij dacht dat ik iets voor hem had, maar dat was iets anders dan hij had verwacht.' Börge keek nu weer naar Winter. 'Zo begon het eigenlijk. Salko wilde iets. Je zou kunnen zeggen dat hij iets in gang zette. Je vraagt je wellicht af waarom het zo lang duurde voordat ik ... reageerde. Tja ...' Börge haalde zijn schouders op. 'Het was net als met die oude grappenmaker op Hisingen, Metzer. Hem heb je ook ontmoet. Hij wilde misschien geen geld, maar hij wilde zijn bek niet houden. Hij vond het niet leuk meer. Kennelijk wilde hij alleen leuke dingen doen.' Börges ogen werden weer klein. Zijn stem klonk als die van iemand anders. 'Maar niet alles is leuk, toch? En als het niet leuk is, moet je misschien gaan nadenken. Niet dreigen dat je het aan iemand anders doorbrieft. Hij wilde bijvoorbeeld met jou praten. Over mij. Hij dreigde dat hij dat ging doen.' Börges ogen werden groter en hij leek een andere kant op te kijken, naar een andere tijd. 'En in zekere zin had hij dat al gedaan. Herinner je je het echtpaar Martinsson nog?' Börge glimlachte. 'Natuurlijk herinner je je ze! Jij en je collega gingen naar die flat op Hisingen toen iemand had gebeld over een ruzie.' Börge glimlachte weer. 'Dat was Metzer, maar dat weet je ongetwijfeld. En ik was degene die ruzie had gehad! Hoewel ik het eigenlijk niet zelf was. Ik was alleen maar in die flat, omdat die vlak bij die van Ellen lag. Ik had de Martinssons leren kennen. Maar die idioot van een Martinsson dacht dat ik in zijn lelijke vrouw geïnteresseerd was.' Nu glimlachte Börge niet. Hij zag er verongelijkt uit, onbegrepen. 'Hoe kon hij dat nou denken? Hoe kon hij denken dat ik geïnteresseerd was in iemand anders dan Ellen? Zij woonde daar toen, Ellen. Ellen en haar verdomde hoerenjong. Ik hield ze in de gaten. Dat was mijn recht. Dat snapte Martinsson niet. Dat snapt niet iedereen.' Hij knikte naar Winter. 'Mensen als jij, bijvoorbeeld. Iedereen. Jij bent net als iedereen, dat weet je toch?'

Börge glimlachte net als eerder. Hij leek nog iets te willen zeggen, maar zijn ogen lieten Winters gezicht los.

'Maar nu zijn we uitgepraat,' zei hij na een paar tellen.

Ik moet iets zeggen, dacht Winter. Het is een kwestie van leven en dood.

Börge liep plotseling naar een plastic zak, die achter de deur stond. Winter kon hem vanuit zijn rechterooghoek zien. Börge boog zich over de zak en stopte zijn ene arm erin. Opeens keek hij op.

'Deze kamer heeft iets speciaals, vind je niet? Hier sliep Ellen de eerste nacht. Maar als iemand dat weet, ben jij het wel!'

Ik moet iets zeggen, iets zeggen, iets zeggen, iets zeggen, iets zeg...

'Jo... Jon... Jo,' zei hij en het klonk alsof hij probeerde te fluiten.

Börge veerde op. Zijn arm zat nog in de zak.

Als hij zijn arm uit die zak haalt, is het voorbij, dacht Winter. Dan is het tijd voor het enkeltje.

'Jon... Jon...' floot hij weer.

Börge trok zijn arm omhoog. Zijn hand was leeg.

'Wat? Probeer je me iets te vertellen, Winter?'

Winter kon niet antwoorden. Hij voelde zich uitgeput na zijn pogingen om iets te zeggen. Maar de verschrikkelijke pijn in zijn nek werd minder. Het was alsof zijn nek begon te helen. En alsof de gedachten in zijn hoofd weer in beweging kwamen, alsof die door de slag ook tijdelijk gewurgd waren geweest.

Het blauwe licht zwiepte over de Vasagatan. De wind rukte eraan, deed het onregelmatig draaien, als een kapotte draaimolen. Er stonden twee surveillancewagens voor de portiek van Börges woning. Halders had zijn portier open laten staan toen hij erheen holde.

Er waren al mensen binnen.

'De voordeur stond wagenwijd open,' zei de inspecteur van politie die buiten stond.

'Is hij hier?' vroeg Halders.

'Het lijkt verlaten.'

Halders liep de hal in. Die had een merkwaardige kromming en die volgde hij. Aan de andere kant zag hij de open deur en een uniform dat bewoog. Hij zag een gezicht dat zich naar hem toe wendde. Hij zag de uitdrukking op het gezicht.

'Wat is er?' riep hij en hij begon te hollen.

Terwijl hij nog in beweging was, zag hij de touwen, de metalen ogen, het werkblad, de lichaamsdelen, de vormen. Een grote vlek op de vloer, glanzend in het naakte licht.

De agente hield haar handen voor haar kin, haar mond, haar neus. Halders kon alleen haar ogen zien.

In deze kamer was niets levends te bekennen. Erik is hier geweest, dacht Halders. Hij moet dit hebben gezien. Hij moet het hebben begrepen. Begreep hij waar hij vervolgens naartoe moest gaan?

Op de grond bij de rechtermuur stond een blik. Er lag een kwast op de grond. De witte verf had een hele waaier achtergelaten toen de kwast was weggegooid. Er stond een tekst op de muur. Die leek krijtwit op het grijze gips van de wand:

MOORDENAAR

Het woord was geschreven in letters die 50 centimeter hoog waren en bedekte de hele wand. De verf was naar beneden gedrupt en op de vloer gelopen, waar die onderdeel van de waaier was geworden.

'Er is hier na Erik nog iemand geweest,' zei Halders.

Börge liep door de kamer en boog zich over hem heen. Hij kwam dichterbij, hield zijn oor vlak voor Winters mond.

'Misschien lukt het beter als je fluistert?'

'Jon...'

'Jon? Jon? Wat zeg je? Jon?'

'Jon... Jona...'

'Jona? Aha! Jonas! Je vraagt naar Jonas?'

Winter knipperde met zijn ogen. Dat betekende 'ja'.

'God, Winter, wat hebben wij veel gemeenschappelijke kennissen! Je hebt de foto bij Paula thuis zeker gezien?' Börges ogen waren nu groot, alsof hij de gelukkigste man ter wereld was. 'Een lief jochie, hoor. Net als het meisje. Ze waren alle twee lief.' Börge leek zich een paar tellen in zijn herinneringen te verliezen. 'Hij raakte wat van slag door mijn grapje toen hij klein was, Jonas. De hand die hij had gezien, was alleen om hem te plagen.' Börge glimlachte nu, maar het was een andere glimlach dan eerst, een warme. 'Ik had die hobby toen al. Je moet wat omhanden hebben, vind je niet? De oude Metzer vond het maar niets, maar zijn mening kon me niet zoveel schelen.'

'Ha... ha...'

'Wat zeg je, Winter? Ha, ha. Ja, het was heel leuk.'

Winter verzamelde al zijn longinhoud om nog een paar woorden naar buiten te kunnen persen.

'Had jou gezien.'

Winter ademde heftig na de krachtsinspanning.

'Mij gezien? Mij gezien?' Börge greep Winter bij zijn schouder en schudde hem heen en weer. 'Wanneer? Toen ik hier was? Daar geloof ik niets van. Toen ik daar was? Ook niet waarschijnlijk. Hier of daar, het maakt niet uit. Toen ik het touw uit Paula's flat jatte, kwam hij aangeslopen, maar toen was ik al buiten. Op de een of andere manier trokken die stakkers naar elkaar toe.'

Börge liet Winters schouder los.

'Hij is van me afhankelijk, die knul. Net zoals zij dat was. Je hebt de brief toch gelezen?' Börge knikte, als om zijn eigen woorden te benadrukken.

Winter had de brief gelezen. Paula had Börge geschreven. Aanvankelijk had Winter het niet begrepen. Hoe valt zoiets te begrijpen? Ze had hem geschreven over haar leven, haar recht op een eigen leven. Ze had haar vrijheid gewild. Ze had die opgeëist. Misschien dacht ze dat alle geheimen en alle leugens dan zouden ophouden. Dat er iets anders na de stilte zou komen, iets beters. Ze had ook Jonas' vrijheid geëist.

'Feit is dat ik de knul hier heb uitgenodigd,' zei Börge. 'Het zou mooi zijn als hij nu kwam. Hij is van me afhankelijk, zoals ik al zei. Dat zei ik toch? Heeft hij jou iets verteld, bijvoorbeeld? Over wat dan ook? Nee, toch?'

Winters mobieltje rinkelde. Hij was vergeten dat hij er een had. Het hoorde bij een andere wereld, een ander leven. Börge reageerde op het geluid, maar slechts een kort moment. Het maakte niet uit, niet voor hem, niet voor Winter.

Hier lig ik, of zit ik, of hoe je het verdomme ook moet noemen. Ik ben hier zelf in verzeild geraakt. Ik heb mij zelf in deze situatie gemanoeuvreerd. Ik werd meegesleurd. Ik hield op met denken. Nee, ik dacht op de verkeerde manier. Ik was alleen. Met wie heb ik als laatste gesproken? Met Jonas. Was het wel met Jonas? Wat heb ik gezegd? Ik weet het niet meer. Ik hoorde amper wat hij zei. Er is te veel gebeurd in een te korte tijd. De nacht was te kort. Ik heb ook met Nina gesproken. Ik heb haar verteld dat ik naar Paula's flat zou gaan. Dat heb ik toch wel gezegd? Maar het helpt me nu niet. Ik wilde alles doen. Alles oplossen. Een complete oplossing. Ik wilde klaar zijn voordat ik met het vliegtuig zou vertrekken. Nu wordt dat niets. Ik had die jonge agent niet moeten slaan. Ik heb hem niet eens naar zijn naam gevraagd. Angela was degene die net belde, ik voelde dat het Angela was. Jezus. Elsa, Lilly. Ik had met Angela moeten trouwen. Zij wilde dat graag. Ik hou van jullie en ik zal altijd van jullie houden, wat er ook gebeurt. Paula wist het. Ze schreef over vergeving toen ze mocht schrijven wat ze wilde. Haar moordenaar dicteerde de tekst niet. Ze schreef wat ze wilde toen ze wist dat ze ging sterven. Ze nam de schuld op zich. Dat begrijp ik nu. Alle chaos in haar leven kwam doordat haar komst niet gepland was, ook niet gewenst misschien. Ze moet het hebben gezien, begrepen, ontdekt. Wat zei Börge tegen haar in deze kamer? Moest hij veel vertellen, als ze het al wist? Ze wilde het verdriet van de nabestaanden verzachten. God. Help me, nu ik het heb begrepen, nu ik het weet. Als mijn benen vrij waren geweest, dan had ik deze hufter verrot getrapt. Nu gaat hij staan. Hij loopt naar de zak. Ik moet me hierop voorbereiden. Hij trekt iets omhoog. Ja, ja, het is een touw, hij heeft zoveel touw dat hij de hele wereld kan omspannen. Kan ik hem een kopstoot geven? Hij moet zo dichtbij komen dat hij de lus om mijn nek kan leggen, en als het me lukt …

Börge naderde met het touw. De lus was al klaar. Hij verdween plotseling achter Winters rug. Winter lag half met zijn zij naar de muur toe. Hij was weer naar de vloer gezakt. Hij kon Börge niet zien. Hij hoorde hem achter zich. Het had geen zin. Hij was hulpeloos. Het enige wat hij kon zien was het raam, en daarvandaan viel geen hulp te verwachten. Winter wist niet hoeveel tijd er was verstreken sinds hij hier naar binnen was gegaan, het konden uren of dagen zijn, maar het leven buiten bood hem geen hulp. Hij kon zelfs niet bepalen of het er dag of nacht was.

Hij voelde het touw om zijn nek. Börge trok eraan. De lucht begon te verdwijnen, het beetje dat nog in zijn luchtwegen zat. Börge gaf hem een duw, misschien opdat hij beter over de vloer gleed.

Opeens hoorde Winter buiten een geluid, als van metaal tegen metaal. En nog een keer. Aan de rand van zijn blikveld zag hij iets voorbijflitsen. Hij wist niet wanneer het tot hem doordrong dat de wilde schaduwen voor het raam geen onderdeel waren van de natuur, van de lucht. Misschien pas toen het glas brak. Toen Börge een kreet slaakte. Misschien toen de zwarte gestalte door het raam naar binnen vloog, als een wilde, vreemde vogel. Winters lucht was bijna op. Hij dacht niet meer. Zijn laatste gedachte was dat de jongen helemaal langs de steigers omhoog moest zijn geklommen.

39

Hij hoorde de kinderen in de hal lachen. Hij zag de open koffers op de geschuurde houten vloer staan. Hij kon het spiegelbeeld zien. Morgen zouden ze weg zijn, vroeg in de ochtend. Het had iets langer geduurd dan ze in eerste instantie hadden gedacht, maar de kliniek in Marbella had begrip getoond.

John Coltrane blies luid en hoog van *A Love Supreme*, een hogere liefde.

Winter stond op en liep naar de hal, waar hij Lilly midden in een pas opving.

'Bedtijd, meisje.'

Later die avond sprak hij kort met Halders.

'Niet bellen tenzij het puur privé is,' zei Halders.

Winter lachte.

'Ik maak geen grapje, Erik.'

'Ik wil je niets afnemen, Fredrik.'

'Er is ook niet veel meer,' zei Halders.

'Hoe gaat het met Börge?'

'Laat het toch los.'

'Dat probeer ik ook.'

'Hij zegt dat hij alles heeft gedaan wat hij moest doen,' zei Halders.

'Niet echt,' zei Winter.

'Wil je dat ik hem daaraan herinner? Dat hij bij jou faalde? En bij de jongen? Hij had ook plannen voor de jongen.'

'Bij mij faalde hij niet,' zei Winter.

'Dan hadden we dit gesprek nu niet gehad,' zei Halders.

'Het is geen jongen,' zei Winter. 'Niet meer.'

'Dat ben ik met je eens,' zei Halders.

'Ik heb hem vanochtend gebeld,' zei Winter. 'Het is een eenzame vent. Paula was iets bijzonders voor hem geworden.'

Halders zei niets.

'Voor hem is het nog niet voorbij, Fredrik.'

'Nee. En ik ben niet van plan hem los te laten.'
'Dat weet ik.'
'Mario ook niet.'
'Dat weet ik ook.'
Winter hoorde de waterkraan in de keuken lopen. Tien tellen later kwam Angela de kamer binnen en ging op de bank zitten. Ze had haar ochtendjas aan, en dat was heel toepasselijk. Het duurde niet lang voordat het ochtend was.
'Börge vond haar zwakke plek via die twee kinderen,' zei Winter in de hoorn.
'Hm.'
'Paula was het ... middelpunt. Ze was het bewijs dat iedereen hem in de steek had gelaten. Haar bestaan bewees dat.'
'Ja.'
'Maar het was meer dan dat.'
'Ja.'
'Tot horens, Fredrik.'
'Pas goed op jezelf, Erik, en op je gezin.'

Nog later die nacht herinnerde Winter zich zijn gedachten toen hij op de vloer van kamer nummer 10 had gelegen. Hij wilde er niet aan denken, maar dat zou hij de komende maanden wel blijven doen.
'Er is een Zweedse kerk in Fuengirola,' zei hij.
Angela keek op. Ze waren nog niet naar bed gegaan. Misschien zouden ze hier blijven zitten tot het tijd was om naar het vliegveld te gaan.
'Wil je daar trouwen?' vroeg hij.
'Met wie?' vroeg zij.
'Met mij, dacht ik zo.'

Dankwoord

Op deze plaats wil ik Torbjörn Åhgren, hoofdinspecteur bij de recherche, bedanken; hij heeft het manuscript gelezen en nuttige opmerkingen geplaatst. Mijn dank gaat ook uit naar Lars Björklund, hoofdinspecteur bij de recherche, voor alle hulp door de jaren heen.